트로트 완전 정복

트로트 완전 정복

발　행 | 2024년 5월 28일
저　자 | 엄승민
펴낸이 | 한건희
펴낸곳 | 주식회사 부크크
출판사등록 | 2014.07.15.(제2014-16호)
주　소 | 서울특별시 금천구 가산디지털1로 119 SK트윈타워 A동 305호
전　화 | 1670-8316
이메일 | info@bookk.co.kr

ISBN | 979-11-410-8692-3

www.bookk.co.kr

트로트 완전 정복

엄승민 지음

CONTENT

기본 스텝 & 기본 동작

3. 트로트 루틴

4. 트로트 초 · 중급

5. 트롯 왈츠

6. 트롯 탱고

춤사위가
바람결처럼 스친다.
가볍게 한 포즈 한 동작이 연결되나 오랫동안
질곡(桎梏)의 늪 속에 빠져있다.
더 빠른 템포-
환희, 희열로 충만하다.
대단원의 막은 내렸다.

오선지의 숱한 음표들
그들은 복잡하게 얽혀 있었다.
그러나
나의 바이올린은 부드럽게,
때로 격정(激情)스런 선율을 자아내며
아름다움을 구사해 갔다.

머리말

댄스 자격증

제KQA-J10-06-L-0394호

자 격 증

성 명 : 엄 승 민
주민등록번호 :
주 소 :
자 격 명 : Latin American Dancing Associate
유 효 기 간 : 2006. 3.12-2009. 3.11

위 사람은 교육부소관 공익법인KQA인증자격관리기관(사단)대한댄스스포츠총연합회 자격검정시험에서 상기종목을 합격하였기에 자격증을 인증 발급함.

2006년 3월 12일

제2001-4호
社團法人 大韓댄스스포츠總聯合會總裁

認證機關
社團法人 韓國民間資格協會長

제J10-06-L-0394호

資格認證書

資格管理者 : (사단)대한댄스스포츠총연합회

姓 名 : 엄 승 민
住民登錄番號 :
資 格 名 : 라틴아메리칸댄싱 초급
分 野 : 사회체육
有 效 期 間 : 2006. 3.12-2009. 3.11

위 사람은 上記 資格管理者가 實施한 所定의 檢定을 거쳐 資格을 取得하였음을 認證합니다.

社團法人 韓國民間資格協會長

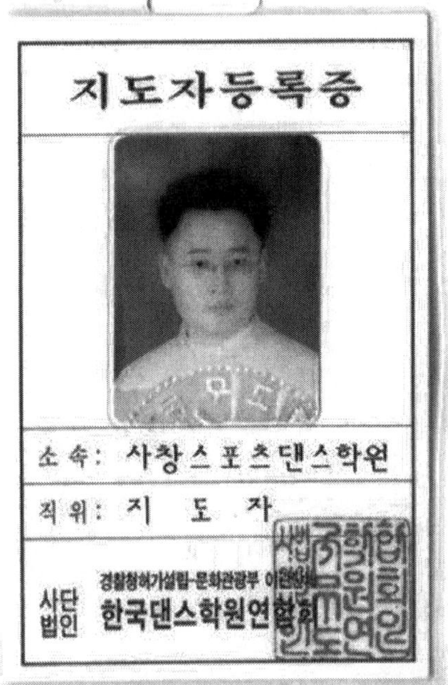

지도자등록증

소 속 : 사창스포츠댄스학원
직 위 : 지 도 자

경찰청허가설립·문화관광부 이관승인
사단법인 한국댄스학원연합회

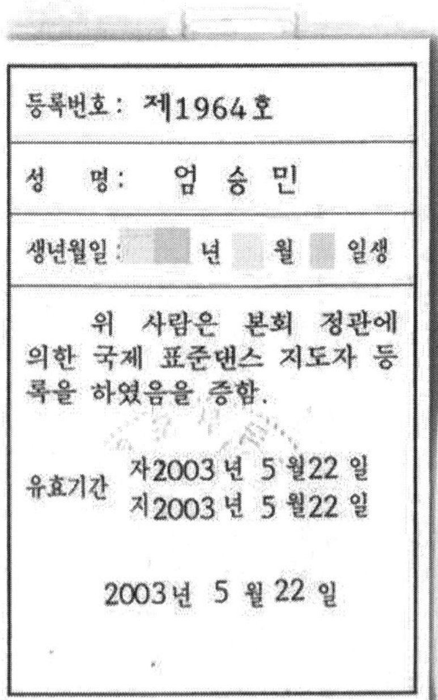

등록번호 : 제1964호
성 명 : 엄 승 민
생년월일 : 년 월 일생

위 사람은 본회 정관에 의한 국제 표준댄스 지도자 등록을 하였음을 증함.

유효기간 자2003년 5월22일
지2003년 5월22일

2003년 5월 22일

작가 저서

꿈결 속의 메모리

잊혀진 시간의 노래

달콤한 리듬의 순간

시간을 담은 풍경

기타 외 다수

자이브 59가지 완전 정복

자이브 52가지 해설지

지루박 1000가지 완전 정복 I

블루스 350가지 완전 정복 I

족형도로 배우는 사교댄스(지르박, 블루스, 트로트)

트로트 완전 정복

알기 쉽게 풀이한 댄스 용어

라틴댄스 루틴 사전

모던댄스 루틴 사전

댄스스포츠 자격증 예상 문제(자이브)

댄스스포츠 자격증 예상 문제(룸바)

댄스스포츠 자격증 예상 문제(차차차)

댄스스포츠 자격증 예상 문제(왈츠)

댄스스포츠 자격증 예상 문제(탱고)

기타 외 다수

예술 그리고 . . .

예술이란?

예술은 인류의 문화와 정체성을 깊이 있게 반영하며, 그 특성상 다양성과 창의성을 지닙니다. 미술, 음악, 문학, 연극, 춤 등 각각의 예술 분야는 그 자체로 고유한 아름다움을 지니고 있으며, 이를 통해 우리는 감정과 아이디어를 표현하고 공유할 수 있습니다.

미술은 형태와 색채를 통해 우리에게 새로운 시각을 제공합니다. 그림, 조각 등을 통해 예술가들은 우리의 눈을 놀라게 하고, 우리의 마음을 강렬하게 다루곤 합니다. 이들의 작품은 종종 우리의 감정과 생각을 자극하며, 우리에게 보이지 않았던 세계를 보게 해줍니다. 또한, 미술은 역사와 문화의 증거로서 우리에게 소중한 통찰력을 제공하기도 합니다.

음악은 우리의 감정을 표현하고 공유하는 강력한 도구입니다. 멜로디와 가사는 우리의 내면에 있는 감정을 활발하게 일으키며, 때로는 우리가 표현하기 어려웠던 감정들을 대신해줍니다. 다양한 음악 장르는 다양한 문화와 역사를 반영하며, 우리의 삶에 음악은 끊임없이 함께합니다.

문학은 언어의 아름다움과 힘을 보여주는 예술의 한 분야입니다. 소설, 시, 에세이 등을 통해 작가들은 우리에게 다양한 이야기를 전달하고, 새로운 세계를 열어줍니다. 그들의 글은 종종 우리의 시선을 바꾸고, 새로운 관점을 제시합니다.

연극과 춤은 우리에게 감동과 활력을 주는 공연 예술입니다. 배우들은 무대 위에서 이야기를 펼치며, 우리의 감정을 깊이 있게 다루곤 합니다. 또한, 춤은 우리의 몸을 통해 감정과 이야기를 표현하는 아름다운 형태입니다.

예술은 끝없는 창조의 과정이자 우리의 삶을 더욱 풍요롭게 만들어주는 영감의 근원입니다. 이것은 단순히 예술 작품들이 우리를 감동시키고 위로해 주는 것 이상의 의미를 지니고 있습니다. 예술은 우리의 사고와 감정을 확장시키며, 우리를 더 깊이 있는 존재로 만들어줍니다. 그래서, 예술은 우리 삶의 한 부분이 되어 풍요로움을 선사하는 것이 아닐까 싶습니다.

예술 역사

예술의 역사는 우리의 인류적 여정과 더불어 깊이 엮여 있습니다. 그 끝없는 여정은 우리의 문화와 삶의 진보를 증명하는 중요한 증거로 남아 있습니다.

고대 예술은 우리의 예술적 유산의 시작점으로, 동굴 벽화를 통해 그 역사를 펼쳐갔습니다. 선사시대의 예술은 주로 자연과 동물, 인간의 형상을 중심으로 펼쳐졌습니다. 이는 당시의 생활양식과 사냥의 중요성을 담아내어 특정 시대와 문화의 특징을 선명하게 보여주었습니다.

그 후로 고대 이집트, 메소포타미아, 그리스, 로마와 같은 고대 문명은 건축, 조각, 회화, 공예 등에서 놀라운 발전을 이루어냈습니다. 이집트의 피라미드, 그리스의 로도스, 크노소스, 테살로니키, 그리고 아테네의 아크로폴리스 등은 그 당시의 예술가들이 얼마나 창의적이고 기술적으로 뛰어났는지를 증명하는 증거로 남아 있습니다. 이들 문명은 예술을 통해 자신들의 정체성과 역사를 기록하고, 후세에 전하며 예술의 중요성을 강조했습니다.

중세 예술은 종교의 영향을 크게 받았습니다. 특히 기독교 교리를 전하고 성경 이야기를 소재로 한 예술 작품들이 두드러졌습니다. 성당과 교회는 벽화, 스테인드글라스, 조각상 등을 통해 성경 이야기를 시각적으로 전달하며 신앙심을 고취 시켰습니다. 이러한 중세 예술은 종교적인 신념과 상징을 중시하면서도 예술가들의 기교와 능력을 뽐내는 플랫폼이 되었습니다. 고대와 중세의 예술은 그 시대의 문화, 신념, 생활양식을 보여주는 중요한 역할을 한 것으로 여겨집니다. 이들은 우리에게 그 시대의 삶과 예술적 업적을 이해하는 기회를 제공하며 예술의 지속적인 발전과 진화를 이끌었습니다.

르네상스는 14세기부터 17세기에 걸쳐 유럽을 휩쓸었던 시기였습니다. 이탈리아를 중심으로 시작된 르네상스는 인간 중심주의와 과학, 예술, 문학의 발전을 가져왔습니다. 르네상스 예술가들은 현실의 모습과 관찰을 중시하며, 조명과 원근법 등을 사용하여 사실적이고 고급스러운 작품을 창조했습니다. 르네상스는 미술사에 있어서도 문화적 전환의 중요한 순간이었습니다.

18세기와 19세기는 혁명과 산업화의 바람을 타고 예술의 풍경이 크게 변화하는 시대였습니다. 이 시기에는 신고전주의, 로맨티시즘, 미술적 혁명 등 다양한 양식이 등장하여 예술의 지평을 넓혔습니다. 19세기 중반의 미술적 혁명은 화폭에 새로운 표현 수단을 도입하고 색채와 빛을 혁신적으로 다루어 사실적이고 현실적인 표현을 지향했습니다. 이는 뒤이어 나타날 인상주의와 같은 현대적 예술의 씨앗을 뿌리게 되었습니다.

20세기에 접어들면서 현대 예술은 더욱 다양한 흐름으로 발전하게 되었습니다. 추상-주의는 형상과 현실의 제약에서 벗어나 새로운 형태와 색채를 통해 예술을 탐험했습니다. 이 외에도 다양한 표현주의와 개념적 아트, 팝 아트 등 다양한 예술적 표현이 등장했습니다.

기술의 발전은 디지털 미디어 예술과 현대 전자 예술의 탄생을 이끌었습니다. 컴퓨터 기술과 디지털 매체의 등장으로 예술가들은 더욱 창의적인 방식으로 예술 작품을 창조할 수 있게 되었고, 예술의 영역은 더욱 확장되어 갔습니다.

이렇게 예술의 역사는 시대와 문화의 흐름을 반영하면서 계속해서 진화해왔습니다. 인류의 창조적인 노력과 상상력은 예술을 통해 끊임없이 새로운 이야기를 창조하고 있습니다.

예술과 댄스

예술과 댄스는 끊임없는 상호작용과 창의적 표현을 통해 인간의 정서, 아름다움, 인간성을 탐구하고 전달하는 예술 분야로, 깊은 감정과 정교한 기술을 통해 다층적인 메시지를 전달하는 동시에 시각적, 감각적 즐거움을 선사합니다.

댄스는 신체적 표현을 통해 음악이나 리듬에 맞춰 움직임으로서, 우리의 심미적 감각과 감정을 표현하는 예술 분야입니다. 다양한 형태의 댄스는 발레, 현대무용, 전통무용 등으로 구성되며, 이는 몸과 공간의 상호작용을 통해 힘과 유연성, 조화 등을 보여주어 감동과 미적 경험을 선사합니다. 댄스는 우리의 감정과 정서를 다층적으로 표현하며, 문화적, 심리적, 사회적 의미 및 창의성과 예술가의 개인적인 표현을 통해 개별적으로 고유한 메시지와 경험을 전달합니다. 이는 곧 특정 문화와 시대의 정신을 반영하고, 우리의 사회적 상황과 개인적 경험에 대한 표현으로서 중요한 역할을 합니다. 더불어 이러한 예술과 댄스의 다양성은 우리가 서로 다른 시각과 감정을 공유하며, 새로운 아이디어와 통찰력을 얻을 수 있는 다문화적 환경을 형성합니다. 끊임없는 창의력과 탐구 정신을 바탕으로, 예술과 댄스는 우리의 삶을 더욱 풍요롭게 만들어주는 예술적 표현의 미학을 구축하고 발전시키며, 우리에게 깊은 인사이트와 아름다움을 선사하는 예술 분야로 자리매김하고 있습니다.

댄스와 음악

댄스와 음악은 우리 문화와 삶에서 끊임없이 공존하며, 인간의 감정과 정서를 표현하고 공유하는 강력한 수단으로서 자리매김하고 있습니다. 이 두 예술 분야는 서로를 보완하며 하나의 작품으로 결합 될 때 우리에게 새로운 경험과 감동을 선사합니다. 음악은 우리가 매일 삶 속에서 경험하는 리듬과 멜로디의 조합으로, 자연스럽게 우리의 감정을 움직이고 표현합니다. 인간의 감정과 경험을 음악을 통해 전달하는 것은 오랜 전통을 가지고 있으며, 각 시대의 음악은 그 시대의 문화와 사회적 상황을 반영합니다. 음악은 다양한 장르와 스타일을 가지고 있으며, 클래식부터 팝, 재즈, 락, 힙합, 전통음악 등 다양한 형태로 발전해 왔습니다.

댄스는 음악의 리듬과 운동의 조화를 통해 감정과 에너지를 표현하는 예술 분야로, 음악의 감정을 신체적으로 표현하고 확장합니다. 다양한 춤의 형태와 스타일은 문화적, 역사적 배경을 반영하며, 그에 따라 춤은 고유한 독특한 특성을 지니고 있습니다. 무용은 공간과 시간을 이용하여 우리의 감정과 아이디어를 형상화하며, 관객에게 감동과 흥미를 제공합니다. 댄스와 음악은 종종 서로를 이해하고 통합하여 공연과 공연 예술로 형성됩니다. 무용의 움직임은 음악의 리듬과 멜로디에 맞추어 상상력을 자극하고, 관객들에게 깊은 감정적 경험을 선사합니다. 또한, 댄스와 음악은 창의적인 표현의 수단으로서 자유로운 예술적 탐구를 허용하며, 이를 통해 우리의 시각을 넓히고 새로운 시각을 제시합니다. 이 두 예술 분야는 우리의 삶과 문화를 함께 이끌어가며, 예술가와 관객 간의 상호작용을 통해 새로운 아이디어와 창의성을 발전시킵니다. 음악과 댄스는 다양성과 창의성을 지닌 예술 분야로서, 우리의 삶에 끊임없는 영감과 풍요로움을 제공하며, 무한한 가능성과 기회를 제공합니다.

댄스 음악

댄스 음악은 움직임에 기반한 음악으로, 일정한 비트와 강조된 리듬이 그 특징입니다. 춤을 출 때에 최적화된 구조와 템포로 조성되어 있으며, 각 댄스 스타일은 고유한 형태와 특성을 갖추고 있습니다. 이 음악은 춤추는 데 이상적으로 적합하도록 설계된 음악으로서, 사람들이 춤을 즐기고 움직이기 좋도록 설계된 음악이랍니다.

멜로디의 몸짓: 음악의 매혹적인 소리를 표현하는 춤의 예술

가. 리듬의 사계절: 카운트에 따라 춤의 분위기와 에너지가 변하는 음악적 춤의 시간여행

춤에서 카운트는 핵심적인 역할을 합니다. 이것은 음악의 비트와 리듬에 따라 움직임을 조절하는 것을 의미하며, 춤의 각 부분을 음악의 구조와 일치시키는데 사용됩니다. 이런 조화는 춤의 감정과 표현을 강화하고, 관객에게 음악과 춤의 완벽한 조화를 전달하는 데 도움이 됩니다. 카운트를 통해 춤은 음악의 흐름을 따라가며 음악적인 요소와 연결되어 더욱 감미롭고 아름다운 예술로 완성될 수 있습니다.

1. **음악적 정렬:** 음악과 춤은 서로 깊은 유대를 맺고 있습니다. 춤은 음악의 박자와 조화롭게 어우러져 움직임을 형성하는데, 이는 마치 춤의 각 동작이 음악의 비트에 맞춰 정확하게 배열되는 것과 같은 느낌을 줍니다. 댄서들은 음악의 구조와 리듬을 읽어내어 움직임을 표현함으로써 흐름과 조화를 창출합니다. 음악은 시간과 공간을 통해 감정과 이야기를 전달하는 매체입니다. 그리고 춤은 이러한 음악의 메시지를 시각적으로 표현하는 예술입니다. 음악은 주로 박자, 리듬, 음높이 등의 다양한 요소들로 이루어져 있는데, 이러한 음악의 특성들이 춤의 움직임에 영감을 주며 춤은 이러한 음악적 특징들을 반영합니다. 댄서들은 음악의 비트에 맞춰 움직이면서, 음악의 섹션과 구조를 인지하고 그에 맞게 춤의 동작을 조절합니다. 예를 들어, 빠르고 활기찬 음악일수록 빠른 움직임이 주를 이루며, 더욱 느린 부분에서는 더 부드러운 움직임이 표현될 수 있습니다. 또한, 음악의 고조와 클라이맥스에는 춤도 더욱 강렬하고 힘 있는 움직임으로 표현될 수 있습니다. 댄서들은 뿐만 아니라,

춤을 창작하는 사람들도 음악의 구조를 이해하고 춤에 반영합니다. 음악의 박자와 선율, 그리고 감정의 전달 등을 춤의 움직임에 담아내기 위해 춤을 구성합니다. 이렇게 함으로써 춤은 음악과 조화롭게 어우러져 더욱 강력한 메시지와 아름다움을 전달합니다. 음악적 정렬은 춤과 음악 간의 완벽한 조화를 의미합니다. 음악이 춤의 밑바탕이 되어 춤의 움직임을 이끌어-내고, 춤은 음악을 시각적으로 표현하여 서로를 보완하고 조화롭게 어우러지는 것입니다. 이러한 음악과 춤의 상호작용은 무대 위에서 아름다운 공연을 만들어내는 데 중요한 역할을 합니다.

2. **리듬의 구획:** 리듬적 구획은 춤에서 음악의 특정한 부분을 나누고 이해함으로써 춤의 다양성과 표현력을 향상시키는 중요한 요소입니다. 이것은 음악의 템포, 박자, 그리고 음악적 구조를 춤에 반영하는 것을 의미합니다. 카운트는 음악을 분석하고 춤을 조절하는 데 사용되는 기본적인 단위입니다. 음악의 박자에 따라 카운트는 일정한 간격으로 나눠지며, 춤에서 이를 활용함으로써 춤의 움직임을 음악과 조화롭게 만들어냅니다. 또한, 리듬적 구획은 춤의 다양한 부분을 연결하는 데도 중요한 역할을 합니다. 음악적인 섹션 간의 전환 또는 음악의 구조적인 특징을 이해하고, 이를 춤으로 표현하는 것이 리듬적 구획의 핵심입니다. 예를 들어, 음악적으로 감정이 고조되는 부분에서는 춤도 더욱 강렬하고 에너지 넘치는 움직임을 통해 이를 반영할 수 있으며 춤을 표현하고자 하는 메시지나 감정을 음악과 연결시키는데 중요한 역할을 합니다. 춤이 음악과 조화롭게 어우러지고 템포에 맞춰 움직임을 제어함으로써, 춤은 보다 풍부하고 감동적인 경험을 제공하며 관객들에게 다양한 감정과 이야기를 전달합니다.

3. **정확성과 일관성의 중요성:** 카운트는 춤에서 정확성과 음악과의 일관성을 유지하는 핵심적인 요소 중 하나입니다. 댄서들은 음악의 구조와 카운트를 정확하게 이해하여 이를 춤에 반영함으로써, 춤의 정확성과 음악과의 일관성을 제공합니다. 카운트는 음악의 박자와 템포에 맞춰 춤의 움직임을 제어하고 조정하는데 사용됩니다. 댄서들은 음악에서 특정한 비트와 섹션을 파악하여 그에 맞는 카운트를 사용하여 춤을 조정합니다. 이는 춤이 음악과 함께 조화롭게 흘러가도록 도와주며, 관객들에게 일관된 음악적 경험을 전달합니다. 정확한 카운트는 춤의 정밀성과 조화를 높여줍니다. 음악의 구조를 이해하고 그에 맞게 카운트를 따라 춤을 출수록, 춤은 더욱 음악적이고 감동적인 표현을 할 수 있습니다

나. 음악의 숨결: 레가토한 우아함의 춤

이는 음악에서의 레가토처럼, 각 동작이 부드럽게 연결되어 움직임이 흐르는 것을 의미합니다. 춤에서의 레가토는 각각의 동작이 자연스럽게 이어져 전체적인 움직임이 조화롭게 느껴지도록 표현됩니다. 이는 댄서가 음악의 선율과 템포에 맞춰 부드럽고 유연한 움직임으로 각각의 동작을 연결하여, 끊김 없는 흐름을 만들어냅니다. 이런 방식으로 레가토는 춤에서 부드러움과 음악과의 조화로운

연출을 가능하게 합니다.

1. **음악적 유연성을 갖춘 액션:** 레가토한 액션은 음악적 유연성과 부드러운 움직임을 강조하는 춤의 특성을 지니고 있습니다. 이는 댄서의 몸이 부드럽고 자연스럽게 연결된 움직임을 표현하는 것으로, 동작들이 서로 자연스럽게 이어지며 흐름이 끊김 없이 이어지는 것을 의미합니다.

레가토는 음악의 각 음표나 구간을 부드럽고 연결된 움직임으로 표현함으로써 춤의 표현력을 극대화합니다. 이러한 부드러운 움직임은 댄서가 음악의 감정과 선율을 섬세하게 전달할 수 있는 기회를 제공하며, 아름다운 동작들을 강조하여 관객에게 더욱 깊은 감동을 전달하며 단순히 춤의 기술적인 면에 그치지 않고, 음악과의 조화를 통해 춤의 예술적인 면모를 강조합니다. 이는 댄서가 음악을 흐름에 맞게 자연스럽게 따라가며 춤을 연출함으로써, 음악적인 감정과 메시지를 몸으로 표현하는 데 큰 도움을 줍니다. 따라서, 레가토한 액션은 춤의 표현력을 향상시키고 아름다운 움직임을 강조하여 관객들에게 깊은 감동을 전달하는 데 중요한 역할을 합니다.

2. **부드러운 흐름의 댄스:** 부드러운 흐름의 댄스는 그 자체로 아름다움과 우아함을 추구하는 예술적인 표현입니다. 레가토는 이러한 댄스에서 핵심적인 역할을 하며, 그 의미는 음악의 부드러운 음표와 유사한 움직임을 통해 춤의 전체적인 일관성과 아름다움을 높이는 것입니다. 이러한 댄스는 명료하게 정의된 춤의 시작과 끝을 갖추고 있지만, 중간의 움직임은 부드럽고 유기적인 형태를 띠고 있습니다.

레가토한 댄스에서 동작은 음악의 부드러운 선율과 조화를 따라가며 흐름 속에서 자연스럽게 이어지는 특징을 갖춥니다. 각 동작은 끊김 없이 서로 연결되어 춤사위를 자연스럽게 유지하며, 이는 전체적인 우아함과 일관성을 형성하는 데 기여합니다. 이러한 부드럽고 연결된 움직임은 댄서의 신체언어를 통해 음악과의 조화를 극대화하며, 그 결과로 춤의 예술적인 품격을 한층 높입니다. 레가토한 댄스는 순간의 아름다움 뿐만 아니라, 춤의 전반적인 흐름 속에서 깔끔하고 섬세한 움직임을 통해 감동적인 예술 경험을 창출합니다.

3. **그림자와 빛처럼 서로 보완되는 액션:** 레가토한 액션은 댄스에서 서로 보완되며 조화롭게 움직이는 모습과 유사합니다. 이것은 춤의 표현력을 높이고 댄서의 우아한 흐름을 부드럽게 만들어줍니다. 레가토한 액션은 댄스의 우아함과 아름다움을 강조하는 데 중요한 움직임 기법이며 댄서가 음악의 부드러운 음표와 조화를 표현하면서, 각 동작이 서로를 보완하고 조화롭게 어우러지도록 돕습니다. 이는 춤의 표현력을 향상시키고, 댄서의 움직임을 부드럽고 우아하게 만들어줍니다.

레가토한 액션은 댄스의 우아함과 아름다움을 강조하는 중요한 움직임 기법으로써 극대화된 표현력을 제공합니다.

다. 음악의 강약: 스타카토한 액션의 댄스 퍼포먼스

스타카토는 댄스에서 각 동작이 강조된, 빠르고 선명한 형태로 나타나는 기술을 가리킵니다. 이는 음악에서 스타카토가 음표를 강조하는 것과 유사하게, 댄서가 각 움직임을 선명하고 명확하게 표현하는 것을 의미합니다. 춤에서의 스타카토는 동작들을 뚜렷하게 드러내며 빠른 템포와 정확성을 강조하여 춤의 표현력을 높입니다.

1. **단호한 움직임:** 스타카토한 액션은 댄스에서 동작 간의 간격화와 효과적인 행동을 강조하는 독특한 특성을 지닙니다. 댄서는 각 동작을 명료하게 드러내고, 그 사이의 간극을 강조하여 명확한 리듬과 결정적인 효과를 도출합니다. 이러한 스타카토한 움직임은 신속하고 정교한 액션을 통해 춤의 감정과 집중력을 향상시킵니다. 또한, 스타카토한 액션은 댄스의 강렬한 표현과 정확성을 결합하여 춤을 더욱 감성적이고 뚜렷하게 보여주는 데 중요한 역할을 수행합니다. 댄서의 예술적인 미학을 강조하면서 동시에 관중들에게 놀라운 시각적 효과를 선사하여 춤의 높은 예술성을 부각시킵니다.

스타카토한 액션은 댄서의 정확하고 뚜렷한 동작을 통해 예술적 표현의 섬세함을 강조하면서 동시에 강렬한 감정의 전달을 위한 강력한 수단으로 작용합니다.

2. **강렬한 각 동작의 표현:** 스타카토는 댄스에서 음악의 단호한 음표와 같은 각 동작의 강력한 표현을 의미합니다. 댄서는 각각의 움직임을 명확하게 드러내며, 강조된 액션들을 명확하게 강조하여 보여줍니다. 이러한 스타카토한 액션은 댄스의 감정과 표현력을 강화시키며, 댄서의 강렬한 퍼포먼스를 부각시킵니다. 스타카토한 댄스에서 각 동작은 음악의 단호한 음표처럼 강하고 선명하게 표현됩니다. 댄서는 정확하고 강렬한 동작으로 각 액션을 강조하며, 간격을 명확히-하여 흐름을 뚜렷하게 표현합니다. 이는 댄서가 더 강렬한 퍼포먼스를 제공하고, 댄스의 감정을 더욱 극대화하는 데 도움이 됩니다.

3. **선명한 움직임과 감정의 강도:** 스타카토한 액션은 댄스에서 각 동작을 선명하게 표현하는 것을 의미합니다, 마치 화가가 그림에서 선을 강조하는 것과 같이요. 각 동작은 집중된 에너지와 명확한 의도를 담아내며, 흐름과 감정의 강도를 강조하여 춤의 표현을 높이는 데 중요한 기법으로 사용됩니다. 이것은 댄스에 집중된 힘과 정확성을 부여하여 댄서가 자신의 감정과 목적을 강력하게 전달할 수 있게 합니다. 이는 댄서가 에너지를 집중시켜 각각의 동작을 더욱 정확하게 완성하며, 춤의 표현력을 높여줍니다. 각 동작이 뚜렷하게 드러남으로써 관객에게 감정과 메시지를 강하게 전달할 수 있게 해줍니다.

라. 시간의 흐름: 루바토한 춤의 자유로운 표현

시간의 조절과 감정적인 표현을 통해 움직임을 자유롭게 변화시키는 것을 의미합니다. 춤에서의 루바토는 댄서가 움직임의 속도와 강도를 조절하여 표현의 다양성을 높이는 기술로, 음악적인 흐름과 감정을 춤에 반영하는 중요한 방법 중 하나입니다.

1. **감정적 표현을 풍부하게 하는 액션:** 루바토한 액션은 댄서가 음악의 템포나 속도를 조절하여 움직임에 다양한 감정과 표현을 더해주는 기술입니다. 이는 음악에서의 루바토가 속도와 템포를 가변적으로 다루는 것과 유사합니다. 댄서는 움직임의 속도나 강도를 변화시켜 풍부한 표현을 만들어냅니다. 이는 춤을 통해 다양한 감정을 표현하고 음악적인 흐름을 따라가며 춤을 아름답게 표현하는데 큰 도움이 됩니다. 댄서는 각각의 움직임을 자유롭게 조절하여, 음악과 함께하는 순간마다 다른 감정과 표현을 나타내며 관객에게 다채로운 감동을 전달합니다. 이렇게 루바토한 액션은 댄스의 감정적 표현을 풍부하게 해주고, 댄서의 연출력과 표현력을 더욱 높여줍니다.

2. **감정적 요소에 맞게 조절되는 움직임:** 루바토한 액션은 댄스에서 감정을 강조하기 위해 움직임을 조절하는 것을 의미합니다. 이는 각 움직임의 지속시간을 조절하여 음악의 감정적인 부분에 맞추어 움직임을 조절하는 것으로, 댄스의 표현력과 감정전달에 중요한 역할을 하며 일부 움직임을 지연하거나 가속화시켜 감정을 표현하고 강조하는데 도움이 됩니다. 댄서는 음악의 감정적인 부분에서 움직임을 조절함으로써 관객에게 더 깊은 감정을 전달하고 춤의 의미를 더욱 명확하게 표현합니다.

3. **음악과 감정을 조화롭게 표현하는 동작:** 루바토한 액션은 음악과 감정을 조화롭게 표현하기 위해 속도와 리듬을 가변적으로 다루는 것과 유사합니다. 댄서는 움직임의 흐름과 감정을 조율하여 음악과 어우러지며, 더욱 풍부한 춤의 표현을 제공합니다. 이는 마치 댄서가 음악의 감정과 함께 움직이며, 그 안에서 자유롭게 감정을 표현하는 것과 같은 느낌을 줍니다.
댄서는 음악의 감정과 어우러지며, 각 음악의 선율이나 감정에 맞추어 움직임을 조율하여 표현합니다. 이것은 마치 댄서가 음악과 함께 공존하며, 음악 속의 감정을 몸으로 표현하는 것처럼 느껴집니다. 루바토한 액션은 춤의 표현력을 높여주며, 음악과 댄스가 조화롭게 어우러져 관객에게 더욱 풍부한 감정과 메시지를 전달하는 데 도움을 줍니다.

Elements of Dance(엘리먼츠 어브 댄스)

댄스의 요소(elements of dance)는 모든 춤의 움직임을 이루는 부분이거나 구성 요소입니다. 예를 들어, 공간, 시간, 바디, 에너지 등이 이에 해당합니다. 댄스의 요소(elements of dance)는 크게 다음과 같이 분류됩니다:

가. 바디:

1. **라인(Line):** 라인은 댄서의 바디 형태, 자세, 그리고 공간 내에서의 위치를 의미합니다. 바디 라인은 춤의 아름다움과 우아함을 결정짓는 중요한 요소 중 하나입니다. 예를 들어, 스트레칭과 자세 교정을 통해 바디 라인을 강화하고, 춤을 추는 동안 댄서의 자세와 위치를 조절하여 춤의 미적인 효과를 높일 수 있습니다.

2. **밸런스(Balance):** 밸런스는 중심을 잡고 움직임을 조절하는 능력을 의미합니다. 춤을 추는 과정에서 몸의 중심을 유지하고, 여러 동작을 수행하는 동안 안정감 있는 밸런스를 유지하는 것이 중요합니다. 이는 춤을 통해 표현되는 동작의 안정성과 정확성에 직접적으로 영향을 미치며, 댄서가 공간을 활용하고 다양한 동작을 자유롭게 표현하는 데 큰 영향을 줍니다.

3. **동작(Action):** 동작은 춤의 형태와 스타일을 결정합니다. 각각의 동작은 특정한 의도나 감정을 전달하고, 춤을 더욱 풍부하고 다채롭게 만들어냅니다. 동작은 다양한 기술과 스텝을 포함하며, 댄서의 감정과 음악에 맞춰 자유롭게 변화할 수 있습니다. 춤의 감정과 메시지를 전달하는데 있어 동작은 핵심적인 역할을 담당합니다.

나. 공간:

1. **방향(Direction):** 춤에서 방향은 댄서가 이동하거나 특정 동작을 수행하는 방식을 가리킵니다. 전진, 후진, 좌우 이동뿐만 아니라, 대각선으로의 이동, 회전, 반발 등 다양한 방향성을 포함합니다. 방향은 춤의 흐름과 무대 공간을 활용하는 데 중요한 역할을 합니다.

2. **크기(Size):** 크기는 댄서의 움직임이나 동작의 범위를 나타냅니다. 춤에서 크기는 움직임이 작고 섬세하거나 크고 화려할 수 있습니다. 크기는 댄스의 표현력을 높여주며, 춤을 추는 과정에서 감정이나 음악의 강도에 따라 변화할 수 있습니다.

3. **레이아웃(Layout):** 레이아웃은 댄스하는 공간의 활용과 배치를 의미합니다. 무대의 크기, 춤을 추는 영역, 댄서들 간의 거리 등이 레이아웃에 해당합니다. 레이아웃은 춤의 구성과 연출에 영향을 미치며, 무대를 효과적으로 활용하여 댄스를 표현하는 데 중요한 역할을 합니다.

다. 시간:

1. **비트(Beat):** 비트는 음악의 리듬과 타이밍에 맞춰 움직임을 결정합니다. 음악에서의 비트는 규칙적인 진동이며, 이것이 춤추는 사람의 움직임과 연결됩니다. 춤추는 사람은 비트에 맞춰서 발걸음, 손의 움직임, 몸의 동작 등을 조절하여 음악과 함께 움직입니다.

2. **템포(Tempo):** 템포는 음악의 속도나 빠르기를 나타냅니다. 춤의 템포는 음악의 속도와 일치하거나 그에 대비하여 다양한 템포로 춤을 표현할 수 있습니다. 다양한 템포에서 춤을 표현하는 것은 춤추는 사람의 기술과 다양성을 나타내는 중요한 요소 중 하나입니다.

3. **딜레이(Delay):** 딜레이는 움직임을 지연하거나 빠르게 하는 것을 의미합니다. 춤추는 사람은 음악의 특정한 부분에 맞춰 딜레이를 주거나, 반응 속도를 빠르게 하는 등의 템포의 변화를 통해 춤을

표현하고 다채롭게 만들어냅니다. 딜레이는 춤의 다양성과 표현력을 높이는 데에 중요한 역할을 합니다.

라. 에너지:

1. **포스**(Force): 포스는 댄서의 움직임의 강도나 강렬함을 나타냅니다. 댄서는 춤을 통해 감정이나 메시지를 표현할 때, 그 움직임에 포스를 더하거나 줄일 수 있습니다. 춤의 포스는 움직임에 에너지를 부여하고 댄서의 힘과 열정을 나타내며, 관객에게 더 강한 메시지를 전달하는 데에 도움을 줍니다.

2. **플로**(Flow): 플로는 움직임이 부드럽고 연결되어 있는지를 나타냅니다. 댄서는 서로 다른 동작이나 스텝을 부드럽고 자연스럽게 연결하여 춤을 표현합니다. 플로는 움직임의 연속성과 조화를 의미하며, 그것이 춤의 우아함과 아름다움을 높입니다.

3. **표현**(Expression): 표현은 댄서의 감정이나 의도가 얼마나 잘 전달되는지를 나타냅니다. 춤추는 사람은 음악이나 춤의 컨셉에 맞게 감정을 표현하고, 관객에게 메시지를 전달합니다. 표현력이 뛰어난 댄서는 자신의 감정을 춤으로 표현하여 관객들에게 감동과 여운을 남기게 됩니다.

댄스는 이러한 요소들의 조합을 통해 예술적으로 표현되며, 댄서의 창의성과 기술을 통해 다양한 스타일과 형태로 발전해 왔습니다.

음악의 기본 3요소

음악과 춤 사이의 연결은 정말 놀라울 정도로 깊은 것 같습니가. 음악 없이 춤을 추는 것이 가능하긴 하지만, 음악은 춤의 본질과 정체성을 형성하는 데 중요한 영향을 끼칩니다. 춤을 추는 과정에서 음악은 이끌어주는 힘으로 작용하며, 춤의 리듬과 감정을 이끌어내기도 합니다. 음악은 춤을 출 때 기본적인 리듬과 타이밍을 제시해주는 것뿐만 아니라, 춤사위의 감정과 느낌을 전달하는데도 큰 역할을 합니다. 음악의 분위기나 감정이 춤의 움직임과 조화를 이루면, 그 춤은 더욱 섬세하고 감동적으로 표현될 수 있습니다.

댄스 고수들은 음악을 마치 연주하는 악기처럼 다룹니다. 음악의 리듬과 멜로디, 감정을 자신의 몸과 움직임으로 전달하고 음악과 조화를 이루기 위해 노력합니다. 음악을 타고 춤을 출 때, 그들은 음악의 감정과 흐름을 느끼며 그것을 자신의 움직임으로 표현하는 것이죠. 이렇게 음악을 춤과 함께 즐기고 타고, 음악에 대한 이해와 감성을 춤에 담아내는 것이 춤의 퀄리티를 높여주며, 보다 감동적이고 표현력 있는 춤사위를 만들어냅니다. 따라서 음악과 춤은 단순히 동반자가 아닌, 서로를 이끄는 동반자처럼 서로를 끌어올리고 풍부한 경험을 선사하는 요소로서 함께 어우러져야 한다고 생각합니다.

리듬

"리듬(Rhythm)"이라는 단어는 그리스어 "rhythmos"에서 유래했습니다. 이는 "흐름" 또는 "운동"을 의미합니다.

리듬은 음악의 핵심적인 구성 요소 중 하나로, 일정한 박자와 패턴을 갖춘 음악적 요소입니다. 음악에서의 리듬은 음표들 사이의 시간적인 간격과 강약의 차이를 나타내며, 음악의 움직임과 흐름을 결정짓습니다. 리듬은 음악적인 흐름과 패턴을 만들어내는데 사용되며, 음악의 박자를 형성하는 기초를 이룹니다. 음악에서의 리듬은 각 음표와 쉼표의 길이, 그리고 강약과 강도의 변화를 나타내어 음악의 다양한 텍스처를 형성합니다. 이러한 리듬은 음악의 다양한 섹션에서 사용되며, 특히 드럼, 타악기, 베이스 등의 리듬 악기를 통해 주로 표현됩니다. 또한, 리듬은 음악의 감정과 분위기를 강조하고, 청중의 주의를 집중시키는 데에도 사용됩니다.

리듬의 다양성은 음악의 장르와 스타일에 따라 크게 달라지며, 음악가들은 리듬을 통해 그들의 음악적 표현을 더욱 다채롭게 만들어냅니다. 그리고 음악에서의 리듬은 듣는 이들에게 춤추게 하고, 음악의 흐름을 따라갈 수 있도록 안내하는 역할도 합니다.

템포

템포는 음악에서 빠르기를 나타내는 것이죠. 이는 곡이 연주되거나 노래가 부를 때의 속도나 박자를 의미합니다. 노래나 악곡을 연주하는 속도가 빠를수록 높은 템포를 가지게 되고, 느린 속도일수록 낮은 템포를 갖게 됩니다. 템포는 음악의 움직임과 분위기에 큰 영향을 미치는데, 빠르고 활기찬 곡은 높은 템포를 가지며, 느린 곡은 낮은 템포를 가집니다. 이 템포 변화는 우리가 노래에 감정을 느끼고 음악에 맞춰 움직이는 데에도 영향을 미칩니다. 템포가 빠를수록 활기차고 흥겹게 느껴지는 반면, 느린 템포는 우아하고 조용한 느낌을 줄 수 있죠.

타임

타임은 음악적인 구조에서 중요한 부분 중 하나입니다. 이 용어는 음악의 구성과 박자 패턴을 이해하는 데 큰 역할을 합니다. 일반적으로 음악은 소절이나 구절 단위로 나뉘며, 각 구절은 특정한 수의 박자로 구성됩니다. 타임은 이러한 박자의 수를 나타내며, 그것이 한 소절의 길이나 박자 수를 가리킵니다. 가장 흔한 타임은 4/4 타임입니다. 이것은 한 소절이 4개의 박자로 이루어져 있음을 의미합니다. 4/4는 가장 보편적이며, 많은 음악 장르에서 사용됩니다. 또한, 3/4 타임, 6/8 타임 등도 있으며, 각각의 타임은 고유한 박자 패턴과 음악적 느낌을 제공합니다.

타임은 음악을 이해하고 연주하는 데 있어서 매우 중요합니다. 음악가들은 음악 시트를 통해 어떤 타임으로 음악이 구성되어 있는지 파악하고, 그에 맞춰 연주하게 됩니다. 이것은 음악을 더 자연스럽게 흘러가게 하고, 리듬을 제대로 이해하게 해줍니다. 또한, 춤추는 데에도 중요한 개념입니다. 춤을 출 때 음악의 타임에 맞춰 움직이는 것이 중요하며, 음악의 박자에 맞춰 리듬을 타는 것이 춤의 자연스러움과 아름다움을 만들어냅니다. 그렇기에 음악의 타임을 이해하고 박자에 맞춰 음악을 연주하거나 춤추는 것은 음악적인 경험을 더욱 풍부하고 재미있게 만들어줍니다.

박자

"박자"는 음악에서 리듬적인 요소를 나타내는 용어로, 그 유래는 다양한 문화와 시대에 걸쳐 다양한 발전을 거쳐왔습니다.이 용어의 기원은 중세 라틴어 "pulsare"에서 유래했는데, 이는 "때리다" 나 "두드리다"라는 의미를 갖고 있습니다. 음악에서의 박자는 마치 음악적인 "두드림"으로서, 음악의 시간적인 흐름을 나타내고, 음표들의 상대적인 강약을 규정하는 중요한 개념으로 사용됩니다. 또한, 다양한 문화와 음악적 전통에서도 유사한 개념이 존재하며, 음악에서의 리듬과 시간 간격을 표현하는데 사용됩니다.

박자는 음악에서의 시간적인 구성과 흐름을 정의하는 데 중요한 역할을 하며, 음악의 템포와 구조를 형성하는 데 기여합니다. 이는 음악의 특정한 섹션에서 강조되거나 변화되어 특정한 감정이나 에너지를 전달하기도 합니다. 이러한 박자의 역할은 음악의 다양한 장르와 스타일에서 중요한 역할을 하며, 음악의 미적 요소를 형성하는 데 크게 기여하고 있습니다. 박자는 음악의 핵심적인 기반 중 하나로, 음악의 측정 단위로서, 주로 박자 형식으로 나타내어집니다. 이는 음악 작곡 및 연주에서 시간의 흐름과 구조를 파악하는데 도움을 줍니다. 보통 박자는 분당 박자 수(BPM)로 측정되며, 빠른 BPM은 빠른 템포를, 낮은 BPM은 느린 템포를 나타냅니다.

음악에서 박자의 강세와 약세는 음악의 감정과 에너지를 전달하는 데 중요한 역할을 하는데 강한 박자는 듣는 이들에게 활기찬 느낌을 주고, 약한 박자는 차분하고 조용한 느낌을 전달합니다. 이러한 다양한 박자 패턴은 음악의 다양성과 풍부한 감정을 형성합니다.

박자는 음악의 근간이자 건축물의 기초와 같은 역할을 하며, 음악의 템포, 구조, 그리고 연주의 일관성을 제공하여 음악의 전체적인 흐름을 안정시키는 중요한 구성 요소입니다.

댄스 11가지 요소

댄스는 다양한 측면을 포함하고 있어서, 다양한 요소들이 댄스를 형성합니다. 이 중요한 12가지 댄스 요소는 다음과 같습니다.

1. **리듬 (Rhythm):** 리듬은 댄스에서 중요한 핵심 요소 중 하나입니다. 음악의 리듬에 맞춰 움직

임을 조절함으로써 춤은 그 진가를 발휘합니다. 각각의 박자와 비트에 맞춰 정확하고 조화롭게 움직이는 것이 핵심입니다. 정확한 타이밍과 리듬은 춤의 흐름을 결정짓습니다. 댄서는 음악 속 리듬을 정확하게 파악하고, 그것을 몸으로 표현하여 음악과 하나가 되어야 합니다. 노래의 비트마다 움직임을 조율하고, 그 속에 자연스럽게 몸을 맞추어야 합니다. 리듬은 다양한 형태로 표현됩니다. 빠르거나 느린 리듬, 강한 비트와 부드러운 비트 등 각각의 음악적 특성에 따라 다양한 스타일로 표현됩니다. 또한, 다양한 춤의 장르마다 고유한 리듬 패턴과 특징이 있어서, 댄서는 그 춤의 특성에 맞춰 자신의 움직임을 조절하게 됩니다. 따라서 댄서는 음악의 리듬을 이해하고, 그것을 정확하게 따라가며 자신만의 감성과 스타일을 더해 춤을 완성시켜야 합니다. 이를 통해 춤은 보다 생동감 있고 아름다운 퍼포먼스로 완성됩니다.

2. **몸의 사용** (Body Movement): 몸의 사용은 춤에서 핵심적인 부분으로, 몸의 각 부위를 어떻게 활용하고 움직이는지가 춤의 아름다움과 감동을 결정짓습니다. 다리, 손, 머리, 체구 등 각 부분은 고유한 움직임과 기능을 갖고 있으며, 이들을 조화롭게 조작하면서 춤의 표현력과 아름다움을 창출합니다. 다양한 춤 스타일과 장르에서는 몸의 사용이 다르게 요구됩니다. 발레에서는 우아하고 부드러운 손과 다리 움직임이 중요하며, 힙합에서는 빠르고 선명한 다리와 팔 움직임이 중요합니다. 또한, 특정 춤에서는 상체의 움직임이 강조되기도 합니다. 몸의 각 부분은 다양한 움직임을 구사할 수 있습니다. 손가락의 움직임으로 섬세한 감정을 표현하거나, 다리의 스텝으로 리듬을 강조할 수 있습니다. 머리와 체구의 움직임은 춤의 에너지와 감정을 전달하는 데 큰 역할을 합니다.

몸의 사용은 조화롭고 유연한 움직임을 통해 춤을 완성합니다. 춤을 추는 동안 몸의 각 부분이 함께 조화를 이루어야 하며, 이를 통해 춤은 보다 효과적이고 아름다운 퍼포먼스로 완성됩니다. 춤은 몸의 언어로써 감정을 전달하고, 관객들에게 더욱 강력한 메시지를 전달할 수 있도록 합니다.

3. **스타일** (Style): 댄스의 매력 중 하나는 각각의 춤이 고유한 스타일과 특징을 갖고 있다는 것입니다. 힙합, 발레, 라틴, 재즈를 비롯한 다양한 댄스 스타일은 그들만의 독특한 움직임과 표현 방식으로 구별됩니다. 힙합은 다이내믹하고 에너제틱한 움직임으로 강한 비트에 맞춰 힙합 뮤직에 특유의 팝핑, 락킹, 브레이킹과 같은 스타일이 특징적입니다. 발레는 우아하고 정교한 움직임으로 유명하며, 세련된 포지션과 우아한 스타일입니다. 라틴 댄스는 열정적이고 감각적인 특징을 가지고 있습니다. 삼바, 차차차, 살사 등은 그들만의 화려하고 빠른 움직임으로 유명합니다. 재즈 댄스는 유연하고 유쾌한 스타일로, 리듬과 음악의 다양성을 표현하며 몸을 자유롭게 움직이는 것을 강조합니다. 각각의 댄스 스타일은 그들만의 고유한 특징을 가지고 있습니다. 춤의 특성과 음악의 스타일에 따라 움직임과 표현 방식이 달라지며, 이는 댄스가 다채롭고 다양한 예술 형태로 자리매김하는 데 기여합니다. 댄서들은 각각의 스타일에서 자신만의 개성을 발휘하며, 그 독특한 스타일을 통해 감정과 이야기를 표현합니다. 이처럼 댄스의 다양성과 스타일은 문화적인 다양성과 아름다움을 보여줍니다.

4. **프레이징** (Phrasing): 프레이징은 댄스에서 음악의 구조와 조화에 맞춰 움직임을 조절하는 것을 의미합니다. 춤을 추는 동안 음악의 구절, 섹션, 또는 패턴에 맞춰서 움직임을 조화롭게 연결하는 것이 중요합니다. 음악은 보통 구절과 섹션으로 나뉘어 있으며, 이에 맞춰 춤을 구성하고 표현합니다. 예를 들어, 음악의 서로 다른 부분에 따라 댄스의 속도, 움직임의 강도, 높낮이 등이 변화할 수 있습니다. 댄서는 음악의 각 구절에 어떤 움직임을 더해야 하는지를 이해하고, 그에 맞게 춤을 구성합니다. 프레이징은 춤의 다양성과 표현력을 높여줍니다. 음악의 다양한 부분에 따라 댄스의 변화와 다양성을 표현하여, 댄스가 단조로움을 벗어나 보다 풍부하고 다채로운 경험을 제공합니다. 음악의 구조와 조화를 이해하고 적절히 반영함으로써, 댄서는 음악과의 조화로운 연출을 완성시키며 관객들에게 더욱 흥미로운 공연을 선사합니다.

5. **포지션** (Position): 포지션은 춤을 추는 동안 댄서들의 몸의 위치와 자세를 의미합니다. 이는 춤을 출 때 댄서들이 취하는 자세와 공간에서의 위치를 나타냅니다.

댄스에서 올바른 포지션은 춤의 성격과 스타일에 따라 다르지만, 일반적으로 몸의 균형과 자세를 유지하는 것이 중요합니다. 발레에서는 '플리에'나 같은 특정한 발 배치나 자세를 요구하며, 라틴 댄스에서는 파트너와의 손잡이나 몸의 위치가 중요한 역할을 합니다.

파트너와의 상호작용에서는 춤을 추는 두 사람이 어떻게 서로의 움직임에 반응하고 소통하는지가 중요합니다. 스텝을 나누거나 스핀 같은 파트너 워크를 할 때, 올바른 포지션과 몸의 위치 조절이 필요합니다. 또한 춤의 공간에서의 배치 역시 중요합니다. 그룹 댄스에서는 서로 간섭하지 않으면서도 조화롭게 움직이기 위해 포지션을 유지하는 것이 중요합니다. 이는 춤의 흐름을 원활하게 하고 안전하게 춤을 추는 데 도움이 됩니다. 좋은 포지션은 춤을 보다 우아하고 조화롭게 만들어주며, 파트너와의 협력과 공간에서의 효율적인 이동을 도와줍니다. 그러므로 춤을 추는 동안 올바른 포지션을 유지하는 것이 중요합니다.

6. **테크닉** (Technique): 테크닉은 춤의 기술적인 면을 나타냅니다. 이는 춤을 출 때 정확한 자세, 움직임, 그리고 다양한 기술들을 포함합니다. 각각의 춤 스타일은 고유한 테크닉을 가지고 있으며, 이러한 테크닉을 통해 춤을 보다 전문적으로, 정확하게, 그리고 아름답게 추게 됩니다.

테크닉은 춤을 추는 데 필수적인 부분으로, 춤의 기초적인 요소들을 이해하고 적용함으로써 춤을 더욱 완벽하게 만들어줍니다. 라틴 댄스에서는 빠르고 정확한 힙 모션, 풋워크, 그리고 손의 위치 등이 중요한 테크닉입니다. 테크닉은 춤을 추는 데 있어서 기본적이면서도 중요한 요소이며, 연습과 꾸준한 훈련을 통해 테크닉을 향상시킬 수 있습니다. 올바른 자세와 움직임을 익힘으로써 춤을 더욱 자연스럽고 우아하게 표현할 수 있으며, 기술적인 면에서의 발전은 춤의 퀄리티를 높여줍니다.

7. **표현** (Expression): 댄스는 흔히 감정과 이야기를 표현하는 예술로, 댄서들은 몸의 언어, 표정,

그리고 감정적인 연출을 통해 감정과 이야기를 전달합니다. 표현은 춤의 핵심적인 부분 중 하나로, 댄서들은 자신의 내면을 춤을 통해 표출하고 관객들과의 감정적인 연결을 이룹니다.

댄서들은 몸의 움직임을 통해 다양한 감정을 전달합니다. 강렬한 움직임, 부드러운 흐름, 우아함, 혹은 감정적인 표현 등을 통해 노래의 감정적인 내용을 반영하고 표현합니다. 또한, 표정도 중요한 요소로, 눈의 표정, 입 모양 등을 통해 감정을 전달하며, 관객들과 감정적으로 소통합니다. 이러한 표현은 댄서의 개성과 연기력을 드러내는 부분입니다. 그들의 개인적인 경험, 감정, 그리고 이야기가 춤을 통해 전달되어 관객들과 공감하고 소통하게 됩니다. 표현은 종종 댄서의 창의성과 예술적인 자유로움을 보여주며, 춤이 보다 생동감 있고 감동적인 경험으로 다가오도록 합니다. 마지막으로, 표현은 춤의 고유한 매력을 만들어내며, 댄서들과 관객들 사이에 감정적인 연결과 소통을 조성합니다. 이는 춤을 더욱 눈에 띄게 만들어주며, 관객들에게 더 깊은 감동을 선사합니다.

8. **콤비네이션** (Combination): 콤비네이션은 댄스에서 여러 가지 움직임이 순차적으로 연결되어 완성되는 기술적인 요소를 나타냅니다. 이것은 단일한 동작이나 스텝이 아닌, 여러 동작들이 연결되어 춤을 구성하고 표현하는 방식입니다. 댄스에서 콤비네이션은 단순한 스텝이나 움직임의 연속이 아니라, 다양한 동작들의 조합과 연결로 이루어집니다. 이는 춤의 다양성과 표현력을 향상시켜주며, 댄서들이 음악의 리듬과 구조를 잘 이해하고 그에 맞춰 움직임을 조화롭게 연결하는 것을 요구합니다. 또한, 다양한 스텝, 턴, 슬라이드와 같은 다양한 동작을 순차적으로 연결하여 춤을 완성하는 과정입니다. 이는 춤의 흐름을 만들어내며, 댄서들이 자신의 창의성과 기술을 보여줄 수 있는 중요한 요소입니다.

댄서들은 연습과 훈련을 통해 다양한 콤비네이션을 익히고 발전시킵니다. 새로운 아이디어나 독특한 움직임을 통해 자신만의 콤비네이션을 창조하며, 이는 춤의 표현력을 높여주고 고유한 스타일을 보여줍니다. 콤비네이션은 춤을 풍부하고 흥미롭게 만들어주며, 댄서들이 자신의 기술과 창의성을 발휘하는 데 중요한 도구입니다. 춤을 보다 다채롭고 매력적으로 만들어주는 요소 중 하나로, 댄서들이 음악과 호흡하며 새로운 콤비네이션을 만들어냅니다.

9. **크리에이티브** (Creativity): 크리에이티브는 댄서의 창의성과 독창성을 나타내며, 새로운 움직임이나 조합을 만들어내는 과정을 의미합니다. 댄서들은 춤의 표현을 위해 새로운 아이디어나 개성적인 움직임을 창조하고 이를 통해 자신만의 스타일을 발전시킵니다.

크리에이티브한 댄서들은 기존의 움직임을 새롭게 조합하거나, 독특한 움직임을 창출하여 춤을 개선하고 다양성을 더합니다. 이들은 자신만의 시각과 아이디어를 통해 춤을 더욱 풍부하고 흥미롭게 만들어내며, 자유로운 표현을 통해 새로운 춤의 경험을 선사합니다.

댄서들은 자신만의 창의적인 움직임을 발전시키기 위해 끊임없이 탐구하고 연습합니다. 음악의 리듬이나 구조를 이해하고, 그것을 기반으로 새로운 아이디어를 찾아내어 자신의 춤을 발전시킵니다.

이는 춤을 더 다채롭고 혁신적으로 만들어주며, 댄서의 개성과 스타일을 부각시킵니다. 크리에이티브한 댄서들은 자유롭게 실험하고, 다양한 움직임들을 결합하여 자신만의 시그니처를 만들어냅니다. 새로운 아이디어와 독창성은 춤의 표현력을 향상시켜주며, 관객들에게 더욱 풍요로운 춤의 경험을 제공합니다. 이러한 크리에이티브한 접근은 춤을 더욱 예술적이고 흥미로운 경험으로 바꿔줍니다.

10. **악센트(Accent)**: 라틴어 "accentus"에서 유래했습니다. "accentus"는 "억양"이나 "강세"를 의미하며, 이는 "ad" (to)와 "cantus" (sing)의 합성어로, "노래에 강세를 두는 것"을 의미합니다.

악센트는 음악에서 특정한 음표나 악기의 발음을 강조하는 음악적 요소를 말합니다. 이는 음악의 템포와 리듬에 따라 음표나 악기에 주는 강도나 강약을 의미하며, 그것이 음악적인 표현과 감정을 전달하는데 중요한 역할을 합니다. 악센트는 주로 음악에서 특정한 음표를 강조하여 그 음향을 부각시키거나, 강약의 차이를 통해 음악적인 구조를 만들어냅니다. 음악가들은 악센트를 통해 음악적 표현을 다채롭게 하고, 듣는 이들에게 강렬한 음악적 인상을 줄 수 있습니다. 이러한 악센트는 음악의 다양한 섹션에서 사용되며, 각 악기나 음표의 발음을 강조하여 음악적인 표현을 풍부하게 만듭니다. 예를 들어, 피아노에서는 특정한 음표를 세련되게 강조하여 그 음향을 부각시키고, 드럼에서는 리듬적인 악센트를 통해 음악의 템포를 조절하고 변화를 주는 역할을 하고 음악의 흐름과 다양성을 더해주는 중요한 기법 중 하나로, 듣는 이들에게 음악의 감정적 표현과 에너지를 전달하는 데 큰 역할을 합니다. 그리고 이러한 악센트는 음악적인 표현의 다양성과 풍부성을 높여줍니다.

각 악기나 음표의 발음을 강조하여 음악적인 표현을 풍부하게 만들어주며, 듣는 이들에게 더욱 깊은 감동을 전달합니다. 이러한 악센트는 음악의 다양한 면을 뚜렷하게 보여주고, 그 특별한 빛을 발하는 음악의 보석과도 같은 역할을 합니다.

11. **신코페이션 (Syncopation)**: 그리스어의 "*συνκοπή* (synkope)"에서 유래되었습니다. "*συνκοπή*"는 '잘려진' 또는 '중단된'을 의미하는 말이며, 음악에서는 박자의 강조나 특정한 패턴에서의 일정한 간격에 따른 음악적인 효과를 설명하는 데 사용됩니다.

신코페이션은 음악에서 비정형적인 리듬 패턴을 만들어내는 특별한 기법으로, 일반적인 박자나 강조된 박자를 벗어나는 음악적 요소입니다. 이는 일정하지 않은 강약과 박자의 변경을 통해 음악적인 긴장과 동요를 형성합니다.

음악에서의 신코페이션은 기존의 리듬 패턴에서 벗어나거나, 강세가 기대되지 않는 위치에 강세를 두어 예상을 깨는 효과를 내어 음악적인 흐름을 흥미롭게 만듭니다. 이는 듣는 이들의 귀를 호기심으로 자극하며, 음악의 다양성을 높여줍니다. 주로 드럼, 퍼커션, 혹은 멜로디 섹션에서 나타나는 신코페이션은 음악의 흐름을 부드럽게 하거나, 음악적인 긴장을 만들어내어 다양한 감정을 전달합니다. 이는 일반적인 리듬에 비해 훨씬 유연하고 다채로운 리듬 패턴을 만들어내어 음악의 표현력을 풍부하게 합니다. 또한, 신코페이션은 음악의 템포와 리듬 구조를 변경함으로써, 음악의 예상치 못한 요소를 더해줍니다. 이는 듣는 이들에게 음악적인 서프라이즈를 줌으로써, 음악을 더욱 흥미롭고 다채롭게 만들어줍니다.

댄스에서의 신코페이션은 음악적인 흐름에서 의도적으로 기존의 박자 패턴을 벗어나는 것을 의미합니다. 춤의 움직임이 음악의 기본적인 박자와 일치하지 않고, 그와 반대로 음악적인 변주와 패턴을 따르는 것을 포함합니다. 이는 춤을 추는 과정에서 일부 스텝이 음악의 강조되는 박자가 아닌 비강조 박자에 맞춰지는 것을 의미합니다. 이로써 춤의 움직임이 더욱 다이나믹하고 예상치 못한 리듬을 보여주며, 춤의 흐름을 흥미롭게 만들어줍니다. 또한, 템포나 강세를 의도적으로 변화시키는 것으로, 춤의 다양성과 유연성을 높여줍니다.

댄스 과학

댄스 과학은 최근 스포츠 과학 분야에 추가된 최신 분야 중 하나입니다. 이 분야는 춤의 공연력을 향상시키고 부상을 줄이는 데 목적을 두고 있습니다. 또한 이 분야는 춤과 움직임과 관련된 신경과학에 관심을 가지고 있습니다. 춤을 추는 사람들은 과학적 원리로 많은 이점을 얻을 수 있으며, 과학 또한 춤의 예술로부터 많은 것을 배울 수 있습니다.

댄스 과학은 운동 과학의 한 부분으로서, 춤을 추는 사람들의 신체적 요구사항과 부상을 예방하고 치료하기 위해 연구가 이루어지고 있습니다. 춤은 몸 전체를 사용하는 활동으로, 반복적인 동작과 극도의 유연성이 요구됩니다. 이는 춤을 추는 사람들에게 다양한 부상의 위험을 초래할 수 있습니다. 댄스 과학은 이러한 부상을 예방하기 위한 운동 생리학적, 해부학적인 측면을 연구하고, 춤을 추는 동안 발생하는 부상의 원인과 방지 방법을 찾고자 합니다. 댄스 과학의 또 다른 중요한 측면은 신경과학에 대한 연구입니다. 춤을 추는 것은 우리의 두뇌와 신경 시스템에 깊은 영향을 미치는데, 움직임과 음악이 상호작용하면서 우리 두뇌에 다양한 신호를 전달합니다. 이러한 연구는 춤이 우리의 두뇌와 정서에 미치는 영향을 이해하는 데 도움이 되며, 이를 통해 춤이 우리 감정과 기억, 심지어는 우리의 학습 능력에도 어떤 영향을 미치는지에 대한 통찰을 제공합니다. 댄스와 과학의 상호작용은 양쪽 모두에게 이로운 부분이 있습니다. 댄서들은 과학적인 원리를 통해 자신의 퍼포먼스를 향상시키고 부상을 예방할 수 있으며, 이는 더 장기적으로 건강한 댄스를 가능케 합니다. 반면 과학은 춤을 통해 새로운 시각과 이해를 얻음으로써 신경과학, 운동 생리학, 심지어는 사회과학 분야에 새로운 지식을 제공받을 수 있습니다.

댄스 과학은 뇌와 몸의 상호작용을 통해 우리의 건강과 행복을 증진시킬 수 있습니다. 춤추는 것은 단순한 운동에 그치지 않고, 뇌와 몸의 연결을 통해 우리를 더욱 풍부하게 만들어 줍니다. 이러한 연구는 뇌과학뿐만 아니라 댄스와 건강에 대한 우리의 이해를 증진시킬 수 있습니다. 뇌는 여전히 우리에게 발견되지 않은 많은 정보를 안고 있는데, 이는 뇌과학자들이 탐구하고 이해하기 위해 노력하는 보물 같은 지식들입니다. 댄스 과학은 춤을 추는 동안 뇌 내부에서 발생하는 것이 앉거나 걷는 것과 다른 점을 이해하는 데 도움을 줄 수 있습니다. 특히 춤추는 과정에서 뇌가 어떻게 작용하는지를 이해하는 데에 주요한 역할을 합니다. 춤추는 과정에서 뇌는 다양한 현상과 반응을 보입니다. 예를 들어, 춤추는 것은 단순히 몸을 움직이는 것 이상입니다. 춤추는 감정을 표현하고, 음악에 대한 감성적인 반응을 가져올 뿐만 아니라 복잡한 움직임과 조화로운 연출을 필요로 합니다. 이런 점에서 춤은 뇌 활동을 다양한 측면에서 촉발시키고, 다른 활동과는 다른 뇌 내 연결과 반응을 유발합니다.

댄스 과학은 이러한 뇌 활동의 복잡성을 조명하고, 춤을 추는 동안 뇌가 가지는 고유한 반응과 활동에 대한 이해를 증진시킵니다. 특히 즉흥적인 춤 루틴을 통해 뇌가 어떻게 움직임에 반응하고, 이를 어떻게 시작하는지를 연구함으로써 신경과학자들은 뇌의 창조적인 부분에 대한 통찰을 얻을 수 있습니다. 암기된 춤 루틴과는 달리 즉흥적인 춤 루틴은 뇌에 다른 반응을 유도합니다. 뇌과학 연구에서는 이 두 가지 유형의 춤을 비교하고 분석하여 뇌의 다른 영역이나 신호 송수신 방식을 파악합니다. 이는 뇌가 창의적인 요소와 새로운 상황에 대처하는 방식을 이해하는 데 매우 중요한 정보를 제공합니다. 이와 같은 연구들은 댄스 과학이 뇌의 미스터리와 연관된 영역에서 새로운 지식과 통찰을 제공하는 데 기여한다는 것을 보여줍니다. 춤은 단순히 운동이 아니라, 뇌의 다양한 영역을 자극하고 창의성을 촉발하는 요소로 작용합니다. 따라서 댄스 과학은 뇌의 다양한 반응과 연결에 대한 이해를 높이고, 창의성과 뉴런 간의 상호작용에 대한 통찰력을 제공합니다.

댄스 과학은 댄스에 대한 더 많은 이해와 즐거움을 과학계에 전달하고 또한, 댄스 커뮤니티에도 더 많은 과학에 대한 이해와 지식을 전달하기 위해 활용되고 있습니다. 많은 댄스 과학자들은 두 분야 간에 많은 공통점이 있으며, 서로서로 많은 것을 배울 수 있다고 주장합니다. 댄스를 통해 과학을 배우는 것에 대한 큰 관심이 있고, 이러한 수요를 충족하기 위해 영국 전역에 댄스와 과학 워크샵이 생겨나고 있습니다. 이러한 노력은 댄스와 과학 사이의 연결고리를 강화하고 상호 이해를 촉진하는 데 기여합니다. 예를 들어, 댄스를 통해 과학적 개념을 시각적이고 체험적인 방식으로 전달함으로써, 과학에 대한 이해를 높이고 댄스를 통해 과학적 원리를 시연하고 설명합니다. 이는 두 분야 사이에 상호작용과 교류를 촉진하며, 서로 다른 분야에서 새로운 관점을 탐구하고 적용하는데 도움이 됩니다. 이러한 댄스와 과학의 융합은 새로운 창의적인 접근 방식을 제시하며, 두 분야 간의 경계를 허물고 상호 협력을 촉진합니다. 이러한 워크샵과 이니셔티브들은 댄스와 과학을 통합하여 사람들에게 창의적이고 흥미로운 방식으로 지식을 전달하는 데 기여하고 있습니다. 이는 댄스와 과학을 연결시키며 두 분야가 함께 발전하고 성장하는 데 중요한 역할을 합니다.

인간은 왜 춤을 추는가?

인간의 춤은 우리의 삶과 문화에 뿌리 깊게 자리한 아름다운 예술입니다. 이러한 매력적인 현상은 우리의 뇌와 몸, 그리고 우리의 진화적 역사와 밀접한 관련이 있습니다. 춤은 우리가 태어난 순간부터 우리의 삶을 가득 채워온 예술이며, 그 안에는 우리의 감정, 역사, 문화, 그리고 생존의 핵심이 담겨 있습니다. 우리는 춤을 통해 우리 자신을 발견하고, 감정과 이야기를 전달하며, 우리의 문화와 정체성을 표현합니다. 춤은 우리 몸의 움직임으로 이야기를 풀어내는 예술의 한 형태입니다. 그 안에는 감정, 상상력, 그리고 우리의 내면 세계가 담겨 있습니다.

왜 우리는 춤을 추는 걸까요? 이 질문은 우리의 진화적, 사회적, 심리적 측면에서 탐구할 수 있습니다. 과거에는 춤이 그룹 내 소통과 결속을 강화하는 방법으로 사용되었을 것입니다. 또한 춤은 우리가 경험하는 감정과 밀접한 연관이 있습니다. 우리는 춤을 통해 기쁨, 슬픔, 사랑, 분노 등을 표현합니다. 때로는 감정을 담아내기 어려운 것들도 춤으로써 표현할 수 있습니다. 춤은 우리의 몸과 뇌에도 깊은 영향을 미칩니다. 신체적으로는 근육을 강화하고 유연성을 향상시키며, 정신적으로는 스트레스를 줄이고 창의성을 높여줍니다. 춤은 우리의 마음과 신체를 동시에 건강하게 유지하는데 큰 도움을 줍니다.

댄스 부상의 6가지 요인

무용에서의 부상률은 다른 스포츠보다 통계적으로 상당히 높은 것으로 나타났습니다. 울버햄프턴 대학교의 한 연구는 전문 무용수들이 럭비 선수들보다 부상을 입을 가능성이 더 높다는 것을 발견했습니다. 이 연구는 무용에서의 부상 발생과 그 정도를 분석하였습니다. 무용은 몸을 다양한 독특한 자세와 움직임으로 사용하며, 이는 관절과 근육에 부담을 줄 수 있어 다양한 부상을 유발할 수 있습니다. 예를 들어, 무용은 반복적인 동작과 극도의 유연성, 몸의 근력과 균형을 요구하는데, 이러한 요구로 인해 발목, 무릎, 허리와 같은 부위에서 다양한 종류의 부상이 발생할 수 있습니다. 무용 부상을 예방하기 위해서는 올바른 스트레칭, 근력 강화, 안전한 움직임과 자세에 대한 교육과 훈련이 필수적입니다.

통계에 따르면, 무용수 중 80%가 연간 한 번은 부상을 입는다고 합니다. 이는 럭비나 축구 선수의 20% 부상률과 비교했을 때 상당히 높은 수치입니다.

1. 잘못된 기술

춤의 기술은 춤추는 사람의 성과와 안전에 직접적으로 영향을 미칩니다. 부정확한 포즈, 움직임,

또는 기술적 부족은 근육 및 관절에 부담을 주고, 장기적으로는 부상을 유발할 수 있습니다. 춤추는 사람들은 기술적인 부분에 지속적으로 주의를 기울여야 하며, 특히 새로운 안무를 학습할 때는 더욱 신중해야 합니다.

2. 새로운 안무의 빠른 학습

새로운 안무를 빠르게 습득하고 선보이는 것은 춤추는 사람들에게 주는 압박 속에서 부상의 위험을 증가시킬 수 있습니다. 새로운 동작과 움직임에 대한 빠른 적응은 춤출 때의 부담을 증가시키며, 댄서들은 충분한 시간과 연습을 통해 기술을 안정화하는 것이 중요합니다.

3. 잘못된 레슨

춤 교사의 역할은 기술적 능력을 키우기 위한 전문적인 가르침과 코칭을 제공하는 것입니다. 부적절한 레슨은 학생들에게 부상의 위험을 초래할 수 있습니다. 올바른 기술의 기본을 가르치지 않는 레슨은 학생들이 잘못된 자세로 춤을 추게 하여 부상을 유발할 수 있습니다.

4. 바닥의 상태

바닥은 춤의 환경적인 측면에서 중요한 역할을 합니다. 춤을 위해 제작된 바닥은 춤추는 사람들에게 안전한 지지력을 제공합니다. 그러나 그렇지 않은 바닥은 충분한 지지력을 제공하지 못해 부상의 위험을 증가시킬 수 있습니다. 바닥의 상태는 춤출 때 발생할 수 있는 다양한 부상에 영향을 미칩니다.

5. 온도

춤 연습 및 공연 공간의 주변 온도는 춤추는 사람들에게 중요합니다. 너무 낮은 온도에서 춤을 추는 것은 근육에 부담을 줄 수 있어 부상을 유발할 수 있어 적절한 온도를 유지하는 것이 중요합니다.

6. 과도한 연습

춤을 추는 사람들은 종종 과도하게 연습을 하는 경우가 있습니다. 지나친 연습은 과용 부상을 유발할 수 있습니다. 춤추는 사람들은 철저한 체력, 건강한 식습관, 적절한 훈련, 기술, 능력, 그리고 훈련 환경을 조화롭게 유지하여 부상을 최소화하려고 노력하지만, 완전한 부상 예방은 어려운 과제입니다. 이러한 부상을 피하기 위해서는 춤을 추는 동안 기술적인 측면과 신체적인 안전을 모두 고려하는 것이 중요합니다. 지속적인 교육과 적절한 스트레칭, 안전한 환경에서의 훈련이 필수적입니다.

사교댄스 변천사

댄스 문화가 한국에 도입되고 성장하는 과정은 우리 사회와 역사, 정치적 변화에 밀접하게 연결되었습니다. 19세기 말 고종 시절, 러시아공사 부인으로부터 왈츠를 배운 것이 댄스의 시작이었고, 이를 통해 외국 문화가 접해지기 시작했습니다. 명성황후 역시 외국 문화를 수용하면서 사교댄스를 통해 정치적 입지를 굳혀나가는 계기가 되었습니다. 이때부터 사교춤은 정치와 상류층의 사교 생활을 결합하며 발전해 나갔습니다. 조선총독부 시절에는 유학생과 상류층이 외국에서 댄스를 배우고 즐기기 시작했습니다. 하지만 일제 식민지 통치로 인해 사교춤은 집단적 결속력을 다진다는 우려로 탄압을 받게 되었습니다. 1945년 이후 미군의 영향으로 서양의 댄스 문화가 보급되었으며, 사교춤은 특권층의 독점적인 활동으로 여겨졌습니다. 1960년대에는 사회적으로 돌파구가 있었지만, 박정희 대통령의 군사정권은 사교춤을 분뇨로 여기며 탄압 정책을 시행했습니다. 이때부터 사교춤은 변질-되어가면서 춤의 형태와 박자가 바뀌고, 한국 고유의 춤으로 성장하게 되었습니다. 1970년대부터는 사교춤을 즐기는 공간이 늘어나면서 이에 대한 사회적인 우려가 커졌고, 정부의 탄압으로 춤을 추는 사람들은 불안한 마음을 갖게 되었습니다. 1990년대 중반부터는 무도장과 체육 교실 등이 생기면서 댄스 문화를 즐기는 공간이 조금씩 생겨나기 시작했지만, 여전히 정부의 규제는 무시할 수 없었습니다. 이로 인해 댄스 문화는 합법적으로 인정되었지만, 대중적으로는 쉽게 퍼지지 못하고 있습니다.

이처럼 우리나라의 댄스 문화는 역사와 정치, 사회적 상황과 밀접한 관련을 맺으며 발전해 왔습니다. 탄압과 규제 속에서도 댄스 문화는 자신의 색깔을 갖추어나가며 한국 고유의 춤으로 성장해왔습니다. 현재에 이르러도 댄스 문화는 변화와 함께 새로운 양식으로 발전하고 있습니다.

댄스의 미묘한 터치: 초보자를 위한 안내서

춤은 마치 우리 마음의 시처럼, 감정을 표현하고 울림을 전달합니다. 춤은 우리 각자의 시를 만들어가는 과정이죠. 그러나 이 예술은 쉽지 않습니다. 춤을 처음 시작할 때, 새로운 언어를 배우는 것처럼 서툴고 어색할 수 있습니다. 그 순간, 다른 이들이 보는 간단한 움직임도 우리 몸은 새로운 운동으로 다가오기도 합니다. 하지만 그 안에서 우리는 용기를 내어 스스로의 이야기를 찾아내게 됩니다. 춤은 마치 우리 삶의 박자 같은 것입니다. 심장의 뛰는 소리처럼 우리를 감싸고, 우리의 삶에 절대적인 음악을 제시합니다. 그것은 마치 우리의 감정을 노래하는 예술이죠. 그래서 춤을 추는 것은 무엇보다도 자유롭고, 표현적이며, 자연스러운 일이어야 합니다. 그렇게 함으로써 우리는 새로운 것을 탐험하고 몸 안에서 편안함을 찾아갈 수 있습니다. 하지만 처음 시작할 때는 불안함과 혼란이 따르기도 합니다. 다른 사람과 비교하며 나 자신을 평가하는 것은 마치 높은 기준을 세운 채 항상 자신을 비판하는 것 같은 느낌을 줄 수 있습니다. 그러나 우리는 각자의 속도와 방식으로 배워나가면서 나만의 즐거움을 찾아가야 합니다. 그래서 춤은 계속해서 배우고 성장하는 여정입니다.

그 여정에서 마음가짐이 중요합니다. 차근차근, 꾸준히 노력하고, 규칙을 따라가며 나 자신을 발전시켜야 합니다. 또한, 우리는 우리 자신을 표현하는 그 예술적인 순간을 더욱 아름답게 만들어갈 수 있습니다.

댄스와 건강

댄스와 건강에 관한 연구는 건강 측면에서 댄스의 다양한 형태와 그 영향을 탐구하는데 많은 관심이 집중되어왔습니다. 이 연구들은 댄스가 개인의 생리적, 정신적, 그리고 사회적 건강에 미치는 다양한 측면을 이해하는 데 도움이 됩니다. 이를 살펴보겠습니다.

댄스의 유산소 운동적 효과

1. 칼로리 소모와 체중 관리

댄스는 유산소 운동의 일종으로 분류되며, 심혈관 기능을 활성화시켜 에너지 소비를 촉진합니다. 연구에 따르면, 빠른 템포의 힙합, 살사, 혹은 에어로빅은 30분에서 1시간 동안의 운동 세션에서 약 200~600 칼로리를 소모할 수 있습니다. 이는 댄스가 체중 감량이나 유지에 도움을 줄 수 있음을 시사합니다.

2. 심혈관 건강 개선

댄스는 심혈관 건강을 향상시키고, 이는 건강한 혈압을 유지하는 데 도움을 줄 수 있습니다. 연구에 따르면, 정기적인 댄스 활동은 심박수를 증가시키고 호흡량을 향상시켜 심혈관 기능을 강화합니다. 댄스는 주기적인 운동으로 심장 근육을 강화하고, 혈액 순환이 향상되어 심혈관 질환 발병 위험을 낮출 수 있습니다. 또한, 댄스를 통한 운동은 혈관 벽에 압력을 줄여 혈압을 안정화시키는데 기여할 수 있습니다.

3. 심장 질환 예방

심혈관 건강의 증진은 심장 질환 예방과 밀접한 관련이 있습니다. 댄스와 같은 유산소 운동은 혈압을 조절하고 혈중 콜레스테롤을 감소시킴으로써 심장 건강을 지원합니다. 일부 연구는 댄스가 심장 질환 발병 위험을 줄이는데 효과가 있다고 보고하고 있으나, 이에 대한 추가적인 장기간 연구가 필요합니다.

댄스는 유산소 운동의 한 형태로서, 칼로리 소모와 체중 관리를 향상시키는 데 도움을 주고, 심혈관 건강을 개선하여 혈압 조절에 도움을 줄 수 있습니다. 이는 심장 질환 예방에 긍정적인 영향을 미칠 수 있다는 것을 시사합니다.

스트레스 감소와 우울증 관리

1. 스트레스 호르몬 감소

댄스는 운동으로서의 성격과 음악과의 조화를 통해 스트레스를 감소시키는 데 도움을 줄 수 있습니다. 운동은 뇌에서 쾌적한 화학 물질인 엔도르핀을 분비시키며, 이는 스트레스 호르몬인 코티솔과 아드레날린의 분비를 감소시킵니다. 이는 댄스가 스트레스를 완화하고 정서적 안정성을 촉진하는데 기여할 수 있음을 시사합니다.

2. 우울증 증상 완화

댄스는 우울증 관리에도 도움을 줄 수 있습니다. 연구 결과에 따르면, 댄스는 우울증 증상을 완화하는 데 효과적일 수 있으며, 정기적인 댄스 활동은 긍정적인 감정을 유지하고 우울한 감정을 완화시키는 데 도움을 줄 수 있습니다. 댄스는 자기표현과 자율성을 통해 우울증을 극복하는 데 유익할 수 있으며, 사회적 상호작용을 통해 소속감을 증진 시키는 데도 도움을 줄 수 있습니다.

심리적 즐거움과 삶의 질 향상

1. 즐거움과 만족감 제공

댄스는 기쁨과 즐거움을 주는 활동으로 알려져 있습니다. 운동과 음악의 조합은 뇌에서 쾌적한 화학 물질을 분비하여 기분을 개선하고 즐거움을 느끼게 합니다. 이는 삶의 즐거움을 증진 시키고 긍정적인 심리적 상태를 유지하는 데 도움이 될 수 있습니다.

2. 심리적 측면에서의 건강

댄스는 정서적, 정신적인 안정성을 제공하여 삶의 질을 향상시킬 수 있습니다. 이는 자아 존중감을 높이고 자아실현을 도와줄 수 있는데, 이는 심리적 안정성과 긍정적인 자기 개념 형성에 도움이 됩니다. 게다가, 댄스를 통한 사회적 상호작용은 소속감을 강화하고 사회적 관계를 향상시킬 수 있어 심리적 안정성을 유지하는 데 도움이 될 수 있습니다.

댄스는 스트레스 감소와 우울증 관리에 도움을 주며, 심리적인 만족감과 기쁨을 제공하여 삶의 질을 향상시킬 수 있습니다. 이는 운동과 음악의 유익한 조합으로, 정서적, 정신적 건강에 긍정적인 영향을 미칠 수 있음을 시사합니다.

댄스와 인지 기능 향상

1.기억력 및 집중력 향상

댄스는 뇌를 활성화시켜 기억력과 집중력을 향상시키는 데 도움을 줄 수 있습니다. 댄스는 다양한 운동 패턴, 동작의 연속성, 그리고 음악에 맞춰 움직임을 조절하는 능력을 요구합니다. 이는 뇌의 다양한 영역을 자극하여 기억력을 증진시키고, 집중력을 강화하는 데 도움이 될 수 있습니다.

2.인지 기능 향상

댄스는 인지 기능을 향상시키는 데 도움을 줄 수 있어요. 댄스는 복잡한 움직임을 학습하고 실행하는 과정에서 신체적 기억뿐만 아니라 뇌의 실행 기능도 활성화-시킵니다. 춤을 추는 동안 뇌는 움직임, 공간 인식, 시간적 조절 등 다양한 능력을 필요로 합니다. 이를 통해 댄스는 인지 능력을 촉진하고, 주의력, 기억력, 실행 기능, 공간 인식 등을 향상시킬 수 있습니다. 또한, 춤은 스트레스 감소와 긍정적인 심리적 효과도 가져올 수 있어요.

댄스와 신경학적 영향

신경 세포와 연결의 촉진

댄스가 신경 세포와 그들의 연결을 촉진하는 데 어떤 영향을 미치는지에 대한 연구가 진행 중입니다. 댄스는 운동과 음악의 조화를 통해 뇌를 자극하고, 이는 뉴런의 연결성을 증진 시키고 신경 세포 간의 상호작용을 촉진할 수 있습니다. 이러한 신경 세포 간 연결성은 학습 능력 및 기억력에 영향을 미칠 수 있습니다.

댄스는 뇌 활동을 촉진하고 인지 기능을 향상시키는 데 도움을 줄 수 있습니다. 복잡한 움직임 패턴과 음악에 맞춰 움직이는 능력은 뇌의 다양한 부분을 자극하여 뉴런 연결성을 강화할 수 있습니다. 이는 기억력, 집중력 및 인지 기능의 향상을 촉진하는 데 영향을 미칠 수 있습니다.

댄스와 사회적 상호작용

1.사회적 관계 촉진

댄스는 사회적인 상호작용을 촉진하는 데 도움을 줄 수 있습니다. 댄스는 그 자체로 그룹 활동이며, 그룹 내에서의 상호작용을 증진시키고 친밀감을 형성하는데 이상적입니다. 댄스는 공동의 관심사를 공유하고 서로의 움직임에 대해 소통하는 과정을 통해 사회적 관계를 증진시킬 수 있습니다.

2.친구들과의 연결 강화

댄스는 공동의 취미나 관심사를 가진 사람들 사이에서 친구들과의 연결을 강화시키는 데 도움을 줄 수 있습니다. 춤을 추는 것은 친구나 파트너와의 즐거운 시간을 보내는데 좋은 방법이 될 뿐만 아니라, 댄스 수업이나 그룹 댄스 활동을 통해 새로운 사람들을 만나고 연결되는 기회를 제공할 수 있습니다.

댄스와 사회적 지지

1.사회적 지지와 자아 신장

댄스는 참여자들에게 사회적 지지를 제공하는 중요한 수단입니다. 댄스 그룹이나 수업은 동료들과의 상호작용을 증진 시키며, 서로를 지지하고 격려함으로써 자아 신장과 사회적 안정성을 높일 수 있습니다. 이는 개인의 자아 개방성과 삶의 만족도를 향상시키는데 기여할 수 있습니다.

2.사회적 연결성 강화

댄스는 사회적 연결성을 강화하고 사회적 네트워크를 확장하는데 도움을 줄 수 있습니다. 그룹 댄스나 소셜 댄스 이벤트는 다양한 사회적 배경과 관심사를 가진 사람들을 하나로 묶어주는 플랫폼을 제공합니다. 이는 사회적 연결성을 높이고 새로운 관계를 형성하는데 도움이 됩니다.

댄스와 다이어트

1. 댄스의 유산소 운동 효과

칼로리 소모와 체중 관리

댄스는 유산소 운동의 한 형태로서, 심혈관 기능을 촉진하고 칼로리를 소모하는데 도움을 줍니다. 댄스는 다양한 운동 패턴과 움직임을 요구하며, 30분에서 1시간에 200~600 칼로리를 소모할 수 있습니다. 이는 체중 관리와 대사율 증진에 긍정적인 영향을 줄 수 있습니다.

지방 연소와 근력 강화

댄스는 지방 연소를 촉진하고 근력을 강화하는데 효과적입니다. 일정한 댄스 운동은 체지방을 감소시키고 근육을 강화하여 신체 구성을 개선할 수 있습니다. 특히, 댄스는 하체 근육과 코어 근육을 활용하여 근력과 근지구력을 향상시키는 데 도움이 됩니다.

2. 댄스의 대사 활성화와 에너지 소비

에너지 소비와 심혈관 건강

댄스는 심혈관 운동으로서 심장과 혈관 건강을 증진시키는 데 기여합니다. 정기적인 댄스 운동은 심장 기능을 향상시키고 혈액 순환이 원활하게 돕는데, 이는 대사활동을 촉진하고 에너지 소비를 늘릴 수 있습니다.

대사 속도 증진과 지방 연소

댄스는 대사 속도를 증진시켜 에너지 소비를 촉진하고 체지방을 연소하는 데 도움을 줄 수 있습니다. 유산소 댄스 운동은 신체의 산소 소비량을 증가시키고, 이는 대사 속도를 높여 체지방을 더욱 효율적으로 태우게 해줍니다.

3. 댄스와 식욕 관리

식욕 억제와 건강한 식습관

댄스는 식욕을 억제하고 건강한 식습관을 형성하는 데 도움을 줄 수 있습니다. 운동은 체내 호르몬과 신경 전달물질을 조절하여 식욕을 억제 할 수 있습니다.

4. 댄스와 정신적 측면

스트레스 감소와 심리적 안정성

댄스는 스트레스를 감소시키고 심리적 안정성을 증진시키는 데 도움을 줄 수 있습니다. 운동은 스트레스 호르몬을 감소시키고 쾌적한 화학 물질을 분비하여 긍정적인 정신적 상태를 유지하는 데 도움이 됩니다.

다이어트 동기 부여와 긍정적인 마인드셋

댄스는 다이어트 동기를 부여하고 긍정적인 마인드셋을 형성하는 데 도움을 줄 수 있습니다. 성취감과 자신감을 높여 다이어트 과정을 지속하는데 도움이 되며, 이는 건강한 다이어트와 신체적 변화에 긍정적인 영향을 줄 수 있습니다.

댄스와 체형 관리의 관계

근력 및 유연성

댄스는 근력과 유연성을 촉진하는데 도움을 줍니다. 다양한 춤 스타일은 다양한 근육을 사용하며, 이는 근력을 향상시키고 근육을 더욱 유연하게 만듭니다. 특히, 댄스 동작은 전신을 사용하기 때문에 근력과 유연성을 골고루 향상시킵니다.

체지방 감소와 체구 조절

댄스는 지방을 태우는데 효과적입니다. 유산소 운동으로서의 특성으로 인해 댄스는 칼로리 소모를 증가시키고 체지방 감소에 도움을 줄 수 있습니다. 일정 기간의 꾸준한 댄스 운동은 체구를 조절하고 원하는 체형에 가까워지는 데 도움을 줄 수 있습니다.

댄스 스타일과 체형 관리

다양한 춤으로 몸의 특정 근육 강화

각각의 춤 스타일은 특정한 움직임과 기술을 요구하며, 이는 다른 근육군을 활용합니다. 힙합댄스는 주로 하체와 코어 근육을 강화하는 데 도움을 주고, 발레는 균형을 위해 코어와 다리 근육을 발달시키며, 삼바는 하체와 엉덩이 근육을 강화하는 데 효과적입니다. 이러한 다양한 춤 스타일은 몸의 균형과 조절, 근력, 유연성을 향상시키는 데 도움을 줄 뿐만 아니라, 즐겁고 활기찬 운동 방식으로도 좋은 선택이에요.

체형 개선

댄스는 올바른 체형 개선에 도움을 줄 수 있습니다. 올바른 자세와 균형을 유지하며 춤을 추는 것은 근육 균형을 유지하는 데 도움이 되며, 이는 자연스럽게 체형을 개선할 수 있습니다.

댄스와 신체 구성

신체 구성 변화

댄스는 체지방 감소와 함께 근육량 증가를 촉진할 수 있습니다. 이는 신체 구성을 변화시켜 체지방률을 줄이고 근육량을 늘림으로써 원하는 신체 조성을 이루는 데 도움을 줄 수 있습니다.

신체 기능 향상

댄스는 신체 기능을 향상시키는데 도움을 줄 수 있습니다. 유산소와 근력 운동의 결합으로 인해 심장과 폐 기능을 개선하고, 이는 체력을 향상시키고 신체적으로 더 건강한 상태를 유지하는 데 도움이 됩니다.

댄스는 근력, 유연성, 체지방 감소, 체질 개선 등을 통해 체형 관리에 다양한 영향을 줄 수 있습니다. 그러나, 개인의 목표와 신체적 상태에 맞는 적절한 댄스 스타일과 꾸준한 운동이 중요합니다. 종합적인 다이어트와 운동 계획에 댄스를 포함시키면 신체 조성 및 건강에 도움을 줄 수 있습니다.

댄스와 성격

댄스는 성격을 형성하고 발전시키는 데 많은 영향을 미칠 수 있습니다. 다양한 면에서 댄스와 성격의 연관성을 살펴보겠습니다.

1. 자신감과 자아 인식

댄스는 자신감을 증진시키고 자아 인식을 강화하는데 도움을 줄 수 있습니다. 춤추는 과정에서 자신의 몸을 자유롭게 움직이고 표현함으로써 자신에 대한 자신감을 키울 수 있습니다. 이는 자아 인식과 자신에 대한 긍정적인 태도를 형성하는데 도움을 줄 수 있습니다.

2. 창의성과 표현력 강화

댄스는 창의성과 표현력을 향상시키는데 도움을 줄 수 있습니다. 다양한 춤 스타일과 움직임은 자신의 감정이나 아이디어를 몸으로 표현하는 방법을 배우고 이를 통해 창의성을 자극시키는데 도움이 됩니다.

3. 인내력과 집중력 강화

댄스는 인내력과 집중력을 키우는데 도움을 줄 수 있습니다. 춤추는 것은 여러 움직임과 패턴을 기억하고 연습하며 완벽하게 익히는 과정을 요구합니다. 이는 인내심을 기르고 목표를 달성하기 위해 집중력을 발휘하는데 도움을 줄 수 있습니다.

4. 협업과 리더십 발전

그룹 댄스나 댄스 팀 활동은 협업과 리더십 능력을 향상시키는데 도움이 됩니다. 특히, 그룹 댄스는 다른 사람들과 함께 움직임을 조화롭게 맞추는 과정에서 협동심과 타인을 이끄는 리더십을 발휘하는 기회를 제공합니다.

5. 스트레스 관리와 자기 조절 능력 향상

댄스는 스트레스를 관리하고 자기 조절 능력을 향상시키는데 도움을 줄 수 있습니다. 춤추는 것은 몸과 마음을 함께 활성화시켜 긍정적인 활력을 주며, 스트레스를 줄이고 자기 조절 능력을 키우는데 도움을 줄 수 있습니다.

댄스는 성격 형성과 발전에 다양한 측면에서 긍정적인 영향을 줄 수 있습니다. 자신감, 창의성, 인내력, 협업 능력, 스트레스 관리 등을 향상시키는 데 도움을 주며, 이는 더 건강하고 균형 잡힌 성격을 형성하는데 기여할 수 있습니다.

댄스 동작 치료 (Dance Therapy)

댄스 치료는 신체적, 정서적, 정신적 측면을 모두 포함하여 면역 시스템에 긍정적인 영향을 미치는데, 이는 그 활동이 전체적인 삶의 질을 향상시키는 데 큰 역할을 합니다. 주로 정서적으로 예민하고 불안한 사람들에게 댄스 테라피는 창의적이고 자발적인 정서적 재활을 위한 효과적인 방법으로 작용합니다. 암 환자들에게도 댄스 테라피가 심리적, 정서적인 측면에서 긍정적인 효과를 가져올 수 있습니다. 이러한 치료는 심리적인 안정과 긍정적인 마음을 유지하는 데 도움을 주고, 환자들이 심리적으로 회복되는 과정을 지원합니다. 또한, 댄스 테라피는 암 진단 후 치료 과정에서 생기는 스트레스와 불안을 줄여주며, 심리적인 안정을 증진 시키는 데 효과적입니다. 이러한 치료 방법은 춤을 통해 감정을 표현하고, 신체적인 활동을 통해 건강을 증진 시키며, 참여자들이 긍정적인 정서와 마음의 안정을 찾는 데 도움을 줍니다. 전반적으로 댄스 테라피는 개인의 정신적, 정서적 건강을 증진시키는 데 매우 유익하며, 이러한 치료가 다양한 질병이나 정서적 어려움을 겪는 사람들에게 긍정적인 효과를 가져다 줄 수 있습니다. 움직임과 리듬은 우리에게 활력을 불어넣고, 삶에 생동감을 불어넣어줍니다. 댄스 치료를 통해 우리는 몸을 움직이고 음악에 맞춰 리듬을 따라가며 즐거움을 느낄 수 있습니다. 이를 통해 우리는 쓸데없는 걱정이나 과거의 문제에 대한 후회를 잠시나마 잊을 수 있습니다. 또한, 우리를 현재에 집중하도록 도와주고, 몸과 마음을 통합시켜 주는데, 이는 우리가 일상생활에서 겪는 스트레스와 감정적인 부담을 줄여줍니다. 춤을 춤으로써 우리는 현재에 집중하고, 삶을 즐기며, 건강하고 긍정적인 마음가짐을 갖출 수 있습니다. 그 결과, 댄스 치료는 우리의 전반적인 웰빙과 삶의 만족도를 높일 수 있는 소중한 수단이 될 수 있습니다.

댄스 치료는 20세기 초에 미국을 중심으로 발전했습니다. 머라이언 체이스는 무용과 심리치료의 결합에 주목하면서 무용 치료 이론을 개발했습니다. 프로이트의 정신분석 이론을 바탕으로 하여, 무용과 우리 내면의 정신적, 정서적 상태 간의 연결을 탐구하고자 했습니다. 체이스의 무용 치료 이론은 춤을 통해 감정을 표현하고 내면세계를 탐구하는 데에 초점을 맞추었습니다. 그녀는 이론을 발전시키며, 춤을 통한 우리의 감정적 표현과 심리적 연결에 대해 깊이 연구했습니다. 1966년, 머라이언 체이스는 미국 무용 치료 협회를 설립하여 무용 치료의 발전과 이를 널리 알리는 데 큰 역할을 하였습니다. 그녀의 노력 덕분에 무용 치료는 더 많은 사람들에게 알려지고 확산되었으며, 이는 정신적 치료와 심리적 치유에 있어 중요한 대안으로 받아들여지게 되었습니다. 체이스의 업적은 무용 치료의 학문적, 임상적 발전에 큰 영향을 미쳤습니다.

댄스 치료의 효과는 비만 치료나 정신적 장애를 가진 사람들에게도 큰 도움이 되고 있습니다. 이는 이 치료법이 다양한 측면에서 사람들의 건강과 삶의 질을 향상시키는 데 도움이 되기 때문입니다. 이러한 효과로 댄스 요법치료사나 음악치료사와 같은 신종 직업이 등장했습니다. 이러한 전문가들은 댄스나 음악을 활용하여 풀이, 재조합, 창작 등의 다양한 형태의 치료를 제공합니다. 무용, 음악, 미술 등 다양한 예술 형태를 통합하여 정신적 치유와 심리적 안정을 촉진하는데 기여하고 있습니다. 이러한 치료법은 사람들이 내면의 감정을 표현하고 자아를 발견하는데 도움을 주며, 참여자들에게 성취감과 만족감을 제공합니다. 이러한 방식은 댄스 치료가 다양한 형태의 치료에 효과적으로 적용될 수 있음을 보여줍니다.

움직임의 조화: 댄스를 위한 스트레칭

댄스는 몸을 자유롭게 움직여 음악에 맞춰 표현하는 아름다운 예술입니다. 댄스를 시작하기 전에 춤추기에 적합한 몸을 준비하기 위해 스트레칭은 중요한 과정입니다. 이 글에서는 댄스를 시작하기 전에 필요한 스트레칭의 중요성, 올바른 스트레칭 방법, 그리고 댄스를 위한 효과적인 스트레칭에 대해 알아보겠습니다.

1. 댄스 전의 스트레칭의 중요성

댄스는 우리의 몸을 다양한 동작으로 움직이게 합니다. 그렇기 때문에 댄스를 시작하기 전에 몸을 준비시키고 유연하게 만들어주는 것이 중요합니다. 스트레칭은 근육을 늘리고 유연성을 증가시켜 댄스 동작을 원활하게 수행할 수 있도록 돕습니다. 또한, 부상을 예방하고 몸의 균형을 유지하는 데에도 큰 도움을 줍니다.

2. 올바른 댄스 전 스트레칭 방법

전신 스트레칭: 댄스 전에는 몸 전체를 포함한 다양한 부위를 스트레칭하는 것이 중요합니다. 어깨, 팔, 다리, 허리 등 모든 부분을 천천히 움직여주며 늘리는 것이 좋습니다.

동적 스트레칭: 댄스와 비슷한 움직임을 흉내내며 스트레칭하는 것도 좋은 방법입니다. 이를 통해 근육을 준비시키고 유연성을 높일 수 있습니다.

인체 각 부분에 맞는 스트레칭: 댄스 동작에 따라 특정 부위의 유연성이 요구됩니다. 예를 들어, 발레를 추는 경우 풋 스트레칭이 중요하고, 힙합 댄스를 추는 경우 골반과 하체 스트레칭이 필요합니다.

3. 댄스 전 스트레칭의 이점

유연성 향상: 댄스 동작을 보다 유연하고 자유롭게 수행할 수 있도록 몸을 준비시켜줍니다.

부상 예방: 댄스 동작 중 근육이나 인대에 부담이 가는 경우를 줄여줍니다.

퍼포먼스 향상: 유연한 몸은 다양한 댄스 동작을 수행하는 데 도움이 되며, 댄스의 퍼포먼스를 향상시킵니다.

재미와 즐거움: 스트레칭을 통해 몸을 준비하는 것도 댄스의 일부이며, 이를 통해 춤추기에 대한 즐거움을 느낄 수 있습니다.

댄스는 몸과 마음을 즐겁게 만들어주는 예술입니다. 그러나 댄스를 시작하기 전에는 스트레칭을 통해 몸을 준비시키는 것이 중요합니다. 올바른 스트레칭은 댄스 퍼포먼스를 향상시키고 부상을 예방하는 데 큰 도움을 줍니다.

스트레칭 시작하기 전 알아야 할 중요 사항

1) 스트레칭의 효과를 극대화하기 위해 몸을 따뜻하게 하는 것은 매우 중요합니다. 몸을 따뜻하게 하기 위해 가볍게 뛰는 것은 혈액순환을 촉진하고 근육의 유연성을 높이는데 도움이 됩니다.

스트레칭은 근육과 관절을 늘려 유연성을 향상시키는 과정입니다. 그러나 충분한 몸의 준비 없이 갑작스럽게 스트레칭을 시작하면 근육에 부담을 줄 수 있습니다. 몸이 따뜻하지 않은 상태에서의 스트레칭은 근육의 유연성을 제한하여 손상이나 통증을 유발할 수 있어 스트레칭하기 전에 몸을 움직여 따뜻하게 만드는 것이 중요합니다. 몸을 따뜻하게 하면 혈액순환과 신체 기능이 증가하고 근육의 유연성이 높아집니다. 이는 스트레칭하는 동안 근육이 안전하고 효과적으로 늘어날 수 있도록 돕습니다. 따뜻한 몸으로 시작하는 스트레칭은 근육과 관절을 유연하게 만들어 안전하고 효과적인 운동을 할 수 있도록 도와줍니다. 이러한 이유로 몸을 활발하게 움직이고 혈액순환을 촉진시킨 후 스트레칭을 통해 몸의 유연성을 높이는 것이 중요합니다.

2) 스트레칭 시 반동적인 동작은 근육과 관절에 부담을 줄 수 있습니다. 특히 다리 뒤쪽 스트레칭 시, 갑작스럽게 발을 앞으로 접거나 튕기는 것은 근육과 관절에 부담을 줄 수 있는 위험한 행동입니다. 이러한 동작은 근육과 관절에 과도한 압력을 가하고, 관절의 인대를 손상시킬 수 있습니다.

스트레칭은 서서히, 부드럽게 움직여야 합니다. 갑작스러운 움직임이나 과도한 힘을 줄 필요 없이 천천히 움직여 근육을 안전하게 늘려나가는 것이 중요합니다. 반동적인 동작은 근육을 급격히 늘리기 때문에 근육에 부담을 줄 수 있어 부상의 위험이 높아집니다.

갑작스러운 동작은 부상을 유발할 수 있으므로 피하는 것이 바람직합니다.

3) 스트레칭을 할 때 균형 있고 규칙적인 호흡을 유지하는 것이 중요합니다. 근육을 느긋하게 풀어주는 것이 목표이기 때문에, 근육에 긴장을 유지하는 것보다는 규칙적인 호흡을 통해 편안한 상태를 유지하는 것이 바람직합니다. 깊게 들이마시고 천천히 내쉬는 호흡은 스트레칭을 할 때 추천되는 방식입니다. 규칙적인 호흡을 유지하면 근육과 신체가 편안해지고, 긴장이 완화되어 스트레칭을 더욱 효과적으로 수행할 수 있습니다. 호흡을 통제하면 몸이 더 편안해지고, 스트레칭의 효과를 최대한 발휘할 수 있습니다.

4) 스트레칭은 운동이나 댄스에서 매우 중요한 부분이며, 적절한 자극을 유지하는 것이 핵심입니다. 너무 과도한 스트레칭은 오히려 부상이나 불편을 초래할 수 있으므로 적당한 자극을 주는 것이 중요합니다. 목표는 몸을 부드럽게 늘리고 긴장을 완화하는 것이기 때문에 적절한 자극을 유지하는 것이 바람직합니다. 스트레칭을 할 때 자세를 유지하는 시간도 중요한데, 일반적으로 보통 30초 정도의 시간이 스트레칭에 충분하다고 여겨지며, 이는 근육을 안전하게 늘리고 유연성을 향상시키는데 도움을 줍니다. 따라서 적절한 자극을 유지하고 적당한 시간 동안 스트레칭 자세를 유지하는 것이 중요합니다.

5) 스트레칭은 개인의 체형, 건강 상태, 그리고 목표에 따라 다양하게 다를 수 있습니다. 따라서 스트레칭을 할 때는 자신의 몸 상태에 맞게 적절한 시간과 강도로 진행하는 것이 중요합니다. 또한, 너무 과도한 스트레칭보다는 적당한 감각으로 몸을 부드럽게 늘리는 것이 핵심입니다. 자세한 지침

을 따르면서도 자신의 몸 상태를 주의 깊게 듣고, 적절한 자극을 유지하면서 스트레칭을 하면 몸의 유연성과 균형을 유지할 수 있습니다.

스트레칭은 각자의 몸 상태와 관점에 맞춰 조심스럽게 수행되어야 합니다. 몸을 부드럽게 늘리면서도 적절한 긴장을 유지하며, 자신의 체감에 따라 스트레칭의 강도를 조절하는 것이 중요합니다. 이를 통해 몸의 유연성을 유지하고 건강한 스트레칭 습관을 기를 수 있습니다.

6) 스트레칭이란 몸의 다양한 부위를 늘리고 유연하게 만드는 과정인데, 이것이 몸 전체에 걸쳐 균형을 유지하는 데 있어 중요한 역할을 합니다. 특정 부위만 유연하고 나머지 부분이 유연하지 않으면, 그 부위에 과도한 스트레스가 가해지거나 다른 부분이 보충하려고 하면서 불균형이 발생할 수 있습니다. 이는 특정 부위에 지나치게 부담을 줄 뿐 아니라, 다른 부분도 강도를 조절하려고 해서 부상의 위험을 증가시킬 수 있습니다. 따라서 몸 전체의 유연성을 유지하는 데 주력하는 것이 중요합니다. 다양한 부위를 포함한 스트레칭 루틴을 유지하면서, 전신을 균형 있게 스트레칭하는 것이 이상적입니다. 이를 통해 몸이 균형 있고 건강하게 유지될 수 있습니다. 하지만, 개인의 몸 상태와 필요에 따라 특정 부위에 집중하여 스트레칭하는 것도 중요합니다. 이것은 전체적인 균형을 유지하면서, 특정 부위의 유연성을 높이기 위한 것입니다. 이처럼 스트레칭을 설계할 때, 몸 전체의 유연성을 유지하는 것과 동시에 특정 부위의 유연성을 개선하는 데 집중하는 것이 필요합니다. 이를 통해 몸이 균형 있고 기능적이며, 유연하고 건강한 상태를 유지할 수 있습니다.

7) 스트레칭을 할 때 지나치게 과도한 힘이나 지속적인 스트레칭은 후유증을 유발할 수 있습니다. 근육이나 관절을 지나치게 늘리거나 압박하면 부상을 유발할 수 있고, 유연성을 향상시키는 대신에 오히려 부상 위험을 증가시킬 수 있습니다. 스트레칭 후에 통증이나 불편함이 하루 이상 지속된다면, 이는 스트레칭이 과도하거나 몸이 준비되지 않은 상태에서 진행되었을 가능성이 있습니다. 근육이나 관절을 과도하게 늘리면 결합조직이나 인대를 손상시킬 수 있으며, 이로 인해 근육 통증이나 관절 통증이 발생할 수 있습니다. 이는 유연성을 향상시키는 대신 부상을 유발할 수 있습니다. 또한, 유연성을 높이는 것만으로도 관절 안정성이 떨어지며, 부상을 입을 경우 더 큰 위험을 초래할 수 있습니다. 스트레칭은 천천히 부드럽게 진행되어야 하며, 몸의 반응을 주의 깊게 듣고 적절한 자극을 유지하는 것이 중요합니다. 급격한 스트레칭보다는 조심스럽게 운동이나 스트레칭을 통해 몸을 준비하고 천천히 유연성을 향상시켜야 합니다.

전문가의 조언을 구하거나 안전한 스트레칭 방법을 학습하는 것이 도움이 될 수 있습니다.

좋은 자세의 중요성: 몸의 건강과 기능적인 장점에 대한 이유

올바른 자세는 건강에 매우 중요한데, 이것은 몸을 지탱하고 근육과 인대에 가해지는 부담을 줄여주어 퇴행성 관절염, 관절통 등과 같은 문제를 예방하는 데 도움을 줍니다. 우선, 올바른 자세는 근육과 인대에 가해지는 압력을 줄여주는 중요한 역할을 합니다. 몸을 정렬하고 지탱함으로써 근육과 인대에 가해지는 압력을 최소화할 수 있어 퇴행성 질환을 예방하는 데 도움이 됩니다. 뿐만 아니라, 올바른 자세는 부상 가능성을 감소시킵니다. 또한, 척추 관절을 지탱하는 인대에 가해지는 스트레스를 줄여 부상의 위험을 최소화합니다. 이러한 예방 조치는 등과 관련된 문제를 예방하는 데 매우 유용합니다.

몸을 올바르게 정렬하고 지탱함으로써 근육이 효율적으로 작동할 수 있게 도와줍니다. 이것은 몸이 덜 에너지를 사용하게 하고 근육 피로를 방지하는 데에 도움을 주며 근육과 관절의 건강을 유지하는 데 도움이 됩니다. 적절한 자세를 유지하기 위해서는 근육의 유연성과 힘을 유지하고 척추와 다른 신체 부위의 정상적인 운동을 지속해야 합니다. 또한, 일상에서 자세 습관을 인식하고 필요한 경우 개선하는 데 주의를 기울여야 합니다. 이러한 자세 습관은 건강한 생활 방식과 함께 몸의 균형을 유지하고, 건강한 척추와 인체 기능을 지속하는 데에 매우 중요합니다.

부적절한 자세와 그에 따른 건강에 미치는 영향

나쁜 자세는 우리 몸에 여러 가지 문제를 초래할 수 있습니다. 이는 장기적으로 근육과 관절에 과도한 부담을 주며, 특히 오랜 시간 동안 특정 자세를 유지할 경우 발생할 수 있습니다. 이는 몸을 지탱하는 과정에서 근육과 인대에 비정상적인 압력이 가해져 퇴행성 관절염과 같은 문제를 유발할 수 있습니다. 예를 들어, 디스크나 요통과 같은 문제는 주로 잘못된 자세로 인해 발생합니다. 긴 시간 동안 앉거나 서 있는 경우, 허리 근육과 척추에 과도한 압력이 가해져 통증이나 불편함이 발생할 수 있습니다. 이는 일상적인 생활 활동에서 발생할 수 있는 문제로, 잘못된 자세와 긴 시간의 앉거나 서는 행동이 이러한 문제를 유발할 수 있습니다. 또한, 다양한 요인이 나쁜 자세를 유발할 수 있습니다. 스트레스, 비만, 임신, 근육의 뻣뻣함, 근육의 비정상적인 긴장, 높은 굽의 신발 등이 그 예입니다. 이러한 상황에서 올바른 자세 유지와 균형 있는 운동, 근육 강화 및 스트레칭이 중요합니다. 이를 통해 자세를 개선하고 불편함을 완화할 수 있습니다.

불편함을 완화하고 자세를 개선하기 위해서는 몇 가지 주의사항이 있습니다. 먼저, 올바른 자세 유지와 균형 있는 운동이 중요합니다. 근육을 강화하고 스트레칭을 통해 몸의 균형을 유지하고 자세를 개선할 수 있습니다. 또한, 전문가의 조언을 받아 몸의 문제를 해결하는 데 도움을 받는 것도 중요합니다. 나쁜 자세는 건강에 부정적인 영향을 미치며, 근육과 관절에 부담을 줄 수 있습니다. 올바른 자세와 균형 있는 운동은 이러한 문제를 완화하고 건강한 삶을 살기 위한 필수적인 요소입니다. 따라서 자세를 개선하고 불편함을 완화하기 위해 적절한 조치를 취하는 것이 중요합니다.

트로트 기초 지식

폭스트롯 히스토리

폭스트롯의 역사는 1920년대의 뉴올리언스에서 시작되었습니다. 당시 뉴올리언스는 문화와 음악의 중심지였고, 다양한 문화적 영향을 받았습니다. 특히 아프리카-미국인과 프랑스, 스페인, 이탈리아 등 다양한 국적의 이민자들이 모여 다양성을 자랑했습니다. 이 다양성은 폭스트롯의 형성에 큰 영향을 미쳤습니다. 폭스트롯은 다양한 춤 스타일과 리듬을 조합한 결과물로, 1920년대 후반과 1930년대 초기에 미국에서 널리 퍼졌으며 점차 인기를 끌었습니다.

폭스트롯은 당시 뉴올리언스의 여러 다른 춤들과 마찬가지로 이민자들의 문화적 상호작용에서 비롯된 것으로 보이며 이민자들은 서로의 춤과 음악을 접목시켜 새로운 춤을 창조하고 발전시켰습니다. 특히 재즈 음악의 특징적인 스윙 스타일과 템포가 폭스트롯의 발전에 큰 영향을 미쳤습니다.

폭스트롯은 1930년대 후반과 1940년대에 미국에서 큰 인기를 끌었습니다. 그 당시 미국은 대공황과 세계 대전의 영향을 받았지만, 음악과 춤은 사람들에게 희망과 기쁨을 주는 중요한 수단으로 여겨졌으며 사람들에게 인기를 끌었고, 이는 그 후 미국 이외의 지역에서도 퍼져나갔습니다.

트로트 히스토리

1930년대는 한국 음악사에 큰 변화와 다양성이 풍부했던 중요한 시기로 평가되고 있습니다. 특히, 이 시기에는 엔카(演歌)라는 일본의 음악 장르가 한국 음악계에 큰 영향을 미쳤습니다. 1920년대 후반부터 1930년대 초반까지, 엔카풍의 음악이 한국에 소개되면서 대중들의 귀를 사로잡았습니다. 이는 당시 일본의 식민 통치로 인해 일본 문화의 영향이 한국 사회에 깊게 스며들고 있었기 때문에 빠르게 확산-되었습니다. 엔카는 그 자체로 이미 다양한 영향을 받아 형성된 장르로, 서정적이고 감성적인 가사, 감미로운 멜로디, 그리고 사랑과 이별 등의 주제를 담은 가사로 당시의 한국 사회에서 큰 사랑을 받았습니다. 이는 당시 사람들이 경험하는 감정과 고통, 희망 등을 담아내어 대중들과 공감할 수 있는 특징이었습니다. 엔카의 인기는 단순히 음악적인 측면뿐 아니라, 일본 문화와 정치적인 배경과 함께 전파되었습니다. 이러한 문화적 혼합과 새로운 음악 형식의 탄생은 한국 음악 발전의 과정에서 상징적인 역할을 하게 되었습니다. 엔카의 도입으로 음악은 단순한 소리가 아니라 문화와 정치, 감성을 담는 중요한 매개체로 자리 잡았습니다. 엔카는 이후의 음악에 영감을 주고, 음악의 다양성과 창의성을 촉진시키는 중요한 역할을 하였습니다. 엔카의 시기는 한국 음악사의 중요한 이정표로 기억되며, 그 영향력은 단순한 유행을 넘어 음악적인 창조와 문화적인 혼합의 가능성을 제시한 것으로 평가되고 있습니다.

한편, 1930년대의 한국 음악계에는 일본의 말살 정책과 같은 정치적인 영향도 미쳤습니다. 조선어의 억압과 함께 일본 문화가 주입되면서 음악뿐만 아니라 예술, 문학, 생활 방식 등에도 변화가 찾아왔습니다. 한국 사회는 이러한 문화적인 영향을 받으며, 음악과 예술을 통해 두 나라의 문화가 접목되고 결합 되는 과정을 겪었습니다. 이는 시대적 변화와 정치적인 영향이 어떻게 음악과 문화에 영향을 미칠 수 있는지를 보여주는 중요한 사례로 기억되고 있습니다.

한국 음악사에서 트로트의 발전과 형성에는 광복 이후의 역동적인 사회적, 정치적 변화가 큰 영향을 끼쳤습니다. 광복 이후, 한국은 전쟁의 여파와 정치적 불안으로 인한 어려움을 겪었습니다. 이에 따른 사회적인 변화와 문화적 재건으로 음악 또한 새로운 방향으로 나아가게 되었습니다. 이 시기에 왜색의 잔재를 없애고 주체성 있는 건전가요의 제작이 시작되었고, 그 과정에서 트로트는 새로운 형태로 발전하게 되었습니다. 특히 1960년대부터는 트로트가 다시 발전하면서 현재의 형식으로 완성되었습니다. 이러한 발전 과정에서 음악계에서는 트로트를 엔카와 서양의 폭스트롯이 결합된 음악으로 보거나, 독자적으로 발전한 음악으로 인식하는 견해가 있습니다. 트로트의 역사는 엔카, 서양의 폭스트롯 등의 다른 음악 장르와의 상호작용과 변화를 거쳤습니다. 처음에는 전통적인 한국 가요와 서양 음악의 영향을 받으면서 탄생한 것으로 보이지만, 시간이 흐를수록 트로트는 독자적으로 발전하며 한국의 문화와 정체성을 반영하는 중요한 음악 장르로 자리매김하게 되었습니다. 트로트는 뿌리 깊은 한국의 전통적인 가요와 현대적인 음악 요소가 결합-된 형태로, 한국 사회의 변화와 함께 진화하고 성장해왔습니다. 이러한 특징으로 인해 트로트는 단순히 엔카와 서양 폭스트롯의 결합으로만 볼 수 없고, 한국 음악의 독자적인 발전 과정으로 인식되고 있습니다.

1970년대에는 트로트가 밴드와 다양한 악기를 도입하며 음악성을 다채롭게 향상-시켰습니다. 이것은 트로트가 대중적인 관심을 끌며 대중음악으로서 자리를 잡기 시작한 시기였습니다. 1980년대에는 이러한 트로트의 대중성이 더욱 높아지면서 음악성과 다양성이 더욱 풍부해 졌습니다. 이때부터 트로트는 한국 음악 산업에서 중요한 위치를 차지하게 되었습니다. 특히 1980년대 후반에는 트로트가 대중음악으로 더욱 견고하게 자리를 다지면서, 다른 음악 장르들과 융합되는 과정이 본격화되었습니다. 1990년대 이후에는 트로트의 대중성이 더욱 확대되면서, 다른 음악 장르와의 융합이 더욱 진행되고 있습니다. 최근에는 트로트가 전통적인 요소와 함께 일렉트로닉, 힙합, 록 등과 융합하여 새로운 형태의 음악으로 진화하고 있습니다. 이러한 변화는 트로트가 한국 음악 문화의 한 축으로서 더욱 다양하고 현대적인 음악으로 성장하고 있다는 것을 보여줍니다.

수업 전 준비 및 에티켓: 학습을 더 효과적으로 만드는 방법

수업 전에 적절한 준비와 예의는 댄스 수업에서 학습 경험을 향상시키는 데 핵심적인 역할을 합니다. 적절한 에티켓과 준비는 수업을 더욱 생산적으로 만들어-주며, 학습자와 교사 양쪽에게 많은 혜택을 제공할 수 있습니다. 특히 댄스 수업에서는 몇 가지 중요한 에티켓 규칙을 알고 준비하는 것이 도움이 됩니다.

A. 적절한 복장: 춤추기에 편하면서도 동작에 적합한 복장을 선택하세요.

B. 보석 제거: 큰 보석이나 액세서리는 춤 수업 전에 제거하여 다른 학생들과의 충돌을 피하고 안전을 유지하세요.

C. 수업 시작 전 준비: 필요한 용품과 의류를 사전에 준비하고, 수업 시작 시간에 맞춰 도착하여 원활한 진행에 기여하세요.

D. 집중: 선생님의 지시에 집중하고, 다른 학생들과의 대화를 최소화하여 수업 효율을 높이세요.

E. 전화 사용 자제: 휴대전화 사용을 최소화하고, 진동 모드로 설정하여 타 학생들에게 방해가 되지 않도록 신경 써주세요.

F. 촬영 금지: 수업 중에는 사진이나 동영상 촬영을 자제하여 타 학생들의 프라이버시를 존중하세요.

G. 안전사고 예방: 춤을 추는 동안 안전에 주의하고, 다른 학생들과 충돌하지 않도록 주의하세요.

H. 시간 준수: 수업 시작 시간을 엄수하여 수업의 원활한 진행에 기여하세요.

I. 중간에 나가지 않기: 수업 중간에는 최대한 나가지 않고 끝까지 참여하여 수업의 일관성을 유지하세요.

J. 학생 협력: 춤 공간을 서로 공유하고 다른 학생들과 협력하여 긍정적인 수업 분위기를 조성하세요.

K. 최선을 다하기: 노력을 기울여 자신의 능력을 개발하고 성장하세요.

L. 종례: 수업이 끝날 때에는 선생님에게 감사의 인사를 전하여 예의를 지키세요.

M. 세탁: 사용한 운동복은 깨끗이 관리하고, 개인 위생에 신경을 써 수업에 참여하세요.

N. 수업 장소 정리: 수업 후에는 개인 물품을 정리하고, 깔끔한 환경을 유지하여 다음 수업에 대비하세요.

O. 기회 제공: 춤 공간에서 다른 학생들에게도 기회를 주어 공정한 참여 기회를 제공하세요.

P. 배려: 다른 학생들의 공간과 시간을 존중하고, 서로에게 배려와 예의를 베풀어 긍정적인 수업 분위기를 유지하세요.

Q. 친밀한 분위기 조성: 수업 분위기를 친밀하게 만들어 동료 학생들과의 유대감을 증진하세요.

R. 평가: 자신의 춤 실력을 지속적으로 평가하고, 성장과 발전을 위해 계속 노력하세요.

S. 장비 관리: 필요한 경우 사용한 춤 신발 등의 장비를 깨끗이 관리하여 수업에 참여하세요.

T. 참여와 적극성: 수업에 적극적으로 참여하고, 자신의 의견을 나누며 수업 활동에 적극적으로 참여하세요.

U. 문제 해결과 유연성: 발생하는 문제에 대해 유연하게 대처하고, 상황에 따라 적절한 대책을 마련하세요.

V. 피드백 수용: 선생님과 동료 학생들로부터의 피드백을 열린 마음으로 수용하고, 개선점을 찾아 노력하세요.

W. 목표 설정: 명확한 학습 목표를 설정하고, 그에 맞춰 계획을 세워 학습에 최선을 다하세요.

X. 휴식과 회복: 적절한 휴식을 취하고, 몸과 마음의 회복에 신경을 써 체력을 유지하세요.

Y. 꾸준한 학습: 춤 수업에 지속적으로 참여하고 꾸준한 학습과 연습을 통해 실력을 향상하세요.

Z. 유연성과 민첩성: 스트레칭과 조율을 통해 유연성과 민첩성을 키워, 다양한 춤 동작을 습득하세요.

스텝 바이 스텝: 춤의 진화를 위한 프로그레시브한 접근법

1. **기초 강화와 몸의 기초 이해:** 댄스를 시작하기 전에 몸의 기본적인 움직임과 균형을 이해하고 훈련합니다. 바른 자세와 균형 유지가 이 단계에서 중요합니다.

2. **스탠딩 포지션과 춤의 시작:** 적절한 댄스 포지션과 댄스를 시작하는 방법을 익힙니다. 춤을 시작하기 전에 어떻게 포즈를 취하고 춤을 시작할지를 연습합니다.

3 .**기본 움직임과 스텝:** 댄스의 기초적인 움직임과 스텝을 연습하고, 다양한 패턴을 익히며 발전시킵니다. 이는 춤의 다양한 부분을 이해하고 연습하는 것을 포함합니다.

4. **타이밍과 음악의 리듬 이해:** 음악의 구조와 리듬을 이해하고, 음악에 맞춰 춤을 추는 능력을 키웁니다. 음악과의 조화를 이루는 것은 춤을 출 때 중요한 부분입니다.

5. **트로트의 기초:** 트로트의 특징과 기초적인 움직임을 익히고, 트로트의 고유한 스타일을 터득합니다.

6. **프레임 워크와 패턴:** 춤의 구조와 다양한 패턴을 이해하고 연습합니다. 이는 춤을 구성하는 다양한 스텝과 동작들의 연결을 학습하는 것을 말합니다.

7. **테크닉과 스타일의 발전:** 테크닉적인 부분을 강화하고, 자신만의 스타일을 개발하기 위해 노력합니다. 효과적인 움직임과 표현력을 향상시키기 위해 다양한 테크닉을 연습합니다.

8. **창의적인 표현과 개인적인 아이디어:** 창의적인 춤의 표현과 독특한 아이디어를 개발합니다. 자신만의 새로운 움직임이나 조합을 만들어냅니다.

9. **실전 경험과 무대 연습:** 무대에서의 경험을 통해 실전 댄스 능력을 향상시키고, 무대에서의 퍼포먼스에 대한 자신감을 높입니다.

10. **자기 성장과 지속적 발전:** 춤을 통해 자신의 성장을 끊임없이 추구하고, 지속적으로 발전해 나가는 자세를 유지합니다. 자신의 한계를 뛰어넘고 새로운 도전을 시도합니다.

댄스 레벨

1. **첫걸음자** (Initial Explorer): 춤의 세계를 처음 발견하는 단계로, 호기심과 즐거움을 통해 기초적인 동작과 자세를 익히는 중입니다. 새로운 것에 대한 탐구가 주를 이룹니다.

2. **기본의 탐험가** (Foundational Voyager): 기초 움직임과 스텝을 튼튼히 다지며, 춤에 대한 이

해를 높이고자 합니다. 자신의 능력을 강화하기 위해 지식을 쌓아나가는 중입니다.

3. **중간의 여정자** (Midway Explorer): 더 복잡하고 다양한 기술들을 익히며, 기초를 벗어나는 동시에 춤에서의 자신만의 스타일을 발견하려고 노력합니다.

4. **고급 탐험가** (Advanced Voyager): 높은 수준의 기술과 움직임을 익히고, 이를 바탕으로 자신만의 독특한 춤 스타일을 개발하는 단계입니다. 예술적인 표현에 집중합니다.

5 .**전문가의 탐구자** (Expert Explorer): 춤에서 뛰어난 기술과 표현력을 지닌 댄서로서, 자신의 경험과 기술을 더욱 향상시키며 예술적인 영역에 더 깊이 집중합니다.

6. **무한한 탐구자** (Infinite Voyager): 춤의 예술적 경지를 탐구하며, 창조적인 열정으로 계속해서 새로운 아이디어와 스타일을 창출하고 발전시킵니다.

7. **창조적인 탐험가** (Creative Explorer): 댄스 예술을 창조적으로 활용하며, 새로운 기법과 스타일을 개발하는 데 주력합니다. 창조적인 영감으로 춤을 혁신합니다.

8. **예술적 혁신가** (Artistic Innovator): 춤의 예술적인 방향성을 제시하고, 혁신적인 발상으로 예술의 경계를 넘나드는 데 중점을 둡니다. 새로운 아이디어와 영역을 탐구합니다.

9. **마에스트로의 예술가** (Maestro Artiste): 춤 예술을 지배하며, 뛰어난 리더십과 예술적 비전을 갖추고 있습니다. 다른 예술가들에게 영감을 주는 존재입니다.

10. **무한한 예술가** (Infinite Artiste): 춤의 영역을 초월하여, 끊임없는 창조와 예술적 열정으로 예술을 이루는 존재입니다. 예술적인 혁신을 통해 춤을 더 높은 차원으로 이끕니다.

이러한 레벨은 개인의 노력과 무대 경험, 창의성, 학습 노력에 따라 변화할 수 있습니다. 또한, 댄스의 다양한 스타일과 장르에 따라서도 레벨의 해석과 적용이 달라질 수 있어요.

트로트 댄스를 시작할 때 갖춰야 하는 조건

1. **열정과 관심**: 트로트 댄스를 배우고 싶어하는 열정과 관심은 시작할 때 중요합니다. 춤에 대한 열정이 강할수록 지속적인 학습과 향상에 도움이 됩니다.

2. **유연성과 근력**: 춤을 출 때 몸의 유연성과 근력은 중요합니다. 이를 위해 스트레칭과 근력 운동을 통해 몸을 유연하고 강하게 만들어야 합니다.

3. **안무 이해**: 트로트 댄스의 특성과 안무를 이해하는 것이 중요합니다. 기본적인 스텝과 움직임에 대한 이해가 필요합니다.

4. **타이밍과 리듬 감각**: 음악에 맞춰 춤을 추는 데 필요한 타이밍과 리듬 감각이 필요합니다. 음악의 비트와 악센트를 이해하고 그에 맞춰 움직일 수 있어야 합니다.

5. **발걸음의 정확성**: 트로트 댄스에서 발걸음의 정확성은 중요합니다. 정확하고 깔끔한 발걸음을 위해 기본적인 스텝을 익혀야 합니다.

6. **자세와 포즈**: 춤을 출 때 자세와 포즈는 중요한 부분입니다. 올바른 자세와 포즈를 유지하며 움직임을 할 수 있는 능력이 필요합니다.

7. 인내와 노력: 춤을 익히는 것은 시간과 노력이 필요합니다. 인내와 노력을 기울여 연습하고 발전해야 합니다.

8. 전문 지도: 트로트 댄스를 배우기 위해 전문적인 지도가 필요합니다. 춤 학원이나 강사의 지도를 받는 것이 도움이 됩니다.

9. 연습 환경: 춤을 연습할 수 있는 적절한 환경이 필요합니다. 춤을 출 수 있는 충분한 공간과 거울 등이 도움이 됩니다.

10. 긍정적인 태도: 춤을 배우고 발전하기 위해서는 긍정적인 태도가 필요합니다. 실패를 두려워하지 않고 학습하는 마음가짐이 중요합니다.

트로트를 시작할 때 이러한 조건들을 고려하여 춤을 배우고 연습하는 것이 중요합니다. 지속적인 노력과 열정을 가지고 학습하면서 자신의 발전을 경험할 수 있을 것입니다.

춤의 숙련: 능숙한 댄서로 나아가는 여정

춤의 숙련 기간은 각 춤의 종류와 개인의 능력, 그리고 투자하는 연습 시간에 따라 크게 달라요. 댄스 스포츠의 경우, 기술적인 수준에 따라 숙련되는 데 걸리는 시간이 다양하죠.

1. 댄스 스포츠(모던, 라틴):

춤의 숙련은 여정이자 예술의 탐구입니다.

초보자의 시작은 기본 토대를 다지고 익숙해지는 데 1년이 소요될 수 있습니다. 이 단계에서는 우아한 움직임과 포지션, 특정 기술을 습득하며 음악의 리듬에 맞춰 몸을 조율하는 리듬 감각을 발전시킵니다.

중상급 단계로 넘어가면 2년 정도의 여정이 시작됩니다. 이 단계에서는 일상적인 루틴을 벗어나 복잡하고 다채로운 움직임을 익히며, 기술적으로도 크게 성장하게 됩니다. 이를 통해 춤의 다양한 면모를 탐구하고 표현력을 확장하는데 집중합니다.

그리고 마스터 단계, 이는 춤을 한평생을 바칠 수준의 고도화된 단계입니다. 이 과정은 높은 장벽과 함께하지만, 꾸준한 노력과 온전히 헌신해야 할 운동과도 같은 연습이 필요합니다. 고급 기술의 습득뿐 아니라 더 깊이 있고 감동적인 춤 표현을 위해 노력하게 됩니다.

숙련에는 개인의 여정과 투자한 노력에 따라 크게 다르며, 이를 위해선 끊임없는 연습과 열정이 필수입니다.

2. 사교춤:

사교춤에서 성별에 따른 접근 방식과 숙련되기까지의 시간은 서로 상이합니다. 여성은 리듬 감각이 뛰어난 경우 상대적으로 빠르게 춤을 즐길 수 있습니다. 이러한 여성의 빠른 숙련은 주변 환경과 춤에 대한 흥미, 그리고 자연스러운 감각에 영향을 받을 수 있습니다. 2달에서 3달 정도의 연습으로도 여성은 춤을 자연스럽게 즐기며 사교적인 장소에서 춤을 즐길 수 있습니다.

하지만 남성은 이에 비해 더 많은 시간과 노력이 필요합니다. 여성은 남성의 리드에만 집중만 하면 되지만 남성은 여성을 리드 해야지, 음악 들어야지, 후행 스텝 생각해야지, 다른 춤추는 이들과 충돌을 피하고 춤추는 공간(슬롯)을 만들면서 여성을 리드를 해야 하기 때문에, 배울 것도 많고 실전경험도 많이 해야 합니다.

남성의 경우 3개월에서 6개월 정도의 시간이 걸릴 수 있으며, 최소 1년 정도가 지나야 어느 정도 편안하게 춤을 즐길 수 있습니다. 이는 자신감을 키우고 상대와의 상호작용에 더 익숙해지는 데 시간이 소요되는 것일 수 있습니다. 그래도 3에서 5년 정도 지나가야 여성들이 놀만하다고 느낄 수 있습니다. 이 시기는 자만의 기간으로 남성 자신이 고수처럼 느껴지는 기간입니다. 요컨대, 사교춤을 능숙하게 추기 위한 시간은 개인의 노력과 열정, 그리고 춤의 복잡성과 종류에 따라 다양합니다. 연습과 꾸준한 노력이 핵심이며, 개인의 능력과 습득 속도는 각기 다를 수 있습니다. 춤은 개개인의 특성과 환경에 따라 다양한 속도로 즐거움을 찾아가는 여정이라고 할 수 있습니다.

안전하고 효과적인 춤 학습 방법

춤은 우리에게 흥미로운 예술이자 운동이 될 수 있습니다. 그러나 춤을 배우고 싶을 때, 올바른 학습 방법을 선택하는 것이 중요합니다. 다양한 방법이 있지만, 안전하고 효과적인 방법을 선택하는 것이 최우선 과제입니다.

1. 책이나 동영상을 통한 학습은 춤을 시각적으로 보고 익히는 데 도움이 됩니다. 영상을 통해 움직임과 기술을 시각적으로 이해할 수 있으며, 책은 이론적인 부분을 학습하는 데 도움이 될 수 있습니다. 하지만 이 방법은 초보자에게는 어려울 수 있습니다. 특히 춤 같은 신체 활동은 개인의 체감과 움직임을 필요로 하기 때문에 초보자에게는 영상이나 책만으로는 어려움이 따를 수 있습니다. 춤은 감각과 실제적인 움직임이 중요하기 때문에, 상호작용과 피드백이 부족하다면 실제 습득에 한계가 있을 수 있습니다. 이 방법의 한계는 개별적인 조언과 보정이 부족하다는 것입니다. 춤을 배우는 과정에서 자신의 움직임을 지속적으로 확인하고 보정하기 위해선 상호작용과 피드백이 필요합니다. 예를 들어, 자세나 움직임의 정확성을 확인하고 보완하기 위해 직접적인 지도자나 교사의 조언이 필요합니다. 또한, 춤은 감정과 의사소통의 한 수단이기도 합니다. 이를 영상이나 책만으로는 충분히 이해하고 습득하기 어려울 수 있습니다. 실제 교육 환경에서 다른 춤꾼들과의 상호작용을 통해 의사소통하는 방법과 감정을 전달하는 방법 등을 배울 수 있습니다.

책이나 동영상을 활용하는 것은 춤을 배우는 과정에서 유용한 도구이나, 초보자들에게는 실제 교육 환경이나 교사의 지도가 없다면 춤을 익히는 데 한계가 있을 수 있습니다. 그러므로 이러한 자료를 참고하면서도 실제 교육 환경에서의 상호작용과 피드백을 통해 춤을 배우는 것이 더욱 효과적일 수 있습니다.

2. 지인에게 개별적으로 배우는 것은 특정 분야에서 실력 있는 사람으로부터 직접 지도를 받는 효과적인 방법일 수 있습니다. 이 방식은 해당 분야의 전문성을 가진 사람으로부터 맞춤형 지도를 받을 수 있어 초보자들에게 매우 유용합니다. 그러나 이러한 학습 방식에는 몇 가지 한계점이 존재합니다. 먼저, 지인에게 개별 지도를 받을 때 다양성이 부족할 수 있습니다. 특정 사람의 경험과 시각으로만 배우게 되므로 다양한 관점과 스타일을 경험할 기회가 제한될 수 있습니다. 이는 학습자의 능력 향상을 제약할 수 있으며, 보다 다양한 기술과 스타일을 습득하는 데 어려움을 초래할 수 있습니다. 또한, 지인에게 개별 지도를 받을 경우, 그들의 시간과 학습 범위에 따라 학습이 제한될 수 있습니다. 이로 인해 필요한 영역이나 새로운 기술을 탐구하는 데 제약을 받을 수 있습니다. 마지막으로, 다양한 교류와 경험이 부족할 수 있습니다. 학습은 종종 다른 사람들과의 상호작용과 경험을 통해 풍부해집니다. 하지만 개별적인 지도를 받을 경우, 이러한 교류와 경험이 부족할 수 있어 다양한 관점과 기술을 습득하는 데 어려움을 겪을 수 있습니다. 따라서 지인에게 개별 지도를 받는 것은 효과적인 학습 방법일 수 있지만, 학습의 다양성과 교류 경험 부족 등의 한계를 인지하고 보완하기 위해 다른 학습 방법이나 환경을 찾아보는 것이 중요합니다. 다양한 학습 경험을 통해 더욱 풍부한 지식과 기술을 습득할 수 있습니다.

3. 무허가 업소나 불법 교습은 절대적으로 피해야 하는 것이 맞아요. 이러한 환경에서는 학습 환경이나 교육 품질이 보장되지 않을 뿐 아니라, 법적 문제에 노출될 가능성도 있습니다.

합법적인 학원이나 교육 기관에서의 학습은 안전과 품질을 보장받을 수 있는 중요한 방법입니다. 무허가 업소나 불법 교습은 학습 환경이 안전하지 않을 뿐만 아니라, 교육의 품질이나 지도자의 전문성도 보장되지 않을 수 있어요. 불법적인 환경에서는 학습자가 예상치 못한 위험에 노출될 수 있으며, 이는 학습에 대한 부정적인 영향을 줄 수 있습니다. 반면, 합법적인 학원이나 교육 기관에서의 학습은 안전과 품질을 보장받을 수 있습니다. 학원이나 기관은 정부의 규정과 지침을 따르며, 전문가들이 학습자들을 지도하고 안전한 환경을 제공합니다. 이러한 곳에서 학습하면 지식과 기술을 안전하게 습득할 수 있으며, 향후 법적 문제에 대한 걱정도 없을 거예요. 따라서 학습을 위해서는 합법적인 학원이나 교육 기관을 선택하는 것이 중요합니다. 또한, 가정에서 불법으로 교습을 받는 것은 절대 하지 말아야 합니다.

4. 합법적인 학원에서의 학습은 많은 장점을 갖고 있어요. 여기에는 훌륭한 교육 환경과 전문가의 지도가 포함되어 있습니다. 이러한 장점들은 학습자에게 안전하고 품질 좋은 교육을 제공하는 데 큰 역할을 합니다. 우선, 합법적인 학원은 안전한 학습 환경을 제공합니다. 정부나 교육 당국의 규정을 준수하며, 학습 시설과 환경이 안전하게 유지됩니다. 또한, 전문가들이 교육을 지도하고 학습자들에게 최상의 지도법을 제공하여 품질 있는 교육을 받을 수 있습니다. 하지만, 비용과 교육 방식에 따라 차이가 있을 수 있습니다. 학원마다 교육 프로그램과 비용이 상이하며, 이는 학습자가 선택할 때 고려해야 할 부분입니다. 높은 품질의 교육을 받으려면 추가 비용이 발생할 수 있지만, 이를 통해 더 좋은 지도와 시설을 이용할 수 있으며 다양한 교육 방식과 프로그램을 통해 지식과 기술을 향상시킬 수 있습니다. 학습자의 목표와 예산에 맞는 적절한 학원을 선택하여 안정적이고 효과적인 학습 경험을 쌓을 수 있을 거예요.

안전하고 효과적인 학습 환경을 선택하여 춤을 배우고, 지속적인 연습과 노력을 통해 자신의 실력을 향상시키는 것이 중요합니다. 춤은 즐겁고 활력적인 활동이 될 수 있으며, 안전하게 배우면서 더욱 즐거움을 느낄 수 있을 겁니다.

춤을 배울 때 유의할 점

A. 여러개의 춤을 동시에 배우려고 하지마라.

춤을 배우고자 할 때, 전략적인 접근이 중요합니다. 여러 종목의 춤을 동시에 배우려고 하거나, 여러 스텝(피겨)을 한꺼번에 익히려고 하는 것은 지나친 욕심이 될 수 있습니다. 먼저 한 종목을 선택하고 집중하여 연습하는 것이 효율적일 수 있습니다.

우선, 어떤 춤을 배울지 결정하는 것이 시작입니다. 춤의 선택은 개인의 취향과 목표에 따라 달라질 수 있으며, 자신이 즐기고 관심 있는 춤을 선택하는 것이 중요합니다. 여러 종목의 춤을 동시에 배우면, 각각의 춤에 대한 기억이 희미해질 수 있습니다. 춤을 배운 후에도 지속적인 연습과 복습이 필요합니다. 일정한 간격으로 이전에 배웠던 춤을 복습하는 것이 좋습니다. 이를 통해 춤을 잊지 않고 기억력을 유지할 수 있습니다.

가. 피겨 방향의 중요성

1. 정확한 움직임과 표현력: 피겨의 방향을 이해하고 적절히 사용함으로써 춤의 움직임이 더욱 정확하고 표현력 있게 표현됩니다.

2. 안정성과 균형: 올바른 피겨의 방향을 사용하면 안정적인 자세와 균형을 유지하는 데 도움이 됩니다. 이는 춤을 추는 과정에서 부상의 위험을 줄여줍니다.

3. 춤의 특성과 스타일: 각 춤의 특성과 스타일에 따라 피겨의 방향이 달라질 수 있습니다. 스타일에 맞는 피겨 방향을 이해하고 활용하는 것이 춤을 더욱 아름답게 만들어줍니다.

4. 파트너와의 협업: 그룹 또는 커플 댄스의 경우, 피겨 방향을 정확히 이해하고 파트너와의 협업을 통해 조화롭고 아름다운 움직임을 연출할 수 있습니다.

나. 피겨 방향 학습 방법

1. 전문적인 춤 수업: 춤 수업을 통해 피겨의 방향을 학습하고 연습할 수 있습니다. 강사의 지도를 받으면서 움직임을 익히고, 피겨 방향을 연습할 수 있습니다.

2. 개인 연습: 개인 연습을 통해 특정 피겨의 방향을 반복적으로 연습하고 익숙해질 수 있습니다.

3. 비디오 학습: 춤 비디오를 보며 전문 댄서들의 움직임을 분석하고, 그들이 사용하는 피겨의 방향을 관찰하고 학습할 수 있습니다.

춤에서 피겨의 방향을 학습하는 것은 춤의 정확성과 표현력을 향상시키는 데 중요한 요소입니다. 이를 통해 안정성과 연출력을 높일 수 있으며, 춤을 추는 데 있어 더욱 자신감을 가질 수 있습니다.)

B. 기초가 튼튼해야 한다.

춤에서 기초는 마치 건축물의 기초와 같아요. 튼튼한 기초가 없으면 높이 올라가는 건물도 불안정할 수 있어요. 정확한 자세와 움직임은 춤에서도 이와 비슷한 역할을 하죠. 바른 기초 자세는 모든 춤의 핵심입니다. 이를 통해 우수한 기술을 쌓고 그것을 효과적으로 표현할 수 있게 도와줍니다. 기초 스텝과 동작들은 그저 걷는 것 이상을 의미해요. 초보자가 익히는 모든 동작과 피겨를 포함하는 중요한 부분이에요. 그래서 이러한 기초적인 요소를 강조함으로써, 춤의 기술과 표현력을 향상시킬 수 있는 기반을 다진답니다. 이러한 기초는 단순히 춤을 출 수 있게 만드는 것을 넘어서, 춤의 본질과 흐름을 이해하고 표현할 수 있는 능력을 키워주는 것이죠.

가. 기초의 중요성

1. 안정성과 균형: 춤에서의 안정성과 균형은 튼튼한 기초에서 비롯됩니다. 올바른 자세와 움직임을 익히고 강화함으로써, 춤 동작을 안정적으로 수행할 수 있습니다.

2. 기술적인 발전: 춤을 추기 위해 필요한 기본적인 움직임과 기술은 튼튼한 기초에서 출발합니다. 기본적인 스텝, 포지션, 움직임을 습득하고 연마함으로써, 보다 높은 수준의 기술을 개발할 수 있습니다.

3. 부상 예방: 튼튼한 기초는 부상을 예방하는 데에도 도움을 줍니다. 올바른 기초적인 기술과 몸의 움직임을 통제함으로써, 부상의 위험을 줄일 수 있습니다.

4. 표현력과 창의성: 춤에서의 표현력과 창의성은 튼튼한 기초에서 비롯됩니다. 안정적인 기술이 확보된 상태에서 자유롭고 창의적인 움직임을 발전시킬 수 있습니다.

나. 튼튼한 기초의 영향

1. 안정성: 튼튼한 기초는 안정성을 제공합니다. 이는 춤을 추는 동안 안정적인 자세와 균형을 유지하는 데에 도움을 줍니다.

2. 자신감: 튼튼한 기초는 춤추는 동안 자신감을 주고, 새로운 기술과 움직임을 시도하는 데 용기를 줄 수 있습니다.

3. 표현력: 춤에서의 표현력은 기초에 근거하여 발전합니다. 올바른 기술과 움직임을 통해 자신의 감정과 의도를 표현하는 방법에 있어 훨씬 더 효과적으로 표현할 수 있게 됩니다.

4. 창의성: 튼튼한 기초는 창의성을 촉진합니다. 안정적인 기술적 토대 위에서 자유롭게 움직일 수 있으며 새로운 동작을 탐구하는데 큰 자신감을 가져옵니다.

C. 음악에 맞출 수 있도록 무릎과 힙을 편안히 하는데 집중한다.

음악에 맞춰 움직이기 위해서는 몸의 균형과 편안한 상태에 집중해야 해요. 특히 무릎과 힙의 편안한 상태는 핵심적인 역할을 합니다. 몸을 지나치게 긴장시키거나 경직시키면 음악의 흐름을 따라가기 어려워져요. 이는 움직임을 단조롭게 만들 뿐만 아니라 파트너에게도 불편함을 줄 수 있고, 음악의 리듬을 따라가기 어렵게 만들 수 있어요. 그러므로 편안한 상태에서 춤을 즐기는 것이 중요합니다. 이를 통해 음악에 맞춰 부드럽고 자연스럽게 움직일 수 있게 됩니다. 편안한 상태에서는 몸의 균형과 흐름을 유지할 수 있어서 음악의 템포와 표현을 더 잘 따라갈 수 있어요.

가. 무릎과 힙의 중요성

1. 운동의 중심부: 무릎과 힙은 우리 몸의 중심부에 위치하며, 춤을 추는 동안 전체적인 균형을 유지하는 데 중요한 역할을 합니다.

2. 움직임의 유연성: 힙과 무릎이 유연하고 편안하다면, 댄서는 다양한 움직임을 수행할 수 있습니다. 이는 춤의 다양성과 표현력을 높여줍니다.

3. 음악과의 조화: 음악에 맞춰 춤을 추려면, 힙과 무릎을 조절하여 음악의 비트와 리듬에 맞춰 움직여야 합니다. 이는 춤을 보다 자연스럽고 매끄럽게 만들어 줍니다.

나. 무릎과 힙의 편안함을 위한 방법

1. 스트레칭 및 워밍업: 춤을 시작하기 전에 충분한 스트레칭과 워밍업을 통해 근육을 완화시키고 유연성을 높여 줘야합니다.

2. 자세와 포지션: 올바른 자세와 포지션을 유지하는 것이 중요합니다. 등과 골반을 수직으로 유지하고, 무릎을 살짝 구부리는 것이 권장됩니다.

3. 균형 유지: 춤을 추면서 균형을 유지하는 것이 중요합니다. 무릎과 힙의 균형을 유지하면서 움직임을 조절하는 것이 필요합니다.

4. 리듬과 음악의 이해: 음악의 비트와 리듬을 잘 이해하고, 그것에 맞춰 무릎과 힙을 사용하여 움직이는 것이 중요합니다.

5. 훈련과 연습: 춤을 연습하면서 무릎과 힙을 조절하고, 음악에 맞춰 움직이는 연습이 필요합니다. 반복적인 연습을 통해 조절하는 방법을 익히는 것이 중요합니다.

다. 무릎과 힙의 편안함이 주는 영향

1. 유연성과 다양성: 무릎과 힙이 편안하고 유연하다면, 댄서는 다양한 움직임을 수행할 수 있고, 춤의 다양성을 표현할 수 있습니다.

2. 안정성과 균형: 편안한 무릎과 힙은 춤을 추는 동안 안정성과 균형을 유지하는 데 도움이 됩니다. 이는 춤의 안정성을 높여줍니다.

3. 음악과의 조화: 음악에 맞춰 움직일 때, 편안한 무릎과 힙은 음악과 조화롭고 자연스러운 움직임을 가능하게 합니다.

무릎과 힙을 편안하게 조절하는 것은 춤을 추는 데 있어서 균형, 표현력, 그리고 음악과의 조화를 높이는 데에 큰 영향을 줍니다. 이를 위해서는 꾸준한 연습과 정확한 기술의 이해가 필요합니다.

D. 고급(응용) 스텝을 시도하기 전에 반드시 기본 스텝을 익혀야 한다.

춤에서 고급 스텝을 향해 나아가기 위해서는 기본 스텝을 확실히 숙지하는 것이 필수적입니다. 기본 스텝은 마치 건강한 식습관과 같아요. 건강한 식습관이 건강한 몸을 만드는 것처럼, 기본 스텝이 춤의 기초를 다진다고 할 수 있죠. 고급 스텝은 마치 건축물의 장식과 같아요. 그러나 건축물이 튼튼한 기반 위에 세워져야만 아름다움이 빛을 발하듯, 고급 스텝도 기본적인 기술이 뒷받침되어야 비로소 빛을 발할 수 있어요. 기본 스텝을 익힘으로써, 우리는 춤의 기본적인 흐름과 자연스러운 움직임을 익힐 수 있습니다. 이는 고급 스텝을 익히는 데 있어서도 무척 중요합니다. 기본 스텝이 익숙하지 않다면, 고급 스텝을 시도할 때 부자연스러움과 어색함을 느낄 수 있기 때문이죠.

더불어, 안전성도 중요한데요. 고급 스텝은 더 큰 도전과 위험을 안고 있기도 합니다. 그렇기 때문에 기본 스텝을 통해 안전하게 춤을 추는 방법을 익히는 것이 필수적입니다.

가. 기본 스텝의 중요성

1. 기반 구축: 기본 스텝은 춤의 기반이 됩니다. 춤을 추는 데 필요한 자세와 기술적인 요소들을 익히는 데 중요한 역할을 합니다.

2. 운동 경험과 기억: 기본 스텝을 연습하고 익힘으로써, 몸이 익숙해지고 근육 기억을 형성할 수 있습니다. 이는 응용 동작과 같은 고급 기술을 습득하는 데에 필수적입니다.

3. 표현력 향상: 기본 스텝은 춤을 추는 데 필요한 움직임과 자세를 학습하는 데 도움을 줍니다. 이는 표현력과 창의성을 높여줄 수 있습니다.

4. 안정성과 균형: 기본 스텝을 익힘으로써 춤을 추는 동안 안정성과 균형을 유지하는 것이 가능해집니다.

나. 고급(응용) 스텝에 대한 기초 스텝

고급 기본 스텝을 변형하고 발전시킨 것입니다. 따라서 고급(응용)스텝을 시도하기 전에는 해당하는 춤의 기본 스텝을 정확하게 이해하고 연습하는 것이 필요합니다.

1. 정확한 이해: 기본 스텝을 완벽하게 이해하는 것이 중요합니다. 각 스텝의 움직임과 박자, 그리고 몸의 자세 등을 정확히 이해해야 합니다.

2. 반복적인 연습: 기본 스텝을 반복적으로 연습함으로써 근육 기억을 형성하고, 자연스럽게 몸이 익숙해지도록 합니다.

3. 속도와 리듬: 기본 스텝을 다양한 속도와 리듬으로 연습하여, 다양한 음악에 맞춰 움직일 수 있도록 합니다.

4. 스타일과 표현력: 기본 스텝을 자신의 스타일에 맞게 표현하고 발전시키는 것도 중요합니다. 이를 통해 고급 스텝을 보다 창의적으로 발전시킬 수 있습니다.

다. 고급(응용) 스텝과 기본 스텝의 관계

고급(응용) 스텝은 기본 스텝에서 영감을 받아 발전된 것입니다. 따라서 고급(응용) 스텝은 기본 스텝에 의존합니다. 기본 스텝을 충분히 익히지 않고 고급(응용) 스텝을 시도하면, 오히려 기본 움직임을 잘못 익히게 될 수 있습니다.

고급(응용) 스텝을 시도하기 위해서는

1.심층적 이해: 기본 스텝을 세부적으로 이해하고, 각 부분을 숙지하는 것이 중요합니다.

2.많은 연습: 춤을 많이 춰보고 연습하는 것이 고급(응용) 스텝을 이해하고 적용하는데 도움이 됩니다.

3.탐구와 창의성: 고급(응용) 스텝을 발전시키는 것은 자신만의 창의성과 연구에 의해 가능합니다.

이와 같은 원칙을 바탕으로 기본 스텝을 충분히 익히고 연습한 뒤, 고급(응용) 스텝을 시도함으로써 댄스 실력을 발전시킬 수 있습니다. 이를 통해 다양한 스타일과 창의적인 춤을 표현할 수 있게 됩니다.

E. 발을 딛는 위치만으로는 춤을 잘 출 수 없다.

춤에서 발의 위치는 중요하지만, 춤을 완벽하게 표현하는 데엔 한계가 있습니다. 춤에서 가장 핵심적인 것은 발 위치 뿐 아니라, 몸의 유연한 움직임과 자연스러운 흔들림, 그리고 음악의 타이밍과 리듬감도 매우 중요합니다. 이 세-가지를 충분히 숙지하고 연습하는 것이 춤을 완성시키는 핵심 요소입니다.

발의 위치를 유지하는 것 외에도, 몸의 유연한 움직임과 우아한 동작, 그리고 음악과 조화를 이루는 타이밍과 리듬감이 춤을 더욱 아름답게 만듭니다. 이러한 특성들은 춤의 다양한 면모를 드러내는 데 결정적인 역할을 합니다. 따라서 춤을 완벽하게 표현하고자 한다면, 발의 위치 뿐만 아니라 몸의 유연한 움직임과 표현력을 향상시키며 음악에 맞는 타이밍과 리듬감을 갖추는 것이 필수적입니다. 이것들을 충실히 연습하고 향상시킴으로써 진정한 춤의 아름다움과 표현력을 발휘할 수 있습니다.

F. 혼자 연습할 때도 항상 파트너와 같이 하는 동작이어야 한다.

춤을 혼자서 연습하는 것도 파트너와 춤을 추는 것과 비슷한 동작을 반드시 고려해야 합니다. 혼자 연습할 때에도 파트너와의 춤 동작과 유사한 움직임을 연습하는 것이 중요합니다. 이는 파트너와의 조화와 호흡을 향상시키는 데 도움이 되며, 춤을 더 부드럽고 자연스럽게 만들어줍니다. 혼자 연습할 때에도 파트너와의 동작을 고려하는 것은 기술적 일관성을 유지하는 데 도움이 됩니다. 이는 특히 파트너와 춤을 추는 시점에서 서로의 조화를 강조하는 데 도움을 줄 수 있습니다. 또한, 혼자서도 파트너와의 움직임을 연습하여 춤의 흐름과 표현을 더욱 자연스럽게 만들 수 있습니다.

따라서 혼자 연습할 때에도 파트너와의 동작을 상상하고, 파트너와 함께 춤을 추는 경우와 유사한 동작을 연습하는 것이 좋습니다. 이를 통해 혼자서도 춤을 부드럽고 자연스럽게 표현할 수 있는 능력을 키울 수 있습니다.

가. 혼자 연습과 파트너와 함께 하는 연습의 차이

1. 솔로 연습(Solo Practice)

솔로 연습은 기술적인 부분에 집중할 수 있는 시간을 제공합니다. 자세, 움직임, 기본 스텝 등을 향상시키는 데에 좋은 기회입니다. 춤을 연습하는 동안 타이밍과 리듬, 기본 움직임 등을 익힐 수 있으며 자신의 약점을 파악하고 보완할 수 있는 시간을 가질 수 있습니다.

2. 파트너와 함께 연습(Practice with a Partner)

파트너와 함께 춤을 추는 것은 협업과 조화를 향상시키는 데 중요합니다. 상호작용하면서 다양한 동작과 연습을 할 수 있습니다. 소통과 리더십, 의사소통 능력 등을 향상시킬 수 있는 기회를 제공합니다. 파트너와 함께 연습하면 실제 춤을 추는 환경에 가까워지며, 실전 경험을 쌓을 수 있습니다.

나. 혼자 연습 시 파트너와 함께 하는 동작 포함하기

1. 미러링 연습

혼자 연습할 때도 미러를 활용하여 파트너와의 연습을 상상하며 동작을 수행합니다. 이것은 자신의 동작과 파트너의 동작을 동시에 연습하는 효과를 낼 수 있습니다.

2. 영상 학습

온라인 동영상 등을 활용하여 파트너와 함께 하는 동작을 학습하고 모방할 수 있습니다. 이를 통해 파트너와 함께 하는 동작을 습득할 수 있습니다.

3. 상상력을 활용한 연습

파트너가 없는 상황에서도 파트너와의 연습을 상상하면서 춤 동작을 연습합니다. 이것은 실제 파트너와 함께하는 것과 유사한 경험을 제공할 수 있습니다.

4. 반복 연습과 조정

혼자 연습할 때도 파트너와의 춤을 상상하고 동작을 반복하며, 필요한 부분을 계속해서 보완하고 조정합니다.

Warming Up(워밍업)

춤을 추기 전 스트레칭은 부상을 방지하고 유연성을 향상시키며, 무엇보다 춤을 더 재미있게 즐길 수 있도록 도와줍니다. 이를 위해서는 발부터 머리까지 전체적인 스트레칭이 필요합니다.

우선 발의 역할은 춤출 때 중요한 부분입니다. 발은 우리 몸의 연결고리이자 균형을 잡는 핵심입니다. 발을 움직이고 조작함으로써 몸의 전체적인 움직임을 조절하고 향상시킬 수 있습니다. 발의 준비운동은 다양한 형태로 이루어질 수 있습니다. 발뒤꿈치를 들어 올리거나, 발을 바닥에 붙여서 세우고 발끝에 압력을 주는 동작, 발끝을 바닥에서 떼어 올리는 등의 동작을 통해 발목 관절의 유연성을 높일 수 있습니다. 발레에서처럼 무릎과 허벅지를 활용하는 움직임들도 발의 준비운동 중 하나입니다. 또한, 허리와 엉덩이를 흔들거나, 비틀어 엉덩이와 골반의 근육들을 이완시키는 것도 중요합니다. 이러한 동작들은 몸의 유연성을 향상시키고, 자연스러운 움직임을 도와줍니다.

팔과 어깨 또한 춤출 때 매우 중요한 부분입니다. 춤을 출 때 팔과 어깨의 움직임은 몸의 균형과 운동 범위를 조절하는 데 큰 영향을 미칩니다. 어깨를 원형으로 움직여 근육을 이완시키고, 손가락과 손목을 스트레칭하는 것도 중요합니다. 이렇게 함으로써 팔과 어깨의 유연성을 높일 수 있으며, 춤을 출 때 몸의 운동을 더욱 자연스럽게 만들어줍니다. 머리와 목 또한 춤출 때 스트레칭과 이완이 필요한 부분입니다. 목과 머리의 움직임은 춤을 출 때 자세와 균형을 조절하는 데 큰 영향을 미칩니다. 목의 근육을 느껴보고 머리를 움직여서 몸의 유연성을 높이는 것은 춤을 출 때 편안한 움직임을 돕습니다.

발부터 머리까지 전체적인 스트레칭과 워밍업을 통해 몸을 유연하게 하고, 부상을 방지할 수 있습니다. 춤출 때 몸을 준비하는 것은 단순히 운동 전에 필요한 것뿐만 아니라, 춤을 더욱 자유롭게 출 수 있게 해줍니다.

트로트 카운트(리듬)

트로트에서의 카운트와 리듬은 음악의 비트와 연결되며, 음악의 템포와 구조를 춤으로 표현하는 데 사용됩니다. 각 카운트는 다양한 움직임을 나타내며, 스텝과 패턴을 따라 춤을 춥니다. 예를 들어, 슬로우 카운트는 천천히 움직이는 단계를 나타내며, 퀵 카운트는 빠르고 짧은 움직임을 음악의 빠른 템포에 맞춰 수행합니다. 이러한 움직임들은 음악과 함께 어우러져 춤을 완성합니다. 트로트에서는 음악과 춤이 조화롭게 어우러지는 것이 중요하며, 이를 위해 카운트와 리듬을 이해하고 따라가야 합니다.

1. S, S: 이는 두 번의 느린 움직임을 나타냅니다. 느린 움직임을 음악 템포에 맞춰 실행합니다.
2. Q, Q, Q, Q: 네 번의 빠른 움직임을 의미합니다. 빠르고 짧은 움직임을 음악의 템포에 맞춰 실행합니다.
3. S, Q, Q: 한 번의 느린 걸음과 빠른 두 걸음이 번갈아 움직이는 것을 나타납니다. 이것은 속도가 변하는 단계를 나타냅니다.
4. Q, Q, S: 빠른 두 걸음과 느린 한 걸음이 번갈아 가며 움직임을 나타냅니다. 속도가 변하는 단계를 나타냅니다.
5. S&, S&: 이는 두 개의 느린 움직임을 합친 것을 나타냅니다. 보통 느린 움직임을 연달아 수행합니다.
6. Q, Q, S&: 두 번의 빠른 움직임과 느린 움직임을 나타냅니다.
7. Q, &, Q, S: 빠른 한 걸음, 간격을 두고 한 걸음, 그리고 느린 한 걸음을 나타냅니다.
8. Q, &, Q, Q, &, Q: 빠른 한 걸음, 간격, 빠른 한 걸음, 간격, 빠른 한 걸음으로 연결됩니다. 퀵한 움직임이 계속되는 패턴을 나타냅니다. 트로트의 카운트와 리듬은 음악의 구조와 조화를 이루며, 춤을 추는 데 중요한 역할을 합니다. 각각의 카운트와 리듬은 춤의 다양한 움직임과 스텝을 나타내며, 이를 통해 춤이 음악과 어우러지며 완벽한 조화를 이룹니다. 이러한 움직임을 익히고 음악과 조화를 이루는 것이 트로트 댄스를 숙련하는 데 있어 중요한 요소입니다.

트로트 진행 방향

트로트는 다양한 움직임과 스탭으로 이뤄져 있어서, 다양한 진행 방향과 스탭 패턴이 사용됩니다.

1번	Forward walk, Backward walk

2번	Chasse To Left, Chasse To Right
3번	Diagonally Forward walk, Diagonally Backward walk

1번 방향은 Forward walk와 Backward walk로 구성되어 있습니다. 이는 앞으로 나아가는 걸음과 뒤로 물러나는 걸음을 의미합니다. 전통적인 트로트 춤에서 이 두 가지 걸음은 기본적인 이동 방식으로 사용됩니다.

2번 방향은 Chasse To Left와 Chasse To Right입니다. 샤세(chasse)는 프랑스어로 '빠르게 이동하다' "추격하다"는 의미로, 측면으로 빠르게 움직이는 스텝입니다. 왼쪽으로 이동하는 샤세와 오른쪽으로 이동하는 샤세로 블루스 및 트로트에서 제일 먼저 습득하는 기술 중 하나입니다.

3번 방향은 Diagonally Forward walk와 Diagonally Backward walk로 이루어져 있습니다. 대각선으로 앞으로 나아가거나 뒤로 물러나는 걸음을 말합니다. 이는 춤의 다양성과 움직임을 더욱 풍부하게 만들어줍니다. 이러한 다양한 진행 방향과 스텝 패턴은 트로트 춤의 다양성과 아름다움을 표현하는 데에 사용됩니다. 춤의 감정과 곡의 분위기에 따라서도 움직임이 변화하고 다채로워집니다. 기본적인 걸음과 스텝을 익히고, 음악과 함께 춤의 감정을 표현하는 것이 트로트 춤을 잘 추는 핵심이라고 볼 수 있습니다.

트로트 카운트&스텝

트로트 춤에서의 S(슬로우), Q(퀵), &(앤)은 음악의 리듬에 맞춰서 춤을 추는 방식을 나타냅니다. 각각의 표기법은 음악의 박자와 스탭(걸음)을 어떻게 맞춰서 춤을 추는지를 나타냅니다.

S(슬로우): 이 부분은 2박자에 1보(걸음)를 내는 부분입니다. 느린 리듬으로, 각 보(걸음)을 2박자에 하나씩 맞춰서 진행됩니다. 이 부분은 춤의 움직임이 느긋하고 천천히 이루어지는 부분입니다.

Q(퀵): 여기서 Q는 1박자에 1보(걸음)를 나타냅니다. 빠른 리듬으로, 음악의 강도나 속도가 빨라지는 부분에 맞춰서 한 박자에 1보(걸음)를 내는 것을 의미합니다.

&(앤): 이는 1/2박자에 1보(걸음)를 의미합니다. 리듬이 좀 더 빠르고 분주할 때, 음악의 박자 중간에 1보(걸음)를 내는 것을 나타냅니다. 이 부분은 음악의 특정한 부분이나 리듬의 강조되는 부분에서 사용됩니다. 이러한 표기법들은 음악의 리듬과 속도에 따라 춤을 추는 패턴을 표현하며, 이를 토대로 춤을 출 때 음악과 조화를 이루도록 움직임을 조절할 수 있습니다. 각각의 리듬에 맞게 적절한 보(걸음)를 내어 춤을 추면서 음악과의 조화를 즐길 수 있습니다.

댄스 종목별 타임 시그니처&카운트 및 악센트

종목	타임 시그니처	카운트	악센트
왈츠(waltz)	3/4박자	1.2.3	카운트 1
탱고(tango)	2/4박자	1& 2&	각 박자마다
폭스트롯 (fox trot)	4/4박자	1.2.3.4	1(강) 2(약) 3(중강) 4(중약)
비엔나왈츠 (Viennese waltz)	3/4박자	1.2.3	카운트 1
퀵스텝 (Quick step)	4/4박자	1.2.3.4	1(강) 2(약) 3(중강) 4(중약)
룸바(Rumba)	4/4박자	2.3.4.1	카운트 4
삼바(Samba)	2/4박자	1 a2	카운트 2
자이브(Jive)	4/4박자	1.2.3a4.3a4	카운트 2&4
차차차 (Cha cha cha)	4/4박자	2.3.4&.1	카운트 1
파소도블레 (Paso Doble)	2/4박자	1. 2.	카운트 1

사교댄스 타임 시그니처 & 템포 및 리듬

종목	타임 시그니처	템포/1분간	리듬
지르박	4/4박자	40	SSQQ
도롯트	4/4박자	26	QSS
블루스	4/4박자	28	SQQ
탱고	4/4박자	32	SQQ
리듬짝	4/4박자	36	QQQQ

트로트와 굴신(屈伸) 운동

댄스와 굴신 운동은 밀접한 관련이 있습니다. 댄스는 몸의 움직임을 향상시키기 위해 다양한 굴신 운동을 펼치며 발과 무릎의 유연성을 중요시합니다. 각각의 댄스 스타일은 특유의 굴신 운동을 요구하며, 이러한 차이는 댄서들에게 다양한 운동 경험을 제공합니다.

클래식한 댄스 스타일인 왈츠나 볼레로는 큰 굴신 운동을 필요로 하며, 우아하고 정교한 동작이 특징입니다. 반면, 댄스의 다른 장르인 자이브, 차차차, 룸바 지르박 댄스, 블루스, 트로트 등은 굴신 각도가 작아 다양한 리듬과 표현을 중시합니다.

댄스는 연령층에 따라 선호되는 스타일이 다르며, 모던계 댄스는 주로 청년층에게 인기가 있습니다. 라틴계 댄스는 중장년층에게 더 많은 관심을 받는 경향이 있습니다. 모든 연령층에서 댄스는 건강한 운동의 한 형태로 즐기며, 굴신 운동을 통해 유연성과 균형을 향상시킵니다. 댄스의 매력 중 하나는 음악과의 조화입니다. 음악과 함께 춤추면 감정과 표현력이 높아지며, 굴신 운동을 강화할 뿐만 아니라 예술적인 즐거움을 선사합니다. 이러한 댄스의 특성들은 종종 '댄스 특성'이라 불립니다. 댄스는 건강에 이로운 운동뿐만 아니라 즐거움을 제공하며, 연령층 간의 어울림에도 긍정적인 영향을 미칩니다.

Lilt(릴트)

"Lilt(릴트)"는 쾌활한 가락으로 노래하다; 쾌활하게 연주하다; 경쾌하게 움직이다. 명랑하고 쾌활한 가락〔가곡〕; 경쾌한 동작〔걸음걸이〕의 의미가 있는 단어로 댄스에서는 주로 무릎의 굴신(종종 '밴딩' 이라고도 불림)을 부드럽게 조절하여 춤을 추는 것을 특징으로 합니다.

"Lilt"를 통해 전달되는 감각은 경쾌하고 쾌활한 느낌으로, 춤추는 동안 몸을 부드럽게 움직여서 무거운 느낌이 없고 유연하게 춤을 추는 것을 의미합니다. 이는 무릎의 굴신을 조절하고 몸의 상태를 적절하게 유지하여 나타낼 수 있습니다. 또한, 춤추는 동안의 자연스러운 흐름과 우아함을 강조하는 테크닉 중 하나로 여겨집니다.

트로트 특색

트로트는 특유의 음악적 흐름과 감성을 춤으로 표현하는 고유한 스타일을 가지고 있어요. 이 댄스는 감정의 깊이와 감성을 중시하며, 음악의 감정을 몸으로 표현하는 데 중점을 두고 있습니다.

1. 다양한 스타일의 춤 스텝: 트로트는 다양한 춤 스텝으로 구성되어 있습니다. 각 곡의 분위기나 가사에 따라 다양한 스타일의 춤이 표현됩니다.
2. 원활한 움직임과 흐름: 트로트는 유연하고 원활한 움직임을 중시합니다. 몸의 자연스러운 흐름을 유지하면서 춤을 추는 것이 특징입니다.
3. 발과 다리의 특별한 활용: 발과 다리를 적절하게 사용하여 춤의 감성을 표현하는 데 중요한 역할을 합니다. 발걸음이 부드럽고 정확하게 이뤄지며, 다리의 움직임이 춤의 표현력을 높입니다.
4. 다양한 회전과 회피 동작: 트로트는 턴과 스핀을 다양하게 활용합니다. 이는 춤의 다채로운 변화와 스텝의 다양성을 더해줍니다.
5. 순간적인 팔의 동작: 트로트 댄스에서는 순간적으로 발생하는 팔의 움직임이 독특한 매력을 줍니다. 감정을 표현하거나 스텝에 따라 팔을 활용해 춤의 아름다움을 더해요.
6. 릴렉스한 몸의 자세: 춤을 추는 동안 몸의 자세는 릴렉스하면서도 우아한 형태를 유지합니다. 몸의 풍부한 움직임을 통해 감정을 표현하고 노래의 감성을 전달합니다.
7. 음악의 박자에 맞춘 움직임: 음악의 박자와 함께 스텝이 조화롭게 진행되며, 음악과 춤이 조화를 이룹니다.
8. 매력적인 포즈와 표정: 트로트는 매력적인 포즈와 표정을 통해 감정을 표현하고, 파트너와 소통하는 요소를 갖추고 있습니다.
9. 역동성과 화려함: 무대 위에서의 트로트는 화려하고 역동적인 모습을 보여줍니다. 다양한 스텝

과 동작을 결합한 춤사위로 매력이 있어요.

트로트 댄스는 다양한 특색을 가지고 있으며, 음악의 감성과 함께 춤을 통해 다채로운 감정과 이야기를 전달합니다. 이러한 다양한 특징들이 트로트 댄스를 특별하고 매력적인 춤으로 만들어냅니다.

춤의 비밀: 몸으로 표현하는 예술의 다양한 이야기

댄스는 우리가 감정을 표현하고 소통하는 방식 중 하나로, 다양한 형태와 스타일을 가지고 있습니다. 댄스는 다양한 문화, 감정, 이야기를 담아내며 우리가 표현하고자 하는 것을 더 깊이 있게 전달하는 방법 중 하나입니다.

춤은 시대와 문화에 따라 다양한 형태로 발전해 왔습니다. 예술의 한 형태로 춤은 무언가를 전달하고자 하는 욕망으로부터 비롯되었고, 이는 우리의 역사와 가치를 담아내며 그 안에 다양한 이야기를 담고 있습니다. 우선, 춤은 우리가 표현하고자 하는 감정을 몸으로 전달하는 수단 중 하나입니다. 우리가 기쁨, 슬픔, 사랑, 분노와 같은 다양한 감정을 경험할 때, 우리 몸은 그 감정을 반영하며 춤을 통해 그것을 표현합니다. 춤은 그 순간의 감정을 포착하여 사람들과 공유함으로써 우리 감정을 표출하는 도구가 됩니다. 예를 들어, 슬픔 춤은 몸의 움직임과 자세를 통해 우리의 아픔과 상실을 나타낼 수 있습니다. 또한, 춤은 문화와 전통을 보존하고 전달하는 중요한 매개체입니다. 각 나라와 지역은 고유한 춤과 춤의 형식을 가지고 있으며, 이는 그들의 역사와 문화적인 가치를 담고 있습니다. 예를 들어, 플라멩코 춤은 스페인의 안달루시아 지방의 전통적인 춤으로, 스페인 문화와 역사를 대표하는 아름다운 예술 중 하나입니다.

춤은 또한 창의성과 개인의 표현을 향상시키는데 기여합니다. 춤은 우리가 독특하고 개성적인 방식으로 자신을 표현하는 수단이기도 합니다. 예를 들어, 현대 무용은 전통적인 춤의 경계를 넘어서며 다양한 스타일과 기법을 결합하여 새로운 표현의 형태를 창출합니다. 그리고 춤은 사회적으로 연결되고 유대감을 형성하는 데에도 큰 역할을 합니다. 춤은 사람들 간의 상호작용과 소통을 촉진하며, 공동체와의 유대감을 형성하는 데에 기여합니다. 그것은 춤의 공동 작업이며, 서로의 몸을 통해 소통하고 연결되는 경험을 제공합니다. 마지막으로, 춤은 심리적인 측면에서도 중요한 영향을 미칩니다. 춤은 우리의 정서적인 상태를 개선하고 우리의 심리적 안정성을 증진시킬 수 있는데, 이는 우리의 몸과 마음의 조화로 이루어지며, 우리가 에너지를 발산하고 스트레스를 해소하는 데 도움이 됩니다.

몸으로 표현하는 춤은 우리의 삶과 문화를 풍부하게 만들어주는 중요한 예술 형식 중 하나입니다. 우리의 감정, 역사, 문화, 창의성, 사회적 연결성 및 심리적 안정성에 큰 영향을 미치며, 우리가 서로를 이해하고 소통하는 데에도 큰 도움을 줍니다.

이를 통해 우리는 우리의 감정과 아이디어를 새롭고 풍부하게 표현할 수 있는 창조적인 수단을 가지게 됩니다.

Poise(포이즈)

명사로의 사용:

자세나 태도: "Poise"는 주로 몸이나 머릿속에서 느껴지는 안정된 자세나 태도를 의미합니다. 이는 자신감과 침착함을 투영하며, 어떠한 상황에서도 태연하게 대처할 수 있는 능력을 나타냅니다.

우아함: 때로는 세련되고 우아한 방식으로 행동하거나 말하는 것과 관련된 의미로도 사용됩니다.

동사로의 사용:

안정시키다: 동사 "poise"는 무언가를 안정시키거나 균형을 잡게 만드는 행동을 의미합니다. 이는 물리적인 물체뿐만 아니라 정신적인 상태에도 적용될 수 있습니다.

자신감 있게 행동하다: 어떠한 상황에서도 침착하고 자신감 있게 행동하거나 대처하는 것을 의미하기도 합니다.

사전적인 의미로는 '태도'나 '자세'에서부터 '우아함'과 '안정감'에 이르는 다양한 뉘앙스를 포함하고 있습니다. 'Poise'는 자신감 있고 안정된 태도를 갖추고, 우아하게 행동하는 것과 관련하여 긍정적인 의미로 사용됩니다.

"댄스에서의 포이즈(Poise)"는 춤추는 동안 몸의 안정성과 우아함을 유지하기 위한 핵심적인 개념입니다. 댄서가 춤을 추면서 몸의 균형과 자세를 일관되게 유지하는 것을 의미합니다. 올바른 포이즈를 유지하는 것은 댄서의 기술과 춤에서 보여지는 자세에 큰 영향을 미칩니다.

포이즈를 유지하는 방법

어깨를 펴고 허리 일직선으로: 어깨를 펴고 허리를 일직선으로 유지하는 것은 기본적인 올바른 자세입니다. 이는 몸을 일관되고 안정적으로 유지하는 데 중요합니다.

머리는 수직으로: 머리를 수직으로 유지하는 것도 중요합니다. 댄서의 시선은 특정 방향을 향해 일관되게 유지되어야 합니다.

발과 다리 사용: 발과 다리를 올바르게 사용하여 몸의 균형을 유지해야 합니다. 발을 바닥에 밀착시키고 발끝을 올바른 각도로 유지하여 춤을 추는 동안 발끝이 지면에 끌지 않도록 주의합니다.

포이즈 향상을 위한 연습 방법

일상생활에서의 자세: 댄스를 배우는 사람이라면, 일상생활에서도 균형 잡힌 자세로 걷는 것이 도

움이 됩니다.

벽을 활용한 연습: 집에서 벽에 등을 대고 앉은 자세를 확인하고, 벽에 등을 대고 자세를 조절하는 연습을 함으로써 올바른 자세를 향상시킬 수 있습니다.

댄스에서의 올바른 포이즈는 몸의 안정성과 우아함을 높이는 데 도움이 되며, 집에서의 연습을 통해 이를 향상시킬 수 있습니다.

Posture(포스트워)

포스트워(Posture)는 몸의 자세나 태도를 나타내며, 특히 올바른 자세를 유지하는 것을 강조하는 용어입니다. 올바른 포스트워는 몸의 각 부분이 적절한 위치에 있고 균형을 이루며, 근육과 관절이 올바르게 지지 되어 있을 때 얻을 수 있는 자세를 의미합니다.

댄스나 운동, 일상생활에서도 중요한 개념으로, 올바른 포스트워를 유지하는 것은 척추의 정렬을 통해 몸의 무게를 균형 있게 지탱하고 근육과 관절에 부담이 고르게 가해지도록 돕습니다. 이는 부상을 예방하고 우아한 움직임을 가능하게 하며, 몸의 효율성을 높이는 데에 도움이 됩니다. 정확한 포스트워를 유지하는 것은 몸의 건강과 기능성을 향상시키며, 운동 또는 춤을 추는 과정에서 자세와 안정성을 유지하는 데에 큰 도움이 됩니다.

Extend(익스텐드) 또는 Extension(익스텐션)

Extend **(동사)**: 늘리다, 확장하다, 연장하다.

추가 설명: 무엇을 길게 만들거나 늘리거나, 기간이나 범위를 연장하는 행위를 나타냅니다.

Extension **(명사)**: 확장, 연장, 추가 기간 또는 부분.

추가 설명: 기간, 길이, 범위 등이 늘어난 것이나 추가된 부분을 나타냅니다.

"Extend"는 주로 동사로 사용되며 어떤 것을 늘리거나 확장하는 행위를 나타내고, "Extension"은 주로 명사로 사용되어 어떤 것의 확장된 부분이나 추가된 기간을 나타냅니다.

"익스텐드(Extend)" 또는 "익스텐션(Extension)"은 댄스에서 자세나 포즈를 과장하는 것을 의미합니다. 이는 몸을 더 내리거나 높이거나, 약간 더 회전하거나, 더 뒤로 기울이거나, 약간 더 아치 모양으로 몸을 휘거나, 팔과 손가락을 더 뻗어 포즈를 만드는 것을 의미합니다. 이는 주로 특정 몸의 라인이나 형태를 강조하고, 포즈가 끝나는 부분에서 추가적인 시간을 활용하는 데 사용됩니다. 댄스에서 "익스텐드"는 특정 동작이나 포즈를 더 아름답고 강렬하게 표현하는데 쓰이며, 무대에서 그림 같은 포즈를 만들거나 춤의 감정을 강조하는 데 도움이 됩니다. 이는 댄서의 몸의 선과 라인을 강조하여 더 아름다운 포즈를 완성하고, 춤의 끝에서 관중들에게 더욱 깊은 인상을 줄 수 있습니다.

Carriage(캐리쥐)

이동 수단: 차량, 특히 말이나 인력, 기계 등이 나르는 이동 수단을 나타냅니다. 전통적으로는 말이나 말을 끄는 수레를 가리킬 때 많이 사용되었습니다.

수련 부분: 말이나 사람의 몸에서 무거운 부분을 높게 들거나 지탱하는 구조물을 나타냅니다.

행동이나 태도의 방식: 어떤 행동이나 태도의 방식이나 유형을 나타냅니다.

댄스에서 "Carriage"는 자세와 몸가짐을 묘사하는 중요한 개념입니다. 이 용어는 주로 댄서의 팔 선(線)과 머리 선(線)의 자세를 지칭하며, 춤의 품격과 세련미를 결정짓는 역할을 합니다. 댄서가 춤을 추면서 그들의 팔과 머리를 어떻게 조절하고 유지하는지, 그리고 그것이 어떤 우아함과 조화를 나타내는지가 "Carriage"의 중요한 부분입니다. 이것은 댄서가 춤을 추는 동안에도 안정된 자세를 유지하고, 우아하게 움직이는 데 도움이 됩니다.

"Carriage"의 적절한 조절은 댄서가 안무를 정확하게 따르고, 춤을 아름답게 표현하며, 상대방과의 조화를 이루는 데에 기여합니다. 또한, 이것은 댄서의 표현력과 무용 기술을 강조하는 중요한 개념 중 하나입니다. 이 용어는 댄스 세계에서 높은 수준의 퍼포먼스를 위해 필수적인 개념 중 하나로 자리매김하고 있습니다.

블록스 어브 웨이트(Blocks of Weight)

Blocks: "블록"은 큰 조각이나 부분을 나타내며, 주로 규칙적인 모양을 가진 덩어리로 사용됩니다. 블록은 여러 분야에서 사용되는데, 건축, 교육, 기술, 게임 등에서 다양한 의미와 사용 방법이 있습니다.

Weight: 질량이나 무게를 나타냅니다. 물리학적인 의미로는 중력에 따라 물체가 가지는 속성을 의미하며, 운동 및 헬스 산업에서는 특히 몸에 가해지는 부하 또는 헬스 용품을 나타낼 때 사용됩니다. 따라서 "Blocks of weight"라는 표현은 무게나 질량이 블록 형태로 나타나거나 측정되는 상황을 나타낼 수 있습니다.

댄스에서 "블록스 어브 웨이트(Blocks of Weight)"는 몸의 다섯 부분을 명명하여 무게 중심과 균형을 이해하고 조절하는 데 도움이 되는 개념입니다. 이 부분들은 다음과 같은 역할을 합니다:

1. 머리: 머리는 우리 몸의 정상에 자리하고 있지만, 그 무게와 위치는 우리의 전체적인 자세와 균형에 많은 영향을 미칩니다. 머리는 상당한 무게를 갖고 있으며, 목과 척추를 통해 지탱됩니다. 이것이 몸의 균형을 조절하는 데에 큰 역할을 합니다. 머리가 올바른 위치에 있고 균형을 잡는다면, 몸 전체의 자세도 안정되고 올바르게 유지될 가능성이 높아집니다. 이는 우리가 일상생활에서 걷거나 서 있는 동안에도 중요합니다. 머리의 위치가 자연스럽게 곧바로 느껴지고, 목과 척추가 수직을 이루며 자연스러운 곡선을 이루도록 하는 것이 중요합니다. 적절한 머리의 위치는 몸의 중심에 있는 것처럼 느껴지게 하고, 몸의 안정성과 균형을 도와줍니다. 올바른 머리와 목의 자세는 우리의 전체

적인 웰빙과 건강에 긍정적인 영향을 미칩니다.

댄스에서 머리는 중요한 역할을 수행하며 춤을 출 때 전반적인 퍼포먼스에 큰 영향을 미칩니다. 몇 가지 주요한 역할은 다음과 같습니다.

표현과 감정 전달: 머리의 움직임은 춤의 감정과 표현을 전달하는 데 핵심적입니다. 각각의 춤 스타일에 따라 머리를 사용하여 감정을 나타내고, 노래의 가사나 음악의 분위기에 따라 다양한 표정을 표현합니다.

자세와 포즈: 머리는 춤을 출 때의 자세와 포즈에 영향을 줍니다. 올바른 머리의 위치와 각도는 춤을 더욱 우아하게 만들고, 자세를 더 강조할 수 있습니다.

균형과 중심: 머리는 몸의 균형을 조절하는 데에 큰 역할을 합니다. 머리의 위치와 움직임이 춤 중에 균형을 유지하는 데 도움을 주며, 몸의 중심을 제어하여 안정감 있는 춤을 가능하게 합니다.

방향과 동선: 머리의 움직임은 춤의 방향과 동선을 결정하는 데에 영향을 미칩니다. 특히 회전이나 회전하는 동작에서 머리의 움직임은 동작의 유연성과 자연스러움을 부각시킵니다.

스타일과 특성 강조: 각각의 춤 스타일은 머리의 사용에 특별한 주의를 기울입니다. 머리의 회전, 각도, 방향 또는 다양한 움직임은 춤의 스타일을 강조하고 독특한 특성을 부여할 수 있습니다.

머리의 동작과 위치는 춤을 더 표현력 있게 만들어 주는데 춤을 추는 동안 몸 전체를 조율하고 통제하는 데에 필수적인 부분입니다.

2. 어깨: 어깨는 상체의 지지를 담당하고 있어요. 팔과 상체의 움직임을 조절하고, 우리가 다양한 동작을 할 수 있도록 도와주는 중요한 부위입니다. 어깨의 위치는 팔이 자유롭게 움직이고 돌아다닐 수 있도록 함께 연결돼 있죠. 적절한 어깨 위치는 우리가 팔을 높이 들거나 움직일 때 더 많은 자유로움을 제공합니다. 잘못된 어깨 위치는 팔의 움직임에 제약을 주고, 근육들에 부담을 줄 수 있습니다. 때로는 잘못된 자세나 너무 많은 스트레스가 있는 경우 어깨에 통증이나 불편함이 생길 수도 있어요. 따라서 올바른 자세를 유지하고 어깨를 제대로 지탱하는 것이 중요합니다. 정확한 어깨의 위치와 움직임은 팔과 상체의 움직임을 원활하게 만들어 주며, 몸의 균형과 편안함을 유지하는 데에 도움을 줄 수 있습니다.

3. 갈비뼈: 갈비뼈는 상체의 중심에 위치하며, 가슴에서 복부까지 이어지는 중요한 부분입니다. 이 부위는 몸의 균형과 안정성을 제공하는 데 큰 역할을 합니다. 갈비뼈는 다음과 같은 기능과 역할을 수행합니다.

중심 안정성의 핵심: 갈비뼈는 척추를 중심으로 하여 몸의 중심 부분을 안정적으로 지탱합니다. 이는 우리의 자세를 유지하고 움직일 때 몸의 균형을 제공합니다.

호흡 지원: 갈비뼈는 호흡과 관련하여 중요한 역할을 합니다. 효율적인 호흡을 도와주고, 폐의 확

장과 수축을 지원하여 호흡 용량을 확보하는 데에 기여합니다.

자세와 균형 유지: 갈비뼈가 올바르게 지탱되고 균형을 유지하면 몸 전체가 안정되며, 올바른 자세를 유지하는 데 도움이 됩니다.

운동 시의 안정성: 갈비뼈는 몸의 중심에 위치하여 운동할 때 안정성을 제공합니다. 특히 척추를 통한 움직임에서 갈비뼈의 지지는 우리가 움직일 때 몸을 안정시키는 데 중요합니다.

균형 강화: 갈비뼈를 포함한 중심 부분의 강화는 코어 근육을 향상시켜 몸의 균형을 강화합니다. 이는 다양한 활동에서 안정성을 유지하는 데 도움이 됩니다.

따라서 갈비뼈는 우리 몸의 중심에 위치하여 몸의 균형과 안정성, 호흡 등 다양한 측면에서 중요한 기능을 수행하고 있습니다.

4. **엉덩이:** 엉덩이는 몸의 상체와 하체를 연결하는 부분으로, 걷거나 움직일 때 매우 중요한 역할을 합니다. 엉덩이는 몸의 안정성을 제공하고, 운동할 때나 일상적인 활동을 할 때 필수적인 기능을 담당하죠. 엉덩이 근육들은 몸의 균형과 안정성을 유지하는 데 핵심적입니다. 걷거나 달릴 때, 또는 서서 일을 할 때 엉덩이 근육들은 우리 몸을 지탱하고 균형을 유지하는 데 도움을 줍니다. 또한, 엉덩이 근육들은 하체 근육들과 함께 작동하여 움직임의 조절과 힘을 제공합니다. 엉덩이는 몸의 중심 부분이기도 하며, 몸의 자세를 제어하는데 중요한 부분입니다. 강하고 안정된 엉덩이 근육들은 다양한 움직임을 할 때 우리 몸을 지지하고 안정성을 유지하는 데에 큰 도움이 됩니다. 그래서 엉덩이 근육들을 강화하고 유연하게 유지하는 것이 건강한 움직임과 자세를 유지하는 데 중요합니다.

5. **다리:** 다리는 엉덩이 아래부터 발끝까지 이어지는 부분으로, 몸의 무게를 지탱하고 서 있거나 움직일 때 필요한 기능을 수행합니다. 몸의 균형을 유지하고 운동 시 올바른 자세를 유지하는 데 매우 중요합니다. 다리는 우리 몸을 지탱하고 무게를 지탱하는 주된 역할을 합니다. 서 있거나 걷거나 뛰면서 몸의 무게를 지탱하고, 운동할 때 몸의 균형을 유지하는데 큰 도움을 줍니다. 또한, 다리 근육들은 운동과 움직임에 필수적이며, 이를 통해 우리는 다양한 동작을 수행할 수 있습니다.

다리는 몸의 하부 근육들과 함께 작동하여 운동과 자세를 조절하고 균형을 유지하는 데 중요한 역할을 합니다. 강하고 유연한 다리 근육은 몸의 안정성을 유지하고 다양한 운동을 할 수 있도록 도와줍니다. 올바른 자세와 균형을 위해서는 다리 근육들을 강화하고 유지하는 것이 중요합니다. 이러한 부분들은 모던, 라틴, 사교댄스뿐만 아니라 운동 전반에서 자세와 균형을 유지하는 데 중요합니다. 이 개념을 이해하고 이를 활용하면 몸의 균형을 유지하고 운동의 효율성을 높일 수 있습니다.

톤 프레임(Ton Frame)

"Ton Frame"은 "탄력 있는 몸"이라고 해석될 수 있습니다. "Ton"는 근육이 단단하고 탄력 있게 발달한 상태를 나타내며, "Frame"은 몸체나 구조를 의미합니다.

톤 프레임(Ton Frame)은 춤에서 매우 중요한 개념으로, 여러 가지 측면을 포함합니다:

1. **좋은 자세와 몸의 정렬:** 올바른 자세와 몸의 정렬은 춤을 출 때 균형을 유지하는 데 매우 중요합니다. 몸을 일관되게 정렬하는 것은 댄스 동작을 보다 효율적으로 수행하고 움직임이 자연스러워지도록 돕습니다. 바른 자세는 몸의 각 부분이 올바른 위치에 있고 균형을 유지하는 것을 의미합니다. 어깨는 펴고 등은 곧게 펴지며, 머리는 수직으로 유지하는 것이 중요하며, 특히 춤을 추는 동안 허리와 복부를 지탱하는 것은 움직임의 안정성을 높이고 체형을 잘 유지하는 데 도움이 됩니다. 올바른 발바닥의 사용과 발목, 무릎, 골반의 정렬도 중요합니다. 몸의 각 부분이 올바른 자세를 유지함으로써 운동의 효율성과 자연스러움을 증진시킬 수 있고 이러한 올바른 자세와 몸의 정렬은 댄서가 균형을 유지하고 춤을 자연스럽게 추는 데 도움을 줍니다. 또한, 부상의 예방과 체형 개선에도 기여할 수 있습니다. 하지만 올바른 자세를 유지하는 데에는 시간과 연습이 필요합니다. 정확한 자세와 몸의 정렬을 위해 주의 깊은 연습이 필요하며, 전문가의 조언을 받는 것도 도움이 될 수 있습니다.

2. **적당한 팔 텐션:** 적절한 팔 텐션은 춤에서 파트너와의 커넥션과 소통을 위해 중요한 요소입니다. 이는 춤을 추는 동안 서로의 움직임을 더 잘 이해하고 응답할 수 있도록 도와줍니다.

적절한 팔 텐션은 손과 팔의 힘을 파트너와의 연결성을 유지하면서 조절하는 것을 의미합니다. 너무 강하거나 약한 힘은 파트너와의 의사소통을 방해할 수 있고, 춤을 추는 동안 적당한 힘과 긴장을 유지하면 서로의 움직임을 더욱 자연스럽게 연결시킬 수 있습니다. 또한, 적절한 팔 텐션은 춤을 추는 파트너들 간의 상호작용을 촉진합니다. 춤은 파트너 간의 상호작용과 협력이 필요한 예술적인 표현이기 때문에, 적절한 팔 텐션은 파트너와의 유기적인 연결을 통해 춤의 품격과 아름다움을 더욱 높일 수 있습니다. 따라서 춤을 추는 동안 적당한 팔 텐션을 유지하는 것은 춤의 품격과 파트너와의 연결성을 향상시키는 데 도움이 됩니다. 이는 댄스를 보다 매력적으로 만들며, 파트너와의 커뮤니케이션과 호흡을 개선할 수 있도록 돕습니다.

3. **자신의 센터 유지:** 자신의 센터를 유지하는 것은 춤을 추는 동안 균형과 힘을 조절하고, 움직임의 안정성과 정확성을 유지하는 데 중요한 역할을 합니다. 댄스에서 센터는 몸의 중심을 말합니다. 이는 몸의 균형을 유지하는 데 있어 핵심적인 역할을 합니다. 춤을 추면서 자신의 센터를 잘 유지하는 것은 정확하고 강력한 움직임을 가능하게 합니다. 센터를 잃지 않으면서, 적절한 힘과 균형을 유지하는 것이 댄스 동작의 정확성과 효율성을 높이는 데 도움이 됩니다. 또한, 파트너와의 연결을 유지하고 원활한 소통을 위해서도 센터 유지가 필요합니다. 댄스에서는 파트너들 간의 조화로운

움직임이 중요하기 때문에, 서로의 센터를 조화롭게 유지하면서 춤을 추는 것이 중요합니다. 이는 파트너와의 원활한 소통과 협력을 도모하며, 댄스를 더욱 효과적으로 즐길 수 있도록 돕습니다. 이러한 요소들은 춤출 때 서로 간의 커넥션과 협업을 강화하며, 보다 효과적인 춤을 만들어냅니다. Ton Frame은 춤의 기본이자, 더 뛰어난 춤 경험을 위한 필수적인 요소 중 하나입니다.

Frame(프레임)

프레임(Frame)은 춤에서 중요한 개념으로, 춤을 추는 동안 상체의 위치, 머리, 목, 어깨, 팔, 손 등의 자세를 의미합니다. 이는 댄스 포지션에서 상체가 취하는 정확한 자세와 라인을 가리키며, 춤 추는 데 필수적인 요소입니다. 좋은 프레임은 하반신인 엉덩이, 다리, 발의 올바른 자세와 함께 춤추기에 필수적입니다. 이는 춤에서 균형을 유지하고 명확한 리드와 팔로우, 부드러운 움직임을 가능케 합니다.

프레임은 춤추는 과정에서 매우 중요한 역할을 합니다. 상체의 위치와 팔의 움직임은 춤의 흐름과 연결성을 제공하며, 상대방과의 원활한 소통과 움직임의 정확성에 영향을 미칩니다. 좋은 프레임은 춤을 추는 동안 균형을 유지하고 스무스하고 정확한 움직임을 가능하게 하며, 팔로우와 리드를 명확히 전달하는 데도 중요한 역할을 합니다. 상체와 팔의 강도와 유연성을 유지하면 춤의 흐름과 스텝의 정확성을 유지하는 데 도움이 됩니다. 이는 춤의 운동성과 우아함을 높이는 데 큰 영향을 미치며, 춤의 품격과 스타일을 높입니다. 춤추는 과정에서 프레임을 유지하는 것은 파트너와의 상호작용과 효과적인 연습에 필수적입니다. 상체와 팔의 안정성과 우아함을 유지하여 춤의 완성도와 품격을 높이는 데 큰 영향을 미칩니다. 또한, 파트너와의 원활한 협업을 통해 춤의 미학을 더욱 높일 수 있습니다. 댄스에서의 프레임은 고급 기술이자 핵심적인 요소로, 춤의 완성도와 품격을 높이는 데 큰 도움이 됩니다.

Body Sway(보디 스웨이)

트롯 왈츠나 트롯 탱고에서 보디 스웨이는 필수.

보디 스웨이(Body Sway)는 스탠다드 댄스, 라틴, 사교, 스윙 댄스 등에서 사용되는 우아한 움직임 기법으로, 몸을 경사지게 하여 나타내는 동작을 의미합니다. 이 기술은 몸의 중심을 변화시키고 균형을 유지하면서 자연스럽고 순환적인 운동을 만들어냅니다. 주로 허리와 상체를 사용하여 발과 함께 움직이는 기술적인 동작으로, 몸의 무게 중심을 변화시킴으로써 천천히 혹은 유연하게 몸을 흔들거나 기울이는 움직임을 나타냅니다. 이는 춤이나 무용의 흐름을 부드럽고 자연스럽게 만들어주는 중요한 기법 중 하나입니다. 또한, 음악의 비트나 리듬에 맞춰 적용되며, 춤추는 동안 우아하고 유연한 움직임을 추가합니다. 보디 스웨이는 댄스에서 다양하게 활용되며, 춤의 감정이나 표현을 강화하는 데 사용됩니다. 춤이나 무용의 다양한 스타일과 기법에 따라 다르게 적용됩니다.

Body rise(바디 라이즈)

"Body rise(바디 라이즈)"는 댄스에서 사용되는 라이즈 기술 중 하나로, 발의 도움 없이 몸과 다리만을 이용하여 수행되는 동작을 말합니다. 이는 발뒤꿈치를 바닥에 붙인 상태에서 상체와 발을 뻗어 일어서는 움직임을 지칭합니다. 이 기술은 무용이나 댄스에서 사용되며, 발을 사용하지 않고 몸과 다리만을 활용하여 높이를 올리는 것을 강조합니다. 발뒤꿈치를 바닥에 두고 상체를 뻗어 올라가는 동작은 무용의 우아함과 움직임의 흐름을 조절하는 데 중요한 역할을 합니다.

"No Foot Rise(노 풋 라이즈)"라고도 불리는 이 동작은 발의 역할을 배제하고 몸을 일으키는 것으로, 주로 테크닉을 강조하거나 특정한 춤의 특징을 나타내는 데 사용됩니다. 발을 사용하지 않고 몸으로만 높이를 만들어내는 이 기술은 무용의 아름다움과 움직임의 우아함을 더욱 부각시키는 데 사용됩니다. 바디 라이즈는 댄서의 근력과 균형을 강화하고, 움직임의 다양성을 표현하는 데 도움을 주며 댄서들의 표현력과 기술을 높여주는 중요한 부분입니다.

Body Turn(보디 턴)

"Body Turn(보디 턴)"은 댄스 동작에서 발과 상반신 간의 회전 각도가 서로 다를 때 사용되는 개념입니다. 댄서가 특정 방향으로 발을 회전시키면서도 상반신은 다른 방향으로 회전하는 경우가 있습니다. 이 때 발의 회전과 상반신의 회전이 정확히 일치하지 않고, 둘 간의 회전 각도가 다른 것을 말합니다. 또한, 댄스 동작을 더 다채롭고 흥미롭게 만드는 데 사용됩니다. 발과 상반신의 회전 각도를 조절함으로써 댄스의 스타일과 감각을 표현하고 조절할 수 있습니다. 때로는 발이 특정 방향으로 회전하면서 상반신은 반대 방향으로 회전하여, 댄스 동작에 독특하고 매력적인 느낌을 부여하기도 합니다. 이러한 기술은 댄서가 음악에 맞춰 움직임을 조절하고, 곡선적이고 다이내믹한 모션을 만들어내는 데 도움이 됩니다. 보디 턴을 조절하여 댄스의 우아함이나 동작의 감정을 표현하며, 댄스의 다양성과 아름다움을 더욱 부각시킵니다. 이는 댄서의 표현력을 높이고, 댄스의 매력을 더욱 풍부하게 만드는 데 중요한 기술 중 하나입니다.

Body Completes Turn(바디 컴플리츠 턴)

"Body"는 몸체나 신체를 의미하며, "Completes"는 완료하다, 마치다를 의미합니다. "Turn"은 회전하다, 돌다 등을 의미합니다. 따라서 "Body Completes Turn"은 몸이 회전을 완료한다는 뜻으로 해석할 수 있습니다.

"Body Completes Turn"은 댄스 동작에서 발이 이미 회전한 정도에 몸이 따라가서, 몸의 회전이 발의 회전에 따라 일어나는 상황을 의미합니다. 일반적으로는 회전하는 발걸음의 세 번째 단계에서 발생하며, 특히 회전하는 발걸음이 닫히는 회전 동작의 후반부에서 주로 나타납니다. 이 때 몸이 발의 회전과 정확하게 일치하여 회전 동작을 완전히 마무리하게 됩니다.

이 상황에서 몸의 회전은 발의 회전에 맞춰 따라가게 되어 댄스 동작을 완벽하게 수행하는 데 중요한 역할을 합니다. 몸의 회전이 발의 회전과 동기를 맞추면, 댄서는 움직임을 조화롭게 만들어내고 동작을 완성시키는 데 도움을 줍니다. 이것은 댄스의 우아함과 정확성을 높이는데 중요한 기술적인 측면입니다. 댄서들은 이러한 "Body Completes Turn"을 연습하여 발의 회전과 몸의 회전을 조화롭게 이끌어 내어 댄스 동작을 완벽하게 마무리하는 데 집중합니다.

Body Flight(바디 플라이트)

바디 플라이트는 댄스 용어 중 하나로, 몸의 중심을 이동시키거나 체중을 한쪽에서 다른 쪽으로 옮기는 동작을 나타냅니다. 이 동작은 몸의 움직임을 자연스럽게 만들어주며, 일상적인 생활에서 자연스러운 체중 이동과 관련이 있습니다. 이로 인해 편안하고 유연한 움직임이 느껴지며, 댄스에서는 특히 이러한 동작이 아름다운 춤추는 모습을 만들어내는 데에 기여합니다.

Body Turns Less(보디 턴 레스)

"Less"는 "덜"이라는 뜻을 가지고 있는 단어로 어떤 양, 정도, 수량이나 강도가 적거나 줄어들었음을 나타냅니다.

댄스에서 "Body Turns Less"는 회전하는 동작에서 발이 몸보다 더 많이 회전하는 상황을 나타냅니다. 일반적으로 회전 동작의 후반부에서 발이 몸을 따라잡지 못하고 뒤쪽으로 더 많이 회전하는 것을 의미합니다. 즉, 회전 동작에서 발걸음의 뒷부분이 발의 회전에 비해 몸의 회전을 따라잡지 못하면 발이 더 많이 회전하여 몸이 회전하는 속도에 미치지 못하는 상황이 됩니다. 특히 회전 동작 중 발걸음의 두 번째 단계에서 발의 회전이 몸의 회전을 넘어서거나 따라오지 못하는 경우를 가리킵니다. 이러한 현상은 회전 동작에서 발과 몸의 회전 속도나 조절이 맞지 않을 때 발생할 수 있습니다. 발이 더 많이 회전하거나 몸이 회전을 따라오지 못할 때 발생하는 회전 불일치로 설명됩니다. 이는 댄스 동작에서 회전을 매끄럽게 이끌어내는 데 어려움을 줄 수 있는 요소 중 하나입니다.

Canter(켄터)

"Canter(켄터)"는 주로 말의 걸음에서 사용되는 용어로, 구보(Canter)를 나타냅니다. 춤을 추거나 스텝을 밟을 때 스텝의 속도가 빠른 걸음(Trot)보다는 빠르고, 달리기(Gallop)보다는 느린 구보

(Canter)를 지칭합니다.

1.달리기 (Gallop): 말의 빠른 속도로 진행되는 걸음. 네 발을 모두 공중에 띄우면서 이루어지는 뛰는 걸음.

2.구보 (Canter): 말의 보통 속도 중에서 빠르고도 안정된 걷기와 뛰기의 중간 정도의 걸음. 보통 춤이나 특별한 행진에서 사용됩니다.

3.빠른 걸음 (Trot): 네 발을 번갈아 가며 진행되는 보다 빠른 걷기.

4.보통 걸음 (Walk): 일반적이고 편안한 속도로 진행되는 걷기, 흔히 일상적인 이동에서 사용됩니다.

4.느린 걸음 (Amble): 말이 나른하고 편안한 속도로 걷는 걸음. 인간의 경우에는 풍경을 즐기며 산책할 때 사용되기도 합니다.

이와 같은 용어들은 특히 춤추는 맥락에서 사용될 때, 스텝의 속도와 특성을 묘사하는 데 활용됩니다. 구보(Canter)는 빠른 스텝을 갖는 춤추는 상황에서 사용되며, 말의 걸음에서 비롯된 용어를 통해 춤의 동작을 설명하는 데 활용됩니다.

메모장

발의 올바른 위치

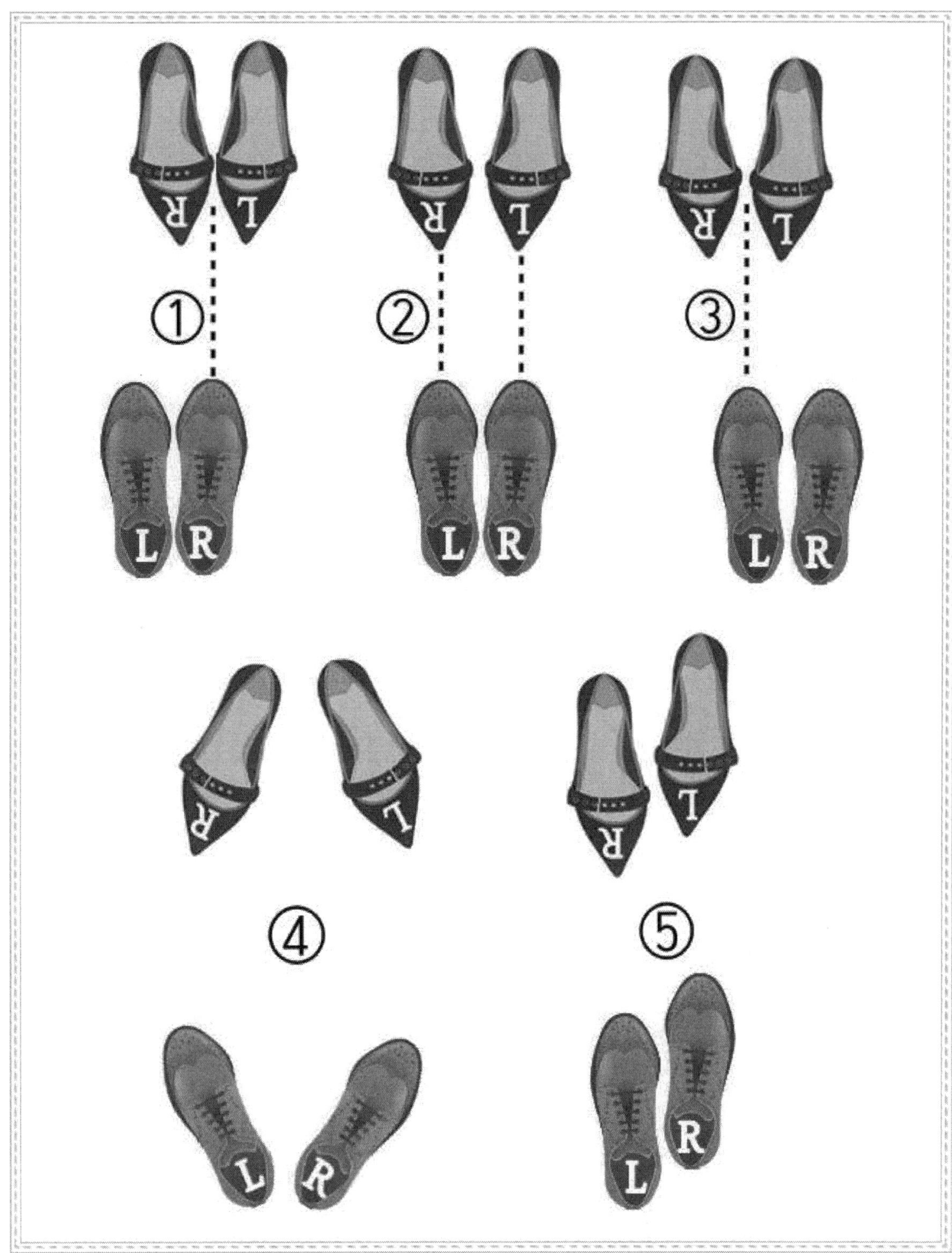

올바른 발의 위치	1, 2번
나쁜 발의 위치	3번, 4번, 5번

남성의 Standing Poise

양발을 11자로 정렬하는 것은 댄스에서 안정적인 자세를 유지하고 움직임을 효과적으로 지원하는 중요한 기초입니다. 이 자세는 발을 일직선으로 정렬하여 몸의 균형을 유지하는 데 도움이 되며, 댄스 동작 중에도 다양한 방향으로의 움직임을 용이하게 합니다. 댄스에서 회전과 방향 변환은 빈번하게 발생하는데, 안정된 자세는 이러한 움직임들을 안정적으로 수행할 수 있도록 돕습니다.

머리부터 발끝까지의 일직선 정렬은 몸의 중심축을 유지함으로써 안정성을 제공합니다. 이는 밸런스를 유지하고 움직임의 흐름을 원활하게 만들어줍니다. 또한, 발의 중심을 몸의 중심에 맞추면 움직임을 더욱 부드럽게 만들어주어 동작의 정확성과 조화를 높여줍니다. 이러한 안정된 자세는 댄스를 할 때 발과 다리의 힘과 안정성을 높여주는 것뿐만 아니라, 댄스 동작들을 더욱 우아하고 자연스럽게 만들어줍니다.

올바른 자세는 춤을 추는 데 있어서 균형과 우아함을 위한 출발점입니다. 춤을 추는 동안 올바른 자세를 유지하는 것은 고급 기술을 발휘하는 데 중요한 역할을 합니다. 이는 춤을 추는 데 있어서 필수적인 기반이며 춤의 안정성과 우아함을 결정짓는 중요한 부분입니다. 등과 골반이 수직으로 일직선을 이루며 어깨는 편안하게 펴져야 합니다. 체형과 균형을 유지하며 자세를 유지하는 것은 춤을 추는 데 필수적인 요소입니다. 등의 수직성은 춤을 추는 데 있어서 가장 중요한 요소 중 하나입니다. 올바르게 세워진 등과 약간 뒤로 빠진 골반은 자연스러운 곡선을 만들어냅니다. 어깨와 팔은 편안하게 펴져야 합니다. 어깨를 들고 움직이면 답답함을 느낄 수 있기 때문에 가능한 한 편안하게 유지하는 것이 중요합니다. 올바른 자세는 춤의 표현에 큰 영향을 미칩니다. 이는 춤을 더욱 우아하고 연결성 있게 만들어주며, 자세가 제공하는 안정성은 춤을 추는 데 큰 도움을 줍니다. 춤을 표현하고 연결성을 유지하기 위해서는 올바른 자세가 필수적입니다.

트로트에서의 올바른 자세와 균형은 춤을 추는 데 중요한 역할을 합니다. 상체 안정성을 유지하는 것이 중요하며, 몸 각 부분의 위치와 균형 조절이 필요합니다. 올바른 자세를 유지하기 위해서는 목 뒤의 옷깃을 끌어 올렸을 때, 상체가 자연스럽게 세워지고 명치가 올라가는 자세를 유지해야 합니다. 상체가 뒤로 뒤집히지 않도록 주의하고, 여성의 경우 명치를 올린 자세를 유지하는 것이 중요합니다. 또한, 머리의 위치도 중요한데, 머리를 견갑골 뒤에 위치시켜야 합니다. 이러한 자세 조절을 통해 올바른 Forward Balance를 유지할 수 있습니다. 특히 춤을 추는 과정에서 팔을 앞으로 내밀어야 올바른 포워드 밸런스를 유지할 수 있습니다. 이러한 자세와 균형 조절을 통해 트로트에서 자연스럽고 우아한 움직임을 연출할 수 있습니다. 올바른 자세와 균형은 춤의 안정성과 아름다움을 높여주는 중요한 요소입니다.

가슴의 안정성은 춤을 추는 과정에서 매우 중요합니다. 가슴이 좁아지는 것을 막기 위해서는 몸을 제어하고 적절한 자세를 유지하는 것이 필요합니다. 춤을 추는 동안 자연스럽거나, 와일드한 움직임에서도 가슴이 마치 안정된 위치에 고정되어 있다고 느끼는 것이 중요합니다. 상반신의 안정성은 춤의 품격과 우아함을 결정짓는 중요한 요소 중 하나입니다. 올바른 자세와 움직임은 춤을 추는 동안 안정성과 우아함을 높여줍니다. 특히, 올바른 가슴의 자세는 몸을 제어하고 춤을 추는 동안 안정된 느낌을 주는 데 큰 역할을 합니다. 가슴이 안정되고 고정된 듯한 느낌을 주는 것은 춤의 자연스러움과 우아함을 높일 수 있는 중요한 요소 중 하나입니다. 이는 몸의 안정성을 유지하고 자세를 조절하는 데 도움이 되며 올바른 자세를 유지하고 몸을 제어하는 것이 가슴의 안정성을 유지하는 데 중요합니다.

팔의 움직임은 춤에서 매우 중요한 역할을 합니다. 특히 팔꿈치의 위치는 자세와 우아함을 결정짓는 중요한 부분 중 하나입니다. 춤을 출 때 팔꿈치는 팔의 움직임을 조절하는 핵심적인 부분이기 때문에 올바른 위치와 움직임이 필요합니다. 팔꿈치의 제대로 된 조절이 없으면 팔이 둔감하게 보일 수 있고, 동작의 우아함을 상실시킬 수 있습니다. 특히 남성 초보자들은 어깨가 올라가거나 팔꿈치가 모이는 경향을 보일 수 있습니다. 이러한 자세는 팔의 움직임을 제한하고 춤의 우아함을 해치는 요소가 될 수 있습니다. 팔과 팔꿈치를 자연스럽게 움직이면서 조절하는 것은 춤을 보다 우아하고 정교하게 만드는 데 도움이 됩니다. 팔꿈치와 팔의 움직임을 부드럽게 조절하면 둔감한 동작을 피할 수 있으며, 이는 춤의 우아함을 높이고 정교한 동작을 가능하게 합니다. 이는 춤을 추는 과정에서 큰 차이를 만들어내는 중요한 기술 중 하나입니다.

팔의 움직임은 춤을 출 때 중요한 부분입니다. 팔꿈치를 제대로 활용하여 자연스럽고 우아한 움직임을 만들어내는 것이 중요합니다. 팔꿈치를 조절하는 능력은 춤의 표현력을 향상시키고 자신의 춤을 더욱 매력적으로 만들어줄 것입니다. 팔의 높이를 조절하는 것은 춤에서 매우 중요한 부분입니다. 이 작은 디테일이 춤의 우아함과 아름다움을 결정 짓는-데 큰 영향을 줍니다. 남성과 여성이 함께 춤을 추면서 팔의 높이 차이가 생길 수 있지만, 이는 자연스러운 과정입니다. 그러나 춤을 추는 동안에도 대칭적인 아름다움을 유지하기 위해 서로의 레벨을 존중하고 팔의 높이를 조절하는 것이 중요합니다. 높이를 맞추는 것보다는 자신의 편안한 높이를 유지하면서 춤을 즐기는 것이 좋습니다. 그리고 남성과 여성은 서로의 움직임을 공유하고, 팔의 높이를 조절하여 함께 아름다운 협업을 이뤄낼 수 있습니다.

춤은 협력과 조화의 과정이며, 서로의 움직임을 조율하고 팔의 높이를 조절함으로써 더욱 아름다운 춤을 이뤄낼 수 있습니다. 서로를 이해하고 조화롭게 움직이는 것이 춤의 아름다움과 조화로움을 더욱 부각 되고 이런 관점을 가지고 춤을 즐기면서 서로의 조화로운 협업을 만들어나갈 수 있습니다.

춤을 추면서 왼쪽 팔의 높이는 실제로 매우 중요한 요소 중 하나입니다. 일반적으로 왼쪽 그립(손잡이)은 남성의 눈과 입 사이의 높이에 유지하는 것이 바람직합니다. 그러나 때로는 조금 낮추는 것이 시각적인 균형을 더 잘 이룰 수 있습니다. 팔의 높이를 너무 높이거나 낮추는 것보다는 적절한 위치를 찾는 것이 중요합니다. 전문적인 댄스 지도자들은 팔꿈치를 높이는 것을 가르치지만, 이로 인해 손이 지나치게 높아지는 경향이 있을 수 있습니다. 팔의 높이를 조절하는 것은 춤에서 미적인 균형과 조화를 창출하는 데 큰 영향을 미칩니다. 적당한 높이를 유지하면서 손을 지나치게 높이 들지 않도록 주의하는 것이 춤의 자연스러움과 우아함을 유지하는 데 도움이 됩니다. 그래서, 춤을 추면서 왼쪽 팔의 높이를 조절하는 것은 시각적인 조화와 균형을 유지하여 춤을 더욱 아름답게 만드는 데 중요한 역할을 합니다. 이런 작은 디테일들이 춤의 아름다움과 우아함을 높여주는 것이죠.

춤에서는 손과 팔의 각도와 방향이 여성과의 연결을 이끌고, 함께 호흡하고 조화롭게 움직이는 데 중요한 역할을 합니다. 이것은 두 파트너 간의 유기적인 협업을 구축하며, 춤의 흐름과 아름다움을 창출합니다. 남성은 여성을 리드하고 안내하는 역할을 하면서, 이때 손과 팔의 각도 및 방향은 파트너와의 조화로운 상호작용을 위해 조절되어야 합니다. 이러한 손과 팔의 움직임은 춤의 특성과 파트너십을 고려하여 맞춤형으로 조정되어야 합니다. 여성과의 간격이 멀면 팔꿈치의 각도가 커지게 되고, 간격이 너무 좁으면 팔꿈치의 각도가 줄어들 수 있습니다. 팔꿈치의 각도가 너무 크거나 작으면, 둘 다 불편함을 느낄 수 있고 춤의 흐름도 아름답지 못할 수 있습니다. 적절한 여성과의 간격을 유지하면서 손과 팔의 각도를 조절함으로써 너무 과하거나 미치지 않는 적절한 각도를 유지할 수 있습니다. 이를 통해 춤의 우아함과 조화를 유지하면서 더욱 편안하고 아름다운 춤을 즐길 수 있습니다.

견갑골은 춤에서 몸의 움직임과 자연스러움을 조절하는 데 매우 중요한 부분입니다. 몸의 핵심 부분 중 하나로, 춤의 우아함과 아름다움을 형성하는 데 결정적인 역할을 합니다. 견갑골을 확장하고 넓히는 것은 어깨와 상반신의 움직임을 조정하며, 자연스럽고 우아한 자세를 완성 시킵니다. 견갑골을 넓히는 것은 몸의 안정성과 유연성을 조화롭게 유지하는 데 필수이며 이를 위해 가슴 옆과 등쪽의 근육을 활용하여 몸의 움직임을 자연스럽게 만들어내는 것이 중요합니다. 이 자세를 취할 때 양쪽 어깨를 아래로 내리고, 가슴을 넓게 펴는 느낌을 주면서 몸의 중심을 유지하는 것이 핵심입니다. 견갑골을 넓힘으로써 양쪽 팔꿈치를 잡아당기는 느낌으로 움직임을 제어하고 조화롭게 춤을 출 수 있습니다. 이는 춤의 흐름과 파트너와의 연결을 조율하여 우아하고 조화로운 춤을 만들어냅니다. 결국, 견갑골의 확장은 댄스에서 우아한 자세와 움직임을 형성하는 핵심적인 요소로 작용하며, 몸의 자연스러운 움직임과 아름다움을 만들어냅니다. 이를 통해 춤의 우아함과 조화를 높일 수 있습니다.

몸의 각도와 방향을 균형 있게 유지하는 것은 춤의 우아함과 아름다움을 그리기 위해 매우 중요합

니다. 올바른 자세를 유지하기 위해 몇 가지 요소를 고려하는 것이 중요합니다.

첫째로, 턱밑 선을 마루와 수평하게 유지하는 것이 필요합니다. 이를 위해 턱을 부드럽게 당겨 약간의 턱을 들어 올리는 것이 좋습니다. 이렇게 함으로써 목과 척추의 직선을 유지하고 몸의 중심을 잡아줄 수 있습니다.

두 번째로, 코-라인은 약 45도 각도를 유지하는 것이 좋습니다. 이렇게 하면 머리와 목의 자연스러운 연결을 유지하면서 눈의 시선은 약 30도 위를 향하도록 조절할 수 있습니다. 이는 자연스러운 시선을 유지하면서도 몸의 균형을 유지하는 데 도움이 됩니다. 마지막으로, 머리의 방향은 척추를 중심으로 정면을 응시합니다. 이러한 자세를 유지하면 춤을 추는 동안 몸의 균형과 우아함을 유지할 수 있습니다. 이러한 안정성과 우아함을 결합하여 춤의 아름다움을 한층 더 빛나게 만들 수 있습니다. 이는 춤을 출 때 몸의 안정성과 우아함을 함께 유지하여 더욱 멋진 춤을 완성하는 데에 도움이 됩니다.

여성의 Standing Poise

헤드 액션은 춤에서 아름다움을 높이고 연결을 강화하는 핵심적인 요소 중 하나입니다. 여성이 몸의 정렬과 자세를 유지하면서 헤드를 위로 30도 정도 들고, 정면 앞으로 응시하는 경우와 목을 약간 기울이고 상체를 약간 뒤로 기울이는 경우가 있습니다. 헤드를 약 23도 정도 기울이면 춤의 우아함과 연결성을 더해주며 우아한 움직임은 춤을 더욱 아름답고 우아하게 만들어줍니다. 여성의 헤드 액션은 더 많은 표현력을 부여하며, 이는 춤의 감정을 보다 풍부하게 전달하는 데에도 도움이 됩니다. 헤드 모션은 춤을 더욱 흥미롭고 매력적으로 만들어주는 데 기여합니다. 이런 작은 움직임들이 춤의 아름다움과 표현력을 한층 더 높여주는 것이죠. 헤드 액션은 춤의 연출을 완성시키는데 중요한 부분이며, 여성이 자신의 우아함과 연결성을 춤을 통해 표현하는 데에 큰 역할을 합니다. (헤드 액션은 선택)

여성이 남성과의 춤에서 왼쪽 팔을 조절할 때 약간의 여유를 유지하는 것이 자연스러울 수 있으며 팔꿈치를 완전히 겹쳐 맞추는 것보다 약간 왼쪽으로 튀어나오고, 앞으로 약간 밀려 나오는 것은 춤을 더 유연하게 추는 데 도움이 됩니다. 이렇게 함으로써 서로에게 압박을 주지 않으면서도 춤의 자유로움을 유지할 수 있습니다. 또한, 여성이 너무 강하게 남성의 팔을 내리거나 누르는 것은 피해야 할 행동입니다. 이는 춤의 조화를 방해할 수 있고, 서로의 편안함을 해치게 될 수 있습니다.

여성의 아름다움은 춤추는 그 순간, 고요함 속에서 마주하는 아름다움입니다. **목선에서 시작되어 쇄골을 따라 흐르는 우아한 곡선은 숨겨질 수 없는 매력입니다.** 올바른 자세를 갖춘 순간 그 아름다움이 비로소 느껴집니다. 여성은 예술 작품이며, 남성들은 그 아름다움에 끌리지만, 그것을 항상 스포트라이트 아래 빛나는 존재로 여기는 것이 중요합니다.

우아한 여성의 모습은 단순히 외모의 아름다움이 아니라, 내적인 우아함과도 연결되어 있으며 그들은 강인함과 섬세함을 동시에 지니며, 춤을 추는 것과는 별개로 올바른 자세와 내면의 아름다움으로 자신을 표현합니다. 우아한 여성은 마치 예술 작품처럼 주변을 아름답게 만들어주며, 끊임없는 조명이 비추는 스포트라이트 속에서 빛을 발하는 존재로 여겨져야 합니다.

여성은 자신만의 독특한 아름다움을 지니고 있으며. 우아함은 외모뿐 아니라, 행동과 자세에도 담겨있습니다. 그리고 그 아름다움은 끝없는 여정이며, 항상 스포트라이트 아래 빛나는 존재로서 그것을 자랑스럽게 가져야 하며 그녀들의 아름다움은 우리가 주목하는 것뿐만 아니라, 자신들도 깨달아야 하는 소중한 보석입니다.

라틴 댄스나 모던 댄스를 배운 사람들은 몸의 균형과 자세를 제어하는 방법을 터득하게 됩니다. 그래서 블루스, 트로트 같은 댄스에서도 더 아름다운 자세를 보여줄 수 있습니다. 이것은 몸을 올바르게 세우는 방법을 알고 있기 때문이죠.

현실은 레슨이 스텝 중심으로 진행되며 자세를 제대로 가르치지 않는다는 것은 중요한 문제입니다. 자세와 균형은 춤을 추는 데 매우 중요한 요소이지만, 몸의 자세나 균형을 강조하지 않고 스텝에만 집중하는 학원이 많습니다. 자세가 올바르게 유지되지 않으면 상반신이 흔들리거나 불안정한 춤이 될 수 있습니다. 자세와 균형을 잡는 것은 댄스에서 아름다움을 더하고 안정된 춤을 추는 데 중요한 요소입니다. 따라서 레슨을 받을 때 이러한 요소에 집중하여 자세를 올바르게 유지하는 것이 매우 중요합니다. 자세와 균형을 잘 유지하면서 춤을 추는 것은 아름다운 댄스를 표현하는 데 큰 도움이 될 거예요.

가슴이 좁아지는 것을 막기 위해서

1. **코어 근육 강화:** 코어 근육 강화는 춤을 출 때 가슴이 안정적으로 느껴지게 하는 데 중요한 역할을 합니다. 이를 위해 복근과 허리 부분의 근육을 강화하는 것이 필요합니다. 코어 근육은 몸의 중심을 지탱하고, 춤 동작 중에 안정성을 제공합니다. 특히 춤을 출 때 허리와 복부 근육이 강해야 하며, 이는 몸의 균형을 유지하고 자연스러운 움직임을 가능하게 합니다. 복부 근육은 몸의 중심인 코어를 지탱하고 춤 동작 중 가슴의 안정성을 유지하는 데 큰 영향을 미칩니다. 이러한 근육을 강화하기 위해 유산소와 근력 운동을 결합하는 효과적인 트레이닝이 필요합니다. 특히 플랭크, 크런치, 다이나믹한 복근 운동 등을 통해 코어 근육을 효과적으로 강화할 수 있습니다. 코어 근육이 강화되면 춤 동작 중 몸의 안정성이 향상되어, 가슴이 안정적으로 느껴질 수 있습니다. 이는 춤을 추는 동안 자세와 균형을 유지하는 데 도움이 되며, 몸의 안정성을 높여 더 우아하고 자연스러운 춤을 추도록 도와줍니다. 따라서 춤을 출 때 코어 근육을 강화하는 것은 몸의 안정성을 높여 가슴이 안정적으로 느껴지게 하는 데 중요한 역할을 합니다.

2. 우아한 가슴의 움직임: 춤을 추면서 우아하고 자연스럽게 움직이는 가슴은 안정적인 움직임을 유지하는 데 중요합니다. 너무 강하게 움직이거나 와일드하게 움직이면 자세가 불안정해질 수 있습니다. 가슴의 움직임을 조절하여 안정성을 유지하는 것이 핵심입니다. 가슴의 움직임을 자연스럽게 유지하기 위해서는 근육을 올바르게 활용하는 것이 중요합니다. 지나치게 힘주지 않고, 또 너무 느슨해지지 않도록 조절하는 것이 필요합니다. 이를 위해 가슴의 근육을 유연하게 하면서도 균형 있게 조절하는 연습이 필요합니다. 가슴의 움직임을 자유롭게 만들기 위해 숨을 깊게 들이마시고 내쉬면 자연스럽게 움직이는 것이 도움이 됩니다.

가슴의 움직임은 안정성을 유지하면서도 춤을 더욱 아름답게 만들어줍니다. 적절한 강도와 범위 내에서 가슴을 움직여 안정성을 유지하는 것이 중요하며 이는 춤을 추는 동안 자세와 균형을 유지하는 데 도움이 되며, 자연스럽고 우아한 움직임을 표현하는 데 도움이 됩니다. 따라서 춤을 추면서도 가슴의 자유로운 움직임을 유지하는 것은 안정성을 유지하면서 더욱 아름다운 춤을 완성하는 데 중요한 요소입니다.

3. 자세의 제어와 정렬: 춤을 추는 과정에서 몸을 제어하고 정렬하여 척추가 직선으로 유지되도록 하면, 가슴은 안정된 상태로 유지되며 몸의 중심을 잡는 데 도움이 됩니다. 또한, 척추의 정렬은 가슴이 너무 앞으로 나가거나 뒤로 빠지는 것을 방지하여 춤을 추는 동안 안정성을 유지되는데 이를 통해 춤을 추는 동안 자연스럽고 우아한 움직임을 표현하는 데 도움이 됩니다.

4. 균형 유지와 연결: 몸 전체의 균형과 연결은 춤을 추는 데 매우 중요한 역할을 합니다. 가슴뿐만 아니라 팔, 어깨, 등과의 조화로운 연결을 유지하여 안정성을 높일 수 있습니다.

춤을 출 때, 몸의 균형을 유지하는 것이 핵심입니다. 가슴뿐 아니라 팔, 어깨, 등과의 조화로운 연결을 유지함으로써 몸 전체의 안정성을 유지할 수 있습니다. 이는 몸의 각 부분이 서로 연결되어 하나의 조화로운 움직임을 만들어내는 것을 의미합니다. 팔과 어깨 및 가슴과 등이 조화롭게 움직이면서 몸의 안정성을 더욱 높여주며 춤을 추는 동안 안정성을 유지하고 연출에 균형감을 더해줍니다. 이는 춤을 출 때 발생하는 불균형을 방지하고, 몸 전체의 조화로운 움직임을 유지하는 데 도움이 됩니다. 따라서 몸 전체의 균형과 연결을 유지하는 것은 안정성을 높이고 아름다운 춤을 표현하는 데 중요한 역할을 합니다.

가슴의 안정성은 춤을 출 때 우아함과 자신감을 더해주며 자세의 제어, 코어 근육 강화, 자연스러운 움직임과 연결된 안정성은 춤을 추는 데 도움이 되는 중요한 요소입니다.

팔꿈치를 활용한 팔의 움직임을 향상시키는 방법

1. 팔꿈치 각도의 조절: 팔꿈치 각도의 조절은 춤을 출 때 중요한 부분 중 하나입니다. 팔을 움직일 때, 팔꿈치 각도를 자연스럽게 조절하는 것이 매우 중요합니다. 팔을 뻗거나 굽힐 때, 팔꿈치의

각도를 적절히 조절하여 자연스러운 곡선을 만들 수 있습니다. 이를 통해 팔의 움직임이 더욱 우아하고 자연스럽게 보입니다.

팔꿈치를 너무 과도하게 굽히거나 뻗으면 움직임이 부자연스러워질 수 있으므로 팔의 움직임을 조절할 때 팔꿈치 각도에 신경을 써야 합니다. 적절한 팔꿈치 각도를 유지하면서 움직임을 조절하면 춤이 더욱 우아하고 매끄러워 보일 것입니다. 이는 춤을 보다 아름답게 표현하는 데 큰 영향을 줄 수 있습니다.

2. **균형 유지와 연결:** 팔을 움직일 때는 팔꿈치를 통해 상체와의 연결을 유지하는 것이 중요합니다. 팔을 올리거나 내릴 때, 팔꿈치를 자연스럽게 조절하여 상체와의 균형을 유지하고 자연스러운 움직임을 만들어내는 것이 필요합니다. 이렇게 하면 몸의 균형이 유지되면서 팔의 움직임이 자연스럽고 조화롭게 이루어질 수 있습니다. 팔을 움직일 때 팔꿈치를 적절히 활용하여 연결을 유지하면, 춤이 더욱 우아하고 매끄러워 보일 것입니다.

3. **크기와 감도의 조절:** 팔의 움직임은 춤의 스타일과 음악에 맞게 조절되어야 합니다. 활기찬 음악에는 빠르고 활발한 움직임이 어울리며, 이에 맞게 빠르게 팔을 움직여야 합니다. 반면, 느린 음악에는 부드럽고 우아한 움직임이 어울리므로 팔을 부드럽게 움직여야 합니다. 음악의 템포와 분위기에 맞게 팔의 크기와 움직임의 감도를 조절하여 춤의 느낌을 표현할 수 있습니다. 이렇게 함으로써 음악과의 조화로운 연출을 이룰 수 있습니다.

4. **연습과 익숙함:** 연습과 익숙함은 팔 움직임을 향상시키는 핵심입니다. 팔꿈치를 효과적으로 사용하기 위해서는 꾸준한 연습이 필수입니다. 거울을 활용하여 자신의 팔 움직임을 확인하고 조절하는 연습을 지속하는 것이 중요합니다. 반복적인 연습을 통해 익숙해질수록 팔꿈치를 더욱 정확하게 조절할 수 있게 됩니다. 이를 통해 춤을 추는 과정에서 팔의 움직임을 더욱 자연스럽고 정밀하게 다룰 수 있을 겁니다.

Elevation(엘레베이션)

"Elevation"은 높이를 나타내는 명사로 사용되며, 주로 높이를 표현하거나 어떤 대상이나 위치가 높아짐을 나타냅니다. 또한, "고지" 또는 "고도"와 같은 의미로도 사용됩니다.

예를 들어:

지리적인 의미: 산악 지역에서 특정 지점의 높이를 나타낼 때 "elevation"이라는 용어를 사용합니다.

건물이나 구조물의 높이: 건물이나 기타 구조물의 높이나 높이를 나타내기 위해서도 "elevation"이 사용됩니다.

고도 측정: 항공이나 우주 비행에서 사용되는 용어로, 대상이나 항공기의 높이를 나타낼 때도 "elevation"이라는 용어를 사용할 수 있습니다.

따라서, "elevation"은 어떤 지점이나 대상이 상대적으로 높이에 대한 정보를 제공하는 맥락에서 사용되는 용어입니다.

댄스에서 Elevation(엘레베이션)은 몸의 높이를 조절하는 것을 나타냅니다. 춤에서 이 용어는 보통 피벗, 점프, 뛰기, 스텝, 그리고 업/다운 모션 등을 포함합니다. 댄서는 Elevation을 통해 동작의 다양한 부분에서 몸의 높이를 조절하며, 이는 춤의 다양한 요소를 나타내거나 강조하는 데 도움이 됩니다. 몸을 더 높게 들거나 낮게 내리는 등의 움직임은 춤의 다양한 템포와 리듬에 맞춰 행해집니다. 이는 춤의 다이내믹한 효과와 의도를 나타내며, 댄서들은 Elevation을 통해 춤의 표현력과 다양성을 높이고자 합니다. 강렬한 움직임에서의 높이 변화나 부드러운 움직임에서의 조절 등, 춤의 감정과 스타일에 따라 다양한 방식으로 Elevation을 활용할 수 있습니다. 이러한 동작은 춤의 강도, 흐름, 그리고 춤을 통해 전달하고자 하는 메시지에 영향을 줍니다.

트로트 Hold

트로트는 감성적인 여정을 제공하며, 그 독특한 리듬과 깊은 감정을 표현하기 위해서는 많은 기술과 노력이 필요한 춤 중 하나입니다. 홀드는 이 감정적인 연결을 나타내는 핵심적인 부분입니다. 춤을 추는 사람들은 홀드를 통해 서로의 몸과 호흡을 느끼며 움직임을 조율하고 춤의 분위기와 감성을 전달합니다. 트로트에서 사용되는 홀드의 종류는 여러 가지가 있습니다. 그중 가장 흔한 것은 서로의 팔을 감싸고 서로를 끌어안는 클래식한 홀드입니다. 이 자세는 춤추는 이들이 서로에게 더 깊이 감정을 전달하고자 할 때 중요한 역할을 합니다. 이 홀드를 통해 몸의 움직임과 호흡이 조율되며, 춤의 감정적인 측면이 강조됩니다.

트로트에서 주로 사용되는 closed facing position은 춤을 추는 두 사람이 마주 서면서 함께 춤을 추는 자세를 의미합니다. 이 홀드의 정확한 자세를 설명하면서 춤을 추는 동안의 여러 요소들을 함께 알아보겠습니다.

먼저, 파트너끼리 마주 서고, 배 사이에 적당한 간격을 두고 서는 것이 시작입니다. 여성의 견갑골, 즉 날개 뼈에는 남성의 오른손을 가볍게 대어줍니다. 남성은 왼팔을 "L"자 모양으로 구부려 상체에 가까운 위치에 위치시키고, 여성의 오른손은 남성의 왼손과 그립을 이룹니다. 이때 그립의 높이는 입 또는 눈높이 정도로 유지하고, 양쪽의 손가락은 모은 상태로 열지 않고 겹쳐져 있어야 합니다. 이 자세를 유지할 때는 턱을 약간 당기고 머리는 뒤로 올려 시선을 정면에서 약간 위쪽으로 바라보는 것이 좋습니다. 이렇게 함으로써 자세가 더욱 우아하고 품격 있게 보일 수 있습니다. 또한,

자세와 어깨, 팔은 견고하게 유지하는 것이 중요합니다. closed facing position의 홀드는 감정적인 연결을 강화하고 춤의 감성을 전달하는-데에 중요한 역할을 합니다. 서로의 몸과 호흡을 느끼며 함께 움직임을 조율하고 감정을 나누는 과정에서 홀드는 춤의 아름다움과 표현을 높이는 데에 큰 도움이 됩니다.

트로트는 느리고 빠른 리듬을 맞춰 춤을 추는 특성 때문에 서로의 움직임을 조율하는 데 중요한 역할을 합니다. 춤을 추는 동안 리듬에 맞춰 때론 천천히, 때론 빠르게 움직이는 것이 중요합니다. 특히, 서로의 체중과 균형을 유지하면서 춤을 추는 것이 필요합니다.

남성은 여성을 안정적으로 이끌어주는 역할을 맡습니다. 그들은 파트너의 움직임을 지지하고 안정성을 제공하여 여성이 편안하게 춤을 추도록 돕습니다. 이는 춤의 아름다움과 연출을 높이는 데에 중요한 부분이며, 서로의 움직임에 맞춰 조화롭고 아름다운 춤을 만들어내며 서로를 지지하고 이끄는 것은 춤의 흐름을 유지하고, 안정감을 주어 서로가 움직일 때 부상을 방지하고 훌륭한 춤을 보여줄 수 있도록 도와줍니다. 이는 안무를 따라가는 것보다 서로를 느끼며 함께 춤을 즐기는 과정에서 특별한 연출을 만들어내는 데에 큰 역할을 합니다.

홀드의 중요성

댄스에서 홀드는 핵심적인 부분 중 하나로 여겨집니다. 그것은 춤을 출 때 파트너들 간의 연결고리이자, 춤의 흐름과 안정성을 조절하는 데 필수적입니다. 이것은 특히 모던, 라틴, 스윙, 사교춤, 아르헨티나 탱고 등 다양한 춤에서 중요한 역할을 합니다. 홀드의 퀄리티는 춤이 얼마나 부드럽고 안정적으로 이끄는지를 결정하며, 파트너들 간의 신뢰와 협력을 촉진합니다. 남성과 여성 간의 홀드는 각각의 춤의 요구 사항과 스타일에 따라 조금씩 다를 수 있습니다. 그러나 일반적으로, 올바른 홀드는 상체와 팔, 그리고 손이 상대방과 어떻게 연결되는지에 중점을 둡니다. 이는 안정된 포지션을 유지하고 춤을 이끄는 데 있어서 중요한 역할을 합니다. 특히 리드하는 측은 파트너를 안정적으로 이끌고, 의도를 전달할 수 있게 해줍니다. 홀드는 춤의 움직임과 팔로우에 영향을 미치며, 파트너들 간의 조화와 협업을 높입니다. 이는 춤의 전문성과 연결성을 증진시키는 중요한 요소 중 하나입니다. 더불어, 홀드는 춤출 때 감정과 의도를 전달하는 데도 중요한데, 이를 통해 춤의 아름다움과 깊은 의미를 부여합니다.

남성과 여성의 위치

남성과 여성은 약간 뒤틀린 대각선 방향으로 서서 서로에게 적절한 거리를 유지하면서도 자유롭게 움직일 수 있는 포지션을 확보합니다. 이 위치는 상호간의 연결을 강화하면서도 춤의 움직임을 조율하는 데에 유용합니다.

메모

1. 남성은 여성의 오른손을 왼쪽 손으로 잡아 귀 높이에서 약간 밑으로 내려 손을 잡습니다.
2. 손목을 꺾지 않고 일직선으로 유지하며, 팔꿈치와 손까지 직선이 되도록 유지해야 합니다.
3. 오른손은 여성의 왼쪽 어깨 아래를 가볍게 잡아줍니다.
4. 팔을 아래쪽으로 경사지게 하고, 손가락은 모아 여성의 어깨 아래를 가볍게 감싸야 합니다.
5. 여성은 오른팔로 남성의 왼팔 팔 상단을 가볍게 잡습니다. 팔을 아래쪽으로 경사지게 하고, 손가락을 모아 남성의 어깨 아래에 가볍게 놓아줍니다.

트로트의 꽃 Closed Position

트로트에서의 Closed Position는 남성과 여성은 서로 마주하고 서 있지만, 서로가 직접 눈을 맞추거나 시선을 공유하는 것이 아니라 약간의 간격을 유지하는 것이 중요합니다. 이 포지션에서는 파트너의 머리와 오른쪽 어깨 사이의 공간을 '스크린'으로 생각하며, 항상 이 스크린을 주시하는 것이 중요합니다. 상대방의 눈을 향하는 것보다는 좀 더 왼쪽을 바라보도록 유지함으로써, 서로의 안전과 공간을 존중할 수 있습니다. 남성이 오른쪽을 바라보게 되면 파트너의 공간을 침범하거나 충돌할 수 있으므로, 안정성과 공간을 유지하는 데에 중요한 역할을 합니다. 파트너와의 거리를 유지하면서 걸을 때는 오른쪽(왼발) 발로 나아가는 걸음을 따라가되, 파트너의 발 사이를 부드럽게 따라가야 합니다. 이렇게 세심한 부분들이 춤을 더욱 아름답게 만들어-주며 서로의 안전과 편안함을 유지하는-데 도움이 됩니다.

오른쪽(왼쪽)으로 이동하면서도 왼쪽(오른쪽)으로 휘거나 기울이지 않는 것이 필요하겠죠. 상체를 조심스럽게 움직이면서도 남녀 각자의 공간을 유지하게끔 하는 것이 중요합니다. 그리고 허리를 굽히지 않으면서 가슴을 들고 폐에 공기를 충분히 공급하고 어깨를 뒤로 젖히며 아주 조금의 아치 모양을 유지하는 것도 좋겠네요. 너무 어깨를 높이거나 긴장을 풀지 않도록 주의해야 하며 몸을 너무 뒤로 아치 모양으로 만들지 않도록 조심하는 것도 중요합니다. 이런 세심한 움직임들은 춤을 더욱 우아하고 아름답게 만들어주며 안정감을 줄 수 있어요. 상체의 조절과 균형 유지는 춤추는 동안 자신감을 주고, 파트너와의 조화를 높여줄 겁니다.

Closed Position에서 상체의 연결은 댄스에서 중요한 부분 중 하나입니다. 특히, 상체를 서로에게 가깝게 유지하면서 연결을 느끼는 것은 춤을 추는 데에 핵심적인 역할을 합니다. 이런 연결은 대개 주로 팔을 통해 이루어집니다. 팔을 사용하여 상대방과 연결을 유지하면서, 서로의 움직임을 주고받고 의사소통할 수 있습니다. 팔의 약간의 압력을 사용하여 연결을 유지하는 것이 도움이 될 수 있으며 팔을 사용하여 상대방의 움직임을 느끼고 그에 맞게 반응하는 것도 중요합니다. 이런 연결은 춤을 더욱 편안하고 조화롭게 만들어주며, 서로 간의 의사소통과 조정을 용이하게 해줍니다. Closed

Position에서의 연결은 춤을 더욱 느껴지게 하고 파트너와의 조화를 높여줍니다.

팔의 위치와 손의 자세는 춤에서 매우 중요한데요. 남성이 여성의 어깨 아래쪽에 오른쪽 팔을 높게 위치시키고, 오른손을 여성의 왼쪽 어깨 견갑골 위에 올리며, 이때 손가락을 모아 아래쪽으로 약간 향하도록 하는 것이 상대 파트너에게 편안함을 느끼게 해줍니다. 이런 자세는 여성이 남성의 리드를 더 잘 느끼고 따르도록 도와주며, 서로의 움직임을 민감하게 전달하고 받을 수 있게 해줍니다. 이는 춤을 보다 조화롭게 춤추게 해주는 요소 중 하나입니다.

여성의 왼팔은 남성의 오른팔 위에 부드럽게 놓여야 하며 왼손은 남성의 어깨에 부드럽게 자리 잡아야 합니다. 손은 아치 모양을 유지하며 여성의 손끝은 남성의 어깨 뒷부분에 조금 뒤에 위치하고, 엄지는 약간 앞쪽에 있지만 너무 강하게 붙잡지 말아야 합니다. 손이 목 쪽으로 올라가거나 남성에게 기대지 않도록 주의하고 서로가 각자의 몸무게를 지탱할 수 있어야 합니다.

남성의 왼팔도 비슷한 방식으로 들어 올려 몸쪽으로 펴고 상박(팔꿈치에서 어깨까지의 사이)은 약간 아래쪽으로 기울이고, 하박(팔꿈치에서 손목까지의 부분)은 위쪽으로 향해야 합니다. 여성은 오른손의 손바닥을 남성의 왼손 손바닥에 놓고, 손가락을 남성의 엄지와 검지 사이에 넣어주세요. 서로의 손을 부드럽게 감싸 주며 손목을 과도하게 꺾거나 너무 강하게 잡지 않도록 주의해야 합니다. 각자의 팔은 스스로 지탱해야 하고 만약 서로의 손을 놓고 멀어진다 해도 여전히 편안한 자세를 유지할 수 있어야 하며 갑자기 불안정한 느낌이 들지 않아야 합니다. 팔이 몸 옆으로 늘어지거나 내려가지 않아야 댄스가 끝날 때까지 각자의 몸을 단단하게 지탱하게 됩니다.

댄스 동작에서 상박(팔꿈치에서 어깨까지의 사이)을 일직선으로 유지하는 것은 매우 중요합니다. 특히, 어깨를 앞쪽으로 내려가게 되거나 팔꿈치를 몸쪽으로 떨어뜨리는 경우에는 파트너와의 조화가 깨질 수 있습니다. 그렇게 되면 상대 파트너 팔에 마치 큰 뱀장어가 덮치는 듯한 불편한 기분을 느낄 수 있습니다. 팔을 올리고 상반신을 일직선으로 유지하는 것은 댄스 동작에서 기본적인 포인트 중 하나입니다. 서로의 키나 체형이 크게 다르더라도, 타원형을 만드는 것이 목표입니다. 남성의 왼손은 타원형의 윗부분에 위치하고, 오른손은 아랫부분에 위치하지만, 이 타원형이 자연스럽게 프레임이 되어야 합니다. 상체 근육을 전체적으로 긴장시켜 이 모양을 유지하는 것이 중요합니다. 이렇게 하면 댄스하는 동안 프레임을 유지하고, 파트너와의 균형을 유지하는 데 도움이 됩니다. 팔과 어깨의 위치를 조절하면서도, 자연스럽게 움직일 수 있도록 노력해야 합니다. 이 모양을 유지하는 것은 서로의 움직임을 조화롭게 만들고, 더욱 아름다운 댄스를 완성하기 위한 중요한 요소입니다.

남성이 전진 및 후진해도, 남성의 오른팔은 여전히 자리를 유지하고 프레임을 유지해야 하며 여성은 왼손의 손끝에서부터 왼팔, 등의 압력을 느끼고 오른손에서 압력이 풀리는 걸 느끼기에 남성은 팔꿈치로 그녀를 당기지 마시고 그냥 움직여서 그녀를 자연스럽게 당기시면 됩니다. 남성이 앞으로 걸음을 내디뎌도, 여성은 왼손 엄지의 끝에서부터 왼팔, 오른손의 손바닥에 이르는 움직임을 느끼게 됩니다. 여성은 상체를 유지하고 오른손에 약간의 압력을 유지하면 남성의 움직임과 압력 변화를 느끼고, 그에 반응하게 되죠. 남성이 오른쪽이나 왼쪽으로 움직이거나 회전할 때, 남성의 프레임도 함께 움직이면서 많은 부분에서 그 움직임을 여성에게 자연스럽게 전달됩니다.

댄스는 서로의 힘과 조화가 중요한데 여성분들도 텐션 조절이 필요합니다. 특히, 남성이 이끄는 동작에 텐션이 부족하면 상호작용이 어려울 수 있어요. 등을 쫙 펴고 아치 모양을 만들면 자세가 더욱 우아하고 안정적으로 유지됩니다. 왼쪽을 바라보며 몸의 균형을 잡고, 이때 특히 팔을 올리고 텐션을 유지하며 상대방의 움직임을 느끼고 리액션 할 준비를 하는 게 중요합니다. 이런 자세와 힘의 조절은 댄스를 훨씬 부드럽고 조화롭게 만들어주죠. 함께 춤을 추는 과정에서 서로의 움직임을 느끼고 이에 맞춰 반응하는 것이 댄스의 매력을 높이는 핵심입니다.

두 번째 연결은 힙에서 일어나는데 여기서의 연결은 간단하면서도 직접적입니다. 힙을 서로 붙이는 거죠. 상체에서의 연결은 다소 섬세합니다. 상체는 떨어져 있으면서도 연결을 유지해야 해요. 이를 위해 전체적인 긴장감이 필요한데요, 반면에 힙에서의 연결은 더 간단합니다. 그냥 가까이 붙어 있으면 됩니다. 우리는 서로 왼쪽으로 약간 떨어진 자세에서 춤을 추죠. 그래서 우리는 '배에서 배로' 춤을 추는 게 아니기에 오른쪽 힙뼈가 파트너의 힙 안으로 조금 들어가 있는 모습을 유지해야 합니다. 힙의 접촉은 상대방의 위치와 움직임을 파악하는 데에 매우 직접적인 방법이에요. 남성분들, 오른쪽으로 움직이고 싶을 때 왼손으로 밀지 말아야 합니다. 그런 밀기는 상체를 어색하게 움직여 자세를 망치게 될 됩니다. 대신, 조금 무릎을 굽히고 하체를 조금 돌려서 여성에게 회전을 미리 알려주면 더 부드럽고, 균형 있는 자세를 지속적인 유지할 수 있을 겁니다.

남성은 여성을 리드를 할 때 어디로 이동해야 할지 다음 스텝을 어떤 스텝을 할지 고민하다가 파트너에서 멀어지는 일이 생길 수 있습니다. 이를 방지하기 위해서는 여성을 항상 오른쪽 힙에 유지하며. 이를 위해선 남성은 발을 전진하거나 후진할 때, 서로의 움직임에 맞추어 함께 이동하는 것이 중요합니다. 이는 파트너와의 호흡을 맞추고 서로의 움직임을 조화롭게 하여 더 원활한 소통과 흐름을 만들어냅니다.

만약 여성분이 오른쪽 힙 뼈가 남성 오른쪽 힙 뼈 안쪽에서 벗어나는 것을 느끼신다면, 빨리 자리를 찾을 수 있게 조정을 해야 다음 피겨를 수행할 때 편안하게 기술이 여성에게 들어갑니다.

여성분이 할 수 있는 일은 리더의 움직임을 따라가되, 리더가 무게를 옮기기 전까지는 무게를 옮기지 않고 기다리는 것입니다. 그 후에야 여성분이 리더의 움직임에 맞춰 무게를 옮기며 힙을 올바른 자리에 두실 수 있습니다. 따라서, 좋은 연결은 힙 사이의 접촉으로부터 시작됩니다. 이 접촉이 자연스럽게 이루어질수록, 이를 조금씩 더 부드럽게 만들고 낮은 늑골 부위에서의 부드러운 연결에 초점을 맞추어보세요. 또한, 상체는 멀리 떨어져 있으면서도 소통할 수 있는 긴장감(힘, 텐션)이 조절된 프레임을 유지하도록 노력하세요. 좋은 연결이 명확한 리드와 팔로우로 이어지며, 거기서 부드러운 춤이 탄생합니다.

춤은 진정한 예술의 한 형태로서 음악에 맞춰 움직이는 것 이상을 담고 있습니다. 그 중요한 부분 중 하나는 스타일링이며, 춤의 표현과 감정을 몸으로 전달하는 것입니다. 발의 움직임은 중요하지만 몸의 다른 부분을 다루는 것이 춤의 미학을 형성하는데 큰 역할을 합니다. 풍성하고 완벽한 춤은 몸 전체의 조화로 구성됩니다. 예를 들어, 팔의 움직임, 어깨의 동작, 허리의 회전 등이 춤의 표현력과 스타일링에 큰 영향을 미칩니다. 춤을 출 때 몸매가 중요한 이유는 몸의 선과 움직임이 춤의 아름다움을 강조하기 때문입니다. 그러나 몸매뿐만 아니라 몸의 각 부분의 운동과 움직임이 춤의 감정을 전달하는데 중요한 역할을 합니다. 예를 들어, 우아한 발레의 포즈, 힙합의 유연한 몸동작, 혹은 라틴의 센슈얼한 움직임 등은 각자의 스타일과 감정을 몸으로 표현합니다. 몸의 다양한 부분을 유연하고 표현력 있게 다루면서 음악과 조화롭게 움직이는 것이 춤의 아름다움을 극대화시키는데 중요한 역할을 합니다. 따라서 춤의 스타일링은 몸 전체의 움직임과 표현력을 포함하여 춤의 아름다움을 창출하는데 중요한 부분입니다.

일반적인 걷는 동작에서는 팔이 느슨하게 흔들리고 몸이 느슨해지는 것이 보통입니다. 그러나 춤에서는 프레임이 중요한데, 이는 몸을 아름답게 연출하고 파트너와의 연결성을 강조하는 데 사용됩니다. 오른쪽 팔이 파트너를 감싸고, 팔꿈치가 옆구리에 놓이며, 몸이 서로 약간 오른쪽으로 위치함으로써 우아하고 단단한 연출을 만들어낼 수 있습니다. 팔을 위로 올리고 탄력 있게 유지하는 것은 춤의 우아함을 부각시키며, Closed Position를 유지하면서 서로의 몸이 오른쪽으로 위치한다면 연결성과 품위를 높일 수 있습니다. 좋은 프레임은 춤을 보다 우아하고 아름답게 만들어주며, 서로의 움직임을 보다 조화롭게 만들어줍니다. 그래서, 남성은 여성을 오른팔로 감싸고 손목을 어깨 아래로 올리고 오른손은 여성의 왼쪽 어깨 날에 대고 손가락을 모아 약간 아래로 향하게 합니다. 여성의 왼팔은 남성의 오른팔 위에 부드럽게 얹히고, 왼손은 남성 어깨 위에 부드럽게 얹힙니다. 손가락 끝은 아래로 향해야 하며, 남녀는 자신의 체중을 지탱해야 하며, 상대에게 기대지 않아야 합니다. 남성의 왼팔도 비슷한 방식으로 들어 올려 옆으로 뻗어야 하며 팔꿈치는 약간 아래로 기울이고, 팔은 위쪽으로 향해야 합니다. 여성은 남성의 오른쪽 손바닥 위에 자신의 왼손바닥을 얹고, 그의 엄지와 집게 손가락 사이에 손가락을 넣고 파트너의 손 위에 부드럽게 손가락을 접습니다. 손목을 뒤로 구부리거나 꽉 잡지 말아야 합니다.

마지막으로, 손, 팔, 팔꿈치, 등, 엉덩이, 자세, 근육 긴장 등 '프레임'의 다양한 측면을 고려해보세요. 이들 중 가장 중요한 부분은 아마도 머리일 겁니다. 머리를 통제하는 것이 중요하죠. 머리를 제어하지 못하면 몸 전체가 불안정해질 수 있어요. 머리를 다른 부분과 독립적으로 움직이지 말고, 춤을 추거나 움직일 때 머리를 다른 방향으로 돌리는 게 아니라, 상대방을 중심으로 움직이세요. 그렇게 하면 균형을 유지할 수 있습니다. 머리의 독립적인 움직임은 우리의 파트너와 댄스의 흐름에 영향을 미칠 수 있죠. 움직임에 균형과 조화를 유지하는 것이 중요합니다. 우리가 주의를 기울일 곳은 파트너가 아닌 서로, 우리 자신과의 연결이죠. 이것이 바로 댄스에서의 핵심입니다.

리더가 뒤로 걸을 때, 그의 오른팔은 근육을 잘 사용하여 자세를 유지하고, 여자는 그 움직임을 왼팔을 통해 느낍니다. 남자는 여자를 당기지 않고, 그냥 움직이면 여자가 자연스럽게 따라올 거예요. 그리고 리더가 앞으로 나가면, 그의 오른손이 여자의 등에 가해지는 압력이 줄어듭니다. 여자는 상체를 유지하고, 그의 손에 부드러운 압력을 줘서 그 압력 변화를 느끼고 움직이게 될 거예요. 리더가 좌우로 움직이면, 그의 몸이 움직여서 여러 접촉 지점을 통해 그 움직임이 전달돼요. 손으로 밀거나 당기지 말고, 프레임을 단단하게 유지하고 함께 움직이는 거죠.

여성의 손에 주목해보죠. 사실, 여성은 남성에게 비슷한 방식으로 양손을 올려놓아요. 압박을 주지 않고, 오른손은 남성의 왼손 위로 느슨하게 얹고, 왼손은 남성의 오른 어깨 위로 느슨하게 얹습니다. 여성은 그의 어깨와 손을 부드럽게 감싸죠. 남성이 앞으로 나아갈 때, 여성은 오른손과 왼쪽 엄지손가락에 약간 압력을 느끼고, 남성이 뒤로 움직일 때, 여성은 오른손과 왼쪽 손가락에 약간 압력을 느낄 거예요. 서로의 텐션을 느끼면서 추는 춤사위는 최고가 아닐까요.

춤의 미학: 몸의 움직임이 이끄는 연결과 의미

춤에서 스텝은 단순히 발을 옮기는 것 이상의 의미를 담고 있죠. 춤을 시작하는 순간부터 몸의 움직임이 춤의 품격과 흐름을 결정합니다. 그래서 춤을 시작할 때 몸의 움직임과 발의 움직임이 연결되어야 합니다. 스텝에서 발걸음보다도 체중 이동과 몸의 회전이 중요한 이유는 파트너에게 춤의 흐름을 미리 알리는 신호 역할을 하며, 자연스러운 움직임과 연결성을 만들어주기 때문입니다.

특히 역회전 같은 복잡한 동작에서는 발의 움직임보다도 몸의 움직임이 더 중요합니다. 춤을 추는 과정에서 몸을 어떻게 이동시키는지, 상체의 회전이 춤의 방향을 결정하며, 이는 파트너와의 협업과 조화를 가능하게 합니다. 춤은 단순히 기계적인 움직임이 아니라, 두 사람 간의 연결이 중요한데요. 발의 스텝만으로는 춤의 감정과 의미를 충분히 전달하기 어렵습니다. 춤은 몸의 움직임과 상호작용이 결합된 것으로, 이를 통해 파트너와의 연결과 의사소통을 더 깊게 나눌 수 있습니다. 각각의 동작이 함께 조화롭게 어우러져 춤을 아름답고 의미 있는 경험으로 만들어주는 것이죠. 춤은 물리적인 퍼포먼스뿐만 아니라, 그 안에 담긴 감정과 연결이 중요합니다.

댄스의 매력적인 대화: 남녀 간 시선 및 헤드 액션

고대 속담에서 눈을 영혼의 창으로 언급한 것처럼, 외향적인 예술 형태인 트로트에서 눈의 시선, 표정과 우아함, 머리와 팔의 조화 또한 중요합니다. 팔의 모양, 머리의 기울임, 얼굴의 빛과 그림자, 그리고 눈의 표정 및 시선은 댄서가 결정해야 하는데, 이러한 조화는 '기술적으로 강력한 사람과 아름다운 사람 사이의 큰 간극을 메꾸어 줄 수 있다'고 설명합니다. 이 요소들은 무의식적으로 결합되어야 하며, 이를 통해 감정과 기술의 조화가 만들어집니다.

춤을 출 때 너무 과도한 집중은 자세에 나쁜 영향을 줄 수 있으며 바닥을 지나치게 응시하거나 남성의 리드에 집중하면서 눈을 바닥 쪽으로 내리뜨리는 것은 좋지 않은 습관일 수 있습니다. 또한, 댄스에 집중하지 않고 다른 생각에 잠겨 있는 사람들도 있는데, 이는 때로 자세에 문제를 초래할 수 있고 파트너의 어깨를 주시하면서 어깨가 앞으로 치우치는 자세는 홀드의 연결을 방해하고 균형을 깨뜨릴 수 있습니다. 그래서 올바른 자세를 유지하는 것이 중요합니다. 상체를 펴고 넓게 펼치며 머리를 뒤로 빼고 어깨를 뒤로 늘어뜨리는 것이 도움이 되며 눈을 바닥이 아니라 고정된 높은 지점을 보면 자세가 안정되고 파트너와의 연결도 좋아질 거예요. 상체가 너무 압박받지 않도록 조금 떨어뜨리면 더 많은 자유로운 움직임이 가능해지지만, 여전히 고개는 엉덩이와 등을 중심으로 연결돼 있어야 합니다. 시선을 위로 올리고 도도한 눈빛으로, 이렇게 하면 상체가 더 편안해지고 서로 압박감이 줄어들게 될 거예요.

초보 운전자들만의 공통점은 운전하면서 스쳐 가는 풍경이나 자연의 소리가 오로지 운전에만 신경이 집중되어 눈과 귀에 안 들어온다는 것입니다. 댄스에서도 마찬가지입니다. 경력이 얼마 안 된 남성이나 여성은 오로지 파트너에게만 신경이 집중되어 있습니다. 여성은 남성의 리드/사인에만 신경이 집중되어 있고 남성은 숙달되지 않은 스텝을 밟으면서 음악에 맞춰 리드해야지, 여성의 움직임을 살펴야지 다른데 신경을 쓸 수가 없습니다. 오로지 신경이 여성에게만 가 있지만, 어느 정도 경력이 있는 남성이나 여성은 다른 남성이나 여성을 찾듯 사방팔방 두리번거리면서 춤을 추는 경향이 있습니다. 이런 행동은 비매너로 상대 파트너가 상당히 기분 나쁠 수가 있습니다.

춤추는 동안에는 상대에게 너무 집중되거나 지나치게 주시하는 것보다는 적당한 미소와 시선을 주는 것이 좋습니다. 이렇게 하면 파트너와의 상호작용이 자연스러워지고, 댄스의 즐거움을 함께 공유할 수 있답니다. 상대에게 부담을 주지 않으면서도 적절한 시선과 미소는 댄스 퍼포먼스를 더욱 매력적으로 만들어줄 거예요!.

Head Action(헤드 액션)

여성 헤드 방향 참고(왈츠)

가) Natural Turn(123 456): Lady's head left

나) 4~6 of Reverse Turn(456): Lady's head left

다) Reverse Turn(123 456): Lady's head left

라) Whisk(123): Step 2 - 1/4 Turn (Body Turn less), Step 3 in PP - Lady's head right

마) Chasse from PP(12&3): Step 1 in PP - Lady's head right, Step 2 - 1/8, Step 3 - 1/8 Body Turn less - Lady's head left, Step 4 - Lady's head right

바) 1-3 Natural Turn(123): Lady's head left

사) Open Impetus(123): Step 1, 2 - Lady's head left, Step 3 in PP - Lady's head right

아) Weave from PP(123 456): Step 1, 2, 3 - left, 5, 6 - right

자) Chasse from PP(12&3): Step 1 - right, Step 2(1/8), Step 3(1/8) - left

차) Outside Change ended in PP(123): Step 3 - right

타) Chasse From PP(12&3): Step 1 - right, Step 2(1/8), Step 3(1/8) - left

파) Back Whisk(123): Step 3 - right

하) Weave from PP(123 456): 5, 6 - left, Step 123 - right

Top Line(탑 라인)

"Top Line(탑 라인)"은 댄스 동작에서 몸의 윗부분을 나타내는 용어로, 머리, 목, 어깨, 팔, 손 등이 어떻게 조합되어 있는지를 의미합니다. 이 부분은 춤을 추는 동안 자세와 포지션에서 매우 중요한 역할을 합니다. 춤을 추는 동안 어깨와 목이 일직선으로 유지하고 머리가 부드럽게 움직이는 것이 중요하며, 손과 팔의 위치는 춤 파트너와의 연결을 유지하면서도 우아한 라인을 만들어야 합니다.

탑 라인은 댄서의 자세와 우아함을 결정짓는 중요한 부분 중 하나로, 올바른 탑 라인을 유지함으로써 춤이 더 아름답고 섬세하게 표현됩니다. 어깨와 목 포지션, 그리고 손과 팔의 자세는 춤의 품격과 표현력을 높일 수 있습니다. 탑 라인은 댄서가 춤을 추는 동안 안정된 자세를 유지하고 파트너와의 호흡을 맞출 수 있도록 도와줍니다. 이러한 댄스의 세부 요소들이 조화롭게 어우러지면 춤은 더욱 우아하고 아름다운 형태로 표현됩니다.

홀드 종류

커들 홀드(cuddle hold)
남성은 여성의 뒤에 서서 양팔로 여성을 감싸고 있는 모습을 말합니다.

정상 홀드(正常hold)
Closed facing position(클로즈드 페이싱 포지션(홀드)라고도 한다.

왼손 오른손 hold(원 핸드 홀드, One Hand Hold)
리더가 왼손으로 팔로우 오른손을 그립한 자세

오른손 왼손 hold(원 핸드홀드, One Hand Hold)
리더가 팔로우 왼손을 오른손으로 그립한 자세

노 홀드(no hold)
서로의 손을 잡지 않고 서 있는 자세

더블 홀드(double hold)
양쪽 손을 잡은 자세

투 핸드홀드(two hand hold)
이 자세는 남성과 여성이 서로 마주 보며 약간의 거리를 두고 양손으로 서로의 손을 잡는 모습. 더블 홀드라고도 한다.

핸드셰이크 홀드(Handshake Hold)
남성의 오른손으로 여자의 오른손을 잡는 방법

크로스 홀드(crossed Hold)
파트너와 양쪽 손을 교차해서 잡은 자세

백 홀드 포지션(back hold)
리더와 팔로우가 서로의 등을 마주하고 있는 상태에서 양손을 맞잡는 자세.

크로스 백 홀드(Cross back hold)
리더와 팔로우가 같은 방향을 향해 서로 양손을 뒤로하여 크로스해서 그립한 자세.
보스 핸드 포지션(Both Hand hold)

보스 핸드 홀드(Both Hand hold)
"Both Hand Hold"는 두 손으로 잡는 자세를 나타냅니다. 여기서 "Both"는 양쪽을 나타내고, "Hand Hold"는 손을 잡는 것을 의미합니다.
예를 들어, 볼룸 댄스에서 "Both Hand Hold"는 커플이 서로를 향해 서면서 양손으로 손을 잡고 춤추는 기본적인 자세입니다. 이는 더블 홀드나 투 핸드 홀드로도 불리기도 합

클로즈드 홀드(closed hold)
신체를 밀착한 상태에서 남녀가 서로 바라보는 자세.

싱글 핸드 홀드(Single Hand hold)
여성의 오른손(또는 왼손)을 남성의 왼손(또는 오른손)으로 잡는 손잡이 방식입니다. 즉, 남성 한쪽

손으로 여성 한쪽 손을 잡는 방식.

볼룸 홀드(ballroom hold)
"볼룸 홀드(Ballroom Hold)"는 볼룸 댄스에서 사용되는 홀드를 말함.

상반된 위치: 춤추는 커플은 서로를 향하지 않고 상반된 방향으로 서 있습니다. 남성은 왼쪽 측면을 살짝 향하고 여성은 오른쪽 측면을 향합니다.
상체 연결: 남성은 왼쪽 손을 상대방의 오른쪽 손으로 잡고 오른쪽 손은 여성의 등을 가볍게 안으면서 서로의 상체가 연결됩니다.
상체 간 거리: 두 파트너의 상체는 서로에게 가깝게 유지되며, 이는 댄스 동작을 부드럽게 이끌어 내는 데 도움을 줍니다.
하반신 독립성: 두 파트너는 하반신을 독립적으로 움직일 수 있도록 유연성을 유지하며 춤춥니다.
볼룸 홀드는 각각의 볼룸 댄스에 따라 세부적인 차이가 있을 수 있지만, 이 기본적인 특징들은 볼룸 댄스에서의 파트너 간 연결과 조화를 나타냅니다.

크러시 댄스 홀드(crush dance hold)
볼룸 홀드(ballroom hold)와 같은 의미.

클로즈 엠브레이스(Close Embrace)
"클로즈 엠브레이스(Close Embrace)"는 댄스에서 파트너들이 서로에게 가까이 몸을 붙이고 춤추는 자세를 나타냅니다. 이는 특히 아르헨티나 탱고(Argentine Tango)와 같은 댄스 스타일에서 흔히 사용되는 용어입니다.

체중 이동

체중 이동과 균형은 춤에서 핵심적인 역할을 하는 중요한 요소입니다. 춤을 출 때, 댄서는 몸의 중심을 조절하고 발을 통해 체중을 옮겨가며 움직임을 자연스럽게 만듭니다.

체중 이동은 발의 위치와 몸의 균형을 유지하면서 춤추는 동안 중심을 옮기는 것으로 이는 섬세한 조정이 필요하며, 각 움직임에서 발의 위치, 몸의 균형, 그리고 움직임의 맥락에 맞게 체중을 조절하는 것이 중요합니다. 이를 통해 춤을 효과적으로 표현하고 다양한 스텝을 완벽하게 수행할 수 있습니다.

.1. **발의 위치와 체중 분배:** 댄스 동작 중에는 발의 위치와 체중을 적절히 조절하는 것이 중요합니다. 체중을 전적으로 하나의 발에 싣지 않고 양발을 골고루 사용하여 안정감을 유지하세요. 움직임에 따라 체중을 전달하면서 발을 자연스럽게 교차하거나 이동시키는 것이 일반적입니다.
2. **스텝과 체중 이동:** 스텝을 밟을 때마다 체중 이동을 해야 합니다. 일반적으로 스텝을 내딛을

때 해당 발로 체중을 옮기고, 이후 다음 움직임에 따라 체중을 다시 전달합니다. 이렇게 하면 움직임이 부드럽고 자연스러워집니다.

3. **프레임과 리드:** 댄스 중에 파트너와의 커뮤니케이션을 위해 체중 이동을 사용합니다. 특히 리드하는 측에서는 체중 이동을 통해 파트너에게 움직임을 안내하고 이끌어야 합니다.

4. **코어와 근육 사용:** 몸의 코어 근육을 활용하여 체중 이동을 조절합니다. 코어를 강화하고 사용함으로써 움직임을 안정화하고 균형을 잡을 수 있습니다.

5. **연습과 익숙함:** 체중 이동은 연습을 통해 익숙해져야 합니다. 자신의 체중을 효과적으로 조절하고 이동하는 데에는 시간과 경험이 필요합니다.

댄스에서 체중 이동은 움직임의 흐름과 파트너와의 연결을 조절하는 데 큰 역할을 합니다. 이를 연습하고 향상시키면서 댄스의 표현력과 운동성을 더욱 향상시킬 수 있습니다.

등 근육의 효율적 움직임: 댄스에서 핵심적 표현의 핵심

1. 등 근육이란?

등 근육은 상체의 중심에 위치하여 몸을 안정시키고 지탱하는 중요한 부분입니다. 등 주변에는 외인근육과 내재근육이 있으며 외인근육은 표면에 가깝게 위치하고 주로 크고 강한 근육으로, 보통 운동할 때 주로 사용되는 근육입니다. 이 근육들은 운동과 관련된 동작을 수행하거나 몸을 움직이는 데 주로 기능합니다. 등을 둘러싸고 있는 외인근육들은 등의 형태를 구성하고 등의 움직임과 안정성을 제공하는 역할을 합니다.

한편 내재근육은 깊이에 위치하며 주로 안정성과 균형을 유지하는 데 사용됩니다. 주로 자세를 유지하고 척추를 지지하는 등의 기능을 하며, 일상생활에서 자연스럽게 사용되지만, 운동과는 직접적으로 연관되지 않는 경우가 많습니다. 이 두 가지 유형의 근육은 등 주변에 서로 협력하여 몸의 안정성과 기능을 제공하고, 운동이나 일상 활동을 수행하는 데 필요한 다양한 기능을 담당합니다.

2. "등 근육의 마법: 신체의 지주(支柱), 춤의 조화"

등 근육들은 몸의 균형을 이루며, 자세를 유지하고 척추를 지탱하여 일상적인 움직임에 필수적인 역할을 합니다.

A. **척추 지지와 안정성:** 등 근육은 척추를 지지하고 안정성을 제공하여 몸의 자세를 유지하고 움직임을 조절합니다. 특히 넓은 등 근육은 척추 주변을 감싸고 지지하여 척추를 보호하고 균형을 유지하는 역할을 합니다. 이 근육들은 등의 안정성을 높이고 척추를 지탱하여 일상적인 활동 중에도 몸의 균형을 유지하는데 중요한 역할을 합니다. 이를 통해 척추에 부담을 덜어주고, 자세를 지탱하

여 척추를 보호하는 역할을 합니다.

B. **상체 움직임:** 등 근육은 상체의 움직임과 기능을 조절하는 데 핵심적인 역할을 합니다. 어깨를 움직이고, 팔을 들거나 내리는 등 상체의 동작을 조절하는 데 필요한 근육인 외인 근육은 어깨와 팔을 지지하고 움직임을 제어하여 다양한 동작을 수행할 수 있도록 도와줍니다. 이 근육들은 상체의 움직임을 조율하고 다양한 동작을 가능하게 하여 일상적인 활동부터 운동까지 다양한 움직임을 지원하는 중요한 역할을 합니다. 이를 통해 상체의 움직임을 조절하고 다양한 동작을 수행할 수 있도록 도와줍니다.

C. **균형과 자세 조절:** 등 근육은 몸의 균형을 유지하고 자세를 조절하는 데 매우 중요한 역할을 합니다. 등의 근육들이 강화되면 몸의 안정성이 향상되며, 다양한 자세를 취하거나 움직임을 조절하는 데 도움이 됩니다. 이 근육들은 몸의 중심을 유지하고 몸을 지탱하여 일상적인 활동이나 운동을 할 때 균형을 유지하는 데 필수적입니다. 등 근육들의 강화는 몸의 안정성을 향상시켜 자세를 유지하는 데 도움이 되며, 이를 통해 다양한 자세와 움직임을 조절하는 데 도움이 됩니다.

D. **일상생활에서의 기능:** 등 근육은 일상생활에서도 매우 중요한 기능을 합니다. 등 근육이 강화되면 일상적인 활동에서의 효율성이 증가하고, 등의 근력이 발달하면 몸의 피로도를 감소시키며 다양한 동작을 수행하는 데 도움을 줍니다. 일상생활에서 등 근육의 강화는 들어 올리기, 내리기, 물건을 옮기는 등의 활동을 보다 효율적으로 수행할 수 있도록 도와줘 일상생활의 질을 향상시키는 데 도움이 됩니다. 등 근육의 역할은 몸의 중심에 위치하여 몸 전체의 안정성과 균형을 유지하는 데 중요합니다. 이 근육들을 적절히 강화하고 유연성을 유지함으로써 다양한 활동을 수행하고 몸의 건강을 유지하는 데 도움을 줄 수 있습니다. 또한, 올바른 자세와 근력 훈련을 통해 등 근육을 건강하게 유지함으로써 척추 건강을 지키는 데에도 중요한 역할을 합니다.

3. 댄스에서의 등 근육 사용법

등 근육은 자세를 유지하고 움직임을 조절하는 데 매우 중요한 역할을 합니다. 등 근육을 올바르게 활용하면 댄스 동작을 보다 강렬하고 효과적으로 수행할 수 있습니다. 등의 근육들은 몸의 안정성과 균형을 유지하는 데 도움을 주며, 댄스 동작을 더욱 정확하고 강렬하게 만들어-줍니다. 댄스에서 등 근육을 적절히 활용하면 몸의 자세를 더욱 우아하게 유지하고 움직임을 조절하여 춤을 보다 효과적으로 표현할 수 있습니다.

A. **자세의 안정성을 위한 등 근육 활용:** 등 근육은 몸의 자세를 유지하는 데 중요합니다. 댄스에서는 등의 근육을 사용하여 자세를 바르게 유지하고 척추를 일직선으로 유지하는 것이 중요합니다.

등의 근육들을 적절하게 강화하고 활용하여 안정성을 유지하는 것이 중요합니다.

B. **움직임의 유연성을 향상시키기 위한 등 근육 활용:** 등 근육을 활용하여 움직임의 유연성을 향상시킬 수 있습니다. 다양한 춤 동작 중에서 등의 근육을 사용하여 팔을 뒤로 뻗는 동작이나 등을 들어 올리는 등의 동작을 수행할 때 등 근육을 활용하여 유연하고 자유로운 움직임을 만들어냅니다.

C. **움직임의 힘을 주는 등 근육 활용:** 등 근육을 사용하여 움직임에 힘을 주는 것도 중요합니다. 댄스에서 등의 근육은 팔의 움직임을 강화하고 지지하는 데 중요한 역할을 합니다. 어깨를 올리거나 회전하는 동작에서 등의 근육을 적절하게 활용하여 움직임에 힘과 강도를 더해줍니다.

D. **자연스런 움직임을 위한 등 근육 조절:** 등 근육을 사용하여 움직임을 자연스럽게 조절하는 것이 중요합니다. 등의 근육을 적절히 사용하여 자연스럽게 동작을 이어나가고 움직임을 부드럽게 만들어줍니다.

등의 움직임을 정확하고 효과적으로 전달하기 위해서는 안정된 어깨가 매우 중요합니다. 댄스에서 등은 움직임을 조절하고 자세를 유지하는 데 큰 영향을 미치며 특히 흔들림 없는 어깨는 등 근육이 강화되고 안정된 상태에서 유지될 때 나타납니다. 등 근육이 충분히 강화되어 안정성을 제공하면, 어깨의 안정성과 흔들림 없는 움직임이 연결됩니다. 등의 움직임은 어깨를 통해 전달되며, 근육이 안정되고 강화되면 움직임이 부드럽고 일관-되며, 결과적으로 어깨도 안정적으로 움직입니다.

이는 댄스 퍼포먼스에서 감정과 움직임을 미세하게 전달하는 데 도움을 줄 뿐만 아니라, 자세와 자연스러운 움직임에도 큰 영향을 미칩니다. 등의 근육이 충분히 강화되고 유연해지면, 어깨가 불안정한 움직임 없이 움직일 수 있어 댄스 동작을 정확하고 섬세하게 표현하는 데 도움을 줍니다.

등과 어깨, 그리고 팔 사이의 연결은 춤을 추거나 움직임을 통제하는 데 매우 중요합니다. 이들의 연결은 댄스 퍼포먼스에서 안정성과 리드를 결정하는 핵심적인 부분입니다. 팔의 힘과 연결된 프레임은 팔과 어깨를 통해 등 근육들로 연결되는데, 이는 안정성을 유지하면서도 댄스 동작을 원활히 수행하기 위한 핵심적인 역할을 합니다. 팔꿈치까지는 힘을 주고, 손까지는 힘을 빼는 것은 세밀한 컨트롤과 안정성을 제공합니다. 고-수준의 피겨 댄스에서는 이러한 연결이 매우 중요하며, 자연스러운 동작을 유지하면서도 프레임을 유지하는 것이 필수적입니다. 이는 댄스를 더욱 효과적으로 이끌며, 파트너에게 편안함을 줍니다.

여성을 리드할 때 등과 어깨를 너무 높게 들면 자세와 움직임에 부정적인 영향을 미칠 수 있으며 몸의 균형이 무너지고 동작이 덜 유연해 보일 수 있습니다. 이런 문제를 해결하려면 광배근을 키우고 위아래의 움직임을 더 강조하는 것이 중요합니다. 광배근이 발달하면 어깨의 움직임을 안정시키고 조절하는 데 사용되는데 이를 통해 어깨가 지나치게 높아지지 않고, 팔의 동작을 자연스럽게 조절할 수 있습니다. 이는 댄스 중 어깨에 걸리는 불필요한 긴장을 줄여주고 안정된 자세를 유지하는 데 도움이 되고 또한, 광배근을 활용하면 어깨를 높이지 않으면서도 움직임을 더 자유롭게 만들 수 있습니다. 이 근육을 올바르게 활용하면 팔을 옆으로 뻗거나 수직으로 올릴 때 어깨에 가해지는 압력을 줄여줄 수 있으며 이렇게 하면 광배근이 어깨의 움직임을 지원하면서도 올바른 자세를 유지하는 데 도움이 됩니다. 댄스에서 광배근의 역할은 댄서의 자세와 움직임에 직접적인 영향을 미치는 겁니다. 이 근육을 올바르게 활용하면 어깨의 불필요한 높이기를 막고, 자연스러운 동작을 가능케 해줍니다. 그러므로 광배근을 적절히 활용하여 어깨를 안정시키고 올바른 자세를 유지하는 것이 댄스 동작을 보다 효과적으로 수행하는 데 도움이 될 겁니다.

등의 근육을 적절하게 활용하기 위해서는 댄스 트레이닝과 근력 훈련을 통해 등 근육을 올바르게 활용하는 방법을 익히는 것이 중요합니다. 이를 통해 댄스 동작을 보다 효과적으로 수행할 수 있고, 건강한 등 근육을 유지할 수 있습니다.

Muscular Tone(머스큘러 톤)

Muscular tone은 근육이 일정한 길이로 유지되고 근육이 특정 정도의 긴장 상태를 유지하는 정도를 나타냅니다. 이는 근육이 휴식 상태에서도 얼마나 긴장되어 있는지를 의미하며, Muscular tone이 적절하면 몸의 안정성과 움직임의 조절이 원활하게 이루어집니다.

Muscular tone은 크게 두 가지로 나뉩니다.

정상적(Normal Muscle Tone): 건강하고 활동적인 근육은 어느 정도의 긴장 상태를 유지합니다. 이것이 정상적인 Muscle Tone으로, 몸의 일상적인 기능을 지원하고 움직임의 조절을 돕습니다.

과다한(Hypertonia Muscle Tone): 근육이 과도하게 긴장되어 있는 상태를 나타냅니다. 이는 신경계의 이상이 있을 때 발생할 수 있습니다. 과다한 Muscle Tone은 근육이 뻣뻣하고 경직되어 움직임이 제한될 수 있습니다.

Muscle Tone은 중추 신경계(Central Nervous System, CNS)의 조절과 관련이 있으며, 뇌 및 척수에서 나오는 신경 세포와 근육 간의 상호작용에 따라 변할 수 있습니다. Muscle Tone의 이상은 신경학적인 문제, 근육 질환, 또는 운동 기능 장애와 관련이 있을 수 있습니다.

다양한 춤 스타일과 기술은 특정 근육 그룹을 효과적으로 타깃으로 삼아, Muscle Tone은 춤의 독특한 특성과 요구사항에 맞게 민첩하게 변화합니다. 춤의 표현성과 기술적 정확성을 높이기 위해 댄서들은 근육의 다양한 활용과 조절에 주의를 기울입니다. **아래는 Muscular Tone이 춤에서 어떻게 나타날 수 있는지를 설명한 몇 가지 예시입니다.**

발레: 발레에서는 댄서가 자신의 몸을 우아하게 제어하고 균형을 유지하기 위해 핵심 근육을 강화합니다. 상체와 하체 근육을 조화롭게 사용하여 부드럽고 우아하면서도 정교한 동작을 표현합니다.

힙합: 힙합에서는 댄서가 빠르고 다이내믹한 움직임을 소화하기 위해 하체와 복부 근육을 강조적으로 단련합니다. 댄서의 강인한 Muscular Tone은 힙합 무브먼트의 정확성과 힘을 지원합니다.

라틴댄스: 라틴댄스에서는 엉덩이, 허벅지, 그리고 복부와 같은 하체 근육을 중심으로 움직임을 연출합니다. 댄서는 센슈얼하고 역동적인 표현을 위해 근육을 조절하며, 춤의 감정적인 요소를 강조합니다.

댄스에서 Muscular Tone은 댄서가 몸을 민첩하게 다루고 움직임을 정확하게 표현하는 데 필수적인 역할을 합니다. 훈련과 수련을 통해 근육을 조절하는 것은 춤의 높은 수준의 실행과 예술적 표현을 위한 필수적인 부분입니다.

Base(베이스)

"Base"는 몸의 하반부를 나타내며, 주로 발, 다리 및 엉덩이를 포함합니다.

하반부 (Lower Half of the Body): 몸의 중앙 이하 부분을 가리키며, 여기에는 발, 다리 및 엉덩이가 포함됩니다.

주로 댄스 및 체조에서 사용되는 용어 (In Dance and Gymnastics Context): 댄스나 체조와 같은 운동 활동에서 "베이스"는 자세와 균형을 유지하는 데 중요한 부분으로 간주됩니다. 발, 다리, 및 엉덩이의 안정된 포지션은 움직임을 제어하고 강화하는 데에 기여합니다.

댄스에서의 활용 (In Dance): 댄스에서 "베이스"는 춤을 추는 동안 바닥에 대한 안정성을 제공하고, 동작을 지지하며, 다양한 스텝과 돌출된 움직임을 조절하는 데 사용됩니다.

체조 및 운동에서의 활용 (In Gymnastics and Sports): 체조나 스포츠에서는 몸의 중앙 이하를 강화하고 안정시키기 위해 베이스가 중요하며, 이는 운동의 성패를 결정할 수 있습니다. 다양한 동작을 수행하기 위해서는 특히 발과 다리의 힘과 안정성이 필수적입니다.

"베이스"는 특히 움직임의 기반을 형성하고 지지하는 역할을 하는 중요한 부분으로 간주되며, 해당 용어는 여러 운동 분야에서 널리 사용됩니다.

트로트 호흡법

호흡은 댄서들의 자세와 균형감각을 조절하는 데도 중요한 역할을 한다. 호흡은 댄서들이 움직임을 조절하고, 서로의 움직임을 이끌어-내는 데 큰 영향을 미치기 때문이다. 따라서, 호흡을 함께 맞추고, 서로의 호흡을 이끌어-내는 것이 중요하다.

커플 댄스에서 호흡을 함께 맞추는 것은 서로의 움직임을 조율하는 데 큰 역할을 하고 호흡을 함께 맞추면 서로의 움직임이 자연스럽게 조화를 이루게 되며, 댄서들이 서로에게 더욱-더 적극적으로 호응할 수 있게 된다. 호흡을 함께 맞추는 방법은 매우 간단하다. 먼저, 파트너의 호흡을 듣고, 그에 맞게 호흡을 조절한다. 호흡을 조절할 때에는, 서로의 호흡을 끊기지 않도록 조절하며, 자연스러운 호흡을 유지하는 것이 중요하다.

리듬과 박자에 따른 호흡

각종 템포와 리듬에 따라 호흡을 조절하는 방법을 자세히 알아보겠습니다.

1. **느린 리듬:** 느린 음악이나 리듬에서는 깊게 들이마십니다. 이렇게 하면 호흡을 느리게 조절하여 몸을 편안하게 유지할 수 있습니다. 호흡을 깊게 하고 나서 천천히 내쉬는 것이 좋습니다. 몸의 움직임에 맞춰 호흡을 조절해보세요.
2. **빠른 리듬:** 빠른 템포에서는 더 짧고 경쾌한 호흡이 필요합니다. 짧은 호흡을 유지하며 몸을 활발하게 움직이는 것이 좋습니다. 음악의 박자에 맞춰 호흡을 조절하면서, 특히 강한 비트나 강조된 부분에 호흡을 맞추세요.
3. **가변적인 리듬:** 음악이 가끔씩 변하는 경우에는 호흡을 조절하는 데 조금 더 유연성이 필요합니다. 음악의 변화에 맞춰 호흡 패턴을 조정하고 다양한 호흡 패턴을 연습하여 음악의 다양한 부분에 대응할 수 있는 능력을 키워보세요.

트로트 기본 패턴

학원마다 레슨 방식이 다르겠지만 기본 패턴은 같습니다.

트로트는 forward walk, Backward walk, Turn, Chasse To Left, Chasse To Right, Diagonally Forward walk, Diagonally Backward walk으로 이루어진 댄스로 약간의 무릎 Up, Down의 바운스(bounce) 액션으로 이루어진 댄스로 Up, Down으로 이루어진 연속 동작입니다.

〈남성&여성〉 forward walk, Diagonally Forward walk

리듬	풋 워크
S, S	BF, BF
Q, Q, Q, Q	BF, BF, BF, BF
S, Q, Q	BF, BF, BF
Q, Q, S	BF, BF, BF
Q, Q, S, &	BF, BF, BF, BF
Q, &, Q, Q, &, Q	BF, BF, BF, BF, BF, BF

〈남성&여성〉 Backward walk, Diagonally Backward walk

리듬	풋 워크
S, S	HF, HF
Q, Q, Q, Q	HF, HF, HF, HF
S, Q, Q	HF, HF, HF
Q, Q, S	HF, HF, HF, HF
Q, &, Q, S	HF, HF, HF, HF
Q, &, Q, Q, &, Q	HF, HF, HF, HF, HF, HF

〈남성&여성〉 Chasse To Left, Chasse To Right

명칭	리듬	풋 워크
Chasse To Left	Q, &, Q	WF, WF, WF
Chasse To Right	Q, &, Q	WF, WF, WF

구식(舊式) 풋 워크

명칭	풋 워크
forward walk, Diagonally Forward walk	WF
Backward walk, Diagonally Backward walk	WF

트로트를 출 때 원칙

명칭	의미
HAND HOLDS(핸드 홀드)	남성과 여성이 서로 마주 서서 손을 맞잡는 것
POISE(포이즈)	몸가짐, 자세, 태도
ARM POSITIONS(암 포지션)	팔 위치
ALIGNMENT(얼라인먼트)	정렬선
AMOUNTS OF(어마운트스 어브)	회전량

발의 진행 방향

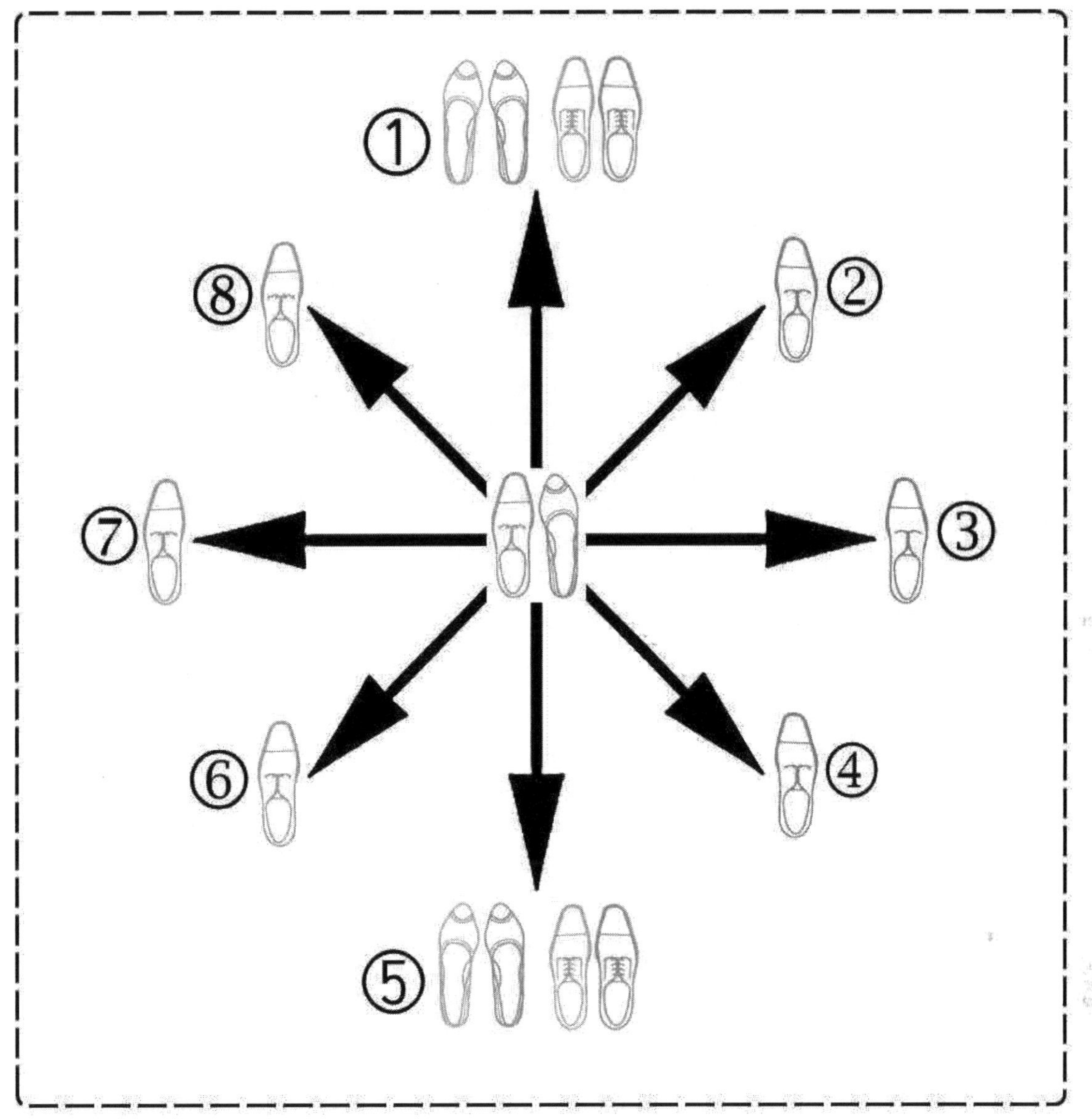

발의 진행 방향

번호	walk
1번	Forward walk
2번	Diagonally Forward walk(Right)
3번	Side To Right
4번	Diagonally Backward walk(Right)
5번	Backward walk
6번	Diagonally Backward walk(Leftt)
7번	Side To Leftt
8번	Diagonally Forward walk(Leftt)

트로트 기본 걸음걸이

라틴 댄스 기본 걸음걸이	
포워드 워크 (forward walk)	앞으로 나아가는 워크
백워드 워크	뒤로 후퇴하는 워크
포워드 워크 터닝 (forward walk turning)	전진하면서 점진적으로 회전합니다.
딜레이드 워크(delayed walk)	체중 없이 발을 원하는 위치에 놓은 후 체중을 천천히 옮기는 것을 말합니다.
사이드 샤세(Side Chasse)	한쪽 발을 옆으로 빠르게 이동시키고, 다른 발은 따라가는 형태로 이 움직임을 수행합니다.
다이애거널리 포워드 웍 (Diagonally Forward walk)	몸이 대각선 방향으로 앞으로 움직이면서 걷는 동작
다이애거널리 백워드 웍 (Diagonally Backward walk)	몸이 대각선 방향으로 뒤로 움직이면서 걷는 동작

Mirror(미러)

"Mirror(미러)"는 주로 팔로잉 스타일을 묘사할 때 사용됩니다. 이 용어는 한 파트너가 상대 파트너의 움직임을 반전하여 따라가는 것을 의미합니다. 주로 여성이 남성의 움직임을 미러링하며 따라가는 것으로 생각할 수 있습니다. 예를 들어, 남성이 뒤로 물러나면 여성은 앞으로 나아가는 식으로 그의 움직임을 미러링합니다. 이는 댄스에서 조화롭고 대칭적인 동작을 이끌어내는 데 도움이 됩니다. 특히 라틴 댄스나 소셜 댄스에서 파트너 간의 조화를 향상시키기 위해 사용되는 기술 중 하나입니다.

미러링은 댄서들이 서로의 동작에 민감하게 반응하고, 조화롭게 움직이며 춤을 이끌어-내기 위한 중요한 기술 중 하나로 간주됩니다. 이 용어는 미러링이라는 동작이 춤에서 파트너 간의 상호작용에 어떻게 활용되는지를 나타내며, 춤의 스타일과 특성에 따라 다양하게 적용될 수 있습니다.

Across(어크로스)

"Across"는 가로질러 라는 의미로 춤에서 사용되는 움직임 중 하나로, 한 발을 반대편 다른 발 앞이나 뒤로 걸쳐 놓거나 스텝하는 것을 나타냅니다. 이 동작은 춤의 움직임에서 발의 위치를 변경하고, 다양한 스텝과 패턴을 연결하는 데 사용됩니다. 보통 춤을 출 때, 특히 댄스의 흐름을 유지하면서 다른 스텝이나 움직임으로 연결해야 할 때 "Across" 동작이 중요한 역할을 합니다. 이는 춤을 출 때 발의 위치를 바꾸고, 새로운 동작이나 스텝으로 넘어가기 위해 사용됩니다.

"Across"는 춤을 보다 매끄럽게 만들어주는 핵심적인 요소 중 하나입니다. 이 동작을 사용하여 다양한 패턴과 스텝들을 연결함으로써 춤의 흐름을 자연스럽고 아름답게 만들 수 있습니다. 이는 춤의 다양한 요소들을 조화롭게 합치고, 춤의 연속성과 아름다움을 유지하는 데 도움이 됩니다.

트로트에서의 워킹(Walking)

춤의 워킹은 트로트 댄스뿐만 아니라 다양한 댄스 장르에서 중요한 기술 중 하나로 여겨집니다. 특히 기본적인 워킹 기술을 숙달함으로써 춤의 품격과 전체적인 퍼포먼스 퀄리티를 향상시킬 수 있습니다. 기본적인 워킹 기술을 제대로 익힌다면, 다양한 춤의 스텝 및 동작들을 더 부드럽고 자연스럽게 수행할 수 있게 됩니다.

트로트에서의 워킹이 강조되는 이유 중 하나는 트로트가 감정을 표현하는 데 중점을 두기 때문입니다. 춤은 단순히 움직임의 나열이 아니라 감정과 이야기를 전달하는 매체로서의 역할을 합니다. 워킹은 춤의 연결고리로, 춤의 흐름을 지속적으로 유지하고 강조하는 역할을 합니다. 특히 트로트 댄스에서는 워킹이 얼마나 자연스럽고 우아하게 이뤄지느냐가 춤의 퀄리티를 결정짓는 중요한 요소 중 하나입니다. 춤을 즐기는 사람들끼리의 소통을 원활하게 만들어주며, 그만큼 춤의 매력을 높여줍니다. 따라서 댄서들은 춤에 대한 이해와 레슨, 연습을 통해 기본적인 워킹 기술을 익히고 발전시켜야 합니다. 이를 통해 자유롭고 표현력 있는 춤의 세계에 더욱 깊숙히 몰두할 수 있을 것입니다.

트로트에서 풋 워크란?

풋 워크란 춤에서 발의 위치와 움직임을 상세하게 기술하는 것을 말해요. 이 용어는 춤 동작에서 발의 다양한 부분을 특정 순서로 표현하여 특정 스텝이나 동작 중 발이 어떻게 떨어지는지를 설명합니다. 보통 풋 워크는 힐(H), 토(T), 힐토(HT), 토힐(TH), 토힐토(THT), 힐토힐(HTH) 등의 순서를 사용해 발이 마루에 닿는 순서와 위치를 나타냅니다. 이 용어는 발의 위치를 나타내는 것 뿐만 아니라, 특정한 춤의 스텝이나 동작과 연관되어 사용됩니다. 풋 워크 패턴은 춤의 특정 부분을 나타내며, 발의 움직임을 상세하게 설명합니다. 각각의 풋 워크 패턴은 춤의 특정 부분을 나타내며, 발의 움직임을 상세하게 설명합니다. 힐(H)은 발의 뒷부분이 마루에 닿는 것을 나타내고, 토(T)는 발의 앞부분이 마루에 닿는 것을 의미합니다. 이러한 풋 워크 패턴은 춤을 출 때 발의 위치와 움직임을 정확하게 기술하여 춤의 감정과 특성을 보다 세밀하게 표현하는 데 도움을 줍니다. 또한, 춤의 다양한 동작과 연관하여 발의 위치를 설명하는 데에도 사용됩니다. 춤을 출 때 발의 움직임을 정확하게 기록하고 설명하여 춤의 느낌과 표현을 보다 명확하게 전달하는 데에 활용됩니다. 이는 춤의 스타일과 특성을 강조하고, 춤을 더욱 정교하게 표현하는 데에 큰 도움을 줍니다.

블루스랑 같은 원리입니다.

Plie(플리에)

무릎을 살짝 굽힘으로써 몸의 균형을 유지하고, 근육을 활성화시켜 안정적인 자세를 유지하는 데 도움을 주는 거죠. 이렇게 플리에 동작을 할 때는 몸의 균형과 근육들을 활성화시키는 것이 중요하니까, 자세한 부분들을 신경 쓰면서 연습하는 게 좋을 거예요!

1. **발 위치**: 발이 몸과 땅 사이의 연결고리 역할을 합니다. 발끝을 바닥에 살짝 누르는 것은 몸과 땅 사이의 연결을 강화해줍니다. 이렇게 함으로써 몸의 안정성을 유지하고, 춤이나 운동 중 균형을 유지하는 데 도움이 됩니다.

2. **상체 자세**: 머리와 어깨를 일직선으로 유지하고 등과 복부 근육을 활용하여 몸의 균형을 조절하는 것이 중요합니다. 이는 몸의 안정성과 포이즈를 유지하는 데 큰 역할을 하며 올바른 상체 자세는 운동 중 몸을 지탱하고, 포이즈를 유지하는 데 도움이 됩니다.

3. **균형감**: 몸의 무게 중심을 유지하고, 양발에 무게를 고르게 분산시키는 것이 중요합니다. 이를 위해서는 코를 중심으로 바라보는 것이 도움이 됩니다. 이렇게 함으로써 몸의 균형을 유지하고 안정적으로 움직일 수 있습니다.

4. **우아한 동작**: 부드럽고 자연스러운 움직임은 우아하고 자신감 있게 보이도록 도와줍니다. 몸의 각 부분을 조절하여 우아하게 움직이는 것은 포이즈를 유지하고, 안정적으로 움직이는 데 큰 도움이 됩니다. 우아한 동작은 춤이나 운동에서 자신감을 나타내며, 몸을 효과적으로 제어할 수 있도록 돕습니다.

이러한 요소들을 조합하여 몸을 안정적으로 유지하고, 우아하고 자신감 있게 움직이는 것은 춤이나 운동에서 중요한 기술과 표현력을 발휘하는 데 도움이 됩니다. 올바른 자세와 움직임은 몸의 건강을 유지하는 데도 중요합니다.

Change of Weigh(체인지 오브 웨이트)

"체인지 오브 웨이트(Change of Weight)"는 한 발에서 다른 발로 몸무게를 이동시키는 것을 의미합니다. 이 과정에서 체중 중심이 하나의 발에서 다른 발로 옮겨지며, 따라서 체중의 변화가 발생합니다. 예를 들어, 왼발에서 오른발로 체중이 이동하면 체인지 오브 웨이트가 발생하는 것입니다.

한편, "터치(Touch)"는 한 발로 움직이지만 체중을 옮기지 않는 동작을 말합니다. 다른 발로 이동할 때 체중이 변하지 않으면 그것이 "터치"로 설명됩니다. 이는 한 발을 다른 발로 옮기거나 이동하는 동작이지만, 체중 중심은 이동하지 않는 것을 의미합니다.

이 두 용어는 춤이나 다른 유사한 활동에서 발의 동작과 체중 중심 이동을 설명할 때 사용되며, 춤의 테크닉과 움직임을 이해하는 데 도움이 됩니다.

Moving Foot(무빙 풋)

"Moving Foot(무빙 풋)"은 춤에서 댄서가 특정 스텝이나 움직임을 수행할 때 움직이고 있는 쪽의 발을 가리키는 용어입니다. 춤을 추면서 발을 움직이는 동안, 댄서가 특정한 동작을 강조하거나 특정 피겨를 완성하기 위해 사용됩니다.

Together(투게더)

함께, 같이: 여러 인물, 물체, 개념 등이 함께 있는 상태를 나타냅니다. "We work together (우리는 함께 일한다.)"와 같이 사용될 수 있습니다.

동시에, 함께: 어떤 일이나 사건이 동시에 발생하거나 함께 진행되는 것을 의미합니다. "Let's eat lunch together (우리 함께 점심 먹자)"와 같은 표현이 이에 해당합니다.

연이어, 계속해서: 일련의 사건이나 행동이 연속적으로 진행되는 것을 나타냅니다. "He won three games in a row, one after another (그는 연이어 세 번의 경기에서 이겼다)"와 같이 사용될 수 있습니다.

조화를 이루어: 다양한 부분이 조화롭게 결합 되어 일어나는 상태를 나타냅니다. "The colors work well together (색상들이 서로 잘 어울린다,)"와 같이 사용될 수 있습니다.

"Together"는 적용되는 맥락에 따라 의미가 달라질 수 있습니다. 관계, 시간, 공간 등 다양한 측면에서 사용될 수 있는 다용도의 단어입니다.

댄스에서 "투게더(Together)"는 두 발을 모아서 서로 가깝게 붙이는 동작을 의미합니다. 이 동작은 다양한 춤 스타일에서 사용되며, 여러 스텝을 연결하는 중간 단계로 활용되거나 특정한 댄스 루틴에서 균형을 잡는 데에 활용될 수 있습니다.

예를 들어, 댄서가 한 발로 스텝을 밟은 후에 다른 발을 이동하면서 서로 가깝게 모을 때 "투게더"라고 합니다. 이는 댄서가 그 다음 동작으로 이어가거나, 리듬을 유지하며 균형을 유지하는 데 도움이 됩니다. 주로, 지르박이나 블루스에서 많이 적용됩니다.

트로트 기본 걸음걸이

포워드 워크 (forward walk): 포워드 워크는 춤이나 운동에서 매우 중요한 움직임입니다. 이 동작은 주로 전진하는 동작으로, 발을 전방으로 이동시켜 몸을 이동시키는 것을 나타냅니다. 다양한 춤 스타일이나 운동 유형에서 사용되며, 전반적인 움직임에서 중요한 부분입니다.

포워드 워크는 춤의 흐름과 운동량을 형성하는 데 큰 영향을 미칩니다. 이를 통해 춤은 더 다채롭고 다이내믹한 모습을 보이며, 공간을 효과적으로 활용하여 다양한 패턴과 움직임을 표현하는 데 도움을 줍니다. 발레, 라틴 댄스, 사교댄스, 스윙 댄스 등 다양한 춤에서 사용되며, 각 춤의 특성에 따라 다르게 표현됩니다. 이 동작은 주로 발의 위치와 몸의 중심 조절을 통해 이루어집니다. 발을 전방으로 움직이면서 몸의 중심과 움직임 방향을 일치시키는 것이 중요합니다. 이를 통해 춤은 자연스럽고 우아하게 연출됩니다. 또한, 각 춤의 특성에 따라 포워드 워크는 다양하게 표현됩니다. 발의 움직임을 강조하는 춤도 있고, 전체적인 몸의 이동을 중시하는 춤도 있습니다. 따라서 각 춤의 특성과 스타일에 맞게 포워드 워크가 조화롭게 사용되며, 해당 춤의 특징과 스타일을 부각시킵니다.

포워드 워크는 춤을 풍부하고 다이내믹하게 만들어주는 핵심 요소 중 하나입니다. 그만큼 춤이나 운동에서 이 동작을 익히고 연습하는 것은 중요합니다. 이를 통해 춤을 더욱 멋지고 표현력 있게 표현할 수 있습니다.

포워드 워크

LF(왼쪽 발)를 앞으로 디는 방법에 대한 설명입니다. 기술은 RF(오른쪽 발)에도 동일하게 적용됩니다.

1. 먼저, 발을 모아서 똑바로 서고, 몸의 무게를 오른발(FR)에 올려서 발 중심으로 균형을 잡습니다.

2. 다음으로, 왼쪽 다리(L)를 엉덩이에서 앞으로 뻗어 나갑니다. 먼저 발의 앞부분이 바닥에 닿고, 뒤꿈치는 가볍게 바닥을 스쳐 지나가며 발가락은 들어올려야 합니다. 왼쪽 뒤꿈치가 오른발(R) 발가락을 지나치면, 오른쪽 뒤꿈치는 바닥에서 떨어지고 몸의 무게가 오른발 앞으로 옮겨집니다.

3. 발을 최대한 내밀 때, 몸의 무게는 왼발 뒤꿈치와 오른발 앞발 중간에 골고루 분산됩니다. 왼쪽 무릎은 직선으로 펴지고, 오른쪽 무릎은 약간 굽히게 됩니다.

4. 몸의 무게가 왼발로 옮겨지면, 오른발이 앞으로 움직이기 시작합니다. 발가락이 먼저 바닥에 닿고, 바닥을 가볍게 스쳐서 앞으로 이동합니다.

5. 왼발 발가락은 천천히 바닥에 내려가며 두 발이 만나고, 몸의 무게가 완전히 왼발로 옮겨집니다.

백워드 워크: 백워드 워크는 댄스나 운동에서 후진하는 동작을 나타내며, 몸을 후방으로 움직이는 것을 의미합니다. 이는 포워드 워크의 반대 개념으로서, 다양한 춤 스타일이나 운동에서 활용되어 공간을 후진하거나 특정한 움직임을 형성하는 데 사용됩니다.

왼발을 사용하는 경우에도 동일한 기술을 적용합니다.

1. 먼저, 양발을 함께 모아서 서고, 몸의 무게를 왼발에 실은 채로 약간 앞으로 기울어진 자세를 취합니다.

2. 그 다음, 엉덩이 관절을 중심으로 오른쪽 다리를 뒤로 빼는 동작으로 시작합니다. 발 앞부분을 가볍게 바닥에 댄 후 발끝을 바닥에 살짝 닿게 합니다. 오른쪽 발의 발끝이 왼쪽 발의 발꿈치를 지나가는 순간, 왼쪽 발의 발끝은 바닥에서 조금씩 떨어지면서 몸의 무게를 오른쪽 발 앞부분으로 옮기기 시작합니다.

3. 걸음이 가장 멀리 나갔을 때, 몸의 무게는 오른쪽 발의 앞부분과 왼쪽 발의 뒷부분 사이에 균등하게 분산됩니다. 오른쪽 무릎은 약간 굽혀지고, 왼쪽 무릎은 직선으로 유지됩니다.

4. 왼쪽 발이 뒤로 움직이기 시작합니다. 발뒤꿈치를 바닥에 댄 후 발 앞부분이 바닥을 가볍게 닿게 합니다.

5. 왼발이 오른쪽 발 쪽으로 후진하면서, 오른쪽 발의 발꿈치는 천천히 내려갑니다.

6. 마지막으로, 오른쪽 발로 무게를 완전히 옮기면, 왼쪽 발은 거의 오른쪽 발에 무게가 없는 상태로 가까이 모이게 됩니다.

Recover(리커버)

"Recover"는 다양한 문맥에서 사용되는 동사로, 일반적으로 "회복하다", "복구하다", "회복되다" 등의 의미를 갖습니다. 아래는 "recover"가 사용되는 주요 의미들입니다:

건강이나 상태의 회복: 예를 들어, 병이나 부상으로 인한 손상된 건강이나 상태가 다시 정상으로 돌아가는 것을 의미합니다. "Recover from an illness"는 질병에서 회복하는 것을 나타냅니다.

손실된 것을 찾거나 되찾다: 분실된 물건, 정보, 자료, 돈 등을 다시 찾거나 되찾는 행위를 의미합니다. "Recover a lost item"은 분실된 물건을 찾는 것을 의미할 수 있습니다.

회복 작업: 데이터, 파일, 시스템 등이 손상되었을 때, 해당 손상을 복구하거나 원래 상태로 되돌리는 행위를 나타냅니다. "Recover a file"은 손상된 파일을 회복하는 것을 의미할 수 있습니다.

재생 또는 회복되는 경제 등의 상황: 어떤 상황이 손상된 후에 회복되거나 다시 원래 상태로 돌아가는 것을 나타냅니다. "Economic recovery"는 경제의 회복을 의미합니다.

기억이나 감정의 회복: 어떤 충격이나 트라우마로 인해 상실된 기억이나 감정을 회복하는 것을 의미할 수 있습니다.

댄스에서: 동작 이후에 발이 분리된 상태에서, 다시 무게를 지지하던 원래의 발로 무게를 옮기는 동작을 말합니다. 이는 주로 댄스에서 한 동작이 끝난 후 발이 분리-되어 있는 경우, 그 발에 무게를 다시 옮겨서 댄스 동작을 계속할 준비를 하는 것을 의미합니다.

Free Foot(프리 풋)

"Free Foot(프리 풋)"은 몸의 무게를 지지하지 않는 발을 가리킵니다. 춤추거나 운동을 할 때, 땅에 떨어진 상태가 아닌 다른 발이 지지하는 발이 아닌 발을 말합니다. 이 발은 움직임을 제어하거나 특정한 스텝이나 동작을 수행하는 데 사용되며, 춤의 다양한 포지션에서 중요한 역할을 합니다. 또한, 주로 몸의 중심과 균형을 유지하는 데 사용됩니다. 예를 들어, 한쪽 발이 지지하는 발로서 움직이면서 다른 발은 효과적인 움직임을 위해 자유롭게 움직일 수 있도록 합니다. 이는 춤의 다양한 스텝을 원활하게 수행하고, 파트너와의 호흡을 맞출 수 있도록 도와줍니다.

Foot Pressure(풋 프레셔)

"Foot Pressure"은 춤을 출 때, 자유 다리를 지면에 가볍게 올려두는 것을 의미합니다. 이것은 특정 동작이나 스텝을 준비하거나, 특정한 타이밍에 특정한 움직임을 하기 위해 사용될 수 있습니다. 예를 들어, 다리를 들어 올려 다음 스텝을 취하기 전에 가볍게 다리를 땅에 놓아두거나, 스텝의 움직임을 부드럽게 시작하기 위해 조금의 압력을 가하는 데 사용될 수 있습니다.

In front(인 프런트)

"인 프런트(In Front)"는 댄스 용어 중 하나로, 두 가지 상황에서 사용됩니다.

먼저, 몸에 관한 경우, 이 용어는 파트너와 마주 보는 자세를 가리킵니다. 춤을 출 때 댄서들은 서로 마주 보고 서로의 움직임과 표현을 주고받습니다. 이는 댄스의 흐름과 연결을 유지하고 파트너와의 소통을 강화하기 위해 중요합니다. "인 프런트" 자세는 파트너와의 조화와 연결을 강조하여 춤을 더욱 아름답게 만들어줍니다.

또한, 다리에 관한 경우, "인 프런트"는 체중을 지탱하는 발의 전방을 가리킵니다. 춤추는 동안 다리는 여러 방향으로 움직이고 지지하는데, "인 프런트"는 이 중에서도 체중이 주로 실리는 발의 전방을 의미합니다. 이 발의 위치와 안정성은 춤을 출 때 필수적인데, 안정적인 발의 위치를 유지함으로써 춤의 운동성과 표현력을 향상시키는 데 도움이 됩니다.

이 용어는 댄스와 춤에서 파트너와의 관계와 발의 안정성을 강조하며, 정확한 자세와 발의 위치 조절을 통해 춤을 보다 우아하고 매력적으로 만들어줍니다.

Forward walk turning(포워드 워크 터닝)

forward walk turning은 춤에서 사용되는 기술로, 전진하는 동작을 유지하면서 몸을 회전시키는 것을 의미합니다. 이 기술은 주로 춤에서 활용되며, 전진하는 동작과 함께 몸을 회전시켜 춤의 연속성과 흐름을 유지하고 이어가는 데 사용됩니다. 터닝은 춤의 다양한 스텝이나 루틴에서 빼놓을 수 없는 요소 중 하나입니다. forward walk turning은 춤의 흐름을 유지하면서 회전하는 것을 목적으로 하는데, 이를 통해 춤이 더욱 다이내믹하고 아름답게 표현됩니다. 이 동작을 수행하기 위해서는 발의 움직임과 몸의 회전을 조화롭게 이어야 합니다.

forward walk turning은 춤의 다양한 스타일에서 즐겨 사용되며, 댄서가 공간을 이동하면서 회전하는 것을 강조하는 경우에 많이 사용됩니다. 이 기술을 통해 춤은 다양한 움직임과 모션을 표현하며, 댄서의 기술과 표현력을 높일 수 있습니다. 발의 움직임과 몸의 회전을 조화롭게 조절하는 연습을 통해 포워드 워크 터닝을 더욱 자연스럽고 아름답게 표현할 수 있습니다. 이를 통해 춤의 연출력과 매력을 높일 수 있고, 춤을 통해 감정과 이야기를 더욱 잘 전달할 수 있게 될 거예요.

Flex(플렉스)

"Flex(플렉스)"는 관절이나 근육을 구부리거나 굽히는 동작을 나타냅니다. 이 용어는 주로 발 및 다리의 움직임을 설명하는 데 사용되며, 특히 발의 볼(Ball)과 발뒤꿈치(Heel)의 움직임을 강조할 때 사용됩니다.

댄스에서 "Flex" 동작은 발을 구부리고 근육을 수축시켜 발의 형태를 변화시키는 것을 의미합니다.

발뒤꿈치는 여전히 바닥에 닿아 있지만 발의 볼은 바닥에서 떠 있거나 일정한 각도로 굽혀져 있는 모습을 나타냅니다. 이 동작은 발의 유연한 움직임과 탄력을 강조하기 위해 사용되며, 춤의 스타일 및 기술에 따라 다양한 응용이 가능합니다. "Flex"와 관련된 다른 용어로는 "벤드(Bend: 구부리다)"가 있습니다. 하지만 "Flex"는 근육이나 무릎을 탄력적으로 컨트롤하여 발을 굽힌다는 특징을 강조하는 것으로 설명되며, 발의 움직임을 더 다양하고 효과적으로 표현할 수 있도록 합니다.

Collect(콜렉트)

"Collect(콜렉트)"는 춤에서 다음 걸음을 밟기 전에, 자유 다리의 무릎과/또는 발을 몸의 아래로 끌어당겨 서 있는 발과 가깝게 모으는 동작을 의미합니다. 이는 무게 블록들이 다음 걸음을 밟을 준비가 되도록 몸의 중심을 정렬하는 것을 돕습니다. 이동하는 동작에서 무게의 전환이나 균형을 맞추는 데 도움이 되는 기술 중 하나로 다음 걸음을 내딛을 때 몸의 균형을 유지하고 다음 동작을 준비할 수 있습니다.

Compression(컴프레션)

"Compression(컴프레션)"은 춤에서 지지 다리의 무릎을 굽힘으로써 몸의 센터를 낮추는 과정을 가리킵니다. 이는 다음 움직임이나 피규어를 적절히 시작하기 위한 준비 단계로써 사용됩니다.

일반적으로 춤에서, 컴프레션은 피규어나 움직임을 시작하거나 중심을 잡고 에너지를 미리 축적하는 데에 사용됩니다. 지지 다리의 무릎을 굽힘으로써 몸의 센터를 낮추면, 다음 움직임을 더 효과적으로 시작할 수 있게 되며, 무게의 변화와 움직임을 더 매끄럽게 수행할 수 있도록 도와줍니다. 이는 춤에서 다음 스텝이나 움직임을 준비할 때 사용되며, 좀 더 탄력 있고 효과적인 움직임을 가능케 합니다.

댄스에서의 다리 사용법

댄스에서 다리의 사용은 움직임의 표현과 기술적인 면에서 매우 중요합니다. 다리는 댄서들이 자신의 몸을 제어하고 공간을 활용하는 데 큰 역할을 합니다. 춤을 추면서 다리를 적절하게 활용하는 것은 퍼포먼스의 품질을 높이고 스텝을 더욱 다채롭게 표현하는 데 도움이 됩니다.

1. **발의 움직임과 밸런스:** 발의 움직임은 다리의 밸런스를 결정짓습니다. 발을 통해 지지점과 안정성을 찾으며, 각 부분의 밸런스를 조절하여 안정적인 스텝을 완성합니다.
2. **무게 이동과 스텝의 완성:** 다리는 무게 이동에 중요한 역할을 합니다. 무게를 한쪽 다리로 이동시키거나, 뒤로 빼거나 앞으로 내밀면서 다양한 스텝을 만들어냅니다.
3. **운동 범위와 스텝의 다양성:** 다리의 운동 범위는 스텝의 다양성과 연결됩니다. 댄서들은 다리를 적절하게 움직여 춤의 다양한 동작을 완성하며, 각도와 운동 범위를 조절하여 다양한 스텝을 표현합

니다.

4. 기술적 표현과 퍼포먼스의 완성: 기술적인 면에서 다리의 사용은 춤의 품질을 높이며, 퍼포먼스를 완성합니다. 다리의 활용은 춤을 보다 정확하고 효과적으로 표현하는 데 중요한 역할을 합니다.

댄스에서의 다리 사용은 춤의 표현과 기술적 퍼포먼스에 큰 영향을 미치는 핵심적인 요소입니다.

댄스에서의 발바닥 사용법

댄스에서 발바닥의 사용은 움직임의 품질과 춤의 표현에 중요한 영향을 미칩니다. 발바닥은 댄서들이 자신의 몸을 제어하고 표현하는 데 핵심적인 부분이며, 발의 다양한 부분을 활용하여 다양한 동작과 스텝을 완성합니다.

1. 발의 다양한 부분 활용:

발가락(Toe): 발의 끝부분으로 춤에서의 섬세한 움직임과 포인트를 표현합니다. 춤의 특정 부분을 강조하거나 섬세한 움직임을 표현하는 데 사용됩니다.

앞꿈치(Ball): 발의 앞부분이며, 댄스에서 다양한 스텝과 전환이 이루어지는 곳입니다. 무게 이동이나 턴에서 중요한 역할을 합니다.

중간 부분(Arch): 발의 중앙 부분으로, 안정적인 스텝과 이동을 지원하며 몸의 균형을 유지하는 데 도움을 줍니다.

뒤꿈치(Heel): 발의 뒷부분으로, 후방 이동이나 움직임에 사용됩니다. 일부 춤 스타일에서 강조되는 부분이기도 합니다.

발바닥(Whole Foot): 발의 전체 부분을 사용하여 균형을 잡고 스텝을 완성하는 데 활용됩니다. 안정적인 움직임과 밸런스를 유지하는 데 중요합니다.

2. 밸런스와 스텝의 완성: 발바닥의 다양한 부분을 활용하여 밸런스를 조절하고, 스텝을 완성합니다. 적절한 부분을 사용하여 몸의 무게를 이동시키거나, 회전을 수행하여 춤의 다양한 움직임을 완성합니다.

3. 표현과 감정의 전달: 발바닥의 사용은 춤에서의 표현과 감정 전달에도 연결됩니다. 발의 특정 부분을 사용하여 감정을 표현하거나, 특정 움직임을 강조하여 춤의 의도를 보다 섬세하게 전달할 수 있습니다.

4. 다양한 춤 스타일에서의 활용: 댄스 스타일에 따라 발바닥의 사용을 강조하거나 다르게 활용합니다. 발바닥의 다양한 부분을 적절히 활용하여 그 춤 스타일에 맞는 움직임을 완성하고 퍼포먼스를 개성 있게 만들어냅니다.

발바닥의 사용은 춤을 추는 데 있어서 핵심적인 역할을 합니다. 댄서들은 발바닥의 각 부분을 올바르게 활용하여 안정적이고 표현력 있는 움직임을 완성합니다.

Freeze(프리즈)

"Freeze(프리즈)"는 움직임을 멈추고 몸과 발의 위치를 고정하는 것을 의미합니다. 춤추거나 움직이는 동작 중에 갑자기 멈추어 몸과 발의 위치를 고정시키는 것을 말합니다. 이는 움직임이 갑자기 정지되며 그 자세가 잠시 동안 유지되는 것을 의미합니다.

프리즈는 춤이나 특정한 퍼포먼스에서 사용되는 효과적인 기술 중 하나입니다. 예를 들어, 춤의 일부분에서 갑자기 멈추어 특정한 동작이나 스텝을 강조하기 위해 사용될 수 있습니다.

상위 1%만 사용하는 리드법: 손목 스냅

순간적으로 강하고 빠르게 손목의 힘을 이용하는 리드법으로 '손목 스냅'이라고 하는데 댄스에서 섬세한 표현력을 강조하는 중요한 요소 중 하나로 간주됩니다. 이 동작은 순간적으로 손목에 강력한 힘과 신속한 움직임을 부여하여 춤의 움직임을 더욱 생동감 있게 만들어줍니다.

춤을 출 때, 손목의 순간적인 힘과 민첩한 움직임은 동작의 강조와 리듬을 부각시켜 퍼트너에게 강렬한 인상을 심어줍니다. 이것은 마치 음악의 비트에 맞춰 손목을 강하게 굽히고 튕기는 것과 같이 손목을 빠르게 활용하는 것을 의미합니다. 손목 스냅은 정확한 조절과 신속한 반응이 필요하기 때문에 지속적인 연습과 훈련이 필수적입니다. 이를 통해 춤의 다이내믹한 표현을 높이고, 동작에 더 큰 에너지를 전달할 수 있습니다.

손목 스냅은 지르박에서 많이 사용되는 여성 리드법으로 블루스나 트로트에서는 오픈 포지션에서 여성 목감기, 헤머락, 던지기, 포장, 회전 등에서 주로 사용됩니다. 결국, 춤을 추거나 공연을 할 때 손목 스냅은 동작의 세세한 부분에서 화려함과 효과를 더해줍니다. 손목의 순간적인 강력한 움직임은 춤의 표현력을 높여주며, 요란스럽지 않게 리드하는 리드법입니다.

트로트 워킹 연습

트로트에서의 워킹은 걸음걸이를 리드하고 상대와의 상호작용을 중시하는 것이 중요합니다.

가. 자연스러운 걸음걸이 리드: 워킹은 단순히 걷는 것 이상으로, 상대를 리드하고 표현의 주체가 되는 과정입니다. 단순히 트로트 워킹 연습이 아니라, 마치 큰 항아리를 안고 있다는 상상을 통해 스텝을 연습을 하면, 연습하는 과정에서 무게 이동, 몸의 밸런스, 상대와의 연결 등을 이해하기 쉽습니다. 이러한 연습은 트로트에서의 워킹이 더욱 자연스럽고 음악과 조화를 이루며, 상대와의 상호작용을 쉽게 터득할 수 있습니다.

나. 기본 스텝 연습: 트로트의 워킹은 기본적인 스텝과 움직임을 통해 슬로우하고 자연스러운 움직임을 강조합니다. 이를 위해 기본 스텝 연습이 매우 중요한데요, 전진, 후진, 사이드 스텝, 방향

전환과 같은 다양한 스텝을 반복적으로 연습하면서 워킹의 기초를 확실히 다지게 됩니다.

1. **각 스텝에서의 체중 이동과 바디 중심 잡기**: 기본 스텝을 연습하는 과정에서는 각 스텝에서의 체중 이동을 익히고, 이를 통해 바디의 중심을 잡는 것이 중요합니다. 이는 걸음에 있어서 몸의 밸런스를 잡고 움직임을 안정적으로 만들어줍니다. 체중을 옮기는 연습과 함께 바디 중심을 유지하는 법을 연습합니다.

2. **발의 위치와 몸의 움직임에 집중**: 각 스텝에서 발의 위치와 몸의 움직임에 집중하는 것도 중요합니다. 발의 각도, 힐과 발볼의 강조, 몸통의 움직임과 회전 등을 익히면서, 각각의 스텝이나 이동에 필요한 움직임들을 자세히 살펴봅니다.

3. **음악에 맞춰 움직이는 훈련 강조**: 트로트는 음악과의 조화가 중요하므로, 연습 과정에서 음악에 맞춰 움직임을 연습하는 것이 필요합니다. 각 스텝이나 이동의 템포와 음악의 비트를 일치시키는 연습을 통해 자연스럽고 매끄러운 움직임을 만들어냅니다.

4. **상상력을 자극하는 연습**: 또한, 각 스텝의 움직임을 연습하면서 상상력을 자극하는 것도 중요합니다. 상대와의 상호작용, 상상 속의 물건을 든듯한 무게감을 느끼며 표현력을 키워가는 연습을 합니다. 기본 스텝 연습을 통해 슬로우하고 자연스러운 워킹을 숙달하는 것은 트로트에서의 춤을 더욱 매력적으로 만들어주며, 상대와의 유기적인 움직임을 가능하게 합니다. 이는 춤을 추는 데 있어서 핵심적인 요소 중 하나입니다.

다. 힐과 볼의 강조: 힐과 볼의 강조는 트로트에서의 워킹을 더욱 풍부하게 만들어주는 중요한 요소 중 하나입니다. 특히 전진과 후진의 순간에 힐과 볼에 주의를 기울이면서 걸음걸이를 연습하는 것은 트로트에서의 감각적이고 매끄러운 움직임을 만들어내는데 큰 도움이 됩니다.

1. **힐과 볼의 강조로 걸음걸이의 변화 파악**: 전진하는 순간에는 힐을 강조하고, 후진하는 순간에는 볼을 강조하여 걸음걸이의 변화를 명확하게 파악합니다. 이는 트로트에서의 특유의 슬로우하고 감각적인 움직임을 만들어내는 데 중요한 역할을 합니다.

2. **체중의 이동과 발의 각도 변화 명확하게 익히기**: 힐과 볼의 강조를 통해 체중의 이동과 발의 각도 변화를 명확하게 익힙니다. 걷는 과정에서 어떻게 힐을 두드리고 볼을 놓는지를 정확하게 이해하면서, 체중의 변화와 발의 각도 조절을 자연스럽게 익히는 것이 목표입니다.

3. **기본적인 걸음걸이와 리드 방법 숙지**: 힐과 볼의 강조를 통한 연습을 통해 기본적인 걸음걸이와 리드 방법을 숙지합니다. 상대를 안고 슬로우하게 움직이는 순간에도 힐과 볼의 강조가 유기적으로 표현되면서, 음악에 맞춰서 흘러가는 움직임을 연출할 수 있게 됩니다.

힐과 볼의 강조를 통한 트로트 워킹 연습은 걸음걸이의 섬세한 변화와 무게 이동을 익히면서, 춤을 풍부하고 감각적으로 만들어내는 데 큰 도움이 됩니다. 이는 트로트에서 특유의 감성을 표현하는 데 필수적인 요소 중 하나입니다.

센터 밸런스란?

센터 밸런스는 댄스나 운동에서 매우 중요한 개념입니다. 이는 몸의 중심을 안정적으로 유지하고 그 균형을 조절하는 능력을 가리킵니다. 댄스에서 센터 밸런스는 몸의 중심을 유지하고 그것을 기반으로 움직임을 조절함으로써 운동의 안정성과 정확성을 높이는 데 중요한 역할을 합니다. 센터 밸런스는 주로 골반이나 몸의 중심축을 기준으로 합니다. 몸의 중심을 잘 유지하면서 움직이는 것은 다양한 춤 스타일에서 필수적인 요소 중 하나입니다. 이를 통해 댄서는 몸의 안정성을 유지하고, 자유롭고 자연스러운 움직임을 만들어냅니다.

댄스에서의 센터 밸런스는 춤을 출 때 균형을 유지하고 효과적인 움직임을 가능케 하는 중요한 요소입니다. 춤을 출 때 몸의 센터를 제어하고 균형을 유지함으로써 아름다운 동작과 자연스러운 움직임을 보여줄 수 있습니다. 우선, 센터 밸런스는 몸의 중심, 즉 허리와 골반 부근에 위치한 무게 중심을 제어하는 것으로, 이것이 춤을 출 때 중요한 역할을 합니다. 균형을 유지하고 움직임을 부드럽게 만들기 위해서는 몸의 중심을 잘 조절하는 것이 필요합니다. 센터 밸런스는 무게를 어떻게 옮기느냐에 따라 달라집니다. 정확한 포지션과 균형 조절은 춤을 출 때 필수적입니다. 무브먼트를 할 때마다 센터 밸런스를 유지하면서 자연스럽게 움직이는 것이 중요하며 춤을 출 때의 자신감과 연결되어 있습니다. 몸의 중심을 제어하고 균형을 잘 유지할수록 춤을 출 때 자신감 있고 안정된 모습을 보일 수 있습니다. 이는 춤을 출 때 자연스럽고 매력적인 퍼포먼스로 이어집니다.

센터 밸런스와 풋 워크와의 관계

춤에서의 센터 밸런스와 풋 워크는 서로가 연결되어 있어서 아름다운 움직임과 균형을 유지하는 데 중요한 역할을 합니다.

1. 센터 밸런스는 춤을 출 때 몸의 중심을 유지하고 균형을 조절하는 개념입니다. 춤을 출 때 몸의 센터를 통제함으로써 움직임을 안정적으로 만들어주며, 이는 정확한 풋 워크와 조화롭게 연결됩니다. 몸의 센터를 유지함으로써 댄서는 움직임의 안정성과 우아함을 유지할 수 있습니다.

2. 풋 워크는 발을 움직이는 기술로, 센터 밸런스를 유지하는 데 중요한 부분입니다. 정확한 풋 포지션과 움직임은 센터 밸런스를 유지하고, 춤을 출 때 균형을 잡는 데 도움을 줍니다. 발의 위치와 움직임은 전반적인 센터 밸런스를 조절하는 핵심적인 역할을 합니다.

3. 춤을 출 때 센터 밸런스와 풋 워크는 서로 보완적으로 작용합니다. 몸의 센터를 잘 조절하고 정확한 풋 워크를 통해 움직임을 안정시키면서, 우아하고 자연스러운 춤을 완성할 수 있습니다. 둘 사이의 조화로운 조절은 춤의 흐름과 운동량을 더욱 아름답게 만들어줍니다. 이를 통해 춤은 자신감 있게 표현되고, 댄서의 기술과 표현력을 더욱 높일 수 있어요.

댄스 홀드에서 여성이 안정적인 밸런스를 유지하는 비결

여성이 댄스 홀드에서 밸런스를 잡는 것은 춤을 출 때 몸의 안정성과 연결성을 유지하는 것과 관련이 있습니다. 여성이 댄스를 출 때 밸런스를 잘 유지하기 위해서 몇 가지 중요한 점들이 있습니다.

1. **코어 근육 강화:** 복부와 허리 근육을 강화하여 몸의 중심을 유지하고, 안정성을 높이세요. 코어 근육을 강화하면 홀드 동안 몸을 더욱 안정시킬 수 있습니다.

2. **중심축 유지:** 몸의 중심을 잘 파악하고, 그 중심축을 지탱할 수 있는 자세를 취하세요. 이는 팔과 상반된 측면의 근육을 사용하여 몸을 평형 있게 유지하는 것을 의미합니다.

3. **팔과 상체의 위치:** 팔은 파트너와의 연결을 유지하면서 너무 강하게 압박하지 않는 것이 좋습니다. 안정적인 홀드를 위해 자신의 팔과 상체의 위치를 조절하고, 팔은 너무 높이 올리거나 떨어뜨리지 않도록 유의하세요.

4. **시선과 포커싱:** 댄스 동작 중에는 시선의 방향도 중요합니다. 안정적인 밸런스를 유지하기 위해 고정된 지점을 응시하고, 몸의 안정성을 유지하는 데 도움이 됩니다.

5. **연습과 경험:** 댄스를 연습하고 경험을 쌓음으로써 홀드에서의 밸런스를 점차 향상시킬 수 있습니다.

여성이 댄스 홀드에서 밸런스를 유지하는 것은 연습과 자신의 몸을 이해하는 것이 중요합니다. 안정적이고 자연스러운 홀드를 유지하면서 밸런스를 향상시키는 데 주의를 기울이세요. 이를 통해 댄스에서 보다 안정적이고 우아한 모습을 연출할 수 있습니다.

그레이스풀(graceful)한 턴, 여성 리드법

댄스에서 파트너를 오른쪽 또는 왼쪽으로 회전시키는 기술 중 하나로 이는 파트너의 손을 오른손이나 왼손으로 잡고, 원하는 방향으로 천천히 회전시켜줍니다.

여성을 회전시켜주는 방법은 다양하지만, 기본으로 한 손 리드법, 양손 리드법, 한 손 크로스 리드법, 양손 크로스 리드법, 커트 후 여성 솔로 턴 리드법, 여성 솔로 턴 리드법이 있습니다. 남성은 여성 실력 및 나이에 따라 리드법을 조절해야 하며, 같은 회전 동작이라도 하수냐, 중수냐, 고수냐에 따라 여성이 느껴지는 리드 맛이 다 다르게 느껴집니다.

댄스에서 여성을 회전시키는 방법은 매우 다양하며, 그 기술은 음악, 춤의 스타일, 파트너와의 호흡 등 여러 가지 요소에 따라 다를 수 있습니다. 기본적인 회전 기술에는 몇 가지 주요한 방법이 있습니다.

첫 번째로, 남성은 오른손이나 왼손을 사용하여 여성을 회전시키는 방법이 있습니다. 이 방법은 보통 한 손을 사용하여 여성의 손을 잡고 회전을 이끌어내는 방식입니다. 이때 여성과의 손 연결을 통해 서로의 움직임을 읽고 호응함으로써 자연스러운 회전을 이룰 수 있습니다.

두 번째로, 양손을 사용하여 여성을 회전시키는 방법도 있습니다. 이 방법은 양손을 이용하여 여성의 손을 잡고 회전을 이끌어내는 기술로, 보다 안정적이고 균형을 잡기 쉬운 방법 중 하나입니다.

그리고 여성을 회전시키면서 손을 놓아주는 방법과 손을 끝까지 놓지 않는 방법도 있습니다.

여성을 회전시킬 때 피겨 동작에 따라 다양한 방법이 쓰일 수 있습니다. 예를 들어, 양손을 사용한 여성 회전 기술은 풋 포지션(발의 위치)과 핸드 홀드 포지션(손의 위치)에 따라 다양한 방식으로 실행될 수 있습니다. 또한, 여성의 팔을 여성 목에 위치하면 목을 감는 것이며, 여성 배 쪽으로 위치하면 배를 감는다는 신호로 보면 됩니다. 여성 머리 위로 올리면 이 또한 선을 여성 머리 위로 올려 여성을 회전시킨다는 신호입니다. 이러한 여성 회전 기술은 댄스의 동작과 음악에 맞춰 적절히 사용되며, 파트너와의 소통과 호응을 통해 자연스럽게 이뤄집니다. 댄스의 스타일과 요구 사항에 따라 다양한 회전 기술이 쓰일 수 있으며, 춤의 흐름과 연출에 따라 적절한 방법을 선택하는 것이 중요합니다.

트로트 회전(턴)

모든 커플 댄스는 95% 이상 주로 여성이 회전(턴)합니다. 남성 회전은 드물며 남성 회전(턴) 스텝을 레슨해주는 학원도 있지만 그렇지 않은 학원도 많이 있습니다.

Wind, Winding, and Winding Up(윈드, 와인딩, 그리고 와인딩 업)

Wind(명사): 공기의 움직임을 나타내며 특히 지면과 나란하게 또는 따라가는 자연스러운 공기의 흐름을 의미합니다.

Wind(동사): 비틀거나 나선 형태로 움직이는 행위를 나타냅니다.

손잡이나 기계 장치를 돌려 에너지를 생성하거나 무언가를 조여주는 행위일 수도 있습니다.

Winding(형용사): 특히 길이나 도로에 대한 나선 또는 꼬인 경로를 가지고 있는 것을 나타냅니다.

Winding(명사): 강의 나선 모양과 같이 꼬인 또는 돌아가는 형태를 나타낼 수 있습니다.

Winding(동사 - 현재 분사): 실을 뽑아 무엇에 감아 넣는 행위를 나타냅니다.

Winding Up: 무언가를 결론지으며 마무리하거나 해결하는 것을 의미할 수 있습니다.

댄스에서 Wind, Winding, and Winding Up은 특정 동작을 시작하기 전에 몸의 회전을 조절하고 강화하는 과정으로, 춤의 동작을 보다 강력하고 정확하게 만들어줍니다.

"윈드(Wind)"는 회전 동작을 위해 발목을 춤의 회전 방향으로 조금씩 움직이는 것을 의미합니다. 발목부터 시작하여 체중과 에너지를 상체로 전달하는 과정을 포함하고 있습니다. 이는 몸 전체에 회전 동작의 에너지를 전달하고, 동작의 시작을 준비하는 역할을 합니다.

"와인딩(Winding)"은 발목부터 시작된 회전을 몸의 상체로 연결하는 프로세스입니다. 이는 발에서 시작된 회전을 상체로 효율적으로 전달하는 과정으로, 회전을 강조하고 더 큰 움직임의 범위를 제공합니다.

"와인딩 업(Winding Up)"은 회전 동작의 시작을 준비하는 데 사용됩니다. 이는 회전하는 동작을 시작하기 전에 몸을 준비하고 힘을 모으는 과정입니다. 상체를 돌려 회전 동작을 더 강화하고, 몸이 미리 회전 동작의 방향을 나타내는 역할을 합니다.

이러한 과정들은 춤의 기술적인 면에서 중요한 요소로, 춤의 동작을 더 강력하게 만들어주며, 회전 동작의 정확성과 에너지를 제공합니다. 춤을 출 때, 몸을 이러한 과정을 통해 준비하고 향상시키는 것은 춤의 품질과 표현력을 향상시키는 데에 도움이 됩니다.

Spins and Turn(스핀 앤 턴)

"Spins"와 "Turn"은 춤에서 사용되는 용어로, 각각의 사전적 의미는 다음과 같습니다:

Spins (스핀): 빠르게 회전하거나 돌다.

춤에서의 사용: 스핀은 춤에서 댄서가 자신의 축 주위에 빠르게 회전하는 움직임을 나타냅니다. 스핀은 여러 스타일의 춤에서 사용되며, 각 스타일에 따라 다양한 기술과 회전 수가 존재합니다.

Turn (턴): 회전하거나 방향을 전환하다.

춤에서의 사용: 턴은 춤에서 댄서가 자신의 몸을 회전시키거나 특정 방향으로 돌아가는 동작을 의미합니다.

"스핀과 턴"은 댄스에서 회전 운동을 나타냅니다. 이러한 움직임은 볼룸, 라틴, 살사, 스윙 등 다양한 춤 스타일에서 일반적입니다. 스핀과 턴의 기술과 스타일은 특정 춤 장르에 따라 다를 수 있습니다.

스핀 기술

스팟팅: 여러 번의 스핀을 수행하는 기본 기술 중 하나는 회전하는 동안 특정 지점을 중점적으로 바라보는 것입니다. 댄서는 머리를 사용하여 고정된 위치를 찾아 균형을 유지하고 현기증을 방지합니다.

센터링: 스핀 중에는 핵심 부위와 중심 중력이 중요한 역할을 합니다. 댄서들은 복부 근육을 사용하여 제어와 균형을 유지합니다.

발의 위치: 스핀을 수행하는 데 발의 위치와 체중 분배가 중요합니다. 볼룸 댄스에서 힐 턴 또는 발레 피루엣과 같이 각각의 춤 스타일에는 특정한 기술이 있을 수 있습니다.

스핀과 턴의 종류

싱글 턴: 자신의 축 주위의 완전한 회전.

더블 턴, 트리플 턴 등: 단일 동작에서 여러 회전을 하는 것.

피루엣: 춤의 한 종류인 클래식 발레 턴으로, 댄서가 한쪽 다리 위에서 회전하면서 일반적으로 다른 다리는 특정한 자세를 취합니다.

파트너 댄스의 턴

살사, 스윙 또는 볼룸과 같은 파트너 댄스에서는 남성이 이끌고 여성이 따르는 방식으로 스핀이나 턴이 이루어집니다. 리더는 몸의 움직임, 손 연결 또는 특정한 신호를 통해 스핀을 이끄는 신호와 안내를 제공합니다.

좋은 회전을 위한 요소

1.복부와 허리: 복부를 안으로 당기고, 복부 근육을 높이 들어야 합니다. 이는 척추를 지지하고 안정감을 유지하는 데 도움이 됩니다. 허리를 펴고 굽히지 않도록 해야 해요.

2.가슴과 상반신: 흉골을 올려야 하지만, 가슴 근육을 바닥 쪽으로 당기는 것이 중요합니다. 몸을 떠밀지 않는 것이 몸의 균형을 유지하는 데 도움이 됩니다.

3.머리와 어깨: 머리를 일직선으로 척추와 유지하고, 시선은 곧게 앞을 향해야 합니다. 어깨는 내리고, 몸을 구부리거나 굽히지 않아야 해요.

4.하체 근육: 허벅지를 꽉 조여야 하며, 엉덩이 근육과 중심부를 강화하여 몸을 안정시켜야 합니다. 특히 빠른 회전을 할 때 이러한 근육들이 중요한 역할을 합니다.

발의 부분을 이해하기

1.회전 시 발을 어떤 부분에 중점을 두는지 이해하는 것이 중요합니다. 발끝이나 발바닥을 사용하여 회전할 수 있고, 발을 함께 돌리거나 따로 돌릴 수도 있습니다.

2.발을 어느 부분에 중점을 두느냐에 따라 회전의 안정성과 균형을 조절할 수 있습니다. 발끝이나 발의 평면 부분을 사용하거나 발을 함께 돌려서 회전할 때 발의 위치를 고려해야 합니다.

팔 움직임

1.오른쪽으로 회전할 때 왼팔을 좌측으로 돌립니다. 그러나 회전을 돕기 위해 팔을 강제로 사용하는 것은 회전을 방해할 수 있습니다.

2.회전 중에는 팔을 몸에 가깝게 끌어안아 회전 속도를 높입니다.

머리의 시선 고정

1.빠르고 날카로운 회전을 위해서는 머리의 시선 고정이 중요합니다. 눈을 집중할 작은 지점을 선택하여 몸의 균형을 유지하고 회전의 안정성을 높이는 데 도움이 됩니다.

2.머리를 최대한 오랫동안 고정시키고, 몸을 좌측이나 우측으로 회전시키면서 머리를 고정된 지점을 찾으려 노력합니다. 머리가 고정된 지점을 찾지 못하면 몸과 머리를 함께 반대 방향으로 돌려 다시 동일한 지점을 찾으려 노력합니다. 이러한 기술적 요소들을 통해 몸의 안정성을 유지하면서 더욱 날카롭고 안정된 회전을 할 수 있습니다.

3. 머리가 회전을 시작하기 직전에 먼저 움직이며, 회전이 끝나고 난 후에도 가장 마지막에 도착합니다. 이는 몸의 안정성을 유지하고 균형을 잃지 않도록 하는 데 도움이 됩니다.

몸을 어떻게 움직여야 하는지

상체의 굽힘을 방지하고, 복부를 당기며 중앙 근육을 사용하여 몸을 안정시켜야 합니다. 자세와 균형을 유지하는 데 중요한 요소입니다.

회전 중 몸의 세 부분

회전 동안에는 머리, 상체, 엉덩이의 세 부분이 따로 움직입니다. 이 세 부분은 동시에 회전하지 않으며, 각각 순차적으로 움직여야 합니다.

옵션 1 (빠른 회전):

빠른 회전을 위해 상체부터 회전을 시작합니다. 반대쪽 어깨를 닫는다고 생각하면서 시작하여 머리와 엉덩이는 반대편 어깨와 엉덩이를 닫으면서 회전을 마무리합니다.

예를 들어 오른쪽으로 회전할 때, 왼쪽 어깨를 닫으면서 시작하여 머리와 엉덩이는 반대편의 오른쪽 어깨와 엉덩이를 닫으면서 회전을 완성합니다.

옵션 2 (느린 스위블):

느린 스위블을 위해 엉덩이를 발 앞쪽으로 더 이동시켜 엉덩이의 주름을 펴고(스트레칭), 엉덩이와 머리를 먼저 회전시킨 후 상체를 회전시킵니다.

회전을 멈추는 방법

회전을 멈출 때, 몸 전체를 완전히 정지시키는 것이 아니라 발을 멈추고 몸을 멈춥니다. 이때 팔은 몸에 가깝게 유지하다가 회전을 멈출 때 팔을 늘려 몸의 균형을 잡습니다.

Three-step-turn(쓰리 스텝 턴)

오른쪽 발을 옆으로 내딛고 직각으로 선 다리에 몸무게를 옮깁니다. 왼쪽 발을 오른쪽 발에 가깝게 모아 회전을 시작합니다. 그 후 다시 오른쪽 발을 옆으로 내딛습니다. 너무 큰 보폭으로 발을 내딛지 않도록 주의하세요. 회전-시 서 있는 발에 몸무게를 완전히 옮기지 않으면 균형을 잃을 수 있습니다.

가. 머리의 시선 고정:

머리의 시선은 앞으로나 몸이 이동하는 방향을 따라서 고정할 수 있습니다.

나, 한 발로의 완전한 회전:

1. 한쪽 발로 왼쪽이나 오른쪽으로 완전한 회전을 하는 것입니다. 시작할 때 몸의 자세를 올바르게 유지하고 어깨를 회전하는 선과 평행하게 유지해야 합니다.

2. 체중을 한쪽 발로 옮기며, 다른 발을 옆으로 향하도록 놓아야 합니다. 복부를 수축하고 팔은 반대 방향으로 돌려 회전을 준비해야 합니다.

3. 회전 중에는 머리를 회전하는 방향이나 앞쪽을 바라보며 어깨를 먼저 돌리고 발의 볼로 회전해야 합니다. 다리는 펴진 채로 유지되어야 하지만 무릎은 너무 곧게 펴있지 않아야 합니다.

다. 회전을 멈추는 방법:

회전을 멈출 때는 어깨가 엉덩이보다 먼저 멈춰야 합니다. 이렇게 하면 어깨와 엉덩이 사이에 긴장이 생겨 몸이 균형을 잡을 수 있습니다.

라. 상체의 움직임:

너무 과도하게 상체를 휘둘러 속도를 내지 않도록 주의하세요. 이렇게 하면 몸의 균형을 잃을 수 있습니다. 충분한 힘을 가하지 않아도 완전한 회전을 할 수 있습니다.

이렇게 다양한 기술적인 부분들을 주의하여 연습하면 더 나은 회전 기술을 개발할 수 있을 겁니다.

두 종류의 회전

Spot Rotation (**제자리 회전**): 몸이 이동하지 않고 한 곳에서 회전하는 경우 발생합니다. 주로 몸무게가 한 발 위에 유지되며, 경우에 따라 양발 사이를 옮기면서 발생할 수 있습니다. 간단히 말해, 자리 회전은 특정 지점에서 몸이 회전하는 것으로 생각할 수 있습니다.

Progressive Rotation (**진행 회전**): 몸이 이동하는 동안 발생하며, 따라서 두 걸음 사이에 또는 두 걸음 이상의 일련의 과정에서 나타납니다. 체인 턴, 피봇 및 심지어 왈츠 박스 스텝과 같은 다양한 춤동작에서 나타날 수 있습니다. 이는 몸이 진행하면서 동시에 회전한다는 것을 의미합니다.

Axis(액시스)에 대한 이해

"Axis"는 회전하는 물체의 중심이나 중심점을 나타냅니다. 다양한 맥락에서 사용되는 단어로, 여러 의미가 있을 수 있습니다.

기준축 (Axis): 기하학에서, 좌표 평면에서 물체의 위치를 나타낼 때 사용되는 수직 및 수평선. x-축과 y-축은 이 평면에서 가장 일반적인 기준-축입니다.

중심축 (Axis): 회전이나 움직임의 중심이 되는 가상의 선. 예를 들어, 지구는 자전축을 중심축으로 자전하며, 지구 주위의 공전은 태양을 중심으로 하는 공전축을 가집니다.

동맹 (Axis): 제2차 세계 대전 동안 독일, 일본, 이탈리아 등이 결성한 동맹인 "축(軸)"에 대한 용어. 이 동맹은 주로 독일을 중심으로 활동하였습니다.

데이터 분석에서의 축 (Axis): 차트나 그래프에서 데이터를 표현하는 데 사용되는 수직 또는 수평선. x-축과 y-축은 각각 가로와 세로를 나타냅니다.

인체의 중추 (Axis): 댄스나 운동에서 사용되는 용어로, 인체의 중앙 부분을 가리킵니다. 몸의 중심축을 유지하면서 움직임을 수행하는 것이 중요한 경우에 사용됩니다.

1. **중앙 축(The Center Axis,더 센터 액서스)**: 척추 축 또는 중앙축은 우리 몸의 균형과 움직임을 조절하는 중요한 개념 중 하나입니다. 이는 무용이나 운동을 할 때 특히 중요한데요, 두 발 사이의 위치로, 몸통의 양쪽이 균형 있게 회전하는 중심 지점입니다. 댄서가 춤을 추거나 운동을 할 때, 이 축을 잘 유지하는 것은 매우 중요합니다. 척추 축을 중심으로 몸을 균형 있게 유지하면, 몸 전체의 움직임과 회전을 조절할 수 있습니다. 이를 통해 댄서는 더욱 우아하고 조화로운 움직임을 만들어낼 수 있죠.

이 축은 몸의 안정성과 운동의 정확성을 결정짓는 중요한 역할을 합니다. 춤을 추거나 운동을 할 때 몸의 균형을 잃지 않고 이 축을 중심으로 움직이는 것은 기술적으로도 중요하며, 그래서 연습과 훈련이 필요합니다. 그리고 이것은 댄서나 운동을 하는 사람뿐만 아니라, 우리 일상생활에서도 중요한 원리 중 하나입니다. 바른 자세와 몸의 균형을 유지하기 위해서는 이러한 축을 익히고 이해하는 것이 필요하며, 이를 통해 몸과 마음의 건강을 지키는 데 도움이 될 것입니다.

예시: 트위스트 턴.

중앙축은 몸의 중앙을 통과하는 상상의 직선입니다. 머리 꼭대기부터 척추를 따라 내려와 골반에서 발 사이의 바닥까지 이어집니다. 중앙축 주위로 회전할 때, 몸 한쪽은 앞으로 움직이고 다른 쪽은 뒤로 움직입니다. 양쪽이 반대 방향으로 움직이기 때문에 몸무게는 두 발 사이에 균등하게 분산됩니다. 중앙축은 다른 축들에 비해 덜 사용되는 편입니다. 중앙축 주위로 회전하려면 몸무게가 두 발 사이로 분산되어야 합니다. 대부분의 회전은 한 발 위에 몸무게를 두는 것이 일반적이지만, 중앙축은 특별한 회전인 트위스트 턴과 같은 경우에만 사용됩니다.

포인트: 두 발 사이의 지점으로, 몸의 양쪽이 고르게 회전하는 지점입니다. 이는 댄서의 중심축이며, 몸의 전체적인 회전을 조절합니다. 즉, 몸무게를 두 발 사이에 유지하면서 몸 전체를 회전시킴.

2. **왼쪽과 오른쪽 측면 축(The Left and Right Side Axes)**: 측면 축은 몸의 한쪽 지점을 중심으로 그 한쪽이 회전하는 축을 가리킵니다. 이 축은 몸의 한 부분이 다른 쪽으로 회전할 때 중요한 역할을 합니다. 우리 몸은 다양한 축과 방식으로 움직일 수 있는데, 측면 축은 그 중 하나로, 몸의 한쪽 부분이 다른 쪽으로 회전할 때 사용됩니다. 이 축을 기반으로 한 운동이나 자세는 몸의 유연성과 균형을 촉진하며, 운동의 다양성을 높여줍니다.

예를 들어, 요가나 필라테스와 같은 운동에서 측면 축은 중요한 개념 중 하나입니다. 몸을 효과적으로 스트레칭하고 강화하기 위해서는 이 축을 활용하여 한쪽으로의 움직임과 회전을 조절하는 것이 필요합니다. 측면 축을 통해 우리는 몸의 균형을 유지하면서 한쪽 부분의 유연성을 향상시킬 수 있습니다. 또한, 무용이나 춤에서도 측면 축은 중요한 역할을 합니다. 춤을 추거나 특정 동작을 할 때, 몸의 한 부분을 다른 쪽으로 향하게끔 하는 등의 운동은 측면 축을 기반으로 하여 움직임을 부드럽고 우아하게 만들어줍니다.

측면 축은 우리 몸의 다양한 운동과 활동에서 중요한 개념으로, 이를 잘 이해하고 활용함으로써 몸의 유연성과 균형을 개선하며, 운동 또는 춤의 기술적인 면을 향상시킬 수 있습니다.

예시: 스팟 턴, 아웃사이드 스위블

왼쪽 축은 몸을 왼쪽 어깨에서 왼쪽 엉덩이, 왼쪽 발을 통과합니다. 오른쪽 축은 몸을 오른쪽 어깨에서 오른쪽 엉덩이, 오른쪽 발을 통과합니다.

한쪽 발 위에 몸무게를 두고 회전할 때, 당신이 어떤 발 위에 서 있는지에 따라 해당 발에 맞는 축을 사용합니다. 왼쪽 발 위에서 회전하면 왼쪽 축을 사용하고, 오른쪽 발 위에서 회전하면 오른쪽 축을 사용합니다. 대부분의 정착된 회전이 한 발 위에 몸무게를 두고 발생하기 때문에, 이러한 축들이 가장 자주 사용됩니다.

한쪽 발 위에서 회전할 때 가장 흔한 실수는 측면 축 대신 중앙축을 사용하는 것입니다. 이는 균형을 잃게 만듭니다.

포인트: 고정된 몸의 한쪽 지점을 기준으로, 그 한쪽이 회전하는 지점입니다. 이 축은 몸의 한쪽 부분이 다른 쪽으로 회전할 때 사용됩니다. 즉, 한쪽 발 위에 몸무게를 유지하면서 몸 전체를 회전.

3. 외부 축(The Outside Axes): 댄스에서 외부 축은 리더와 팔로우가 함께 동작할 때 중요한 개념입니다. 댄스 파트너들은 서로를 중심으로 회전하고 움직이는데, 이때 외부 축을 활용하여 함께 움직이는 기술이 필요합니다. 이는 서로의 몸을 지지하거나 어떤 특정한 점을 중심으로 하는 것이 아니라, 서로의 움직임을 동기화하고 조화롭게 만들어주는 개념입니다. 외부 축은 댄스의 흐름과 조정에 중요한 영향을 미치는데, 이는 댄스 파트너들이 서로를 의지하고 동기화하여 함께 춤을 출 때 발생합니다. 이 축을 기반으로 하는 움직임은 댄스를 더욱 매끄럽고 조화롭게 만들어주며, 두 파트너 간의 연결고리를 강화시켜줍니다.

리더와 팔로우가 함께 춤을 추거나 움직일 때 외부 축을 어떻게 활용하는지에 따라 춤의 품격과 미학이 달라질 수 있습니다. 서로를 이해하고 동기화하여 외부 축을 활용하는 것은 춤의 아름다움과 완성도를 높여주는 중요한 과정입니다. 이러한 축들은 댄스 동작에서 움직임의 균형과 회전을 조절하는 데 중요한 역할을 합니다. 해당 축을 익히고 활용하면 춤추는 데 도움이 됩니다.

예시: 피벗, 쓰리-스텝 턴, 왈츠 박스 스텝

외부 축은 몸 밖에 완전히 위치합니다. 몸이 자체 주위로 도는 대신 몸 전체가 고정된 지점을 중심으로 회전합니다. 이는 지구가 태양 주위를 돌아가는 것과 유사합니다.

몸이 외부 축 주위로 회전할 때, 회전은 천천히 진행되어야 합니다. 이 회전은 보통 두 걸음 사이에 발생하거나 두 걸음 이상의 과정 동안에 이루어집니다. 한쪽 발 위에 서면서 진행하는 회전을 하는 것은 불가능합니다.

포인트: 외부 축은 댄스 파트너들이 함께 회전하거나 움직일 때 사용되는 중요한 개념 중 하나입니다. 이 축은 몸의 외곽을 벗어나는 지점으로, 리더와 팔로우가 모두 회전할 수 있지만, 실제로 둘 중 하나가 특정한 위치를 차지하거나 지지하는 지점은 아닙니다.

회전 중에 균형을 잃는 가장 흔한 이유 중 하나는 회전축에서 벗어나는 경향입니다. 이는 춤을 추는 사람이 몸이 어떤 축 주위로 회전해야 하는지에 대한 이해가 부족할 때 자주 발생합니다. 따라서 축에 대한 이해를 가지고 특정 회전의 축에 대한 감각을 키우는 것이 중요합니다.

Spotting(스팟팅)

'Spotting(스팟팅)'은 무용이나 댄스에서 회전하는 동안 머리와 시선을 일정한 지점에 고정시키는 기술입니다. 이 기술은 회전 중에 균형을 유지하고 돌아가는 데 도움을 주며, 댄서가 혼란스럽지 않게 회전할 수 있도록 돕습니다.

스팟팅은 특히 빠르게 회전하는 동작에서 매우 중요합니다. 무용이나 발레, 볼룸 댄스, 라틴, 사교댄스, 스윙 등에서 자주 사용되며, 특히 연속적인 회전 동작에서 머리를 일정한 지점에 고정시키면 댄서가 쉽게 혼란스러워하지 않고 균형을 유지할 수 있습니다.

스팟팅을 사용하는 데에는 몇 가지 주요 단계가 포함됩니다.

포인트 (Focus Point): 회전하기 시작하기 전에 댄서는 시선을 일정한 지점에 고정시킵니다. 이 지점은 댄서가 회전 중에 계속 주시할 곳입니다.

머리 고정 (Head Fixation): 댄서는 머리를 일정한 각도에서 고정시키고, 회전 중에도 시선을 계속해서 고정된 지점을 바라봅니다.

상체 회전 (Upper Body Rotation): 하체는 회전하지만 상체는 일정한 방향으로 고정됩니다. 이렇게 함으로써 댄서는 회전 중에 균형을 유지할 수 있습니다.

최종 시선 (Final Focus): 회전이 끝날 때 스팟팅은 머리와 시선이 최종 지점으로 돌아가는 것을 포함합니다.

스팟팅은 댄서가 더욱 부드럽고 정교한 회전을 할 수 있도록 도와주며, 무엇보다도 댄서의 균형을 유지하는 데에 중요한 역할을 합니다.

Counterbalance/Weight(코운-터밸런스/웨이트)

Counterbalance (동사 및 명사):

동사로 사용될 때: 어떤 힘이나 영향을 상쇄하거나 균형을 맞추는 것을 의미합니다. 예를 들어, 어떤 무게나 힘이 다른 것을 상쇄하거나 균형을 맞추는 행동입니다.

명사로 사용될 때: 무게나 힘을 상쇄하거나 균형을 맞추는 데 사용되는 물체나 힘을 가리킵니다.

Weight (명사):

물리학적인 의미로 사용될 때: 물체의 중력에 의한 무게를 나타냅니다. 즉, 물체가 지구나 다른 천체의 중력에 의해 얼마나 끌려가는지를 나타내는 양입니다.

일반적인 의미로 사용될 때: 어떤 것의 무게나 중요성을 나타냅니다.

따라서, "counterbalance"는 어떤 힘이나 무게를 상쇄하거나 균형을 맞추는 것을 나타내며, "weight"는 물리적인 무게나 어떤 것의 중요성을 나타냅니다.

댄스에서 "Counterbalance/Weight"는 댄서들이 서로 프레임을 통해 연결되어 회전이나 회전 동작 중에 적절한 밸런스와 회전 속도를 유지하기 위해 몸을 서로 같은 방향으로 늘리는 행위입니다. 이 동작은 서로 무게를 상쇄하여 서로의 밸런스를 유지하고, 회전 동작의 안정성과 효율성을 높이는 데 사용됩니다.

Draw(드로)

"Draw"는 댄스에서 지지하는 발로부터 바닥에서 거리가 있는 곳에 발끝을 댄 뒤, 그 발을 지지하는 발 쪽으로 끌어당기는 동작을 말합니다. 이때 발을 끌어-당기지만 무게는 지지하는 발에 있으며, 바닥에 올리지 않습니다. "Draw"를 하기 전에는 보통 "side step"과 같은 다른 동작을 한 후에 "draw"를 수행하게 되며, 리드 받을 때는 "side, draw" 또는 "side, draw, touch"와 같은 식으로 안내받게 됩니다. "Point" 동작을 한 뒤에도 "draw"를 수행할 수 있습니다.

Drift Apart(드리프트 어파트)

"Drift Apart"는 댄스 중에 파트너와의 접촉을 유지하면서 서로의 위치를 서서히 더 멀어지는 조정 동작입니다. 이는 파트너와의 접촉을 유지하면서 거리를 벌리는 것을 의미하는데, 서서히 떨어지는 것으로 파트너와의 위치를 조정하며 춤의 흐름과 공간을 유지합니다. "Drift Apart"는 춤의 다양한 움직임을 위해 사용되며, 파트너와의 연결을 유지하면서 공간을 활용하는 데에 중요한 역할을 합니다.

기본 스텝 & 기본 동작

In Place(인 플레이스)

'인 플레이스(In Place)'는 어느 방향으로도 전진이나 후진하지 않고 한 장소에서 몸무게를 옮기는 동작을 나타냅니다. 이 용어는 특히 춤을 추거나 움직이는 동안에도 움직임이 그 자리에서 이루어진다는 의미로 사용됩니다. '인 플레이스' 동작은 정적인 위치에서 발을 움직여 다양한 춤 스텝이나 동작을 수행하는 것을 포함합니다.

예)

인 플레이스 스텝(In Place Step): 춤에서 특정 스텝이나 동작을 수행할 때, 그 움직임이 그 자리에서 이루어진다면 이를 '인 플레이스 스텝'이라고 할 수 있습니다. 예를 들어, 발을 교차하거나 힙을 돌리는 등의 동작을 그 자리에서 수행하는 것이 해당됩니다.

인 플레이스 턴(In Place Turn): 회전 동작 중에도 위치가 그대로인 채로 몸을 돌리는 것을 '인 플레이스 턴'이라고 합니다. 이는 춤의 흐름을 유지하면서도 특정 방향으로의 이동 없이 회전하는 동작입니다.

'인 플레이스'는 특히 춤의 기초 스텝이나 기본 동작에서 많이 사용되며, 댄서들은 이를 통해 다양한 춤의 움직임을 그 자리에서 표현하게 됩니다. 이는 춤의 안정성과 정확성을 유지하면서도 다양한 동작을 수행할 수 있도록 도와줍니다.

Mark Time(마크 타임)

"Mark Time"은 군대나 음악에서 사용되는 용어로, 그 자리에서 걸음을 내디뎠다가 제자리로 돌아오는 행동을 나타냅니다. 특히 행진하는 동안 일시적으로 멈추거나 움직이지 않고 그 자리에서 시간을 계속 표시하는 동작입니다.

이 용어는 주로 군대 훈련 중에 사용되며, "Mark Time, March!"와 같은 명령이 내려질 때 병사들은 걸음을 내디뎠다가 다시 제자리로 돌아오게 됩니다. 이는 행진 도중에 일시적으로 정지하는 경우에 사용되며, 그 자리에서 움직이지 않고 다음 명령을 기다리는 동작을 의미합니다.

댄스에서 "Mark Time(마크 타임)"은 음악에 맞춰 정해진 비트 수에 맞춰 제자리에서 발을 움직이는 것을 말합니다. 이 동작은 특정한 위치에 멈추어야 하거나 다음 동작을 기다리는 동안 음악에 맞춰 발을 움직입니다. 일반적으로 한 곳에서 제자리를 지키면서 리듬에 맞게 발을 디딜 때 사용됩니다. 이는 다음 동작이나 위치를 준비하고자 할 때 사용되며, 특정한 패턴이나 춤에서 잠깐의 정지나 임시로 동작을 멈출 때 유용합니다. 사교댄스에서는 리듬 타기로 부릅니다.

기본 전, 후진 스텝

전진, 후진하면서 좌, 우로 방향을 변경하다가 180도, 1360도 턴을 수행할 수 있습니다.

Side Step(사이드 스텝)

"사이드 스텝(Side Step)"은 댄스에서 사용되는 기본적인 스텝 중 하나입니다. 이 동작은 주로 여성의 좌우 턴을 할 때나 다른 움직임과 조합하여 사용되는데, 그레이스풀하고 자연스러운 무브먼트를 표현하는 데 기여합니다.

사이드 스텝은 보통 다음과 같은 특징을 가집니다.

좌우 이동: 한쪽 발을 옆으로 나아가거나, 다른 발을 따라가면서 좌우로 이동합니다.

유연한 턴 가능: 사이드 스텝은 여성이 더 부드럽게 턴이나 회전을 할 수 있도록 하는 기본적인 스텝 중 하나입니다.

루틴 연결: 주로 전진이나 후진하는 다른 스텝과 연결하여 사용되어, 다양한 춤 루틴에서 유용하게 활용됩니다.

사이드 스텝은 춤의 흐름을 유지하면서 그레이스풀한 무브먼트를 표현하기에 좋은 움직임입니다. 이것은 춤 스타일이나 댄스 레슨에서 기초적으로 가르쳐지는 요소 중 하나이며, 춤을 배우는 데 중요한 역할을 합니다.

제자리 회전 턴

크로즈드 홀드를 유지한 채, 천천히 좌우, 정면에서 회전

"어둠이 밀려오는 그 순간, 그림자는 미소 없는 춤을 춥니다. 밤은 시간의 무게를 안고 있지만, 회전은 마치 삶의 속도와 같이 섬세하게 흘러갑니다. 처음에는 너무나 천천히, 단순한 춤-추듯이 보이지만, 그 안에서 시간은 서서히 가속됩니다. 손과 발이 만나며, 내 마음은 그 춤의 비밀스러운 리듬에 맞춰 흘러갑니다. 각도와 힘을 섬세하게 조절하며, 회전하는 그 순간마다 내 안의 감정도 함께 춤을 춥니다. 그리고 마지막에는 마음의 속도와 함께 회전도 더 빨라집니다. 그 순간, 공간과 시간은 더 이상은 단순한 맥락이 아니라, 오직 감정만이 회전합니다. 그림자가 춤을 추는 이 밤, 회전은 삶의 미묘한 진실을 드러냅니다. 처음부터 끝까지 점점 가속화되는 회전은 우리의 삶과 닮아 있습니다. 우리는 끊임없는 속도와 변화 속에서 우리의 삶을 춤으로 표현합니다. 그리고 그 춤의 매 순간, 우리는 감정의 속도에 맞춰 회전합니다. 그것이 마치 삶의 회전이며, 우리의 존재가 되는 것입니다."

Rock(락)

"Rock"은 다양한 의미로 사용되는 단어입니다.

암석 또는 바위: 지구의 지각층에 존재하는 단단한 물질을 가리킵니다.

음악 장르: "Rock"은 음악 장르 중 하나로, 1950년대부터 현재까지 다양한 서브장르와 스타일을 포함하고 있습니다. 대표적인 예로는 록 앤 롤 (Rock and Roll), 하드 록 (Hard Rock), 펑킹 록 (Punk Rock), 그런지 (Grunge), 등이 있습니다.

흔들리다 또는 흔들리는 동작: "Rock"은 물체가 앞뒤, 좌우로 흔들리거나 흔들리는 동작을 나타낼 때 사용될 수 있습니다.

동작이나 행동의 안정성이나 신뢰성: 어떤 것이 꾸준하고 안정적인 상태에서 변하지 않는 것을 가리킬 때 사용될 수 있습니다.

근거 또는 기반: 어떤 것의 기반이 되거나 근거가 되는 것을 나타낼 때 사용될 수 있습니다.

"Rock"은 댄스에서 사용되는 동작으로, 스텝의 전진이나 후진 변화가 거의 없이, 몸의 중심을 양발에 왔다 갔다 실어주어 체중의 이동만 있도록 하는 것을 말합니다. 이 동작은 몸의 안정성과 밸런스를 유지하면서 고도로 제어된 움직임을 허용하며, 진행 방향을 바꿀 수 있는 기술적인 요소를 포함하고 있습니다. 댄서는 이 'Rock'을 통해 순차적인 스텝을 수행하면서 체중 이동의 조절과 음악에 대한 민감한 반응을 표현하게 됩니다.

Quarter turn(쿼터 턴)

Quarter turn은 기본적으로 왼쪽으로 90도 돌면서 왼발을 전진하고, 동시에 오른발을 왼쪽으로 이동시키는 스텝입니다. 이 움직임은 춤에서 특정 방향으로 몸을 돌리는 데 사용되며, 스텝의 간단한 움직임으로 왼쪽으로 회전하면서 발을 놓고 방향을 변경하는 것이 특징입니다. 일반적으로 춤을 추는 동안 리드-되는 움직임 중 하나로 사용됩니다.

Chasse(샤세)

Chasse는 좌우, 전후로 빠르게 중심을 이동하면서 스텝을 밟는 움직임을 말합니다. 이는 주로 댄스나 춤에서 사용되는 움직임으로, 한 번의 스텝을 2박 2보로 나누어 좌우 발을 번갈아-가며 벌리고 붙이는 동작을 반복합니다. 이러한 움직임은 전체적으로 댄서의 중심을 유지하면서 발을 빠르게 이동시키는 것을 특징으로 합니다. 샤세는 댄스의 리드하는 부분 중 하나로 사용되며, 빠르고 활기찬 움직임으로 리듬을 살려 춤을 즐기는 데 활용됩니다.

Forward Chassé Right & Left, Forward Chassé Left, Forward Chassé Right, Continuous Forward Chassé Right, Continuous Forward Chassé Left, Backward Chassé Left & Right, Backward Chassé Left, Backward Chassé Right, Continuous Backward Chassé Right, Continuous Backward Chassé Left, Forward Turning Chassé Right, Forward Turning Chassé Left, Forward Diagonal Chassé Right, Forward Diagonal Chassé Left 등

Chasse turn(샤세 턴)

Chasse turn은 댄스에서 흔히 사용되는 동작 중 하나로, 샤세 동작에 회전을 동반하는 움직임을 의미합니다. 이 동작은 댄서가 샤세를 밟으면서 동시에 몸을 회전시키는 것을 나타내며, 춤의 다양한 스타일에서 발견됩니다. 이는 댄서의 운동량과 기술, 그리고 춤의 표현력을 부각시키는 데 사용됩니다.

샤세는 댄스에서 빠르고 경쾌한 발걸음을 특징으로 하는데, 이 발걸음에 회전 동작을 추가하는 것이 샤세 턴입니다. 댄서는 샤세 동작을 하면서 몸을 회전시켜 춤의 움직임에 다양성과 동적인 요소를 더합니다. 이는 춤의 흐름을 변화시키고, 동작의 다양한 각도에서 다채로운 시각적 효과를 제공합니다. 또한, 여러 춤의 스타일에서 사용되며, 회전의 정도와 속도는 춤의 특성과 음악에 맞게 조절됩니다. 이는 춤의 흐름과 음악과의 조화로운 조합을 만들어내며, 댄서의 기술적 역량과 표현력을 강조합니다. 샤세 턴은 춤의 다양한 순간을 아름답게 연출하고, 춤의 흐름을 부드럽고 우아하게 만드는 데 큰 역할을 합니다. 이는 춤의 다양성과 역동성을 높이며, 춤의 매력을 더욱 돋보이게 하는 중요한 기술 중 하나입니다.

Double Side Step(더블 사이드 스텝)

더블 사이드 스텝(Double Side Step)은 남성이 왼손으로 여성의 오른손을 잡은 상태에서 사이드 스텝(옆으로 걷기)을 연속적으로 이어나갈 때의 동작을 의미합니다.

Change Sides(체인지 사이드)

"체인지 사이드(Change Sides)"는 댄서들이 서로의 위치를 교환하는 것을 의미합니다. 이 변화는 때로는 매우 정밀하게 이뤄지기도 하는데, 각 댄서가 이전에 파트너가 있던 자리로 이동합니다. 이

변화 중에는 춤의 진행 방향을 따라 이동하는 경우도 있고, 때로는 대각선으로 이동하기도 합니다. 이 변화 도중에 여성은 종종 손을 잡은 채로 회전하거나 이동하는데, 이것은 춤의 다양한 요소 중 하나입니다. 여기에는 파트너 간의 조화와 움직임이 포함되어 있어 춤의 동적인 요소를 더하게 됩니다. 이 용어는 춤의 다양한 형태에서 사용되며, 댄서들의 움직임과 위치 전환이 다양한 스타일과 리듬에 따라 변화합니다.

Open Turn(오픈 턴)

"오픈 턴(Open Turn)"은 댄스 중에 발생하는 샤세 턴의 한 유형입니다. 일반적으로 샤세 턴은 발을 서서히 모아 회전하는 동작을 가지고 있는데, 오픈 턴은 이를 다르게 해석합니다. 이 스텝은 샤세의 특정한 순간에서 발을 서로 붙이지 않고 스치듯이 벌려서 회전하는 것을 말합니다. 일반적으로 샤세 턴은 발을 서서히 모아 회전하는데, 오픈 턴은 이런 과정 없이 발을 모으지 않고, 대신 스치듯이 떨어뜨리는 느낌으로 회전을 하는 것을 의미합니다.

반대로 클로즈드 턴은 제2보와 제3보에서 두 발을 모아 회전하는 것을 말합니다. 이 경우에는 발을 서서히 모아서 회전을 하는 것이 특징이며, 발끝을 닿는 동안 서서히 회전을 완성합니다. 오픈 턴과 클로즈드 턴은 회전의 방식과 발의 움직임에 있어서 차이를 가지고 있으며, 각각 다른 기술적 표현을 하는 데 사용됩니다.

Reverse turn(리버스 턴)

리버스턴은 트로트에서 회전하는 동작 중 하나로, 여성을 135도 방향으로 돌리는 스텝입니다. 리버스 턴은 마무리 스텝이라고도 부르며, 여성을 특정 각도로 회전시키기 위해 사용됩니다. 이는 플로어 크래프트에서 빈번히 사용되며, 퍼포먼스에 다양한 변화와 동작을 더-할 수 있는 중요한 기술 중 하나입니다. 이 돌아가는 동작은 여성의 움직임과 팔, 몸의 위치를 조절하여 특정 각도로 회전할 수 있게 합니다. 이를 통해 춤의 흐름과 변화를 만들어내는 데 활용됩니다.

Prep(프리프)

"Prep"는 "Preparation"의 줄임말로, "Prep"은 다양한 맥락에서 사용되는 단어입니다.

준비 (Preparation): 어떤 특정한 활동, 이벤트, 시험 등을 위해 미리 준비하는 것을 의미합니다. 예를 들어, 시험을 위해 공부를 하는 것이나 요리를 위해 재료를 준비하는 것과 같은 상황이 이에 해당할 수 있습니다.

조리 (Food Preparation): 주로 "prepping"이라고도 불리며, 요리를 위해 재료를 손질하거나 미리 준비하는 과정을 의미합니다. 이는 음식을 더 효율적으로 조리하기 위한 단계로, 재료를 세척하거나 썬다거나 하는 것을 포함합니다.

의료 절차 준비 (Preparation for Medical Procedures): 의학에서는 수술이나 다른 의료 절차를

위한 환자의 사전 준비를 의미합니다.

종교적 의식 (Religious Preparation): 종교적인 행사나 의식을 위해 정신적으로나 물리적으로 준비하는 것을 말할 수 있습니다.

사전 정보 제공 (Preparation of Information): 어떤 활동을 수행하기 전에 필요한 정보나 자료를 사전에 준비하는 것을 의미합니다.

댄스에서 "프리프(Prep)"는 방향 전환을 수행하기 전에 사용되는 특정한 동작입니다. 이 동작은 방향을 전환하기 전에 몸을 미리 역방향으로 움직여서 움직임에 힘과 유연성을 더하고자 하는 것입니다. 일반적으로, 이러한 동작은 다음과 같은 과정을 따릅니다.

방향을 바꾸기 전에 몸을 움직입니다: 새로운 방향으로의 움직임을 예측하여, 몸을 약간 역방향으로 움직입니다. 이는 새로운 방향으로의 전환에 대비하기 위한 준비 동작입니다.

약간 기울이기: 몸을 역방향으로 움직일 때, 일반적으로 약간 기울이는 것이 포함됩니다. 이 동작은 방향 전환 시에 몸의 미세한 조정을 가능케 하며, 새로운 방향으로의 움직임에 대한 힘과 안정성을 부여합니다.

프리프는 춤이나 운동에서 움직임의 일관성을 유지하고, 방향 전환 시에도 자연스럽고 부드럽게 이뤄질 수 있도록 도와주는 중요한 기술적 요소입니다.

Head Flick(헤드 플릭)

Flick(**동사**): 손목이나 손가락을 빠르게 움직여 어떤 물체를 경쾌하게 떨리게 하는 행동을 나타냅니다.

Flick(**명사**): 손목이나 손가락을 빠르게 움직여 만들어진 작은 움직임이나 떨림을 의미합니다.

"헤드 플릭(Head Flick)"은 댄스 용어로, 머리를 빠르게 좌우로 흔드는 동작을 지칭합니다. 이 동작은 날렵하고 강렬한 표현을 통해 춤의 감정이나 스타일을 강조하는 데 사용됩니다. 특히 탱고나 일부 라틴 및 사교댄스에서 주로 사용되는 동작 중 하나입니다.

헤드 플릭의 특징:

빠른 움직임: 헤드 플릭은 머리를 빠르게 좌우로 흔드는 움직임을 강조합니다. 이 빠른 움직임은 춤의 템포나 강도와 조화를 이루며, 춤의 다양한 순간에 적용될 수 있습니다.

감정 표현: 헤드 플릭은 머리의 흔들림을 통해 춤에 감정을 더해줍니다. 예를 들어, 탱고에서는 고요하면서도 강렬한 무드를, 라틴 댄스에서는 감성적이고 섹시한 분위기를 강조하는 데 사용됩니다.

시각적 효과: 머리의 빠른 움직임은 시각적으로 독특하고 인상적인 효과를 낸다. 이는 댄서가 무엇인가를 강조하거나 특정 동작에 강조를 더할 때 효과적으로 사용될 수 있습니다.

탱고와 라틴 댄스에서의 활용:

탱고(Tango): 탱고에서 헤드 플릭은 감정의 변화나 감추어진 묘한 무드를 강조하는 데 사용됩니니다. 댄서들은 머리의 동작을 통해 탱고의 특유의 강렬한 무드를 전달하며, 특정 동작에 강조를 더할 수 있습니다.

라틴 댄스(Latin Dance): 라틴 댄스에서는 헤드 플릭이 감각적이고 섹시한 분위기를 만들어냅니다. 여성 댄서는 헤드 플릭을 통해 스윙, 차차차, 삼바 등의 댄스에서 여성의 우아하고 감성적인 특징을 부각시키기 위해 사용할 수 있습니다.

트로트, 블루스에서의 헤드 플릭: 블루스, 트로트 음악은 감정 표현에 중점을 두는 경향이 있습니다. 헤드 플릭은 곡의 감정적인 부분이나 특정 가사에 반응하여 사용되어, 춤의 표현을 강조하고 감정을 전달하는 데 도움이 됩니다.

트로트는 다양한 리듬과 감정을 담은 음악 장르입니다. 헤드 플릭은 트로트 댄스에서 특정 리듬 패턴에 맞춰 사용되어 댄서의 표현력을 높이고 춤의 다양한 순간을 강조하는 데 활용됩니다.

Natural turn(네추럴 턴)

이 동작은 여성을 남성의 오른쪽으로, 135도 회전하는 스텝으로 남성의 리드에 따라 45도, 90도, 135도 등 회전도 가능하다. 여성은 남성의 안에서 안전하고 자유롭게 움직이며, 그 과정에서 댄스의 흐름과 협업이 강조됩니다. 이러한 동작은 우아하고 자연스러운 움직임을 통해 파트너의 움직임에 따라 몸을 회전시키고, 그 과정에서 파트너와의 조화로운 움직임을 연출합니다.

Zig-Zag(지그-재그)

지그재그로 번갈아 가며 이동하는 동작을 말합니다. 댄서가 일정한 패턴을 따라 전진하거나 이동하는 동안에, 번갈아 가며 좌우로 방향을 바꾸며 이동하는 것을 의미합니다. 이는 춤에서 특정한 패턴을 형성하거나 공간을 활용하여 다양한 모션을 만들어내는 데 사용됩니다.

Spin tur(스핀 턴)

여성을 우측으로 돌리는 스텝으로 여성을 한 방향으로 회전시키는 기술입니다.

좌측으로도 회전도 가능하지만, 좌측 회전 기술을 사용하는 남성은 드물어요.

Left Face(레프트 페이스)

"Left Face"는 왼쪽으로 돌거나 반시계 방향으로 회전하는 것을 의미합니다. 보통 군대나 군사 훈련에서 사용되는 용어로, 명령에 따라 사람들이 왼쪽으로 돌아서거나 반시계 방향으로 회전하는 것을 말합니다. "LF"는 "Left Face"의 줄임말로서, 왼쪽으로 회전하는 동작을 지칭합니다.

Left Side Lead(레프트 사이드 리드)

"Left Side Lead"는 몸의 왼쪽 부분을 오른쪽보다 앞에 두고 움직이는 것을 가리킵니다. 종종 "슬라이싱" 운동으로 언급되기도 하는데, 이는 왼쪽 측면을 중심으로 몸을 이동시키는 것을 의미합니다. 주로 춤이나 운동에서 사용되는 용어로, 몸을 한쪽으로 기울여 가는 움직임을 말합니다. "L sd ld"는 "Left Side Lead"의 줄임말로, 왼쪽 측면을 중심으로 움직임을 이끌고 나아가는 것을 나타냅니다.

Cut(컷)

"Cut(컷)"은 댄스에서 발을 가로지르고 돌아가는 동작으로, 특히 자유로운 발의 움직임을 강조하는 춤동작 중 하나입니다. 이 동작은 발을 가로지르고 다시 뒤로 돌아가면서, 그리고 이후에는 지지하는 발을 뒤로 이동시켜 자유롭게 발을 컷하는 것을 포함합니다.

"Cut"은 일반적으로 1박자에 실행되며, 이 동작 다음에는 "back"이라는 다른 동작이 이어집니다. "Cut"과 "back"이 함께 사용되면서 발의 움직임이 순차적으로 연결되어 댄서가 자유로운 움직임과 동작을 표현합니다. 이러한 동작은 댄스의 다양한 스타일에서 사용되며, 강렬하고 다이내믹한 효과를 연출하는 데에 기여합니다.

"Lock(락)"은 일반적으로 "Cut" 다음에 나타나는 동작으로, 발을 가로지르는 것을 강조하면서 2박자에 실행됩니다. "Lock"은 발의 움직임을 고정하고 강조함으로써 리듬을 부여하고, 춤의 흐름을 잡아냅니다. "Cut"과 "Lock"의 연속적인 사용은 댄서의 기술과 표현력을 돋보이게 하며, 다양한 춤의 테크닉을 선보일 수 있습니다.(피겨 및 댄스 종목에 따라 컷하는 박자는 다를 수 있습니다.)

Back three-step(백 쓰리 스텝)

이 스텝은 측면으로 이동하면서 후진하는 것으로, 보통은 몸의 방향을 좌우로 틀어가면서 걸음을 뒤로 물러나는 움직임을 말합니다. 이는 춤에서 다양한 패턴을 만들어내고 공간을 다양하게 활용하는 데 도움을 주는 기술 중 하나입니다. 흔히 백 쓰리스텝 후 마무리(리버스 턴) 스텝을 합니다.

Fromage chasse(프롬나드 샤세)

프롬나드 포지션에서 쓰리 스텝은 전진하는 동안 발의 세 번의 걸음을 의미하며, 이를 통해 댄서들은 함께 움직이고 서로 연결되어 춤을 춥니다. 이는 파트너들 간에 조화롭고 연결된 움직임을 만들어내는데 사용될 수 있습니다.

Link(링크)

일련의 움직임이 끝날 때 마무리하는 스텝을 가리킵니다.

Neck Wrap(넥 랩)

"Neck Wrap(넥 랩)"은 댄스에서 사용되는 용어로, 주로 라틴 댄스, 스윙 댄스, 사교댄스 등에서 사용되는 동작 중 하나입니다. 이 동작은 댄서가 상대방의 목을 감싸는 것을 나타냅니다.

댄서들 간의 호흡과 움직임을 조화롭게 유지하면서 목을 감싸는 동작은 무엇보다도 부드러움과 연출의 중요한 부분입니다. 다양한 춤 스타일에서 Neck Wrap이 사용되며, 춤의 분위기나 음악에 따라 다양한 변형이 나타날 수 있습니다. Neck: 목 Wrap: 포장

Rolling vine turn(롤링 바인 턴)

Rolling vine turn(롤링 바인 턴)은 한 방향으로 회전하는 움직임을 말하며 Rolling vine turn(롤링 바인 턴)의 주의할 점은 스텝을 부드럽게 내딛는 것과 몸의 움직임을 천천히 조절하는 것입니다. 이로써 자연스럽게 회전하는 느낌을 연출할 수 있습니다. 또한, 춤의 흐름과 음악의 리듬에 맞추어 움직이면서 동작을 수행하는 것이 중요합니다. vine: 덩굴, 덩굴풀, 덩굴식물

회전 메커니즘 Roll

이동 중인 상대를 허리나 목을 감아놓고 풀어주는 동작은 댄스에서 텐션과 움직임의 표현입니다. 이 기술은 댄서들 사이에서 상호작용을 나타내고, 텐션을 제어하는 방법 중 하나로 활용됩니다. 일반적으로, 오른손이나 왼손을 사용하여 여성의 허리나 목을 감고, 이동 중에 풀어주는 것이 일반적인 사교댄스 기술입니다. 이렇게 행하는 것은 다음 움직임을 준비하거나 텐션을 완화하는 신호로도 작용할 수 있습니다. 이 기술은 여성의 몸과의 연결고리를 유지하면서 상호작용하는 중요한 수단입니다. 허리나 목을 감아놓고 푸는 동안에도 춤의 흐름을 유지하고, 텐션을 조절하여 자연스럽고 아름다운 움직임을 만들어냅니다.

풍차 돌리기와 같은 다양한 양손 기술들 중 하나로서, 춤의 아름다움과 의미를 더욱 풍부하게 표현하는데 사용됩니다.

Ronde(론데)

"론데 (Ronde)"는 댄스에서 사용되는 용어로, 불어 "원(圓), 원을 그리다"의 의미를 갖습니다.

"론데 (Ronde)"는 발을 원을 그리듯이 돌리는 움직임을 의미합니다. 주로 발을 원을 그리듯이 앞으로 혹은 옆으로 회전시키는 동작을 말하고 우아함과 스타일을 부각시키며, 발의 움직임을 강조하는 데 사용됩니다. 이 동작은 바닥에 발끝을 대고 돌리는 Floor Ronde(플로어 론데)와 다리를 들어 공중에서 바깥쪽이나 안쪽방향으로 돌리는 Aerial Ronde(에어리얼 론데)로 나뉩니다. Floor: 마루 Aerial: 공기, 공중

Hammerlock(해머록)

'해머록'이라는 이름의 동작은 레슬링에서 비롯됐지만, 댄스에서는 매우 창의적으로 변형되어 사용

됩니다. 이 동작은 레슬링에서는 상대를 몸을 굽히고 어깨 뒤로 잡아당기는 기술이었지만, 사교댄스나 댄스에서는 여자가 남자의 팔을 사용해 어깨 뒤로 손을 올리는 형태로 변화된 지르박 기술 중 하나입니다. 이 동작은 여성이 남성의 손을 따라 잡아당기거나 움직임의 방향을 바꾸거나 서로 돌아가는 등의 다양한 표현이 가능합니다. 이러한 변형들은 춤의 맥락과 의도에 따라 다양하게 조합되며, 새로운 창의적인 댄스 움직임으로 진화할 수 있어요. 블루스나 트로트에서도 자주 사용되는 동작입니다.

Arc Turn(아크 턴)

Arc (**아크**): 호 혹은 곡선을 나타냅니다. 수학적으로는 호는 둘레 상의 일부를 의미합니다. 물리학에서는 전기, 빛, 또는 기타 현상의 곡선적인 경로를 지칭하기도 합니다.

무용에서의 사용: 아크는 무용에서 댄서가 팔, 다리, 혹은 몸을 곡선 또는 호 형태로 움직이는 동작을 의미할 수 있습니다.

Turn (**턴**): 회전하거나 돌다. 어떤 축 주위에 몸이나 물체가 회전하는 행동을 나타냅니다.

음악: 음악에서 "아크"는 음의 연속이나 선율의 곡선적인 형태를 가리킬 때 사용될 수 있습니다. 특정 음악 구간이나 선율이 부드럽게 변화하거나 곡선 형태를 띄면 "아크"라고 표현할 수 있습니다.

수학: 수학에서 "아크"는 호의 일부분을 나타내는 말로 사용됩니다. 호는 원의 일부분으로, 그 원의 일부분을 따라 이동하는 곡선을 의미합니다. 이 곡선은 아크라고 불리며, 호의 길이를 나타내는 데 사용됩니다.

물리학: 물리학에서는 전기, 빛, 물결 등의 곡선적인 형태를 가리킬 때 "아크"라는 용어를 사용하기도 합니다. 이는 전기 또는 빛이 나타내는 곡선 형태를 의미하며, 특정한 현상을 설명하는 데 사용될 수 있습니다.

미술: 미술에서는 "아크"가 곡선이나 호를 그리는 것을 의미할 때 사용됩니다. 특히 곡선적인 형태의 그림이나 디자인을 만들 때 "아크"라는 용어를 사용할 수 있습니다.

댄스에서: 특정 축 주위에 몸을 회전하거나 돌리는 동작을 의미할 수 있습니다.

따라서 "Arc Turn"은 무용에서 댄서가 곡선 또는 호 형태로 몸을 회전하거나 돌리는 동작을 나타냅니다. 이는 무용의 다양한 기술 중 하나로, 여성이 오른손 아래에서 오른쪽으로 또는 왼손 아래에서 왼쪽으로 도는 '언더 암 턴(Underarm Turn)'도 포함됩니다. '아크 턴'은 아름다운 호 형태나 곡선을 그리며 몸을 회전하여 춤을 더욱 풍부하고 독특하게 만드는 데 사용됩니다.

이처럼 "아크"는 다양한 분야에서 곡선적인 형태나 호를 나타내는데 사용되며, 그 의미는 사용되는 맥락에 따라 달라질 수 있습니다.

Dig Swivel(다이그 스위블)

발의 앞쪽 부분을 중심으로 스위블(회전)을 하는 것을 의미합니다.

Dip(딥)

"Dip"의 정확한 유래는 명확하지 않지만, 리더가 팔로우를 낮추는 동작을 나타내는데 사용되는 용어로 다양한 커플 댄스에서 많이 사용됩니다. 이 용어의 정확한 유래나 발전은 댄스의 역사와 다양한 댄스 스타일마다 다를 수 있습니다.

"Dip"은 그림 같은 포즈나 무브먼트의 하이라이트로 사용돼 시각적으로 매력적인 요소를 제공합니다. 딥은 커플 간의 상호작용을 강조하고, 춤의 감정적인 측면을 부각시키는 데 사용됩니다. 딥은 다양한 댄스 스타일에서 찾아볼 수 있으며, 댄서들이 자신의 창의성을 통해 독특하게 표현하는 데 사용되기도 합니다.

Swivel(스위블)

스위블(Swivel)은 발을 중심으로 몸을 회전하거나 도는 동작을 의미합니다. 이 동작은 주로 한 발의 앞꿈치를 중심으로 몸을 회전시키는 것으로 특징 지어집니다. 춤에서 사용될 때, 댄서는 보통 특정한 스텝을 따라가는 동안 한 발을 앞꿈치를 중심으로 몸을 회전시키거나, 특정한 움직임을 완성하는 데 사용됩니다.

스위블은 춤의 특정 부분에서 발의 움직임과 몸의 회전을 조화롭게 연결하여 사용됩니다. 예를 들어, 블루스나 스윙 댄스에서 스위블은 일반적으로 두 발로 스텝을 따라가면서 한 발의 앞꿈치를 중심으로 몸을 회전시키는 움직임을 말합니다. 이는 춤의 흐름과 감성을 더욱 부각시키고, 특정한 스텝을 더욱 다채롭게 만들어줍니다. 스위블은 댄서의 기술과 연습을 요구하는 움직임입니다. 발의 정확한 위치와 몸의 균형을 유지하며, 적절한 타이밍과 흐름 속에서 회전하는 것이 중요합니다. 이는 춤의 특정 부분에서 움직임을 더욱 풍성하고 표현력 있게 만들어줍니다.

스위블은 춤의 특정한 순간에서 발을 중심으로 몸을 회전시키는 동작으로, 춤의 다양한 요소들을 조화롭게 연결하여 춤을 더욱 풍부하고 아름답게 만들어주는 중요한 기술 중 하나입니다.

Swivel Walk(스위블 워크)

"Swivel Walk(스위블 워크)"는 댄스 용어로, 한 발의 앞꿈치를 중심으로 회전하면서 걷는 동작을 의미합니다. 이것은 주로 한 발의 앞꿈치를 중심으로 회전하면서 전체 몸을 향하고 있는 방향으로 걷는 동작을 가리킵니다.

Rock Turn(록 턴)

"Rock Turn"은 일반적으로 양발 사이의 무게 전환이 있는 회전 동작을 나타냅니다. 이 용어는 라틴 댄스와 볼룸 댄스에서 자주 사용됩니다.

Rock (락): 먼저 한쪽 발로 몸을 향하게 되고, 다른 발로는 뒤로 빠르게 움직여 무게를 옮깁니다. 이 단계에서는 몸이 회전하면서 두 발 간의 무게가 전환됩니다.

Turn (턴): 다음으로는 회전 동작이 진행됩니다. 일반적으로 반시계 방향 방향으로 몸을 돌리면서 발의 위치를 조정합니다.

"Rock Turn"은 댄스의 흐름을 부드럽게 만들고, 무게 전환이나 몸의 회전을 강조하여 다양한 댄스 스타일에서 활용됩니다.

Running(런닝)

"Running(런닝)"은 특히 왈츠나 폭스트롯과 같은 댄스에서는 추가적인 스텝이나 도형을 나타내는 데에 활용됩니다. 이러한 용어는 동기적인 타이밍을 가진 다양한 도형을 형용할 때 사용되며, 댄서가 특정한 순간에 특별한 스텝이나 패턴을 수행하도록 하는 데 중요한 역할을 합니다. 예를 들어, 왈츠에서 "1, 2/&, 3;"과 같이 "Running"이나 "rung"을 사용하여 동기적인 타이밍을 가진 추가적인 스텝을 설명할 수 있습니다. 또한 폭스트롯에서는 "S, -, Q/&, Q;"와 같이 사용하여 특정한 타이밍과 스텝을 나타낼 수 있습니다. 이러한 용어는 춤의 다양성을 높이고, 댄서들이 음악의 템포나 리듬에 맞춰서 동작을 조절하고 조화롭게 움직이도록 도와줍니다.

Run(런)

"Run"은 다양한 의미를 갖는 영어 단어로, 다양한 맥락에서 사용됩니다.

1.달리다 또는 뛰다:

체력 운동 (Physical Exercise): 뛰거나 빠르게 움직이는 동작을 나타냅니다.

2.운영하다 또는 경영하다:

비즈니스 또는 기관 운영 (Business or Organization Operation): 어떤 사업체, 기관, 또는 서비스를 운영하거나 경영하는 것을 나타냅니다.

3.(액체 등이) 흐르다 또는 흐르게 하다:

물류나 액체 흐름 (Flow of Liquid): 물이나 다른 액체가 어떤 표면을 따라 흐르는 것을 나타냅니다.

4.작동하다 또는 돌아가다:

기계, 장치 등의 운전 (Operation of a Machine or Device): 어떤 기계나 장치가 돌아가는 것을 나타냅니다. "The car engine is running smoothly." (자동차 엔진이 부드럽게 작동하고 있습니다.)

5.(주제, 소문, 이야기 등이) 퍼지다 또는 전해지다:

소문이나 이야기 전파 (Spread of News or Information): 어떤 정보, 이야기, 또는 소문이 퍼지거나 전해지는 것을 나타냅니다.

"런(Run)"이 댄스에서 사용될 때, 다양한 댄스 타일에서는 음악의 비트에 따라 발을 빠르게 움직이는 단계를 나타내는 용어로 사용됩니다. 이는 매우 빠르고 신속한 움직임으로 음악의 템포나 리듬을 따라가는 것을 의미합니다. "런(Run)"은 주로 음악이 더 빠르거나 리듬이 더 확실한 부분에서 사용되며, 댄서가 빠르게 발을 교차하거나 빠르게 발을 이동하는 등의 빠른 동작을 수행할 때 특히 효과적으로 표현됩니다.

Swivel Kick(스위블 킥)

"Swivel Kick(스위블 킥)"은 한 발의 앞꿈치를 중심으로 회전하면서 차는 동작을 의미합니다. 이것은 일반적으로 댄서가 한 발의 앞꿈치를 중심으로 몸을 회전시키면서 다리를 들어 차는 동작을 나타냅니다.

우아한 회전 기술: 던지기

남성은 왼손을 이용하여 여성을 오른쪽으로 회전시키거나, 여성을 남성의 앞으로 끌어당기며 회전을 도와주는 기술입니다. 이 기술은 정확한 타이밍과 부드러운 움직임을 요구하며, 춤의 템포나 스타일에 따라 다양하게 변형될 수 있습니다. 이 기술은 춤의 템포에 맞춰 신속한 회전을 전달하고, 순간적인 골반 움직임과 팔의 조화를 필요로 합니다. 이 기술은 춤의 빠른 리듬에 맞춰 상대를 던져 회전시키는데, 이를 위해서는 손과 팔의 힘을 조절하여 정확한 템포와 회전을 만들어내야 합니다. 이 기술은 정확한 타이밍과 신속한 반응이 필수적이며, 다양한 음악 스타일에 맞춰 적응할 수 있도록 변형될 수 있습니다. 지르박, 블루스, 트로트에서 자주 사용되는 동작임.

Lean(린)

기울이다 (동사): 어떤 물체를 측면으로 기울이거나, 경사를 주다.

마르다 (형용사): 무언가가 적게 지방이나 무게를 갖고 있는 상태를 나타냅니다.

의지가 강한, 경험이 풍부한 (형용사): 어떤 분야나 주제에 대해 깊이 있는 지식이나 경험이 있는 경우를 나타냅니다.

의견을 향하다 (동사): 어떤 방향이나 경향으로 의견이나 태도를 표현하다.

(명사로서) 기울이기, 경사: 어떤 물체가 측면으로 또는 경사를 가지는 상태를 나타냅니다.

댄스에서 "린(Lean)"은 몸을 전후로 또는 좌우로 경사지게 하는 움직임을 나타냅니다. 이 용어는 주로 춤추는 동안 몸의 각도를 변경하거나 경사를 이루는 동작을 의미합니다. 전후로 경사지는 린과 좌우로 경사지는 린은 각각 다른 스타일과 운동의 일부로 다양하게 사용됩니다.

린은 몸의 자세를 변화시키고 몸의 중심을 이동시키는 데 중요한 역할을 합니다. 이는 춤을 출 때 몸의 표현력과 연출을 높이는 데 사용되며, 댄서의 움직임에 다양성과 아름다움을 더해줍니다. 몸을 전후로 또는 좌우로 기울이는 린은 춤의 다양한 동작과 연결되어 춤의 흐름을 부드럽게 만들어주고, 운동자의 표현력을 더욱 풍부하게 해줍니다.

이 용어는 댄서가 춤을 출 때 몸의 자연스러운 움직임을 강조하고, 음악과 리듬에 맞춰 몸을 조절하는 데 사용됩니다. 몸의 린은 춤의 감정적인 요소를 강조하거나, 연출의 변화를 주는 등 춤의 표현력을 높이는 데 도움이 됩니다. 또한, 린은 댄서의 안정성과 균형을 유지하는 데도 중요한 역할을 합니다. 삼바의 내츄럴 롤(Roll), 리버스 롤(Roll), 왈츠 오버 스웨이, 라이트 런지 등에서 롤(Roll) 액션을 사용됩니다.

블루스나 트로트에서도 린(Lean)은 최고급 동작으로 극소수만 사용합니다. 오버 스웨이, 라이트 런지 등에서 롤(Roll) 액션을 사용됩니다.

Foot Rolling(풋 롤링)

풋 롤링은 발을 전방이나 측면으로 굴리는 동작을 의미합니다. 이 기술은 댄스 동작의 자연스러움과 부드러움을 강조하는 데 사용되며, 댄서의 발 움직임을 더 다양하고 풍부하게 만들어줍니다. 댄스에서 풋 롤링은 발의 힐(H), 발가락(T), 또는 발의 측면(Inside/Outside)을 사용하여 발을 전진하거나 측면으로 움직이는 등 다양한 방법으로 표현됩니다. 또한, 이 기술은 춤의 특정한 스텝이나 움직임에서 발의 위치를 더욱 다채롭게 만들어줍니다.

풋 롤링은 댄서가 음악에 맞게 발을 조작하고 동작을 수행하는 데 도움이 되며, 춤의 표현력과 다양성을 높여줍니다. 발의 움직임을 제어하고 조절하는 데 중요한 역할을 합니다. 각 댄스 스타일이나 특정한 춤에서 풋 롤링은 그 특성과 특징에 따라 다르게 사용됩니다. 왈츠(Waltz)나 탱고(Tango)와 같은 볼룸 댄스에서는 우아하고 부드러운 풋 롤링이 강조되고, 지르박 및 라틴 댄스에서는 다이내믹하고 강렬한 풋 롤링이 사용될 수 있습니다.

그러나 풋 롤링은 댄서의 개별적인 스타일과 표현력에 따라 다르게 사용되고 해석됩니다. 이 기술은 댄서의 연습과 경험을 통해 완벽해지며, 다양한 춤의 동작과 스텝에서 발을 다양하게 활용할 수 있도록 도와줍니다. 이러한 방법으로 풋 롤링은 댄스의 표현력과 다양성을 높이는 데 중요한 역할을 하며, 발의 다양한 움직임을 통해 춤을 더욱 풍부하게 만들어줍니다.

Chain Of Turn(체인 오브 턴)

"Chain of Turn(체인 오브 턴)"은 댄스에서 사용되는 용어로, 회전(turn)이 다음 회전으로 자연스럽게 이어지는 것을 나타냅니다. 이 용어는 댄스 루틴에서 연속적으로 발생하는 회전 동작을 특징짓는 데 사용되며, 댄서가 순차적으로 회전을 수행하는 패턴을 나타냅니다.

체인 오브 턴은 댄서가 특정 방향으로 회전하면서 다음 동작으로 자연스럽게 이어지는 시퀀스를 의미합니다. 이러한 회전의 연속은 댄스 루틴에 다양한 동적인 효과를 추가하고, 시각적으로 매력적인 춤을 형성하는 데 기여합니다. 댄서들은 음악에 맞게 회전을 수행하고, 이를 체인 오브 턴의 형태로 연결함으로써 춤의 흐름과 다양성을 향상시킵니다. 체인 오브 턴은 춤의 다양한 스타일에서 사용되며, 특히 라틴 댄스나 소셜 댄스에서 흔히 볼 수 있는 움직임 중 하나입니다. 이는 댄서들이 자유롭게 연속적인 회전을 즐기며, 춤의 역동성과 활력을 높이는 데 사용됩니다.

Linear Motion(리니어 모션)

리니어 모션은 댄스 및 운동에서 사용되는 용어 중 하나로, 직선상의 움직임을 의미합니다. 이것은 댄서가 직선을 따라 움직이거나, 특정한 방향으로 직선적인 동작을 하는 것을 의미합니다. 이러한 모션은 특정 춤의 스텝이나 동작에서 사용되며, 댄서의 우아함과 표현력을 높여 줍니다.

1. 리니어 모션은 댄서가 일정한 방향으로 직선적인 동작을 할 때 발생하며, 일반적으로 전진, 후진, 좌우로의 직선적인 이동 등을 포함합니다. 이는 댄서가 춤을 추거나 운동할 때 특정 방향으로 직선을 따라 움직이는 것을 의미합니다.
2. 리니어 모션은 춤에서 보폭을 크게 하는 기술 중 하나입니다. 춤 스텝 중 한 지점에서 다른 지점으로의 이동을 증가시키는 것으로, 이 기술은 다양한 춤동작을 수행하고 공간을 효과적으로 활용할 수 있도록 도와줍니다.
3. 리니어 모션을 적용할 때는 발의 중심을 힐 쪽으로 옮기고 다리를 굽히는 것이 중요합니다. 이동 가능한 위치에 다다르면, 바디와 센터를 더 멀리 이동시킬 수 있습니다. 이러한 움직임에서는 뒤쪽 발의 볼을 밀어주면 앞쪽 발이 더 멀리 이동하게 되고, 앞쪽 발의 힐을 이용하면 뒤로 더 멀리 이동할 수 있습니다.
4. 푸싱은 리니어 모션에서 균형을 유지하며 더 큰 스텝을 밟을 수 있도록 해주는 기술입니다. 센터 밸런스를 유지하면서 스텐딩 풋을 이용하여 무빙 풋을 멀리 이동시키는 것이 중요한데요. 이를 통해 파트너와의 협업이 더 원활해지고, 춤을 조화롭게 즐길 수 있게 도와줍니다. 정확한 푸싱 기술은 리니어 모션에서 균형과 스텝의 크기를 동시에 조절하는 핵심적인 역할을 합니다.
5. 리니어 모션은 댄서들의 몸의 선을 강조하고, 스텝 간의 공간을 효과적으로 활용하는 데 중요한 역할을 합니다. 이를 통해 댄서는 서로 다른 포지션과 방향으로 이동하면서도 공간을 효율적으로 활용하고 춤의 다양한 동작을 보여줄 수 있습니다.
6. 리니어 모션은 댄서의 움직임과 발의 포지션, 그리고 춤의 흐름을 결정짓는 중요한 요소 중 하나입니다. 이를 통해 댄서는 직선적인 움직임을 통해 더 다이내믹하고 효과적으로 춤을 표현할 수 있습니다.

트로트 기술은 350가지 이상이다.

트로트는 다양한 기술과 동작으로 이루어진 춤의 한 형태로, 수많은 기술이 있어요. 이는 레슨이나 훈련을 통해 개별적으로 학습하고 연습해야 하는 것들이죠. 글이나 설명으로 다루기 어려운 복잡하고 세부적인 기술들도 있습니다. 트로트는 끝없는 발전과 창의성이 있는 춤으로, 새로운 기술들이 지속적으로 생겨나고 있을 거라고 생각돼요. 기본기를 다지고 창의적인 움직임을 발전시키며 자신만의 스타일을 만들어 나가는 것이 중요하겠죠. 필자가 레슨용으로 만든 기술만 해도 350개가 넘습니다. 트로트나 블루스 피겨는 95% 이상 비슷하거나 같아 트로트에서도 350개 이상 피겨로 트로트를 즐길 수 있습니다.

리드와 팔로우

조작과 리드는 자동차, 리모컨, 그리고 댄스에서 공통된 요소입니다. 남성이 커플 댄스에서 리드하는 역할을 맡게 되면 여성은 그 움직임을 의도적으로 따라가게 되죠. 이는 운전과도 닮아있습니다. 운전은 이론을 배우는 것만으로 충분하지 않고, 실전 경험이 필요하듯이, 댄스도 이론을 터득하는 것 외에 꾸준한 연습과 경험이 중요해요. 특히 리드하는 데 익숙하지 않은 초보자에게는, 실제로 상대를 이끄는 것은 매우 어려운 과제일 수 있어요. 하지만 레슨을 통해 이론을 익히고, 그것을 실전에서 연습하며 익숙해지는 과정을 거치면 리드에 대한 자신감을 키울 수 있죠. 요컨대, 리드하는 것은 이론뿐만 아니라 실제 경험과 꾸준한 연습으로 이뤄져야 합니다.

정확한 리드와 자유로운 춤을 위해 꾸준한 연습과 레슨을 통해 스텝을 완벽히 소화하고 자신만의 것으로 만들어야 해요. 여성들이 고수들과 춤을 추면 그들의 실력과 영향을 받아 자연스럽게 실력이 향상되기도 합니다. 하지만 이런 수준에 도달하기 위해서는 구구단을 외우면서도 TV를 보며 스텝을 연습하고, 계속해서 연습해야 합니다. 특히나, 리드하는 남성의 불안정한 움직임, 망설임, 자신감 부족은 여성에게 전달되어 춤의 흐름을 끊을 수 있어요. 따라서, 자신 있는 스텝을 중심으로 확실한 리드와 신호를 보내는 것이 중요하며, 힘으로만 리드한다고 해서 항상 효과적인 것은 아니에요. 정확하고 확실한 스텝과 올바른 리드/사인으로 여성은 보다 자연스럽게 춤을 따라갈 수 있게 됩니다. 이는 리드하는 측과 춤을 추는 상대 모두에게 더 즐거운 경험을 선사하게 되어요.

확실히 춤을 추는 과정에서 힘의 조절과 상호 간에 응답하는 것은 매우 중요합니다. 특히 커플 댄스에서는 남성과 여성이 서로를 이해하고 조절하는 것이 필요해요. 힘의 조절은 리드와 팔의 움직임에 영향을 미치며, 서로의 신호를 받아들이고 적절하게 반응하는 것이 중요합니다. 여성이 남성보다 먼저 움직이는 경우도 종종 있고, 이는 경험이 많은 여성이 현장에서 더 자신의 움직임을 주도하는 경향이 있을 수 있습니다. 그리고 여성은 춤을 대충 배워도 된다고 생각하는 것은 잘못된 생각이에요. 여성도 춤을 잘 추기 위해서는 자신의 스텝과 방향을 확실히 익혀야 합니다.

댄스는 서로의 움직임과 의사소통에 기반을 두고 있어요. 따라서 서로가 상호작용하고 조절하는 것이 중요하며, 이를 통해 보다 원활하고 아름다운 춤을 추게 됩니다.

리드 (Lead)

리드는 댄스에서 이끄는 역할을 합니다. 주로 남성 댄서들이 이를 담당하며, 리드의 임무는 댄스의 리듬과 움직임을 주도하는 것입니다.

팔로우 (Follow)

팔로우는 댄스에서 따르는 역할을 맡습니다. 이는 대부분 여성 댄서들이 수행하며, 팔로우의 임무는 리드의 동작을 따라가는 것입니다. 팔로우는 리드의 리듬과 움직임을 따라가며, 댄스의 방향과 움직임을 예측하여 춤을 이어나갑니다. 리드가 주도하는 대로 팔로우가 따라가기 때문에, 두 역할 모두 서로의 움직임을 잘 파악하고 원활한 소통을 해야 춤이 원활하게 이뤄집니다. 이렇게 함께 조율되면 춤이 조화롭고 자연스러운 모습을 보여줄 수 있어요.

트로트 악센트

악센트란 노래의 리듬과 감정을 반영하면서 춤을 추는 동안 음악과 함께 흐르는 움직임을 강조하는 것을 말하고, 리듬이 블루스와 지르박의 중간이기 때문에, 악센트가 더욱 중요한 역할을 한다. 악센트는 춤의 동작을 더욱 생동감 있게 만들어주고, 춤의 감정을 더욱 깊게 전달할 수 있도록 도와준다. 악센트는 대개 음악의 강한 비트를 따르게 된다. 이때, 강한 비트를 따르는 동작은 보통 강조하여 춤의 움직임을 돋보이게 한다.

하지만, 트로트는 강한 비트만을 따르는 것이 아니라, 음악의 감정을 반영하는 부드러운 움직임도 매우 중요하며 강한 비트를 따르는 동작과 부드러운 움직임을 조화롭게 결합하여 춤의 감정을 표현해야 한다. 따라서, 음악과 춤을 하나로 묶어주는 매우 중요한 요소이다. 악센트를 제대로 파악하고, 그것에 맞게 춤의 움직임을 조절함으로써 춤의 감정과 파워를 높일 수 있다.

Grip(그립)

잡다(To hold tightly): 가장 일반적인 의미는 어떤 물체나 대상을 꽉 잡거나, 손이나 손가락으로 단단히 잡는 것을 나타냅니다.

유지하다(To maintain control or influence): 어떤 상황이나 일을 통제하거나 영향력을 유지하는 것을 나타낼 수 있습니다.

이해하다(To understand): 어떤 개념이나 상황을 이해하거나 파악하는 것을 의미합니다.

힘든 상황에 처하다(To face difficulties): 어려운 상황이나 문제에 직면하고 이겨내려는 노력을 나타낼 때 사용됩니다.

댄스에서 "grip"은 주로 댄서가 서로를 잡고 유지하는 자세나 손의 위치를 나타냅니다. 이는 댄스 종류에 따라 다양하게 사용되며, 파트너 댄스에서 특히 중요한 역할을 합니다.

Tension(텐션)

"파인 다이닝(Fine dining)은 기다림의 미학, 댄스는 손맛의 미학"

트로트에서 텐션을 주는 방법은 다양하지만, 주로 다음과 같은 방법으로 텐션을 표현한다.

1. **리드와 팔로우의 바디 무브먼트**: 리드와 팔로우가 서로 바디 무브먼트를 통해 텐션을 주고받는다. 이때 리드는 팔로우를 끌어당기거나 밀어내며 텐션을 주고, 팔로우는 리드의 동작에 따라 몸을 흔들거나 회전하는 등의 움직임으로 텐션을 표현한다.

2. **핸드**: 리드가 핸드를 통해 팔로우에게 텐션을 주기도 한다. 이때 리드는 손목이나 팔의 굴곡을 이용하여 텐션을 조절한다.

3. **음악의 리듬과 텐션 조절**: 음악의 리듬과 텐션을 조절하는 것도 중요하다. 음악의 리듬과 텐션을 적절히 활용하면 댄스의 텐션을 더욱 강조할 수 있다.

4. **아웃-풋 라인**: 리드와 팔로우가 아웃-풋 라인을 유지하는 것이 중요합니다. 아웃-풋 라인은 상체의 중심을 유지하면서 댄스를 출 때 발생하는 텐션을 조절하는 역할을 한다. 이를 통해 텐션을 보다 강조할 수 있다.

텐션은 상대 파트너와의 접촉을 통해 전달되는 긴장 상태와 팽팽함을 의미하는 단어입니다. 춤이나 댄스에서는 상대의 힘이 전달되는 신체 부위로부터 느껴지는 긴장감을 의미하며, 서로가 손끝에 약간의 힘을 주고 받을 때의 장력과 탄력을 말합니다. 남성이 액션을 취하면 여성은 반사적으로 리액션을 보이게 됩니다. 이런 텐션은 대부분의 커플 댄스에 존재하며, 댄스에서 텐션의 원리는 비슷하지만 그것이 어떻게 느껴지는지는 각자마다 다릅니다. 이러한 텐션은 댄스에서 중요한 요소 중 하나로, 이것이 없다면 춤이나 댄스가 진짜로 춤을 춘다는 느낌이 들지 않을 수도 있습니다.

춤추는 이유는 여러 가지가 있겠지만, 텐션은 그중에서도 중요한 이유 중 하나입니다. 부드러우면서도 끈적거리며 자석처럼 서로를 끌어당기는 그런 감칠맛이 춤의 매력이자 댄스의 묘미입니다. 텐션을 구사할 때에는 여성의 힘과 장력에 알맞은 반응을 보여주어야 합니다. 많은 남성들은 이것을 제대로 이해하지 못하는데, 너무 많은 힘을 주면 완력, 즉 폭력이 되기도 합니다.

대다수의 여성들은 부드러우면서도 가볍고 강한 느낌을 선호합니다. 그래서 남성은 각각의 여성의 선호에 맞춰 적절한 텐션을 주어야 합니다. 이때 텐션이 적절하게 전달되면 일체감을 느끼며 환상적으로 보일 수 있습니다. 따라서, 힘을 줄지라도 여성이 거부감을 느끼지 않도록 적절하게 사용해야 합니다.

{웹스터 의학 사전}은 인체의 긴장도에 대하여 다음과 같이 정의를 내린다. "조직의 정상적인 긴장 상태로서 이 덕분에 인체는 자극에 반응하여 적절하게 움직일 수 있다."

"파인 다이닝(Fine dining)은 기다림의 미학, 댄스는 손맛의 미학"

Tension의 역할

텐션(Tension)은 댄스에서 매우 중요한 개념으로, 춤의 퀄리티와 효과에 큰 영향을 미치는 주요한 요소 중 하나입니다. 춤을 출 때 텐션을 조절함으로써 춤의 다이내믹한 면을 부각시키고, 파트너와 연결성을 강화하여 춤사위를 더욱 생동감 있게 만듭니다.

1. 감정적 표현과 연결

댄스에서 텐션은 감정을 표현하고 파트너와의 연결을 형성하는 핵심적인 요소 중 하나입니다. 춤은 순수한 움직임을 넘어서 감정을 전달하는 예술입니다. 춤을 출 때 적절한 텐션을 가지고 감정을 몸으로 전달함으로써, 파트너에게 더욱 강한 메시지를 전달하고 공감대를 형성합니다. 각각의 움직임은 텐션을 통해 에너지와 감정을 담아내어 상대에게 감정적으로 다가갈 수 있습니다. 이는 댄스를 통해 더욱 풍부한 감정을 나눌 수 있는 연결을 형성하는 데 큰 역할을 합니다.

2. 다이내믹한 퍼포먼스 제공

텐션은 춤의 다이내믹한 면을 부각시키는 데 큰 영향을 미칩니다. 올바르게 조절된 텐션은 각각의 움직임에 힘과 에너지를 부여하여 춤을 더욱 생동감 있게 만듭니다. 춤에서 텐션을 조절하면 각각의 동작이 더욱 확고하고 힘이 있게 표현됩니다.

3. 연결과 흐름의 유지

텐션은 파트너와의 상호작용을 통해 춤의 연결을 증진시키는 데 도움을 줍니다. 올바른 텐션을 유지하면 각각의 동작이 파트너와의 상호작용에서 원활하게 연결되며, 이는 춤의 흐름을 끊김 없이 유지하는 데 기여합니다. 또한 춤에서 텐션을 조절하는 것은 춤의 움직임을 더욱 효과적으로 보이게 하고, 파트너와의 조화를 높일 수 있습니다. 텐션의 조절은 춤의 흐름을 유연하게 만들어주어, 파트너와의 연결을 강화하고 춤의 연속성을 보장합니다. 이는 춤의 퀄리티와 매력을 높이는 데 중요한 역할을 합니다. 춤에서의 텐션은 파트너와의 연결성을 강조하며, 함께 춤추는 두 사람 사이의 유기적인 연결을 도와줍니다. 이는 댄스를 보다 의미 있는 경험으로 만들어주는 데 큰 도움을 줍니다.

텐션은 댄스에서 감정적 표현, 다이내믹한 퍼포먼스, 그리고 연결과 흐름을 유지하는 데 핵심적인 역할을 합니다. 이러한 요소들이 조화롭게 작용하여 춤의 질을 높여줍니다.

텐션 주는 방법

여성과 남성 간의 힘 사용량 차이는 실제로 개인마다 다르며, 이로 인해 힘의 조절은 상당히 중요합니다. 여성과 남성은 각자의 체력과 힘을 고려하여 움직임을 조절해야 합니다.

이론적으로는 A 여성이 50정도의 힘을 주면, 남성도 50정도를 주는 것이 적절하다고 할 수 있지만, 현실에서는 이것이 쉽지 않습니다. 힘의 조절은 실전에서 더 복잡한 일입니다. 여성이 50정도의 힘을 주고 남성은 70~80 이상의 힘을 주면 이것은 완력과 폭력으로 다시는 이런 남성과는 춤을 추지 않을 겁니다. 단, 돈이 많이 있거나, 사지육신 및 얼굴이 남들보다 우월하거나, 나이가 어리거나, 아니면 돈 주고 잡아주는 여성 이외에는 당신을 무도장이나 파티장에서 본 순간 이리저리 피해 다니거나 춤 신청을 하면 거절당할 겁니다.

힘의 조절은 단순한 지식이나 이론으로만 습득되는 것이 아니며 실제 경험과 지속적인 연습이 필요합니다. 여성이나 남성, 누구나 자신의 체력과 힘을 인식하고, 상대방과의 조화로운 연출을 위해 노력해야 합니다. 이는 연습과 경험을 통해 점차 향상됩니다. 힘의 조절은 자신의 감각과 파트너와의 조화로운 움직임을 만들어내기 위한 과정입니다. 힘을 조절하는 것은 서로에게 큰 영향을 미치므로, 상황에 맞게 적절히 조절하는 것이 중요합니다. 이를 위해서는 계속된 연습과 지속적인 경험이 필요하며, 상호간의 이해와 협력이 중요합니다.

사람마다 손맛(텐션)이 다른 이유

사람마다 손의 텐션은 유전자뿐만 아니라 타고난 체격, 힘, 성향, 성격 등과도 연관이 있습니다. 이러한 다양한 요인들로 인해 손의 텐션은 다양하게 형성됩니다. 악수나 포옹, 가벼운 스킨십과 같은 접촉은 때로는 따뜻한 감정을 전달하기도 하지만, 다른 상황에서는 불편함을 느낄 수도 있습니다. 마찬가지로, 텐션도 상황과 관계된 감정을 전달하거나 불쾌한 느낌을 줄 수 있습니다. 손의 텐션은 종종 그 사람의 성격과 댄스 능력을 엿볼 수 있는 지표로 여겨집니다. 텐션은 댄스에서 매우 중요한데, 춤을 출 때 텐션을 조절함으로써 감정과 표현을 전달하며 또한 춤의 퀄리티와 스타일을 나타내기도 합니다. 따라서, 텐션에 대한 이해와 조절은 춤을 추는 데 필수적입니다.

또한, 각 사람마다 텐션을 받아들이는 방식과 느끼는 정도가 다를 수 있습니다. 어떤 사람은 강한 텐션을 선호할 수도 있고, 다른 사람은 부드러운 텐션을 선호할 수도 있습니다. 이러한 차이는 각자의 성향과 경험에 따라 형성됩니다. 손의 텐션은 각자의 유전적 특성과 다양한 개인적 특징에 의해 형성되며, 상황에 따라 다양한 감정을 전달할 수 있습니다. 댄스에서 텐션은 감정과 능력을 나타내는 중요한 요소이며, 이를 이해하고 조절하는 것은 춤을 추는 데 있어 핵심적입니다.

리드 법

커플 댄스에서의 리드는 춤을 더욱 아름답고 조화롭게 만들어가는 핵심적인 역할을 맡습니다. 남성이 여성을 안내하고 움직임을 주도함으로써, 파트너들 간의 연결과 협업을 이끌어냅니다. 리드는 댄스를 완성시키는 핵심적인 조정자이며, 이를 통해 춤은 단순한 움직임을 넘어서서 특별한 의미와 아름다움을 표현하게 됩니다. 댄스에서 텐션과 리드는 상호 보완적인 개념으로, 서로가 한 몸처럼 연결되어 움직임을 조율하고 통제하는 데 중요한 역할을 합니다. 특히 Jive와 같은 빠른 템포의 춤에서는 물리적인 힘과 움직임을 통해 여성을 리드하는 것이 일반적입니다. 이러한 Physical 리드 방식은 춤의 템포와 스타일을 결정하고, 여성에게 방향과 움직임을 전달하는 데 중점을 둡니다.

리드는 단순히 움직임을 지시하는 것 이상으로, 상호 간의 의사소통과 연습을 통해 성장하고 발전하는 개념입니다. 파트너들 간에 신뢰를 구축하고 서로를 이해하는 과정을 거쳐 춤은 더욱 매끄럽고 조화로워집니다. 서로의 의도를 읽고 이해하는 능력은 춤을 함께 창조하는 데 중요한 역할을 합니다. 더불어, 리드는 춤의 흐름과 연결성을 유지하는데 집중합니다. 파트너와의 조화롭고 매끄러운 움직임은 서로를 존중하고 의사소통하는 과정에서 탄생합니다. 이것이 리드의 주요 목적 중 하나이며, 춤을 통해 감정과 이야기를 전달하는 예술적인 경험을 만들어냅니다.

커플 댄스에서 리드는 춤을 더욱 풍요롭게 만들어가는 데 핵심적인 역할을 하며, 이를 통해 춤은 단순한 움직임 이상의 의미를 지니게 됩니다. 이는 상호간의 연결과 협업을 통해 춤을 창조하는 데 있어서 극도로 중요하고 필수적인 개념입니다.

체중 이동을 활용하는 리드법은 커플 댄스에서 일반적으로 사용되는 효과적인 방법 중 하나입니다. 여기서 주된 포인트는 춤을 추는 동안 체중을 옮기거나 조절하여 파트너에게 움직임을 안내하는 것입니다. 이 기술은 주로 리드하는 사람이 움직임을 주도하고, 그에 따라 상대방이 반응하도록 설계되어 있습니다. 체중의 이동과 변화를 통해 춤의 흐름을 조절하고, 댄서들 간의 흐름을 동기화시키는 데 사용됩니다. 특히 Jive와 같은 빠른 템포의 춤에서, 움직임과 전환을 스무스하게 만들기 위해 체중 이동은 매우 중요한 역할을 합니다. 이를 통해 더 자연스러운 리드와 텐션을 만들어내고, 파트너와의 원활한 협업을 가능하게 합니다. 커플 댄스에서는 다양한 리드법을 활용하지만, 체중 이동 리드법은 특히 춤의 리듬과 움직임을 안정적으로 조절할 수 있는 장점이 있습니다. 이는 댄스를 더욱 효과적으로 이끌어내고, 파트너와의 연결을 높여주는 데 도움이 됩니다.

리드하는 방식은 정말로 춤의 퀄리티와 연결성에 영향을 미치는 중요한 부분 중 하나입니다. 손으로만 리드하는 것과 체중 이동 및 팔을 이용하는 방식 사이에는 큰 차이가 있습니다. 리드하는 사람이 손을 통해서만 이끄는 것이 아니라, 팔과 체중을 적절히 활용하여 파트너에게 움직임을 안내한다면, 춤의 흐름과 움직임은 더욱 자연스러워지고 효과적일 수 있습니다. 이를 통해 과도한 힘이나 불편함을 줄이고, 보다 우아하면서도 연속성 있는 춤을 이끌어낼 수 있습니다. 또한, 손목 스냅과 같은 기술은 손으로만 리드하는 것을 보완하는 데 도움을 줄 수 있습니다. 이 기술을 익히면, 리드하는 능력을 높여주고 파트너와의 커넥션을 강화하는 데 도움을 줄 수 있습니다.

리드하는 방식은 춤의 장르나 스타일에 따라 다양하게 변할 수 있습니다. 블루스나 트로트, 모던 계열에서 사용되는 가슴이나 골반 리드법은 특정한 춤의 특성과 연출에 따라 활용되는 것으로, 각각의 스타일에 적합한 리드 기법을 익히는 것이 중요합니다.

댄스의 지휘자: 리드와 리더

리드를 하는 행위는 춤 속에서 파트너의 동작을 주도하고 연결하는 주체입니다. 이는 그룹의 지휘관과 같은 역할을 하며, 리딩(Leading)이라 불립니다. 이를 이끄는 주체를 리더라고 하며 춤에서 리더(Leader)는 템포와 흐름을 조절합니다. 일반적으로 리딩은 몸의 움직임과 자세, 그리고 손짓을 통해 이루어지며, 텐션과 춤의 흐름을 제어합니다. 이러한 리딩은 춤의 모션과 감정을 효과적으로 전달하고, 아름다운 춤을 만들어냅니다. 이는 춤에서 리딩이 갖는 중요성을 강조하며, 춤의 연결과 흐름을 위한 필수적인 역할임을 보여줍니다.

서로의 몸과 마음을 균형 있게 맞추며, 함께 춤을 출 때 하나로 어우러지는 아름다운 순간을 만들어냅니다. 이는 리드의 조정과 함께 서로의 표현력과 연결성을 높이는 데 큰 역할을 합니다.

리드의 포인트

1.의도를 분명히: 리드는 명확한 의도를 가지고 상대방과의 연결을 시작합니다. 첫걸음부터 몸을 통해 전달하는 의도는 춤의 흐름을 결정짓게 됩니다.

2.유연성과 조절: 리드하는 사람은 상대방의 반응에 맞춰 유연하게 움직임을 조절합니다. 어떤 흐름이든, 상호간에 조화로운 움직임으로 전환할 준비가 되어 있어야 합니다.

3.소통과 피드백: 춤을 추는 과정에서 지속적인 소통과 피드백이 중요합니다. 상대방의 반응을 지켜보고 그에 따라 유연하게 대처하는 것이 필요합니다.

4.연습과 경험의 중요성: 리드는 연습과 경험을 통해 늘어납니다. 서로 다른 상황에서의 경험이 리드의 능력을 키우고 발전시킵니다.

5.마음의 연결과 이해: 리드는 몸으로만 하는 것이 아니라, 마음의 연결을 이루는 것입니다. 상대방과의 이해와 공감을 통해 서로를 더 잘 이해하고 표현할 수 있습니다.

6.상대를 위한 안내: 리드는 춤을 추는 모든 이들에게 함께 하는 경험을 만들어주는 것입니다. 상대를 위한 안내와 배려가 리드의 중요한 역할입니다.

리드는 댄스의 중심에 서 있는 존재로서, 단순히 춤을 이끄는 것 이상으로, 함께 하는 이들과의 상호작용과 소통을 통해 춤을 만들어내는 과정에서 큰 의미를 지닙니다. 이는 상호 간에 연결을 형성하고 풍요로운 경험을 만들어내며, 댄스를 통해 서로를 이해하고 공유하는 아름다운 여정이 되어 갑니다.

리드가 고려해야 할 점

댄스에서 중요한 것은 상호작용과 조화입니다. 리드하는 쪽은 힘을 사용하여 강제적으로 이끄는 것이 아니라, 부드럽고 자연스럽게 안내하는 것이 중요합니다. 예를 들어, 강제적으로 밀거나 잡아당기는 것보다는 부드럽게 연결되어 움직이고, 파트너의 움직임을 읽으며 상호작용하는 것이 좋습니다. 또한, 과도한 힘을 사용하여 파트너를 회전시키려고 하는 것도 피해야 합니다. 파트너가 편안하지 않다면 강압적인 리드는 춤의 자연스러운 흐름을 방해하고 서로 간의 연결을 끊을 수 있습니다.

서로의 움직임을 읽고 이해하며, 과도한 힘을 피하고 부드럽게 연결하여 자연스러운 춤의 흐름을 만들어가는 것이 좋습니다. 리드하는 쪽은 파트너에게 방향과 안내를 제공하지만, 동시에 파트너가 자유롭게 표현하고 반응할 수 있는 공간을 제공해야 합니다.

여성이 주의해야 할 점

춤에서는 서로의 조화와 밸런스를 유지하는 것이 중요합니다. 여성이 주도적으로 움직이거나 갑작스럽게 동작하는 경우 그리고 너무 과한 액션은 춤의 흐름이 깨질 수 있고, 남성의 리드나 춤의 조화를 방해할 수 있어요.

특히 발을 미리 움직이는 행동은 남성의 리드를 방해하거나 춤의 흐름을 끊을 수 있습니다. 춤에서는 서로의 움직임을 읽고 조화롭게 반응하여 춤의 흐름을 만들어가야 합니다. 갑작스러운 동작이나 서로의 움직임을 끊는 행동은 춤의 아름다움을 해치게 될 수 있어요. 서로를 존중하고 조화롭게 춤을 이끌어 나가는 것이 중요합니다.

텐션과 리드

법률적 언어로만 사람을 표현 못 하듯 의학적 언어, 사람의 언어 등 다양한 언어가 있어야 사람을 어느 정도 표현이 가능할 것이다. 그럼 댄스의 언어는 무엇일까? 다양한 요소가 있겠지만 그중에서도 텐션과 리드가 댄스의 언어가 아닐까?

텐션과 리드는 순망치한(脣亡齒寒) 관계라 할 수 있다. 핸들만으로 자동차를 운행할 수 없고 엑셀, 브레이크만으로도 운행할 수 없듯이 댄스 또한 마찬가지이다. 핸들을 리드 즉 가는 방향을 제시해 주고 액셀 브레이크는 텐션으로 비유할 수 있다. 커플 댄스에서 텐션과 리드는 꼭 필요한 요소이며 텐션과 리드가 없는 댄스는 댄스가 아니라고 말할 수 있다. 커플 댄스에서는 텐션과 리드는 상호 관계로 실과 바늘 같은 관계이다.

텐션의 중요성 및 댄서들이 갖춰야 하는 요소

1.텐션은 춤의 에너지를 증폭시킨다.

2.자신의 몸을 긴장시키고 풀어주는 것으로 텐션을 조절한다.

3.텐션은 춤의 감정과 느낌을 전달하는데 중요한 역할을 한다.

4.자신의 몸을 완전히 통제하고 방향을 바꿀 수 있는 능력을 가지고 있어야 한다.

5.춤의 리듬과 비트에 맞춰 텐션을 조절하면 보다 효과적인 춤이 가능하다.

6.텐션을 적절히 다루면 춤의 동작이 더욱 정확하고 강렬해진다.

7.자신의 몸을 능숙하게 다루는 기술을 연마하여 텐션을 조절할 수 있어야 한다.

8.춤을 출 때 텐션은 자연스럽게 발생하는 것이 아니라, 연습과 노력으로 개발되는 능력이다.

9.텐션을 다루는 기술은 다양한 춤 스타일에 모두 적용될 수 있다.

10.텐션을 다루는 것 외에도 호흡과 근력을 강화하여 더욱 효과적인 춤을 출 수 있어야 한다.

11.텐션은 춤의 미적 가치를 높이는 중요한 요소 중 하나이다.

12.춤을 출 때 텐션을 유지하는 것은 체력과 민첩성을 향상시키는 데도 도움이 된다.

13.춤을 출 때 텐션을 조절하는 것은 춤사위의 표현력을 향상시키는 데 큰 도움이 된다.

14.텐션을 조절하는 것은 춤의 흐름과 느낌을 조절하는 데 중요한 역할을 한다.

15.텐션을 다루는 것은 댄서의 자신감과 연기력을 향상시키는 데도 도움이 된다.

16.춤을 출 때 텐션을 적절하게 다루면 근육 부상을 예방할 수 있다.

17.텐션을 조절하는 것은 댄서의 자세와 균형감각을 개선하는 데도 도움이 된다.

18.텐션을 다루는 기술은 춤을 더욱 화려하고 멋지게 보이게 만들어 준다.

19.춤을 출 때 텐션을 조절하는 것은 자신의 몸을 더욱 민감하게 인식하게 만들어 준다.

20.텐션은 춤의 스피드와 힘을 결정하는데 큰 역할을 한다.

21.춤을 출 때 텐션을 다루는 것은 적극적으로 움직일 수 있는 능력을 개발하는 데 도움이 된다.

22.텐션은 춤의 강도와 깊이를 조절하는 데 중요한 역할을 한다.

23.댄서들은 자신의 몸을 잘 다루어 텐션을 조절할 수 있어야 다양한 춤 스타일을 출 수 있습니다.

24.텐션을 다루는 것은 댄서의 능력을 평가하는 기준 중 하나이다.

25.텐션을 다루는 기술은 댄서의 자유로운 표현력을 향상시키는 데 큰 역할을 한다.

26.텐션을 조절하는 것은 춤의 흐름과 느낌을 자연스럽게 유지하는 데 중요한 역할을 하다.

텐션을 주는 다양한 방법

1. **근육의 긴장을 느끼기:** 춤을 출 때 근육의 긴장을 느끼고 이를 유지하는 것이 텐션을 주는 기술 중 하나이다. 이는 운동 전에 스트레칭과 워밍업을 통해 근육을 준비하는 것이 중요하다.

2. **호흡을 조절하기:** 춤을 출 때 호흡을 조절하여 텐션을 주는 방법도 있다. 깊게 숨을 들이고 내쉬면서 몸의 긴장을 높이는 것이 효과적이다.

3. **적절한 자세 유지하기:** 춤을 출 때 적절한 자세를 유지하면 텐션을 주는 것이 쉬워진다. 허리를 일직선으로 유지하고 어깨를 내린 상태에서 춤을 출 경우 몸이 자연스럽게 긴장된다.

4. **춤의 특성에 맞게 텐션을 다르게 주기:** 춤의 특성에 따라 텐션을 다르게 주는 것이 효과적일

수 있다. 예를 들어 빠른 리듬의 춤을 출 때는 긴장을 높이고, 부드러운 춤을 출 때는 부드럽고 유연한 텐션을 주는 것이 적합하다.

5. **연습과 경험을 통해 개선하기:** 춤을 출 때 텐션을 주는 것은 기술적인 면에서 높은 수준을 요구한다. 따라서 연습과 경험을 통해 점차 개선하며 자신의 춤 스타일에 맞는 텐션을 찾아나가는 것이 중요하다.

6. **스트레칭과 마사지를 통해 근육을 유연하게 유지하기:** 춤을 출 때 근육의 유연성은 매우 중요하다. 근육을 유연하게 유지하기 위해서는 춤을 출 때 이전에 스트레칭과 마사지를 통해 근육을 유연하게 유지하는 것이 필요하다.

7. **음악과 함께 춤의 리듬을 따라가기:** 춤을 출 때 음악의 리듬을 따라가면서 춤을 출 경우, 자연스럽게 텐션을 조절하게 된다. 따라서 음악과 함께 춤의 리듬을 따라가는 것은 춤을 더욱 자연스럽고 매끄럽게 출 수 있도록 도와주며, 텐션을 더욱 효과적으로 주는 데 도움이 된다.

8. **무대 연출과 상황에 맞게 텐션을 조절하기:** 무대 연출이나 상황에 따라 텐션을 조절하는 것도 중요하다. 예를 들어 무대에서 대담하고 파워풀한 이미지를 전달하기 위해서는 강하고 격렬한 텐션을 주는 것이 적합하며 반면, 로맨틱하고 부드러운 이미지를 전달하기 위해서는 부드럽고 유연한 텐션을 주는 것이 좋다.

9. **표현력을 키워 텐션을 높이기:** 춤에서 텐션을 높이기 위해서는 자신의 표현력을 키워야 한다. 춤을 출 때 감정을 잘 표현하고, 몸으로 이야기를 전달하는 것이 텐션을 더욱 효과적으로 주는 데 도움이 된다.

10. **자신의 스타일과 매치되는 텐션을 찾기:** 자신의 스타일과 매치되는 텐션을 찾는 것이 중요하다. 각각의 댄서는 자신만의 독특한 스타일을 가지고 있으며, 이에 맞는 텐션을 찾아 춤을 출 경우 더욱 효과적으로 텐션을 주고, 자신만의 개성을 더욱 강조할 수 있다.

몸에 힘이 들어가는 현상의 원인

1. **긴장과 스트레스:** 춤을 출 때 너무 긴장되면 몸이 자연스럽게 움직이지 않고, 과도한 스트레스로 인해 힘이 들어갈 수 있습니다.

2. **자세와 근육의 사용:** 부적절한 자세나 근육의 사용은 힘이 들어가는 원인이 될 수 있습니다. 특정 근육을 지나치게 사용하거나, 틀어진 자세로 춤을 추는 경우 힘이 과도하게 발생할 수 있습니다.

3. **기술 부족:** 춤의 기술이 부족하면 움직임을 제어하지 못하고, 힘이 들어가는 경향이 있을 수 있습니다. 춤의 테크닉과 기본 움직임을 익히지 않은 경우에는 힘이 과도하게 들어갈 수 있습니다.

몸에 힘이 들어가는 현상의 문제점

1. **부자연스러운 움직임:** 힘이 들어가면 몸의 움직임이 부자연스러워질 수 있습니다. 춤의 흐름과 자연스러움이 상실될 수 있습니다.

2. **부상 위험 증가:** 힘이 과도하게 들어가면 부상의 위험이 증가할 수 있습니다. 과도한 근육 사용으로 인해 근육 또는 관절에 부담이 가해질 수 있습니다.

3. **파트너와의 불일치:** 파트너와 춤을 출 때 힘이 불균형하게 들어가면 파트너와의 호흡이 맞지 않을 수 있고, 움직임이 불일치할 수 있습니다.

몸에 힘이 들어가는 현상의 처방

힘이 너무 많이 들어가는 것은 춤을 출 때 발생할 수 있는 일반적인 문제 중 하나입니다. 과도한 힘은 춤의 자연스러움을 해치고, 파트너와의 조화를 방해할 수 있습니다. 이러한 상황을 해결하기 위해 적절한 처방이 필요합니다.

가. 파트너와의 조화: 파트너와의 조화를 유지하는 것은 춤을 출 때 매우 중요한 부분입니다. 파트너가 루틴을 잊는 등의 상황에서, 힘을 가해서 파트너를 강제로 이끄려 들지 않는 것이 바람직합니다. 대신, 루틴에서 해당 피겨를 반복적으로 연습하고 파트너와 함께 연습 시간을 가지는 것이 효과적입니다.

루틴의 각 피겨를 반복적으로 연습하여 파트너가 그 피겨를 익히도록 도와야 합니다. 이를 통해 파트너는 자신의 부족한 부분을 개선할 수 있고, 둘 사이의 조화를 더욱 강화할 수 있습니다. 이러한 접근 방식은 파트너의 실력 향상과 함께, 댄스 과정에서의 자연스러운 흐름을 유지하는 데 도움이 됩니다. 파트너와의 연습 시간을 통해 오류를 발견하고 이를 수정하는 데 중점을 두면서, 특히 어려운 부분이나 루틴에서 자주 발생하는 피겨를 집중적으로 다루는 것이 좋습니다. 파트너가 루틴을 더욱 익힐 때까지 여러 번 반복하며 연습하는 것이 필요합니다. 이를 통해 서로의 실력을 공정하게 평가하고 서로의 부족한 부분을 서로 도와줄 수 있습니다.

리드와 보폭 맞춤:

1. 춤에서 파트너와의 보폭이 맞지 않을 때는 힘으로 강요하거나 강제로 보폭을 맞추려 들지 않는 것이 중요합니다. 대신, 부드럽게 보폭을 조절하고 파트너를 리드하는 것이 효과적입니다.

2. 힘보다는 몸의 움직임을 통한 리드가 더욱 효과적입니다. 적절한 바디 모션과 움직임을 통해 파트너에게 특정 방향이나 보폭 조절을 암시할 수 있습니다. 이를 통해 파트너는 보폭을 맞추고 댄스의 흐름에 따라 조정할 수 있게 됩니다.

3. 바디의 움직임과 댄스의 텐션을 통해 파트너와의 조화를 찾을 수 있습니다. 또한, 서로의 움직임에 민감하게 반응하고 조정하면서, 파트너와의 커뮤니케이션을 강화하여 자연스러운 리드를 이끌어내는 것이 중요합니다. 이는 힘이나 강요보다 파트너와의 조화를 더욱 향상시킬 수 있는 방법입니다.

나. 팔과 손의 힘 조절: 댄스에서 파트너의 오른손을 너무 강하게 잡지 않도록 유의하는 것이 중요합니다. 특히 여성이 움직임을 자유롭게 할 수 있도록 충분한 여유를 주는 것이 좋습니다. 파트너의 오른손은 서로의 연결을 유지하고 의사소통을 위한 중요한 부분입니다. 너무 강하게 잡으면 여성의 움직임이 제한될 수 있으며, 파트너 간의 흐름이 끊어질 수 있습니다.

따라서 파트너의 오른손은 적절한 압력으로 잡는 것이 바람직합니다. 충분한 압력을 주되, 강압적이거나 과도한 힘을 주지 않고, 여성이 편안하게 움직일 수 있는 여유를 주어야 합니다. 이는 서로의 움직임을 자연스럽게 유지하고 댄스를 더욱 잘 이끌어 나갈 수 있는 방법입니다.

다. 텐션과 체중 분배: 춤에서 텐션은 두 사람 간의 연결을 유지하고 조화를 위한 중요한 요소입니다. 그러나 텐션을 지나치게 사용하는 것보다는 필요할 때만 사용하는 것이 바람직합니다. 텐션은 춤의 흐름을 유지하고 연결을 강화하는 데 사용됩니다. 하지만 지나치게 텐션을 사용하면 파트너 사이에 긴장감이 높아져 춤의 자연스러움을 상실할 수 있습니다. 또한, 체중 분배에도 주의를 기울여야 합니다. 체중이 완전히 앞쪽으로 쏠리면 손에 과도한 힘이 가해져 매달리는 느낌을 줄 수 있습니다. 따라서 체중은 전부 앞으로 몰리는 것이 아니라 적절히 분산되도록 유지해야 합니다. 정확한 포워드 밸런스를 유지하고, 체중이 발의 볼에 고르게 분배되도록 노력해야 합니다.

텐션과 체중 분배는 춤을 출 때 상호작용하는 두 사람 사이의 연결성과 조화를 유지하는 데 중요한 역할을 합니다. 이를 적절히 조절하면 보다 자연스러운 춤을 표현할 수 있습니다.

라. 체중 밸런스: 춤을 출 때 체중 밸런스를 유지하는 것은 매우 중요합니다. 체중이 과도하게 앞으로 쏠리지 않도록 조절하고, 바르게 분산되도록 주의해야 합니다. 체중 밸런스는 춤을 자연스럽고 안정적으로 이끌어 나가는 데 핵심적입니다. 과도하게 앞으로 체중이 쏠리면 상대방과의 연결이 무너지거나 손에 과도한 압력이 가해져 춤의 흐름이 끊어질 수 있습니다.

적절한 체중 밸런스를 유지하기 위해서는 상반신을 바르게 세워야 합니다. 등과 골반을 바르게 세우고, 양발에 고르게 체중을 나누어서 댄스를 이끌어가야 합니다. 이를 통해 발의 볼 부분에 체중이 고르게 분산되어 안정된 포워드 밸런스를 유지할 수 있습니다. 또한, 바른 자세와 체중의 고르고 안정적인 분산은 춤을 보다 우아하고 편안하게 만들어주며, 파트너와의 조화를 높여줍니다. 이는 춤의 자연스러움과 아름다움을 더욱 부각시킬 수 있는 중요한 요소입니다.

마. 견갑골과 홀드: 견갑골과 홀드는 춤을 출 때 중요한 부분 중 하나입니다. 그러나 이들을 올바르게 유지하기 위해 과도한 힘이 가해지면 안 됩니다. 견갑골을 내리고 홀드를 유지하는 것은 춤에서 안정성과 연결성을 강화하는 데 도움을 줍니다. 그러나 이를 위해 파트너의 특정 부위에 지나치게 힘을 주는 것은 바람직하지 않습니다. 너무 많은 힘이 가해지면 파트너에게 불편함을 줄 뿐만

아니라, 춤의 자연스러움과 흐름을 방해할 수 있습니다.

올바른 방법은 견갑골을 자연스럽게 내리고, 홀드하는 동안에도 필요한 힘을 유지하는 것입니다. 이는 파트너와의 연결을 유지하면서도 과도한 힘을 피하고, 자연스럽고 부드러운 움직임을 유지하는 데 도움이 됩니다. 따라서 견갑골과 홀드를 유지하는 동안에도 필요한 힘을 유지하되, 지나치게 힘을 주지 않고 자연스럽고 안정적으로 춤을 이끌어가는 것이 중요합니다. 이를 통해 춤의 조화와 표현력을 높일 수 있습니다.

바. 호흡: 호흡은 춤을 출 때 중요한 부분 중 하나입니다. 균형 잡힌 호흡은 어깨가 올라가거나 힘이 들어가는 것을 방지하고, 댄서의 자연스러운 움직임을 도와줍니다. 좋은 호흡은 춤을 자연스럽고 부드럽게 만들어줍니다. 춤을 출 때 과도한 힘이 발생하지 않도록 호흡을 조절하는 것이 중요합니다. 이를 위해 호흡은 어깨가 올라가거나 몸이 긴장되는 것을 방지하고, 댄서의 몸을 편안한 상태로 유지하는 데 도움을 줍니다. 호흡을 제어하는 것은 춤의 흐름과 조화를 유지하는 데 도움이 됩니다. 균형 잡힌 호흡을 유지하면 댄서는 더욱 안정적이고 편안한 상태를 유지할 수 있으며, 이는 춤을 더욱 우아하고 자연스럽게 만들어줍니다. 따라서 춤을 출 때 균형 잡힌 호흡을 유지하는 것이 중요하며, 이를 통해 어깨의 긴장이나 힘이 들어가는 것을 방지하여 자연스럽고 아름다운 춤을 표현할 수 있습니다.

"예술의 나무에 매달린 잎사귀처럼 춤은 파트너와의 연결을 강조합니다. 우리는 리드와 보폭을 거친 물결 속에서 마주하여 그림자와 조화를 이루어야 합니다. 팔과 손은 파트너의 손길과 같이 가벼워야 하며, 그 힘은 소극적으로 흐르는 물처럼 미끄러져야 합니다. 텐션과 체중은 춤의 물결 속에서 서로 교감하며 춤을 이끌어야 합니다. 그 분배는 어떤 순간에도 서로를 짓눌리지 않게끔 조절되어야 합니다. 체중의 밸런스는 춤의 물결 속에서 숨 쉬는 듯이 가볍고 매끄럽게 흐르며, 견갑골과 홀드는 온전한 관점에서 매듭이 아닌 풀림으로 연결되어야 합니다. 마음속 깊은 호흡은 마치 춤의 음악이 되어 춤을 더욱 풍성하게 만듭니다. 이 모든 것들이 어우러져 춤은 그 고유의 완성을 이룹니다."

리드와 타이밍

1. **음악적 비트와 연결된 리드:** 춤을 추면서 음악의 비트와 함께 움직이는 것은 매우 중요합니다. 리더는 음악의 비트를 인식하고, 그 비트에 맞춰 파트너를 안내합니다. 예를 들어, 왈츠처럼 천천히 이끌 때는 음악의 조금 더 느린 비트에 맞춰 움직이고, 속이 빠른 춤에서는 음악의 빠른 비트에 맞춰 템포를 증가시킵니다. 이것이 리드의 타이밍이며, 음악과 춤이 조화롭게 어우러질 때 가장 아름다운 춤이 펼쳐집니다.

2. **리드와 팔로우의 경험:** 댄서들은 연습과 경험을 통해 타이밍을 향상시킵니다. 경험이 많은 댄서

는 음악적 비트를 파악하고 이해하는 데 능숙하며, 이를 통해 파트너를 안정적으로 이끌어갈 수 있습니다. 하지만 초보자는 타이밍을 더 많이 연습하고, 다양한 음악에 맞춰 춤을 추며 타이밍을 익히는 데 노력해야 합니다. 연습은 타이밍을 정확히 익히는 가장 좋은 방법 중 하나입니다.

3. **춤의 종류와 템포:** 리드의 타이밍은 춤의 종류와 템포에 따라 달라집니다. 슬로우 댄스와 같은 천천히 흐르는 춤에서는 타이밍이 더 여유롭고 부드러워야 하지만, 빠른 템포의 춤에서는 빠른 리드와 팔로우의 리액션이 필요합니다. 따라서 리드는 춤의 스타일과 템포에 맞춰 움직임을 조절하고, 이를 통해 파트너와 함께 완벽한 타이밍을 유지할 수 있어야 합니다.

4. **리더의 표현과 의도:** 리더는 춤을 통해 자신의 의도를 표현하고, 이를 음악의 흐름과 함께 전달해야 합니다. 이는 타이밍뿐 아니라, 음악에 맞춰 어떤 움직임을 이끌어내는지에 대한 이해도 필요합니다. 이를 통해 리드는 파트너에게 춤의 방향과 표현을 명확히 전달하면서도 음악적인 템포와 비트를 고려해야 합니다.

5. **파트너와의 연결과 신뢰:** 타이밍 뿐만 아니라 파트너와의 연결과 신뢰에도 중요한 영향을 미칩니다. 정확한 타이밍을 유지하면 파트너는 리더를 믿고 따라갈 수 있습니다. 이는 춤의 안정성과 아름다움을 더해줍니다. 따라서 리더는 정확한 타이밍으로 파트너와의 연결을 강화하는 데 초점을 맞추어야 합니다.

춤은 음악과의 조화로 탄생하며, 리더의 타이밍은 이 조화를 유지하고 파트너와의 연결을 강화하는 데 큰 역할을 합니다. 경험과 연습을 통해 음악적인 타이밍을 익히고, 파트너와의 신뢰를 쌓아가는 것이 중요합니다. 이를 통해 댄스는 더욱 아름다워지고 흥미로워질 것입니다.

유연한 파트너십: 여성을 위한 맞춤형 텐션과 리드의 필요성

여성마다 리드 및 텐션을 다르게 조절하는 이유는 각각의 여성이 다르게 반응하고 움직이기 때문입니다. 이러한 차이를 고려하여 리더는 다양한 여성과의 댄스 경험을 향상시키고, 파트너와의 연결을 보다 유연하게 조절할 수 있습니다.

1. **여성의 신체적 체격:** 각각의 여성은 키, 체중, 근육량 등에서 신체적인 차이를 보입니다. 이러한 차이는 리드와 텐션을 다르게 받아들이게 만들 수 있습니다. 근력 및 근육량이 많은 여성은 강한 텐션을 원할 수 있고, 그에 반대로 부드럽고 섬세한 리드를 선호하는 경우도 있습니다.

2. **댄스 실력 및 경험:** 각각의 여성은 댄스에 대한 실력과 경험이 다릅니다. 댄스에 익숙한 여성은 리드의 신호를 더 잘 이해하고 반응할 수 있습니다. 반면에 경험이 적은 경우에는 더 부드러우면서 강한 리드와 명확한 텐션을 통해 댄스를 즐길 수 있습니다.

3. **여성의 나이:** 나이 또한 댄스에 영향을 미칩니다. 어린 여성은 유연하고 활기찬 움직임을 선호할 수 있으며, 나이가 들수록 부드러운 텐션과 느긋한 리드를 원할 수 있습니다. 나이에 따라 신체적인 특성과 움직임의 선호도가 변할 수 있습니다.

4. 현장 경험 부족: 어떤 여성들은 현장에서 춤을 춰보지 않았거나 특정한 스타일에 덜 익숙할 수 있습니다. 리더는 여성의 경험 부족을 고려하여 부드럽게 리드하고 새로운 스타일에 대한 이해를 도울 수 있습니다.

5. 습득한 춤에 따라: 여성이 습득한 춤이나 스타일에 따라서도 리드와 텐션을 조절해야 합니다. 어떤 춤은 더 강한 텐션과 활력적인 리드를 요구하고, 다른 춤은 부드럽고 섬세한 움직임을 선호할 수 있습니다.

이러한 이유들로 여성마다 리드와 텐션을 다르게 조절하는 것은 각각의 댄서와의 상호작용을 더욱 풍부하게 만들어 줄 뿐만 아니라, 파트너들이 댄스를 보다 편안하게 즐길 수 있도록 도와줍니다. 따라서 리더는 상황과 상대방의 특성을 고려하여 적절한 리드와 텐션을 제공하는 것이 중요합니다.

리드법

1. Weight Change(웨이트 체인저즈)

"웨이트 체인지(Weight Change)"는 댄스에서 매우 중요한 테크닉 중 하나로, 남성이 여성을 리드하는 데 사용되는 기술입니다. 이 기술은 남성이 자신의 체중을 정확하게 옮겨 여성에게 움직임의 방향과 템포를 알리는 데 중요한 역할을 합니다. 남성이 체중을 옮기는 방향과 정도를 조절함으로써 여성에게 특정 동작을 시사하며, 이는 파트너들 간의 의사소통과 협력을 강화합니다.

리더가 잘 리드하기 위해서는 강한 프레임을 유지해야 하지만, 너무 딱딱하면 상대방이 따라가기 어려워질 수 있고 프레임이 너무 약하면, 상대방은 힘들게 따라오려고 애쓰면서도 어려움을 겪을 수 있습니다.

여성은 남성의 체중 변화를 느끼고 그에 맞게 움직이며, 춤의 흐름을 형성합니다. 이를 통해 파트너 간의 조화로운 움직임이 만들어지며, 댄스의 흐름과 연결성을 유지합니다. 웨이트 체인지는 댄서들이 서로의 동작을 읽고 해석하는 데 사용되며, 함께 춤을 추는 과정에서 파트너 간의 신뢰와 협력을 촉진합니다. 정확하고 의도적인 체중 변화는 댄스의 자연스러운 흐름과 조화를 이루는 데 중요한 역할을 합니다.

2.Physicall(피지컬)

Physicall은 Weight Change와는 약간 다르며, 이것은 남성이 여성의 손을 잡은 상태에서 압력(텐션)을 통해 그녀의 움직임을 새로운 방향으로 이끄는 것을 말합니다. 이 압력(텐션)은 팔에서 나오는 것이 아니라 광배근과 몸의 측면을 활용하여 남성의 등으로부터 전달돼야 합니다. 피지컬 리드는 손과 팔의 움직임을 통해 파트너에게 힌트를 주고, 움직임을 조절하는 데 사용됩니다. 이 기술은 손과 손목의 힘과 압력을 조절하여 파트너의 움직임을 조절하고, 원하는 동작을 시도하는 데 사용됩니다.

물리적 리드는 다양한 춤 스타일에서 사용됩니다. 왈츠(Waltz)에서는 윙(Wing)이나 위브(Weave)를 상상할 수 있습니다. 또한, 기본적인 Whisk의 첫 번째 단계에서도 여성이 오른발을 돌리고 옆으로 물러나지 않고 뒤로 물러날 수 있도록 하는 데 물리적 리드가 사용됩니다. 아메리칸 스무스 댄스(American Smooth Dance)에서도 이러한 리드가 빈번하게 사용되며, 연결된 손이 회전을 통해 여성을 새로운 방향으로 안내합니다. 물론 라틴 댄스에서도 빈번하게 사용되며, Jive의 American Spin은 좋은 예시입니다.

이 기술은 상대방의 몸을 간접적으로 이끄는 데 사용되며, 특히 물리적인 접촉을 통해 파트너에게 움직임을 안내하고 통제하는 데 중요합니다. 댄스나 특정한 활동에서 파트너들 간의 의사소통과 연결을 강조하며, 파트너들 사이의 조화로운 협업과 소통을 이루는 데 사용됩니다.

3. Shaping(쉐이핑)

댄스에서의 "쉐이핑"은 주로 리더가 퍼포먼스나 춤을 이끄는 동안 상대방의 신체나 움직임을 조정하는 기술을 가리킵니다. 이는 주로 상대방의 몸이나 팔을 조금씩 움직여서 특정한 춤 스텝이나 움직임을 만들어내는 것을 의미합니다. 예를 들어, 리더가 특정 동작을 만들고자 할 때, 상대방의 팔이나 상체를 조정하여 움직임을 형성하고 방향을 지시합니다. 이는 리더가 파트너의 움직임을 조절하여 춤의 흐름을 만들거나 특정한 움직임을 연출하는 데 사용됩니다. 여성의 회전은 이러한 리드의 간단한 예시 중 하나입니다. 남성이 팔을 올려 들면서 움직이면, 여성은 팔 아래로 움직이도록 신호를 받게 됩니다. 만약 그가 팔을 얼굴 위로 들면, 그녀는 오른쪽으로 돌도록 안내를 받고, 반대로 팔을 왼쪽으로 움직이면 여성은 왼쪽으로 회전하도록 리드받을 수 있습니다.

초보자들은 고품격 스웨이를 만들려 하지만, 그렇게 하면 어색하고 부자연스러워 보일 수 있습니다. 스웨이는 에너지의 적절한 적용과 직접적인 연결이 필요합니다. 이러한 리드는 다양한 춤 스타일에서 사용되며, 간단한 동작부터 시각적으로 강렬한 스타일까지 모두 다룹니다. 이를 통해 춤을 처음 접하는 사람들도 움직임을 구성하는 방법에 대한 이해가 필요합니다. 그러나 단순히 한 방향으로만 기울이는 것이 아니라 상호적인 움직임이 필요합니다. 스웨이와 같은 움직임은 서로의 움직임에 반응하고 연결되어야 하며, 서로의 움직임이 조화롭게 어우러져야 합니다. 따라서 이러한 리드는 파트너 간의 조화와 상호작용을 강조하는 데 사용됩니다.

4. Visual(비쥬얼)

시각적 리드는 보통 고급 피규어에서 사용되며, 파트너들이 서로 직접적인 접촉 없이 움직이는 상황에서 발생합니다. "비쥬얼"은 댄스에서, 파트너 간에 손을 잡지 않고 상대방의 움직임을 시각적으로 인식하고 이를 따라가는 리드 방식을 말합니다. 이는 주로 시선과 시각적 신호를 통해 상대방의 움직임을 파악하고, 그것에 맞춰 따라가는 기술을 의미합니다. 여성은 남성의 움직임을 주의 깊게 관찰하고 그에 따라야 합니다.

여성은 남성의 움직임을 지연시켜 스핀 같은 동작을 완료할 때까지 기다린 후에 이어나가기도 합니다. 이는 상당히 도전적이며 정밀한 조정이 필요한 기술적인 측면이 강조됩니다. 연습을 통해 이러한 리드를 연마하기 위해서는 남성과 여성이 서로 떨어져서 춤을 시작하고, 여성이 그에 맞춰 따라가는 방식으로 훈련할 수 있습니다. 파트너들 간에 손을 잡지 않고 춤을 추거나 움직일 때, 한쪽 파트너가 시선과 시각적으로 인식한 상대방의 움직임을 따라가는 것이 비쥬얼 리드의 핵심입니다. 이는 상대방의 동작을 관찰하고, 시각적 신호를 통해 그에 맞춰 움직임을 따라가는 것을 의미합니다. 비쥬얼은 눈으로 상대방을 보고 상대방의 동작을 읽고 이해하여 따라가는 것으로, 상호 간의 시각적 의사 소통을 강조합니다.

5.foot(풋)

춤에서 발로 파트너를 리드하는 상태를 가리킵니다. 이는 주로 발과 다리를 사용하여 파트너에게 움직임을 안내하고 통제하는 방식으로, 발을 통해 움직임의 방향과 강도를 전달하는 기술입니다. 발의 위치, 압력, 그리고 움직임의 강도를 조절하여 파트너에게 신호를 전달합니다. 이는 바닥과 발 간의 압력 변화나 이동을 통해 파트너에게 움직임의 방향이나 동작을 알리는데 사용됩니다. 또한, 발의 움직임과 위치를 변경함으로써 파트너에게 다양한 신호를 전달하고, 움직임을 조절하는 데 활용됩니다.

6.beckon(베컨)

"베컨"은 댄스나 특정 상황에서, 손짓이나 몸의 움직임으로 파트너에게 특정 동작을 유도하거나 안내하는 방법을 가리킵니다. 주로 손짓이나 몸의 움직임을 활용해 상대방에게 움직임을 안내하고 특정 동작을 유도하는 기술입니다. 이 기술은 댄스나 특정 상황에서 파트너들 간 의사소통과 연결을 강조하며, 손짓이나 몸의 움직임을 통해 상대방과의 동작을 안내하고 의사소통하는 데 사용됩니다.

7.Chest(체스트)

"체스트"는 댄스에서 리더가 자신의 가슴 부분을 활용하여 움직임을 리드하거나 안내하는 방법을 의미합니다. 리더는 자신의 가슴 부분을 사용하여 상대방에게 특정한 동작을 안내하고, 춤의 특정 부분을 연출하거나 스텝을 이끌어내는 데 사용됩니다. 상체의 움직임이 파트너에게 전달되어 함께 춤을 추거나 연주할 때 사용되며, 리더와 팔로워 간의 움직임을 조화롭게 만들어줍니다. 이를 통해 댄스 파트너들은 서로의 움직임을 읽고 연결되어 자연스러운 춤을 만들어냅니다.

8.Pelvis(펠버스)

"펠비스" 리드는 댄스나 특정 활동에서 리더가 자신의 골반 부분을 사용하여 파트너에게 움직임을 안내하거나 조절하는 기술을 의미합니다. 이는 주로 골반의 움직임과 방향성을 이용하여 춤의 움직임을 조정하는 방식입니다. 골반의 움직임이 파트너에게 전달되어 특정한 춤 스텝이나 움직임을 연출하거나 이끌어냅니다. 골반의 방향과 움직임이 춤의 흐름을 결정하며, 파트너들 간의 움직임을 조화롭게 만들어줍니다. 이를 통해 댄스 파트너들은 서로의 움직임을 읽고 연결되어 자연스러운 춤을 만들어내며, 골반 리드는 이를 조율하는 데 중요한 역할을 합니다.

Lead hand(리드 핸드)

"Lead hand"는 댄스에서 남성이 춤을 이끄는 역할을 하는 손을 가리키는 용어입니다. 대부분의 스타일에서, 특히 라틴 댄스, 볼룸 댄스, 스윙 댄스 등에서 사용되며, 이 용어는 주로 댄스에서의 역할 분담을 설명할 때 사용됩니다. 예를 들어, 린디 홉이나 이스트 코스트 스윙과 같은 스윙 댄스에서는 남성이 리드하고 여성이 팔로우(follow)하는데, 남성이 사용하는 손을 "리드 핸드(Lead hand)"로 지칭합니다. 일반적으로, 남성은 왼손을 리드 핸드로 사용하는 경우가 많습니다.

남성의 리드 핸드는 여성의 팔로우 핸드(follow hand)와 연결되어 있으며, 리드 핸드를 통해 남성은 여성에게 동작, 회전, 이동 등을 지시하고 이끕니다. 여성은 리드 핸드의 동작을 감지하고, 그에 따라 따라가는 역할을 수행합니다. 이와 같은 역할 분담은 춤을 보다 조화롭게 이끄고 따르게 하며, 댄스 파트너들 간의 의사소통을 강화합니다. 따라서 리드 핸드와 팔로우 핸드의 상호작용은 춤의 원활한 진행과 파트너들 간의 연결을 가능케 합니다.

Lead foot(리드 풋)

파트너 댄스에서 전통적인 역할은 남성이 리드하는 것이며, 보통 여성은 오른손을 사용하여 남성의 안내를 받습니다. 그래서 이 맥락에서 "lead foot"은 남성의 댄스에서의 능동적인 역할을 상징할 수 있으며, 여성은 남성의 신호에 반응하는 것을 나타낼 수 있습니다.

피겨 용어

1. 베이식 피겨(basic figure)

"basic figure"는 댄스의 각 종목에서 공통적으로 사용되는 표준화된 기초적인 움직임이나 피규어를 가리킵니다. 이들은 해당 춤의 기본 기술과 움직임을 익히기 위한 기초를 제공하며, 새로운 춤을 배우거나 연습할 때 사용됩니다. 각 댄스 종목마다 고유한 베이식 피겨가 있으며, 이는 그 종목의 특징과 스타일을 반영합니다. 예를 들어, 왈츠의 베이식 피겨는 기본 스텝과 회전, 상호 작용하는 동작들로 구성될 수 있습니다. 라틴 댄스의 경우, 자이브, 삼바, 차차차, 룸바와 같은 각각의 댄스마다 특정한 베이식 피겨들이 존재합니다. 이러한 베이식 피겨들은 초보자들에게 기초 테크닉을 가르치는 데 사용되며, 댄스를 공부하거나 연습하는 동안 특정한 움직임이나 기술을 연습하는 데에도 활용됩니다. 또한, 댄스 경기나 대회에서도 베이식 피겨는 기본적인 움직임이나 스텝들을 평가하는 데에 사용될 수 있습니다.

2.스탠더드 배리에이션(standard variation)

스탠더드 댄스의 배리에이션은 베이식 피겨를 기반으로 하되, 해당 춤의 특성과 스타일에 맞게 변형되고 표준화된 것을 의미합니다. 이러한 배리에이션은 표준 댄스에서 베이식 피겨를 발전시켜 더 복잡하고 다양한 움직임을 포함하며, 전문적인 댄서들이 춤의 기술적인 수준을 높이고 경쟁에서 더 높은 점수를 받기 위해 사용됩니다. 예를 들어, 스탠더드 댄스에서 왈츠의 베이식 피겨 중 하나인 기본 스텝은 빠르고 우아한 회전과 함께 춤을 구성하는 기본적인 움직임입니다. 이를 스탠더드 배리에이션으로 발전시킨다면, 다양한 턴이나 스핀을 포함하여 보다 복잡하고 기술적으로 요구되는 움직임으로 변형될 수 있습니다. 또한, 왈츠나 폭스트롯과 같은 스탠더드 댄스의 다른 종목들도 각각의 베이식 피겨를 기반으로 한 다양한 배리에이션을 갖고 있습니다. 이러한 배리에이션은 춤의 스타일과 리듬에 맞게 피겨를 조합하거나 확장하여 고급 수준의 기술과 창의성을 보여줍니다.

스탠더드 댄스의 배리에이션은 댄서들의 표현력과 기술력을 향상시키는 데 사용되며, 대회나 공연에서 더욱 풍부하고 복잡한 춤의 모습을 보여줄 수 있도록 도와줍니다. 이러한 배리에이션은 다양한 댄서들에게 도전적이고 창의적인 춤의 경험을 제공합니다.

3. 네임드 배리에이션(named variation)

"named variation"은 특정 댄스 피겨나 스텝의 변형을 말합니다. 이는 해당 춤의 기본적인 피겨나 스텝을 기반으로 하되, 특정한 댄서나 댄스 커플에 의해 고안되거나 개발된 고유한 움직임이나 피겨를 지칭합니다. 이러한 네임드 배리에이션들은 특정 댄서나 코치, 댄스 그룹, 또는 커플에 의해 만들어지며 그들의 창의력과 개성을 반영합니다. 이들은 종종 해당 춤의 특정한 스타일이나 특징을 강조하거나, 댄서들의 고유한 스타일을 부각시키기 위해 사용됩니다. 예를 들어, 스탠더드 댄스에서 "Whisk"라는 베이식 피겨가 있습니다. 이 베이식 피겨를 기반으로 한 다양한 네임드 배리에이션들이 존재할 수 있습니다. 예를 들어, 댄서나 코치가 특별히 개발한 "Smith Whisk"나 "Jones Whisk"와 같은 네임드 배리에이션은 특정한 댄서나 그룹의 개성을 나타내는 움직임일 수 있습니다. 네임드 배리에이션은 해당 춤의 표준화된 피겨나 스텝을 베이스로 하지만, 그들만의 독특한 스타일과 특성을 반영하여 고유한 이름으로 부르며, 종종 그들만의 기술적인 요소나 창의적인 움직임을 가지고 있습니다. 이러한 네임드 배리에이션들은 댄스 커뮤니티에서 특정 댄서나 그룹의 유명세를 높이거나 그들의 스타일을 특색 있게 만드는 데 사용될 수 있습니다.

4. 포퓰러 배리에이션(popular variation)

"popular variation"은 해당 춤의 기본 피겨나 스텝을 기반으로 하되, 대중적이고 널리 사용되며 많은 댄서들이 알고 사용하는 특정한 댄스 움직임을 지칭합니다. 이러한 배리에이션들은 특정한 춤의 특징이나 스타일을 반영하면서도, 많은 댄서들이 인정하고 사용하는 표준적인 움직임이 될 수 있습니다.

포퓰러 배리에이션은 기본적인 피겨나 스텝을 변형하거나 발전시켜서 해당 춤의 특성을 강조하고 댄서들이 더 다양하고 풍부한 춤을 추기 위해 사용됩니다. 이는 주로 대중적인 댄스 수업이나 연습에서 흔하게 사용되며, 댄스 대회에서도 널리 인정받고 사용되는 움직임일 수 있습니다. 예를 들어, 차차(Cha-Cha)에서 "Cuban Breaks"는 포퓰러한 배리에이션 중 하나입니다. 이는 차차의 기본적인 스텝을 변형하여 특정한 차차차의 특징을 강조하고 댄서들이 자주 사용하는 움직임으로, 많은 댄서들이 이를 익히고 사용합니다. 포퓰러 배리에이션은 댄스의 표준화된 요소들을 바탕으로 하면서도, 댄서들의 창의성과 스타일을 표현하고 발전시키기 위해 사용되며, 새로운 춤을 익히거나 연습하는데 유용한 요소로 자리 잡고 있습니다. 이러한 배리에이션들은 댄스 커뮤니티에서 많은 댄서들 사이에 공유되고 표준화되어 널리 사용되고 있습니다.

5.시즌 배리에이션(season variation)

"season variation"은 특정한 계절이나 시기에 따라 댄스에서 유행하는 특정한 배리에이션을 가리킵니다. 이는 계절적인 변화나 특정 시간대에 맞게 댄스의 스타일이나 움직임이 변형되거나 인기를 얻는 경우를 의미합니다. 댄스 커뮤니티에서는 특정 계절이나 특정한 시간대에 따라 특정한 댄스 배리에이션이 유행할 수 있습니다. 예를 들어, 여름이 도래하면 라틴 댄스나 에서 스윙댄스가 더 경쾌하고 경쾌한 움직임이나 에너지가 더해지는 배리에이션들이 인기를 끌 수 있습니다. 또는 특정 춤의 대회 시즌에 맞추어 특정한 배리에이션들이 인기를 얻을 수도 있습니다.

이러한 시즌 배리에이션은 특정 시기에 댄스 커뮤니티에서 유행하는 트렌드나 스타일을 반영합니다. 댄서들이 특정 시기에 맞추어 더 특별하고 독특한 춤을 추거나 경쟁에 참여하기 위해 시즌 배리에이션을 학습하고 연습으로 댄스의 다양성을 더욱 풍부하게 만들고, 댄스 커뮤니티 내에서 흥미로운 변화를 가져올 수 있습니다.

여성이 싫어하는 8가지 리드 방법

나쁜 리드는 춤 파트너에게 불편함을 주거나 연결을 방해할 수 있어요.

1. **과도한 힘과 압박:** 파트너를 강제로 이끄는 듯한 과도한 힘과 압박은 상대방에게 불편함을 줄 수 있습니다.

2. **불명확한 신호:** 모호하거나 부정확한 동작이나 신호를 주면 파트너는 춤을 따라가기 어려워합니다. 명확한 리드가 필요합니다.

3. **자만심과 오만함**: 자만심을 드러내거나 오만한 태도를 취하면 상대방과의 협력과 연결이 어려워집니다. 서로의 경험과 능력을 존중해야 합니다.

4. **리스펙트(존견, 존중) 부족**: 파트너를 존중하지 않거나 그들의 능력을 고려하지 않으면 상대방은 춤을 즐기기 어려워합니다.

5. **타이밍 무시**: 음악의 타이밍을 무시하고 춤을 추면 파트너는 혼란스러워질 수 있습니다. 음악과의 조화를 유지해야 합니다.

6. **강압적인 동작**: 파트너가 따라가기 어려운 강압적인 동작을 시도하면 상대방에게 불편함을 줄 수 있습니다.

7. **무관심**: 춤을 추는 동안에도 파트너에게 무관심하다면 상호작용과 연결이 떨어질 수 있습니다.

8. **고정된 춤 스타일**: 유연성 없이 자신의 스타일에 고정된 채 춤을 추면 파트너의 취향이나 능력을 고려하지 않는 것일 수 있습니다.

이러한 행동들은 춤을 즐기는데 불편함을 초래할 수 있으므로 주의해야 합니다. 춤을 즐기며 파트너와의 즐거운 경험을 만들기 위해서는 서로의 경험과 존중을 중요시해야 해요.

여성이 잊지 못할 11가지 리드 방법

1. **상호적인 커뮤니케이션**: 리드는 상호작용에서 시작됩니다. 여성과의 소통은 매우 중요합니다. 파트너와의 의사소통을 위해 자연스러운 몸짓과 표정, 간결한 말투 등을 활용하세요.

2. **적절한 힘과 압력**: 파트너에게 편안함을 제공하기 위해 적절한 힘과 압력을 유지하세요. 너무 강하게 누르거나 당기지 않도록 주의하세요.

3. **타이밍과 음악**: 음악의 비트와 타이밍을 잘 파악하여 파트너와 함께 움직이세요. 음악을 느끼고 그에 맞춰 춤을 추는 것이 중요합니다.

4. **카리스마와 자신감**: 자신의 카리스마를 발산하고 자신감 있게 춤을 이끄세요. 자신감은 파트너에게 긍정적인 영향을 미칩니다.

5. **부드럽고 섬세한 움직임**: 부드럽고 자연스러운 움직임으로 여성이 따라가기 쉽도록 도와주세요. 섬세한 움직임이 연결을 강화합니다.

6. **파트너에 대한 존중**: 파트너의 경험과 능력을 존중하세요.

7. **창의성과 다양성**: 다양한 춤 스타일을 활용하여 새로운 동작을 시도하세요. 창의성을 통해 춤을 더욱 다채롭게 만들어보세요.

8. **자연스러운 리드**: 자연스럽고 유연한 리드로 여성이 편안하게 따라갈 수 있도록 도와주세요. 자연스러운 리드는 연결을 강화합니다.

9. **경계 존중**: 여성의 경계를 존중하고 파트너와의 거리를 적절히 유지하세요. 여성의 편안함을 최우선으로 생각해주세요.

10. **유쾌한 분위기**: 춤을 즐기고 미소와 유쾌함을 전달하세요. 함께하는 순간을 행복하게 만들어

주세요.

11. **자신의 표현과 유연성:** 자신만의 표현을 보여주며, 상황에 따라 유연하게 대처하세요. 다양한 상황에서 춤을 즐기세요.

여성이 기억에 남을 리드를 위해서는 서로의 연결과 존중, 친밀한 분위기를 조성하며 함께 춤을 즐기는 것이 중요합니다.

트로트 position

트로트에서도 지르박에서 사용하는 동작들을 대부분 사용하기 때문에 트로트에서도 다양한 포션이 있다

플러테이션 포지션(Flirtation Position)

"Flirtation"은 로맨틱하거나 애정 표현과 관련된 행동이나 표현을 의미하며, 리더와 팔로우가 가깝게 밀착해 있는 자세를 말함. Shadow Position의 한 종류이다.

커들 포지션(cuddle position)

플러테이션 포지션(Flirtation Position)이라고 함.

백 크로스 포지션(Back Cross position)

리더와 팔로우는 같은 곳을 바라보는 상태에서 리더는 왼손을 등 뒤로 가져가고, 팔로우는 왼손으로 리더의 왼손을 잡습니다. 팔로우는 오른손을 등 뒤로 가져가고, 리더는 오른손으로 여자의 오른손을 잡습니다. 이 자세를 백 크로스 포지션(Back Cross position)이라고 함.

사이드 카 포지션(Side car position)

클로즈드 포지션(Closed Position)에서 파트너와 오른쪽으로 비켜서 서며 서로의 왼쪽 허리를 잡는 자세.

크로스 홀드 포지션(Cross hold position)

파트너와 마주 보며 서면서, 오른손을 위에서 왼손을 아래에서 교차하여 잡는 자세를 의미합니다. 이 자세는 댄스 파트너들이 서로를 바라보면서 서로의 손을 교차시켜 잡는 포지션으로, Arm cross position 이라고도 한다.

케이프 포지션(Cape(Shadow) position)

남성이 여성의 왼쪽 뒤에서 서서, 서로의 방향을 향하는 자세에서 망토처럼 오른손으로 여성의 오른손을, 왼손으로 여성의 왼손을 잡는 자세.

챌린지 포지션(Challenge position)

남성과 여성이 서로를 향해 서 있지만 몸이 접촉되지 않고, 일정한 거리를 유지하면서 서로를 바라보는 것을 의미합니다.

클로즈드 페이싱 포지션(Closed facing position)

라틴, 리듬, 소셜 스타일에서 기본이 되는 포지션으로, 미국 스무스에서도 일부 사용됩니다. 이 포지션에서 남성과 여성은 서로를 바라보고 반대 방향으로 움직이지만, 몸은 서로에게 닿지 않고 약간의 간격을 유지하는 자세를 말합니다.

카운터 프롬나드 포지션(Counter Promenade position)

리더의 상체 왼쪽과 팔로우 상체 오른쪽이 서로 맞닿아 있는 상태에서 그 반대쪽은 열려 있는 자세를 지칭함.

엘보 훅 클로즈드 포지션(Elbow hook closed position)

남녀가 서로의 팔꿈치를 굽혀 오른쪽 팔과 오른쪽 팔 또는 왼쪽 팔과 왼쪽 팔을 서로 끼며 서는 자세를 말함. 또한, 회전할 때 팔을 굽히는 동작을 "Elbow Swing"이라고도 한다.

에스코트 포지션(Escort position)

오픈 포지션과 유사하면서도 다른 점이 있습니다. 이 포지션에서 남성은 오른쪽 팔꿈치를 구부려 만든 상태를 유지하며, 여성은 자신의 왼팔을 남성의 오른쪽 팔에 팔짱을 하거나 올려놓는 방식을 취합니다. 즉, 여성이 남성의 오른팔 안쪽으로 왼팔을 넣고, 그의 전완(팔뚝과 손목 사이의 부분) 위에 자신의 전완을 올려놓는 형태의 오픈 포지션을 의미합니다

폴오웨이 포지션(Fall-away position)

프로메네이드 포지션에서 댄서가 한 발짝 뒤로 물러난 자세.

피겨 헤드 포지션(Figurehead position)

남성과 여성이 같은 방향을 향하고 있고, 여성이 남성의 오른쪽에 있으며, 서로 몸을 약간씩 돌려 서로를 쳐다보는 상태를 말합니다. 남성의 오른손은 여성의 등에 위치하거나 근처에 있고, 여성의 왼손은 남성의 오른쪽 어깨 부근에 있는 경우를 묘사하고 있습니다. 이 포지션에서 자유롭게 나머지 팔은 옆으로 펼쳐질 수 있습니다. ' Left Half Open(왼쪽 반 오픈)' 포지션에서는 여성이 남성의 왼쪽에 있습니다.

클로즈드 포지션(Closed Position)

클로즈드 포지션은 스무스 볼룸 댄스에서 가장 기본적이고 흔하게 사용되는 자세로 두 파트너가 서로를 마주 보면서 잡는 자세를 말합니다.

아웃사이드 파트너 포지션(라이트 사이드(Outside Partner Position (Right Side))

라이트 아웃사이드 파트너 포지션은 클로즈드 포지션의 변형으로, 발의 궤적이 서로 오프셋되어 한 파트너가 다른 파트너의 오른쪽 다리 바깥쪽으로 이동할 수 있도록 하는 자세입니다.

해머락 포지션(Hammerlock position)

해머락 포지션은 라틴 댄스 중 하나인 살사나 소셜 댄스에서 사용되는 특정한 포지션입니다.

해머락 포지션은 남녀가 서로를 향해 마주보는 포지션으로, 주로 남성이 여성의 한쪽 팔을 등 쪽으로 감아 꺾는 자세를 의미합니다. 여기서 모든 손이 낮게 위치하고 한 파트너의 한 손은 등 뒤로 감춰집니다. 일반적으로 여성은 남성의 오른쪽에 서 있고, 왼손은 등 뒤로 감추는 경우가 많습니다.

보통은 여성의 팔이 등 뒤로 꺾이며, 남성이 여성의 팔을 컨트롤하여 움직임을 지시하거나 특정한 춤 스텝을 연출하기 위해 사용됩니다.

핸드셰이크 홀드 포지션(Handshake Hold position)

리더는 오른손으로 팔로우의 오른손을 마치 악수를 하는 듯이 잡는 것을 의미합니다.

하이 라인 포지션(High Line position)

두 사람이 정지한 상태에서 높은 자세를 취하는 것을 말합니다. '하이 라인'과 '프롬나드 스웨이'의 차이는 아마도 하이라인에서는 남성이 왼쪽 다리를 펴고 왼쪽으로 조금 늘어진 자세를 취하며, 둘 다 위를 쳐다보는 것일 수 있습니다. 반면에 프롬나드 스웨이에서는 남성이 왼쪽 다리를 부드럽게 구부리고 오른쪽으로 약간 늘어진 자세를 취하며, 둘 다 바깥쪽을 바라보는 것으로 설명됩니다.

인버티드 카운터프롬나드 포지션(Inverted Counter Promenade position)

이 자세는 댄스에서 남성이 여성의 몸의 좌측에 위치하여 오른쪽 측면이 접촉하고, 여성이 남성의 몸의 우측에 위치하여 왼쪽 측면이 접촉하는 자세를 의미합니다. 댄서들이 서로 반대쪽으로 V자 형태로 열린 포지션을 취하면서 춤을 추거나 특정한 연출을 할 때 이 자세가 사용됩니다. 이는 댄서들이 서로의 움직임과 흐름을 조율하고, 다이내믹한 춤의 흐름을 만들어내는 데 사용됩니다. 인버티드 카운터프롬나드 포지션은 댄스에서 파트너들이 서로의 연결과 조화를 나타내며, 댄스의 다양성과 아름다움을 부각시키는 데 중요한 역할을 합니다.

레프트 핸드셰이크 포지션(Left Hand Shake Position)

리더는 왼손으로 팔로우 왼손을 마치 악수를 하는 듯이 잡는 것을 의미합니다

레이오버 포지션(Layover position)

여성이 일반적으로 취하는 자세로, 여성이 남성에게 기대어 몸을 휘거나 감싸는 자세를 의미합니다. 이때 여성은 남성의 몸에 몸을 따라 기대어 드레이핑하는 자세를 취하게 됩니다. 이 자세는 댄스나 소셜 댄스에서 파트너들 사이의 연출이나 연결을 나타내는 데 사용됩니다.

("드레이핑"은 주로 어떤 것을 다른 것 위에 느슨하게 펼치거나 깔거나 또는 끼워 넣는 것을 가리키는 용어입니다. 여기서 언급된 상황에서는 여성이 남성에게 기대어 몸을 느슨하게 휘거나 꼿꼿하게 하는 모습을 말합니다. 이는 어떤 것을 다른 것에 부드럽게 늘어놓는 듯한 이미지를 상상할 수 있는 행동을 의미합니다.)

레프트 하프 오픈 포지션(Left Half Open position)

이 포지션은 두 사람이 같은 방향을 향해 서 있으며, 여성이 남성의 왼쪽에 위치하고 있고 서로 몸을 반대로 돌린 상태를 나타냅니다. 남성의 왼손바닥이 여성의 등에 놓여 있으며 여성의 오른손이 남성의 왼쪽 어깨 근처에 있거나 그에게 가까운 위치에 있습니다. 여기서 자유로운 팔은 옆으로 펼쳐질 수 있습니다.

레프트 오픈 페이싱 포지션(Left Open Facing position)

파트너들이 서로를 마주 보고 있지만 조금 떨어져 있는 상태로 남성의 왼손과 여성의 오른손이 서로 연결되어 있습니다. 이 상황에서는 남성의 오른팔과 여성의 왼팔이 옆으로 펼쳐져 있을 수 있습니다.

레프트 오픈 포지션(Left Open Position)

리더와 팔로우가 같은 방향으로 서 있는 상태로 팔로우가 리더의 왼쪽에 서 있는 자세를 말합니다. 리더 왼손으로 팔로우 오른손을 그립.

레프트 사이드 포지션(Left Side position)

팔로우가 리더의 왼쪽 측면에 위치하고, 둘 다 같은 방향을 향하는 자세를 의미합니다. 이 자세는 댄서들이 서로의 측면을 맞닿게 하면서 같은 방향으로 향해 서 있을 때 사용됩니다.

레프트·사이드·바이·사이드·포지션(Left Side-by-Side position)

레프트 사이드 포지션(Left Side position)과 같은 자세임.

레프트 섀도우 포지션(Left shadow position)

팔로우가 리더의 왼쪽 측면에서 약간 앞이나 뒤에 위치하면서, 둘 다 같은 방향을 향하는 자세를 의미합니다.

레프트 바르수비엔느 포지션(Left Varsouvienne position)

파트너들이 같은 방향을 향해 서 있으며, 남성이 여성 뒤에 있으면서 여성 오른쪽에 위치한 자세입니다. 남성은 여성의 오른손을 자신의 오른손으로 약간 앞쪽과 위쪽에 잡고 있으며, 왼팔은 여성의 어깨 뒤를 지나가며, 왼손은 여성의 왼쪽 어깨 위쪽 쪽에 잡고 있습니다.

맨 레프트 바르수비엔느 포지션(Man's Left Varsouvienne position)

파트너들이 같은 방향을 바라보며 서 있는데, 남성은 약간 앞쪽에 있고 여성의 왼쪽에 위치하고 있습니다. 여성은 남성의 오른손을 자신의 오른손으로 약간 앞쪽과 위쪽에 잡고 있으며, 여성의 왼팔은 남성의 등을 따라 지나가고 왼손은 남성의 왼쪽 어깨 쪽에 위치해 있습니다.

맨 바르수비엔느 포지션(Man's Varsouvienne position):

파트너들이 같은 방향을 바라보며 서 있는데, 남성이 여성 앞에 있으면서 그녀의 오른쪽에 위치합니다. 여성은 남성의 왼손을 자신의 왼손으로 약간 앞쪽과 위쪽에 잡고 있으며, 여성의 오른팔은 남성의 어깨를 따라 지나가고, 오른손은 다시 남성의 오른쪽 어깨 위쪽 쪽에 잡고 있습니다.

오픈 페이싱 포지션(open facing position)

이 자세는 댄서들이 서로에게 약간의 공간을 두고 서로를 향해 서 있을 때 취하는 자세입니다.

프롬나드포지션(Promenade position)

팔로우가 리더의 오른쪽에 V자 형태로 위치하여 연결되는 자세를 의미합니다.

픽쳐 피겨 포지션(Picture Figure position)

'힌지', '세임 풋 런지', '프로메나드 스웨이', '스로어웨이 오버스웨이'와 같은 움직임들을 말하며, 또한 '하이 라인'과 같은 동작들을 포함합니다.

('Picture Figure'는 댄스나 소셜 댄스에서 특정한 동작이나 움직임을 가리키는 용어입니다. 이는 일종의 정지된 동작으로, 파트너들이 특정한 자세나 포즈를 취하고 일정 시간 동안 그 자세를 유지하는 것을 말합니다.)

리버스 세미-클로즈드 또는 카운터 프로메나드 포지션 (Reverse Semi-Closed or Counter Promenade position)

클로즈 포지션에서 시작해서, 남성은 오른쪽으로 1/8 돌아가고 여성은 왼쪽으로 1/8 회전합니다. 이렇게 하면 남성의 왼쪽 엉덩이가 여성의 오른쪽 엉덩이에 닿게 됩니다. Semi-Closed Position과 비교하면, Semi-Closed Position에서는 남성의 오른쪽 엉덩이와 여성의 왼쪽 엉덩이가 서로 맞닿은 상태죠. 하지만 이 포지션에서는 좌우로 이동하지 않아요. 여성은 여전히 남성의 오른쪽에 있어야 해요. 남성의 오른손은 여전히 여성의 등에 놓여 있지만, 이 포지션에서는 약간 더 편안한 자세를 취할 수 있습니다. 리드하는 손은 여전히 서로 연결된 채로 옆에 위치합니다.

리버스 바르수비엔느 포지션(Reverse Varsouvienne position)

남성과 여성이 서로의 위치를 차지하는 상황입니다. 두 파트너는 같은 방향을 바라보며, 여성이 남성 뒤쪽에 위치하면서 그의 왼쪽에 있습니다. 여성은 남성의 왼손을 자신의 왼손으로 약간 앞쪽에 놓은 상태입니다. 여성의 오른팔은 남성의 어깨 뒤쪽을 지나가며, 오른손은 다시 남성의 오른쪽 어깨 위쪽에 위치하거나, 만약 그가 너무 키가 크다면 다른 편안한 위치에 놓을 수도 있습니다.

쉐도우 포지션(Shadow Position)

파트너들이 같은 방향을 바라보되, 한 명(일반적으로 남성)이 다른 한 명의 왼쪽에 약간 뒤에 서 있는 상황을 의미합니다. 종종 벌어지는 실수는 서로가 너무 옆으로 이동하여 거의 엉덩이가 맞닿을 정도로 가까워지는 경우입니다. 실제로 여성은 클로즈 포지션에서 있을 자리에 있어야 하지만, 남성의 오른쪽 엉덩이에 위치하면서 몸은 돌아서 있는 상태입니다. 손의 위치는 명확히 언급되지는 않지만, 보통 왼손끼리 잡거나 남성의 오른손이 여성의 등이나 오른쪽 엉덩이 위에 편안하게 놓여 있습니다. 이 포지션은 여성의 그림자(Shadow)라고 더 구체적으로 불릴 수 있습니다. 남성은 여성을 '그림자처럼' 따라가는 것이죠. '왼쪽 그림자(Left Shadow)'에서는 여성이 앞에 있고 왼쪽에 위치합니다. '남성의 그림자(Man's Shadow)'에서는 남성이 앞에 있고 여성은 왼쪽 뒤쪽에 약간 뒤쳐져 있습니다. '남성의 왼쪽 그림자(Man's Left Shadow 또는 Reverse Shadow)'에서는 남성이 앞에 있고 왼쪽에 위치합니다.

스타팅 포지션(Starting Position)

스타팅 포지션은 각각의 춤이나 춤 동작을 시작할 때 댄서들이 취하는 특정한 위치와 방향을 가리킵니다. 보통 스타팅 포지션은 두 댄서가 서로에게서 얼마나 떨어져 있는지, 어떤 방향으로 향하고 있는지, 각 댄서의 팔과 다리의 위치 등을 포함합니다. 이는 춤의 특성과 동작에 따라 변할 수 있습니다. 예를 들어, 사교춤에서 스타팅 포지션은 두 댄서가 서로에게 약간 가까이 서 있고, 손을 잡거나 팔을 펴고 특정한 방향을 향하도록 설정될 수 있습니다.

스케이터스 포지션(Skaters position)

파트너들이 같은 방향을 바라보며, 남성이 여성의 왼쪽에 조금 뒤쳐져 있습니다. 왼손끼리 연결되어 여성의 앞쪽에 위치하고, 그 높이는 여성의 어깨보다 조금 더 높게 잡힙니다. 오른손끼리는 여성의 오른쪽 엉덩이 부분에서 서로 연결됩니다. 또는 남성이 단순히 여성의 등 뒤로 오른팔을 뻗고, 여성은 손을 허리에 놓거나 옆으로 뻗을 수 있습니다. '스커트 스케이터(Skirt Skaters)'에서는 여성이 오른손으로 스커트를 펼치고 있습니다. 남성의 오른손은 여성의 오른쪽 엉덩이에 위치합니다. 이것은 일종의 그림자(Shadow) 포지션입니다.

세미 클로즈드 포지션(Semi closed position)

closed position과 손의 위치는 같으나 남성의 오른쪽, 여성의 왼쪽 허리를 서로 가까이 하고 반대쪽 V형으로 벌리고 서로 잡는 선의 방향을 보는 자세.

레인디어 포지션(Reindeer closed position)

남녀 같은 방향으로 향하여 여성은 남성 뒤에 서서, 남성 어깨 위쪽에서 남성의 왼손, 남성의 오른손과 여성의 오른손을 잡고 여성은 조금 왼쪽으로 비켜선다. 여성이 남성 뒤에 서고, 남성의 어깨 위쪽에서 남성의 왼손을 잡고, 남성의 오른손과 여성의 오른손을 잡아 서로를 향해 같은 방향으로 서 있는 자세

스타 포지션(Star position)

서로를 바라보는 포지션인데 약간 오프셋된 상황입니다. 오른쪽 엉덩이끼리 맞닿아 있고, 여성이 남성보다 조금 앞쪽에 있습니다. 오른손끼리는 어깨 높이나 그 이상에서 잡히며, 오른쪽 팔꿈치가 서로 닿을 수도 있습니다. '왼손 스타(Left-Hand Star)'에서는 각자 180도 회전하여 왼손끼리 합칩니다. 여성은 남성의 왼쪽 측면에 약간 앞에 위치하게 됩니다.

("오프셋"이란 일반적으로 두 가지 요소 또는 대상이 정확하게 일치하거나 중앙에 위치하지 않고, 약간씩 이격(사이가 벌어짐)되거나 떨어져 있는 상태를 가리킵니다. 무언가가 중심으로부터 조금 떨어져 있거나 정렬이 완벽하게 되어 있지 않고 약간 이격되어 있는 경우를 말합니다.)

탬덤 포지션(Tandem position)

여성은 남성 앞에 위치하고 남성은 여성의 뒤를 따라 움직이는 자세를 말함.

타마라 포지션(Tamara position)

댄스 파트너들이 서로 마주보고 서서 오른쪽 허리를 가까이하고, 남성이 오른손으로 여성의 오른쪽 허리 뒤에서 여성의 오른손을 잡고, 왼손으로 여성의 오른손을 남성의 머리 위에서 잡는 자세

이것은 해머락의 한 형태입니다.

투 핸드 홀드 오픈 페이싱 포지션(Two Hand Hold Open Facing position)

"투 핸드 홀드 오픈 페이싱 포지션"은 댄스에서 파트너와 양손을 모두 잡고 서로를 마주 보는 자세를 나타냅니다.

라이트 사이드 포지션(Right Side position)

팔로우가 리더의 오른쪽 측면에 위치하면서 둘 다 같은 방향을 향하는 자세.

라이트·사이드·바이·사이드(Right Side-by-Side position)

라이트·사이드·바이·사이드(Right Side-by-Side position)와 같은 자세.

라이트 섀도우 포지션Right shadow position)

팔로우는 리더의 오른발 앞에 위치하고, 둘은 같은 방향을 향해 서 있는 자세.

라이트 사이드 랩 포지션(Right Side Wrap position)

팔로우는 리더의 오른쪽 측면에 위치하여 둘이 같은 방향을 향하게 됩니다. 리더는 오른팔로 팔로우의 등을 감싸며, 팔로우의 가슴 아래쪽에서 오른손으로 팔로우의 왼손을, 왼손으로는 팔로우 오른손을 잡게 됩니다. 이때 팔로우 오른팔을 왼팔 위로 교차하는 자세를 취하게 됩니다.

발소비안느 포지션(Varsouvienne position)

발소비안느 포지션에서 파트너들은 서로 같은 방향을 향하며, 여성은 남성의 왼쪽 앞을 약간 향하는 경향이 있습니다. 여성의 손은 보통 어깨 높이나 그보다 높은 위치에 위치하며, 손바닥은 앞을 향하고 손가락은 약간 위쪽이나 대각선으로 올려져 있습니다.

남성의 왼팔은 일반적으로 여성의 등 위쪽이나 머리 뒤를 향하며, 남성은 왼손으로 여성의 왼손을, 오른손으로 여성의 오른손을 잡습니다. 이때 손가락 끝을 손과 엄지 사이에 끼우며, 손을 가볍게 잡는 것이 보통의 방식입니다.

바르수비엔느 포지션(Varsouvienne position)

파트너들이 같은 방향을 바라보며, 남성이 여성 뒤에 있고 여성의 왼쪽에 위치한 포지션입니다. 남성은 왼손으로 여성의 왼손을 약간 앞쪽에서 어깨 위쪽에 잡고 있습니다. 그의 오른팔은 여성의 어깨 뒤를 따라 지나가며, 오른손은 다시 옆쪽에 위치하며 여성의 어깨 위쪽에 잡고 있습니다.

'맨의 바르수비안(Man's Varsouvienne)'에서는 남성과 여성이 서로의 자리를 차지합니다. 두 파트너는 여전히 같은 방향을 바라보며, 여성이 남성 뒤에 있고 남성의 왼쪽에 위치합니다. 여성은 왼손으로 남성의 왼손을 약간 앞쪽에서 자신의 왼쪽 어깨 위쪽에 잡고 있습니다. 오른팔은 남성의 어깨 뒤를 따라 지나가며, 오른손은 다시 옆쪽에 위치하며 남성의 어깨 위쪽에 잡고 있습니다.

'맨의 레프트 바르수비안(Man's Left Varsouvienne)'에서는 남성이 앞에 있지만 여전히 여성의 왼쪽에 위치합니다. 여성은 높게 들어 올린 왼손으로 남성의 왼손을 잡아 올립니다. '레프트 바르수비안(Left Varsouvienne)'은 여성을 앞에 놓고 남성의 왼쪽에 위치시킵니다. 이 모든 포지션은 그림자(Shadow)의 한 유형입니다.

랩 포지션(Wrap position)

남성은 여성의 뒤에 약간 왼쪽에 서면서 여성은 양팔을 크로스(교차)시켜 뒤쪽에 있는 남성에게 양손을 내밀어 줍니다. 남성은 이 크로스 상태인 여성의 양팔을 잡은 자세를 취하게 됩니다. 랩 포지션은 라틴 댄스, 사교댄스(지루박)에서 많이 사용되는 포지션중 하나입니다.

position 약자

포지션	약자
Contra Body Movement Position	CBMP
Counter Promenade Position	CPP
Left Side Position	LSP
Outside Partner	OP
Promenade Position	PP

Right Sid Position	RSP
Tandem Position	TP
Closed Facing Position	CFP
Fall-away Position	FP
Right Side by Side Position	RSSP
Left Side by Side Position	LSSP
Right Shadow Position	RSP
Right Contra Position	RCP
Left Contra Position	LCP

발 포지션

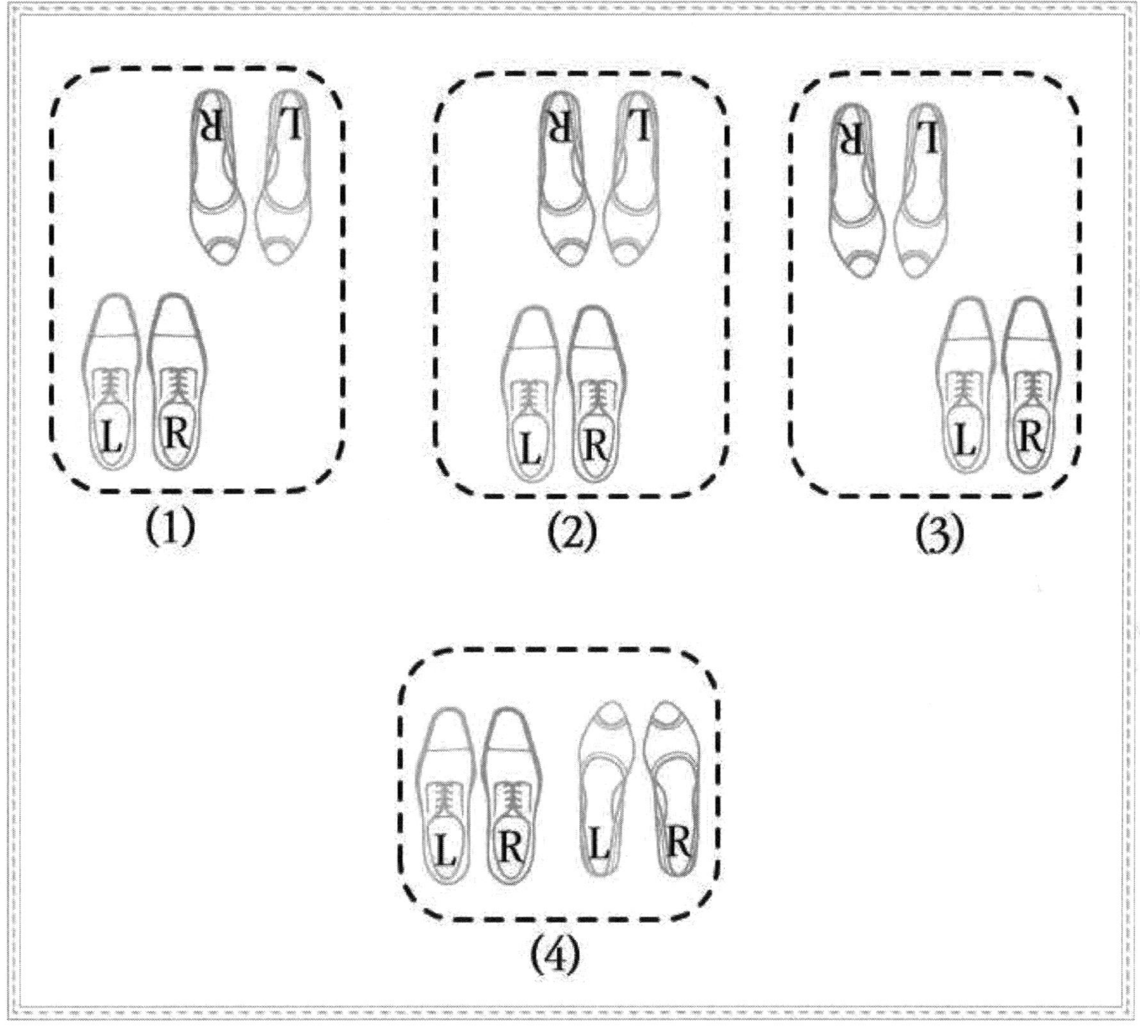

번호	포지션
1	Normal Position
2	Outside Position
3	promenade Position
4	inside Position

핸드 포지션(Hand position)

버티컬 핸드 포지션

손목을 세워 그립. 블루스나 왈츠 등에 사용

룸바 핸드 포지션

룸바, 맘보 등에 사용되는 핸드 포지션

탱고 핸드 포지션

서로의 손을 잡을 때 팔로우의 손목을 굽히고 손바닥을 오른쪽 바깥쪽으로 향하도록 하는 자세입니다.

린디 핸드 포지션

팔로우 오른손 손바닥을 아래로 향하고, 리더 왼손 손바닥은 위로 향한 상태에서 리더와 팔로우는 서로 손바닥끼리 포갠 후 주먹을 살짝 쥔다. 자이브에 사용되는 핸드 포지션

투 핸드 홀드 포지션(two hand hold position)

투 핸드 홀드 포지션은 지르박이나 포크댄스에서 사용되는 자세 중 하나입니다. 이 자세에서는 리더와 팔로우가 서로 마주 보며 양손을 맞잡는 자세를 취합니다.

크로스 핸드 홀드 포지션(crossed hold position)

리더와 팔로우가 서로 마주 보며 양손을 교차시켜 연결하는 자세를 취합니다.

샤인 포지션(Shine Position)

파트너와 정면에서 서로 손은 잡지 않은 상태

투 핸드 조인드(Two Hands Joined)

여성과 남성이 정면에 서로 바라보면서 양손으로 잡는 방법.

원 핸드 조인드(One Hand Joined)

남성과 여성이 서로 마주 서서 한쪽 손을 맞잡는 방법

인사이드 핸드 조인드(Inside Hands Joined)

손 안쪽 결합

스윗핫트(Swee-theart)

리더는 팔로우 등 뒤 옆에서 팔로우의 한 손이나 두 손을 맞잡는 것.

댄스에서 포지션의 중요성

댄스에서 포지션은 춤을 추는 과정에서 매우 중요한 역할을 합니다.

1. 균형과 안정성: 올바른 포지션은 춤을 추는 동안 균형을 유지하고 안정성을 제공합니다.
2. 연결감과 흐름: 파트너와의 연결을 강화하여 함께 움직이는 흐름을 형성합니다.
3. 체형과 각도 조절: 포지션을 조절하여 댄서들의 체형과 파트너의 움직임에 맞춥니다.
4. 안무의 완성도: 올바른 포지션은 안무의 완성도를 높여주어 춤을 더욱 아름답게 만듭니다.
5. 리드와 텐션 제공: 올바른 포지션은 리드와 텐션을 제공하여 춤을 안내하고 파트너의 안전을 지킵니다.
6. 간격 조절: 포지션을 조정하여 파트너와의 적절한 간격을 유지합니다.
7. 팔과 다리의 위치: 정확한 포지션은 손과 발의 위치를 제어하여 춤을 정확하게 이끕니다.
8. 프레임 유지: 올바른 포지션은 프레임을 유지하여 춤을 안정적으로 이끌어갑니다.
9. 댄스 스타일에 따른 적응: 각각의 댄스 스타일에 맞게 포지션을 조절하여 적절한 안무를 표현합니다.
10. 대회에서의 중요성: 대회에서는 올바른 포지션은 점수에 영향을 미치는 중요한 요소입니다.
11. 파트너와의 호흡: 올바른 포지션은 파트너와의 호흡을 조율하여 함께 춤을 추도록 돕습니다.
12. 자세의 효과적인 사용: 정확한 자세는 다양한 춤 요소들을 효과적으로 사용할 수 있도록 돕습니다.
13. 파트너와의 연결성: 포지션은 파트너와의 연결성을 높이고 함께 춤을 이끌어갑니다.
14. 최적의 움직임: 올바른 포지션은 최적의 움직임을 가능하게 하여 춤을 자연스럽고 부드럽게 만듭니다.
15. 표현력 강화: 올바른 포지션은 춤의 표현력을 강화하여 춤을 더욱 감각적으로 만듭니다.

이러한 이유들로 인해 포지션은 춤을 추는 과정에서 매우 중요한 역할을 합니다. 춤의 흐름과 연결성을 높이며 안정성과 아름다움을 제공합니다.

Connection(커넥션)

"Connection(커넥션)"은 춤에서 파트너 간의 의사소통 수단으로, 시각적이거나 신체적인 접촉을 통해 이루어지며, 리딩(Leading)과 팔로잉(Following)을 가능케 하는 것입니다. 좋은 커넥션은 다음을 포함합니다:

1. 경청과 응답(Attentiveness and Response): 경청과 응답은 댄스 파트너와의 소통과 협업에서 중요한 역할을 합니다. 댄스에서 이것들은 상호작용과 함께 춤을 더욱 흥미롭게 만드는 데 사

용됩니다.

경청은 파트너의 움직임, 타이밍, 그리고 의도에 집중하는 것을 의미합니다. 상대의 동작을 주의 깊게 듣고 보면서 파트너가 전달하려는 메시지를 이해하려고 노력하는 것입니다. 이는 춤을 출 때 상대방을 경의로 존중하고 함께 조화롭게 움직일 수 있도록 돕는 중요한 요소입니다.

응답은 이에 대한 적절한 반응을 의미합니다. 파트너의 움직임에 대한 민감한 반응과 함께, 상황에 맞게 적절한 동작이나 표현을 보이는 것을 의미합니다. 파트너의 움직임과 의도에 따라 조정된 자신의 동작을 통해 응답함으로써, 파트너와의 조화로운 춤을 만들어갈 수 있습니다.

경청과 응답은 상호적인 소통을 기반으로 하며, 댄스를 보다 연속적이고 조화롭게 만들어주는 데 중요한 역할을 합니다. 상대를 경청하고 존중하는 태도를 가지고, 상호 간에 응답을 통해 춤을 서로 더욱 풍부하게 만들어가는 것이 핵심이죠.

2. 적절한 신체적 접촉(Adequate Physical Contact): 적절한 신체적 접촉은 댄스에서 소통과 연결을 강화하는 데 중요한 역할을 합니다. 이는 댄스 파트너들 간의 신체적인 상호작용을 통해 춤을 원활하게 이끌어내고, 리더와 팔로우 간의 효과적인 의사소통을 가능하게 합니다.

파트너들 간의 적절한 신체 접촉은 서로의 몸을 익히고 이해함으로써 춤을 더욱 자연스럽게 만들어줍니다. 이는 리더가 움직임을 시작하고, 그것을 받아들이며 응답하는 팔로우에게 신호를 보내는 데에도 사용됩니다. 이 접촉은 춤 스타일과 파트너의 편안함에 따라 다양합니다. 일부 춤에서는 손과 손의 접촉만으로 충분하지만, 다른 춤에서는 더 밀접한 신체 접촉이 필요한 경우도 있습니다. 특정 춤 스타일이나 루틴에서는 서로의 몸에 밀착되는 동작이 필요할 수 있습니다.

중요한 점은 이 신체적 접촉이 상대방의 편안함과 존중을 기반으로 이루어져야 한다는 것입니다. 파트너의 편안함을 최우선으로 고려하며, 상호 간에 합의된 수준의 접촉을 유지하는 것이 중요합니다. 이를 통해 춤이 서로의 움직임과 의도를 원활하게 전달하고 받을 수 있도록 돕습니다.

3. 부드러운 리드와 센시티브 팔로우(Smooth Lead and Sensitive Follow): 부드러운 리드와 센시티브한 팔로우는 댄스에서 중요한 개념 중 하나입니다. 리딩하는 쪽은 부드럽고 명확한 지시를 제공하여 파트너와 춤을 이끄는 역할을 합니다. 이는 리더가 움직임을 시작하고, 그것을 명확하게 전달하고자 하는 것을 의미합니다. 부드러운 리드는 댄스 파트너가 따라가기 쉽고 흐름을 끊지 않게 만들어줍니다. 이는 댄스를 보다 자연스럽고 조화롭게 만들어줍니다.

팔로우하는 쪽은 세심하고 정확하게 리더의 지시를 읽고 이해하며, 그에 맞춰 움직이는 역할을 합니다. 세심한 팔로우는 리더의 움직임과 의도를 빠르게 파악하고, 그에 맞춰 조화롭게 반응하는 것을 의미합니다. 정확한 타이밍과 움직임으로 리더의 의도를 잘 받아들이면서, 파트너의 동작과 흐름에 부드럽게 반응합니다. 이러한 부드러운 리드와 세심한 팔로우는 춤의 연속성과 조화를 유지하는 데 중요합니다. 리더와 팔로워 간의 상호작용과 신뢰는 춤의 흐름을 부드럽고 자연스럽게 만들어주며, 서로를 이해하고 존중하는 것이 댄스의 핵심이 됩니다. 이를 통해 춤이 더욱 연결되고 아름답게 표현될 수 있습니다.

4. **적절한 텐션**(Tension): 춤을 출 때 파트너들 간에 필요한 힘과 압력을 적절하게 유지하면서 서로의 균형을 유지하는 것을 의미합니다.

텐션은 춤의 흐름과 연결성을 유지하는 데 큰 역할을 합니다. 이는 춤을 출 때 서로의 몸과 손 사이에 적절한 압력과 긴장을 유지하여 춤의 동작을 조절하는 것을 의미합니다. 파트너들 간에 적절한 텐션을 유지하면 서로를 이끌고 응답하는 것이 더욱 쉬워집니다. 예를 들어, 댄스에서 손을 잡을 때, 서로의 손에 적절한 압력을 느끼면서, 그 압력을 유지함으로써 춤의 움직임과 흐름을 조절할 수 있습니다. 이는 춤의 종류나 스타일에 따라 다르게 적용되며, 텐션의 강도와 방향은 춤을 출 때 매우 중요한 역할을 합니다. 적절한 텐션을 유지함으로써 춤이 더욱 연속적이고 조화롭게 이뤄지며, 서로의 움직임을 조절하고 조화롭게 이끌어 나갈 수 있게 됩니다. 이는 춤의 흐름과 아름다움을 높여주는 중요한 요소 중 하나입니다.

5. **소통과 공유**(Communication and Sharing): 소통과 공유는 춤을 출 때 매우 중요한 개념입니다. 이는 댄스 파트너들 간에 움직임과 의도를 명확하게 전달하고 서로의 춤을 즐기며 공유하는 과정을 의미합니다. 댄스는 소통의 한 형태로 볼 수 있습니다. 움직임, 템포, 그리고 감정을 표현하기 위해 몸을 사용하여 상호 작용하는 것이죠. 이를 통해 파트너들은 서로의 의도와 움직임을 이해하고 반응합니다. 리더는 명확하고 부드러운 리드로 의도를 전달하며, 팔로우는 센시티브한 팔로우로 이를 받아들이고 함께 공유합니다. 공유는 춤을 즐기고 경험하는 것을 의미합니다. 서로의 움직임과 의도를 이해하고 공유함으로써 춤을 더욱 풍부하고 유익하게 만들어줍니다. 공동으로 춤을 만들어가고 서로의 표현을 존중하며, 함께 춤을 즐기는 과정이 중요합니다.

이러한 소통과 공유는 춤을 더욱 풍요롭게 만들어주는데, 서로의 움직임과 감정을 이해하고 공유함으로써 연결되고 조화롭게 이어지는 춤을 만들어냅니다. 파트너들 간의 상호 작용과 소통은 춤을 더욱 특별하고 의미있게 만들어줍니다. 커넥션은 춤을 출 때 상호작용과 협업을 위한 중요한 요소이며, 춤의 품질과 표현력을 높이는 데 기여합니다.

트로트 액션

이름	액션(동작과 모양)	사전적 의미(뜻)
Arms Linking	팔짱을 끼거나, 팔끼리 연결	Arm/팔
Across	오른발이 왼발 앞이나 뒤를 가로질러 스텝하거나 왼발이 오른발 앞이나 뒤를 가로질러 스텝 하는 동작을 말함.	건너서, 가로질러

Basic	기본 동작	기초적인, 기본적인, 근본(根本)의
Break	정지하는 동작	브레이크, 제동기, 바퀴 멈추개, 제동, 억제, 정지, 줄이다.
Brush	체중을 실은 발에 체중이 실리지 않은 발이 스치면서 지나가는 동작을 말한다.	솔
Cape	투우용 망토처럼 행하는 동작	망토
Change	바꾸는 동작	바꾸다, 변경하다, 고치다, 갈다
Circular	원을 그리듯이 행하는 동작	원형의, 둥근, 순회하는, 순환적인
Circle	원을 그리듯 행하는 동작	원, 원주
Continuous	지속해서 행하는 동작	계속되는, 지속적인, 계속 이어지는, 반복된
Compact	최대한 발 폭을 줄여 행하는 동작	빽빽하게 찬, 밀집한
Curved	커브를 주듯 행하는 동작	굽은, 곡선 모양의, 약간 굽은
Curly	소용돌이치듯 돌며 행하는 동작	곱슬곱슬한, 동그랗게 말린
Cross	발을 교차하는 동작	X 표, +기호, 십자
Cuddle	꼭 껴안고 행하는 동작	꼭 껴안다, 부둥키다.
Delayed Walk	체중 이동을 느리게 하는 동작	지연
Double	양손을 잡고 행하는 동작, 연속으로 두 번 행하는 동작	두 배의, 갑절의
Draw	오른발을 왼발에 끌어 붙이거나, 왼발을 오른발에 끌어 붙이는 동작	끌다, 당기다, 끌어당기다, 끌어당겨서 …하다
Drag	발을 질질 끌면서 행하는 동작	끌다, 질질 끌다, 끌어당기다, 끌고 가다
Extension	몸을 최대한 펴주는 동작	연장, 늘임, 연기, 확대, 확장, 넓힘, 진전
Ending	끝내는 동작	결말, 종료, 종국
flirtation	남성과 여성이 매우 가까이 맞닿아 있는 모양을 말한다.	새롱거림, 장난삼아 하는 연애, 번롱, 우롱
Grand	커다란 동작을 행하는 동작	웅대한, 광대한, 장대한
Grand Circle	서로 손을 잡고 원형을 만드는 동작	Circle/원, 원주
Hand to Hand	상대방과 손을 잡고 행하는 동작	손
Hesitation	시간을 끌며 머무르는 동작	주저, 망설임
Link	연결시키는 동작	사슬의 고리, 고리
Left Turn	180° 좌회전	
Left Double Turn	540°좌회전	Double/두배
Left Triple Turn	720° 좌회전	Triple/3배
Left Foot Change	왼발 체인지	
Movement	움직이는 동작	움직임
Moving Foot	움직이고 있는 쪽의 발	
Merengue step	메렝게 스텝	
New York	룸바나 차차차에 사용되는 피겨	
Poise	균형이 잡힌 몸의 자세	균형 잡히게 하다, 평형 되게 하다.

Rock Turn	4박자로 좌회전	
Rock Back	체중을 뒤쪽의 발에 이동하는 것을 말함.	Back/등
Rolling	휘감거나 푸는 동작	구르는, 회전하는
Rotation	회전	회전, 자전
Ronde	원을 그리듯이 발을 돌리는 동작	
Simple	단순한 동작	간단한, 단단한
Rise Double Turn	540° 우회전	
Right Turn	180° 우회전	
Right Triple Turn	720° 우회전	
Right Foot Change	오른쪽 발 체인지	
Simple Spin	단순한 스핀	
Stationary	머무르고 있는	움직이지 않는, 정지된, 멈춰 있는
Spin	한발로 피봇한 후에 다른 발로 계속 해서 도는 동작	돌다, 회전하다, 돌리다,
Spot Turn	그 자리에서의 회전하는 것을 말함.	Spot/반점, 점
Straight Right Double Turn	직선으로 540도 우회전	Straight/ 똑바로 (일직선으로), 곧장, 곧바로
swivel	한발의 앞꿈치로 도는 동작	회전 고리
Swivel Walk	한발의 앞꿈치로 돌면서 걷는 동작	
Supporting Foot	체중을 실은 발	Supporting/버티는, 지지
Twist	양발을 비트는 동작	휘다, 비틀다.
Under Turn	정규회전 보다 작게 회전 하는 동작	Under/아래에, …의 밑에
Under arm turn	남성이 손을 들은 상태에서 여성이 남성 손 밑으로 회전하는 동작/lady's under arm turn이라고도 한다.	
Three Step Turn in place	Three Step으로 회전하는 동작	
Turn	회전하는 동작	돌리다, 회전시키다.
Turning	선회하는 동작	회전, 갈림길
Turning Step	선회, 회전하는 스텝	
Two Step Turn	Two Step으로 턴하는 동작	
Wrap	등으로 남성은 여성의 뒤에서 크로스 상태인 여성의 양팔을 잡고 있는 모양	감싸다, 싸다, 포장하다.
Zig Zag	지그재그 모양으로 동작	Z 자 형의, 톱니 모양의, 번개 모양의, 꾸불꾸불한.

플로어에 적응하는 방법

플로어 크래프트는 춤을 추는 공간에서 다른 커플들과의 조율과 유연한 대처 능력을 요구하는 중요한 기술입니다. 자신이 원하는 위치를 다른 커플이 선점하고 있다면 신속히 다른 위치를 찾는 것이 중요합니다. 예측하기 어려운 상황에서는 빠른 결정과 유연한 대처가 필요하며, 이는 춤을 시작할 때나 위치를 찾을 때 모두 중요합니다. 루틴의 시작이 예상과 다르게 진행될 때, 새로운 위치나 방향에서 춤을 시작하는 등의 유연한 대처가 필요할 수 있습니다. 또한, 리더는 공간을 잘 활용하는 것이 중요합니다. 춤을 추기 위한 자신만의 공간을 차지하는 것과 동시에 다른 춤꾼들과 공간을 나누는 것이 필요합니다. 춤을 추는 동안에도 다른 춤꾼들과의 상호작용을 고려하며, 움직임에 유연성을 부여하여 충돌을 피할 수 있도록 해야 합니다. 춤을 추는 과정에서 위치를 조정하고, 상황에 따라 민첩하게 대처하는 능력이 필요합니다. 이는 춤을 추는 동안 공간적인 제약을 최소화하고, 댄스를 자유롭게 즐길 수 있게 해줍니다. 춤을 추는 동안 예기치 못한 상황에 대비하기 위해서는 다양한 피겨를 익히는 것이 좋습니다. 이를 통해 예상치 못한 상황에도 유연하게 대처할 수 있으며, 춤을 멋지게 이끌어나갈 수 있습니다. 피겨를 잘 활용하면 복잡한 상황에서도 유연하게 대처할 수 있습니다.

트로트 잘 추는 사람들의 공통점

1. **음악적 이해와 표현 능력**: 트로트를 잘 추는 사람들은 음악의 구성과 흐름을 이해하며, 그에 맞는 감정을 춤을 통해 자연스럽게 표현합니다. 노래의 감정과 리듬을 춤으로 완벽하게 전달하는 능력이 돋보입니다.

2 .**속도 조절 능력**: 트로트 음악은 다양한 속도와 리듬을 가지고 있어요. 잘 추는 사람들은 이러한 변화에 민감하게 대응하며, 음악의 흐름에 맞게 춤을 조절합니다.

3. **바디 롤링과 몸의 움직임 제어**: 트로트는 섹시하고 감각적인 춤으로, 몸의 움직임을 부드럽고 자연스럽게 표현할 수 있는 능력이 필요합니다. 바디 롤링과 같은 디테일한 움직임을 자유롭게 다룹니다.

4. **춤의 흐름 파악과 연출**: 트로트는 느린 속도로도 다양한 움직임을 표현합니다. 잘 추는 사람들은 춤의 흐름을 파악하고, 그에 맞는 자연스러운 몸의 움직임을 펼쳐냅니다.

5. **미세한 움직임 제어 능력**: 자신의 움직임뿐만 아니라 상대의 미세한 움직임까지도 자유자재로 제어하는 능력을 갖추어 여성을 리드 할 수 있습니다.

6. **감정 표현 능력**: 트로트는 감정적인 음악으로, 감정을 음악과 춤으로 표현하는 능력이 필요합니다. 잘 추는 사람들은 감정을 곡과 춤을 통해 자연스럽게 전달합니다.

7. **리듬 감각**: 트로트 음악은 리듬에 집중되어 있습니다. 리듬을 잘 파악하고 그것을 춤으로 표현할 수 있는 능력이 트로트를 잘 추는 비결 중 하나입니다.

8. **기본적인 춤 기술력**: 기본적인 춤의 기술과 발의 움직임을 자연스럽게 조합하여 춤을 추는 능력이 뛰어납니다.

9. **자신만의 스타일**: 트로트를 잘 추는 사람들은 음악을 듣고, 그것을 자신만의 스타일과 감성으로 해석하여 춤으로 표현합니다.

10. **노력과 경험**: 지속적인 연습과 무대 경험을 통해 실력을 키워왔습니다. 자신의 능력을 향상시키기 위해 노력하며, 다양한 무대에서 춤을 선보이며 경험을 쌓아왔습니다.

11. **스테이지 컨트롤:** 트로트를 잘 추는 사람들은 무대를 자유롭게 활용하는 데 능숙합니다. 무대 위에서 자신의 위치와 움직임을 조절하여 무대를 통해 감정과 에너지를 전달합니다.

12. **자신의 몸을 잘 아는 능력:** 자신의 몸을 잘 이해하고, 그에 맞는 움직임을 창출하는 능력이 뛰어납니다. 몸의 구조와 움직임을 이해하여 춤을 효과적으로 표현합니다.

13. **균형감과 안정성:** 다양한 움직임 속에서도 균형을 잘 잡고 안정감 있는 춤을 선보입니다. 복잡한 움직임에서도 안정적으로 움직여 파트너에게 자신감을 전달합니다.

14. **프로페셔널한 태도:** 연습과 노력을 게을리하지 않고, 자신의 능력을 끊임없이 발전시키기 위해 노력합니다.

Lead in(리드 인)

"Lead in"은 춤이나 댄스 시작하기 전에 나오는 음악을 가리킵니다. 일반적으로 춤이나 곡의 시작 부분 전에 나오는 음악으로, 보통 한 또는 두 마디 정도의 시간이 될 수 있습니다. 이는 춤을 시작하기 전에 댄서들에게 리듬을 맞추고 준비할 시간을 제공하기 위해 사용됩니다.

댄스 음악 듣는 법

리듬은 기본적으로 음악의 패턴이나 박자를 이해하고 몸으로 그것을 표현하는 것입니다. 음악의 비트를 청각적으로 인식하고 그것을 몸으로 따라 움직이는 것이 리듬을 느끼는 것입니다. 실제로, 리듬을 찾는 것은 귀와 몸을 조화시키는 과정입니다. 춤을 추거나 음악을 들으며 비트에 맞춰 몸을 움직이는 연습을 통해 리듬을 더 잘 느낄 수 있습니다.

리듬을 향상시키기 위한 몇 가지 방법이 있습니다. 우선 음악을 듣고 비트를 청각적으로 인식하는 것이 중요합니다. 춤을 추면서 음악의 비트에 맞춰 발을 움직이거나 몸을 흔들어보는 것도 좋은 방법입니다. 여러 장르의 음악을 들으면서 다양한 비트와 리듬을 익히는 것도 도움이 됩니다. 리듬을 찾는 것은 시간과 연습이 필요한 과정입니다. 처음에는 어려움을 겪을 수 있지만, 꾸준한 연습을 통해 점차적으로 느낄 수 있는 능력입니다. 춤이나 음악을 통해 몸이 음악에 맞춰 자연스럽게 움직이며 리듬을 느끼고 향상시킬 수 있을 것입니다.

리듬은 우리가 태어나서부터 경험하는 일상의 일부분입니다. 우리는 어린 시절에 엄마의 심장박동 소리를 듣고 자랐습니다. 시계의 똑딱거리는 소리, 자연의 소리, 사람들의 이야기, 거리의 소음 등 다양한 소리와 박자를 접했죠. 이런 경험들이 우리가 리듬을 느끼는 데에 큰 영향을 받았습니다.

음악도 마찬가지입니다. 다양한 악기와 음악적 요소들이 얽혀서 우리 귀에 전달됩니다. 멜로디, 비트, 악기 소리 등이 모여 우리는 음악을 듣게 됩니다. 이 소리들 사이에서 우리는 음악적인 리듬을 찾아내고 그것에 귀 기울이게 됩니다. 음악은 우리가 일상에서 느끼는 다양한 리듬과 연결되어 우리 안의 감정을 일으키기도 합니다. 때로는 우리의 기분이 음악의 리듬에 따라 변화하기도 하죠.

이런 측면에서 음악은 우리 삶의 일부분으로 자리 잡았고 우리가 경험하는 일상의 리듬과 음악의 리듬은 서로 연결되어 있으며, 그것이 우리가 음악을 통해 공감하고 감정을 나타내는 한 가지 방법이기도 합니다.

음악의 비트를 잡는 능력은 음악의 템포를 이해하고 그에 맞춰 움직이는 것을 배우는 데 중요합니다. 댄스 할 때도 이것이 중요한데요, 특히 파트너 댄스에서는 서로가 음악의 특정한 부분에서 동작을 함께 맞추기 때문입니다. 이것은 연습을 통해 배울 수 있는 중요한 스킬입니다. 춤의 타이밍은 파트너와의 호흡과 조화를 이루기 위한 필수적인 부분이죠.

트로트 음악 듣는 법

트로트 음악은 한국의 전통음악 요소와 서양 음악의 영향을 받은 대중음악 장르 중 하나입니다. 일반적으로 4/4박자를 기반으로 하며, 쿵·짝 쿵·짝과 같은 리듬 패턴이 특징적입니다. 이 음악을 듣고 춤추는 것은 어느 정도의 연습과 청각적 감각이 필요하지만, 기본적으로 음악의 박자에 맞춰 춤을 추는 것이 주요 기술입니다. 트로트 음악을 듣는 것을 연습하는 방법은 이론적인 공부만으로는 충분하지 않습니다. 무조건 많이 듣고, 음악에 맞춰 기본적인 스텝과 움직임을 연습하는 것이 중요합니다. 여기서 몇 가지 팁을 제공할게요.

1. **음악 감상 및 분석:** 먼저, 트로트 음악을 다양한 아티스트와 곡들을 들어보세요. 리듬, 멜로디, 가사, 그리고 각 곡의 분위기와 특징을 파악하는 것이 중요합니다.
2. **음악에 맞춰 춤 연습:** 음악에 맞춰서 몸을 움직이는 것은 트로트 춤추는 데 중요합니다. 음악의 박자와 리듬에 맞춰서 기본적인 스텝을 연습하세요. 다양한 움직임을 익히는 것이 도움이 됩니다.
3. **몸의 리듬 감각 키우기:** 음악의 쿵·짝 쿵·짝과 같은 리듬 패턴을 느끼는 것이 중요합니다. 몸을 자유롭게 흔들어보고, 음악의 감정과 리듬을 체득하세요.
4. **트로트 춤추는 사람들과 함께 춤 연습:** 트로트를 즐기고 춤추는 사람들과 함께하면 도움이 될 수 있습니다. 다른 사람들의 춤 스타일을 보고 배우면서 함께 연습하는 것이 유익할 것입니다.
5. **지속적인 연습:** 시간을 들여 연습하고, 지속적으로 음악을 듣고 춤을 추면서 자신만의 스타일을 개발해보세요.

댄스와 음악의 궁합

오행 식이요법, 마리아주(Marriage)처럼 사람과 사람과의 궁합도 중요하듯 음악과 댄스와의 궁합도 매우 중요하다. 미사 음악이 나오면 기도하고 자이브 음악이 나오면 자이브를 추고, 왈츠 음악이 나오면 왈츠를 춰야 제-맛이고 맛깔나게 춤사위로 표현할 수 있다. 트로트 또한 마찬가지이다.

"음악은 영혼의 분출이다."

리듬에 몸을 맞추는 연습

리듬에 몸을 맞추는 연습은 음악적인 능력을 향상시키는 중요한 요소 중 하나이다. 이를 위해서는 일정한 비트나 패턴에 맞추어 움직이는 것이 필요합니다.

트로트 음악을 자주 접하여 타악기 소리 및 쿵·짝 쿵·짝, 쿵·작·작 쿵·작·작 소리가 들릴 때 트로트 스텝을 음악에 맞춰 연습한다. 먼저 의자에 앉아 음악에 맞춰 기본 베이식 연습하고 어느 정도 할 수 있게 되었을 때 일어나서 연습한다. 어느 정도 음악에 맞춰 기본 스텝을 찍을 수 있다면 다음 단계로 넘어가도 별 무리가 없을 것이다.

기본 스텝 연습 방법

거울 앞에서 배·허리에 힘을 주면서 머리를 세우고 똑바른 자세를 취한다. 체중은 센터에 유지하면서 어깨와 가슴은 자연스럽게 편안하게 펴주면 평상시 걷는다. 집에서는 벽에 등을 대고 양발을 가지런하게 모은 후 약간 턱을 당긴 상태를 유지하고 시선은 정면에서 약간 위를 바라보면서 머리나 어깨가 흔들리지 않도록 신경 쓰면서 체중을 스타트하는 발 앞부분 볼에 체중을 싣고 힘은 가슴과 동시에 전진 및 후진을 한다. 진짜 주의해야 할 점은 먼저 가슴이 나가면 안 된다는 것이다. 인위적으로 너무 과하게 오금-질을 하면 안 되며 엉덩이 또한 인위적으로 흔들면 안 된다.

트로트 기본스텝 연습량

"기본이 탄탄해야 다재다능한 기술들을 사용한다."
"기본 스텝 연습의 중요성은 아무리 강조해도 지나침이 없다."
"만 가지 킥을 할 수 있는 사람보다 한 가지 킥을 만 번 했던 사람이 더 무섭다."

트로트는 중장년층에 인기 있는 댄스 종목 중 하나이며 우리 대한민국 댄스 학원 중에서도 큰 비중을 차지한다. 그만큼 트로트는 대한민국에서 오랫동안 살아남을 것이고 많은 사람이 트로트를 즐길 것이다.
"일제 강점기 일본 놈들은 쫓아냈는데 잡풀은 쫓아낼 수가 없다." 트로트는 이제 대한민국에서 잡풀과 같은 존재이다.

"독서당(獨書堂) 개가 맹자 왈 한다. : 아무리 어리석은 사람이라도 늘 보고 들은 일은 능히 할 수 있게 된다는 말
"독서 백편 의자통 : 글을 백번 되풀이하여 읽으면 뜻이 저절로 통한다는 말

트로트 기본스텝을 연습량은 개인마다 다를 수 있다. 하지만 보통 트로트 기본 스텝을 마스터하기 위해서는 꾸준한 연습이 필요하다.

초보자라면 매일 30분에서 1시간 정도 연습하는 것이 좋다. 먼저 기본 스텝을 천천히 연습하고, 익숙해진 후에는 리듬과 속도를 조금씩 높여가며 연습하면 된다.
중급자나 고급자라면 매일 1시간 이상 연습하는 것이 좋다. 트로트 기본 스텝에 대한 이해가 높아졌기 때문에 다양한 패턴과 변주를 연습하여 자신만의 스타일을 개발하는 것이 좋다.

어떤 수준이든, 꾸준한 연습이 중요하다. 연습량이 많을수록 발전 속도도 빨라질 것이다. 그러나 연습할 때 지루함을 느끼거나 지치기 시작하면 쉬는 것도 중요하다. 너무 강제적으로 연습하다 보면 오히려 더 피로해지고 진전이 없을 수도 있다. 적당한 휴식과 균형 있는 연습을 지향해보시길….

트로트 루틴 연습량

필자는 일반인들, 교수, 검사, 의사 등 수많은 대한민국의 엘리트들이 댄스를 배우고 중간에 포기하는 분들을 많이 보았다. 뛰어난 능력이 있거나 사회 또는 사회단체에서 지도적 입장에 있는, 소수의 빼어난 사람이라도 댄스를 우습게 볼만한 것은 아니라는 것이다.

골프는 80% 멘탈(정신) 10%(실력) 10%(운), 댄스는 연습량이 95% 이상이라고 말할 수 있다. 우리 인간들은 기억력이 20분 후 70%가 사라진다고 한다. 무조건 레슨 후 복습 또 복습해야 한다. 생선가게에서 일하면 자연스럽게 생선 냄새가 몸에 배듯이 다른 생각을 하면서도 스텝이 저절로 나올 때까지 연습해야 한다. 스텝 하나하나가 자연스럽게 몸에 밸 때까지 연습해야 음악을 갖고 놀게 될 것이며 여성을 자유자재로 리드 할 수 있을 것이다.

사슴은 신선이 타고 다니는 영물로 천년을 살면 청록이 되고 다시 백 년이 지나면 백록이 되며 다시 오백 년이 지나면 비로소 현록이 된다고 한다. 단시간에 고수가 되기 위해서는 연습과 실전 경험 뿐이다.

댄스 이미지 트레이닝

이미지 트레이닝은 실제 행동을 하는 것과 마음속으로 그 행동을 상상하는 것 간의 상당한 유사성을 갖고 있어요. 이것은 뇌가 실제 행동을 할 때와 마찬가지로 뉴럴 회로를 활성화시키고 강화시키는 데 도움이 됩니다. 예를 들어 춤을 추는 것을 상상해 보겠습니다. 음악이 흐를 때, 당신은 마음속으로 춤추는 모습을 생생하게 상상합니다. 이때 몸의 각 부분이 어떻게 움직일지, 각 걸음과 움직임의 정확한 모습을 떠올리면서 그 움직임을 느끼죠. 실제로 춤추는 것과 거의 유사한 과정을 경험하면서 뇌는 이를 연결된 뉴럴 회로로 기억하고 강화시키는 것이죠.

이렇게 상상 속에서 행동을 반복하고 뇌가 그 패턴을 익혀나가면, 그 행동을 실제로 할 때 더욱 능숙하게 실행할 수 있게 됩니다. 이 방법은 실험과 안전한 연습의 공간을 제공하여 실제로 시도하기 어려운 동작들도 안전하게 연습할 수 있도록 도와줍니다. 즉, 이미지 트레이닝은 우리가 원하는 행동을 상상하고 뉴럴 회로를 강화하여 실제 행동 시 더 나은 성과를 이끌어내는 것입니다. 춤추기나 다른 활동에서도 이러한 방식을 활용하여 더 나은 성과를 얻을 수 있어요.

춤을 추다 다음 스텝이 생각이 안 나거나 스텝이 엉켰을 때

남성의 경우 가끔 춤을 추다 보면 후행 스텝이 생각이 안 나는 경우가 있다. 이때 너무 긴장할 필요도 없이 기본스텝, 즉 쉬운 스텝을 하면 된다. 초급 정도의 루틴(피겨) 2~3개 정도 하면서 생각할 수 있는 시간을 버는 것이다. 일반적으로 초급은 중급, 상급 루틴(피겨)보다 더 많이 접했기 때문에 생각이 날 확률이 높다.

춤을 추다 보면 파트너가 스텝이 엉킬 때가 있다. 어떤 남성은 그 자리에서 여성을 가르치려고 하는데 여성에 대한 비-매너로 절대 해서는 안 되는 행동 중 하나이다. 필자의 경우, 씩 한번 웃거나 아님 "다시 한번 해볼게요."라고 말을 한다. 최악의 경우 진행하던 스텝을 멈추고 다시 처음부터 춤을 추는 경우도 있다.

10~20년 된 파트너들도 춤을 추다 틀리는 경우도 많이 있는데, 파트너도 아니고 처음 아니면 몇 번 본 사람과 완벽하게 춤을 춘다는 건 있을 수 없다.

루틴 순서로만 춤추는 경우와 루틴 순서 없이 춤을 추는 경우

루틴 순서대로만 춤을 추면 하수, 짜인 순서 없이 자유자재로 춤을 추면 중수, 애드리브 스텝까지 사용하면서 자유자재로 춤을 추면 고수, 스텝을 다시 재조합해서 새로운 피겨를 만들어 춤을 추면 최고수다. 루틴 순서 없이 자유자재로 춤을 추기 위해서는 남성은 피나는 노력과 실전 경험이 풍부해야 가능하다. 남성은 어느 정도 루틴 순서를 몸에 익혔다면 학원이나 집에서 순서 없이 춤을 춰 보는 것이다. 처음에는 스텝 생각도 안 나고 스텝도 엉켜 멈추는 경우가 허다할 것이다. 루틴 순서 없이 춤을 추는 요령은 간단하다. 예를 들면 루틴 20번→초급 스텝(2~3개)→29번→초급 스텝(2~3개)→49번…이로 중간-중간에 아주 쉬운 초급 스텝이나 자신 있는 스텝을 끼워 춤을 추면서 어떤 스텝을 사용할지 시간을 버는 것이다. 어느 순간 숙달이 되면 자연스럽게 초급 스텝을 사용하는 횟

수는 줄어들 것이다.

학원 선택, 선생님 선택

영화 바람의 전설을 보면 배우 이성재가 조선팔도를 찾아다니면서 댄스를 배운다. 첫 번째 자이브 스승은 지병(持病)으로 죽고, 왈츠 선생은 바닷가에 몸을 던져 자살하고, 퀵스텝 선생은 농부, 차차차는 탄광, 파소도블레 스승은 스님, 탱고 스승은 건설노동자였다. 영화의 내용을 보면 춤 세계의 현실을 보여주는 듯 씁쓸함을 느낀다.

학원과 선생님 선택은 댄스 경험이 있는지 여부, 학습 목적 등에 따라 다르게 결정될 수 있다.

물론이죠, 하나씩 깊게 파헤쳐보면서 댄스 학원과 선생님을 선택하는 과정을 상세히 알려드릴게요.

1. 댄스 학원 선택

1.1 위치 선정

댄스 학원을 선택할 때 위치는 매우 중요합니다. 가까운 거리에 위치한 학원을 찾아 집과 출퇴근이 편리하고 교통에 유리한 곳을 고려해야 해요.

1.2 시설과 환경

학원의 시설은 학습 환경을 결정짓는 중요한 요소입니다. 춤을 출 공간의 크기, 댄스 스튜디오의 조명, 음향 시스템 등을 살펴보며 편안하고 적절한 환경인지 확인해야 해요.

1.3 교육 프로그램 다양성

학원의 교육 프로그램 다양성을 살펴보세요. 다양한 장르와 레벨의 댄스 프로그램이 있는지 확인하고, 자신의 관심 분야와 목표에 부합하는 프로그램을 선택해야 해요.

1.4 수업 일정과 시간표

수업 시간표가 자신의 스케줄과 맞는지 확인해야 합니다. 불규칙한 시간표보다는 꾸준하고 일정한 수업 시간이 학습에 도움이 됩니다.

1.5 수업료 및 비용

학원의 수업료와 비용도 고려해야 합니다. 예산과 학원의 수업료가 맞는지, 추가적인 비용이 있는지 등을 확인하고 결정해야 해요.

2. 선생님 선택

2.1 선생님의 경력과 자격증

선생님의 경력과 자격증을 확인해야 합니다. 그들의 댄스 경력, 교육 경험, 자격증 등이 그들의 전문성을 나타내므로 주의깊게 살펴보세요.

2.2 선생님의 가르치는 스타일

각 선생님의 가르치는 스타일은 다를 수 있습니다. 엄격한 기술 중심의 선생님과 창의적이고 자유로운 분위기를 선호하는 선생님 등 다양한 스타일을 살펴보고 자신에게 맞는 선생님을 선택하세요.

2.3 선생님의 수업 방식과 방향성

선생님의 수업 방식과 학습 방향성도 고려해야 합니다. 자신의 목표와 학습 스타일에 부합하는 선생님을 선택하는 것이 중요합니다.

2.4 학생과의 상호작용

선생님과 학생들 간의 상호작용이 중요합니다. 선생님의 소통 능력과 학생들과의 관계가 학습에 긍정적인 영향을 미치는지 확인해보세요.

최종 결정

최종적으로, 댄스 학원과 선생님을 선택할 때는 자신의 목표와 필요를 고려해야 합니다. 학원의 위치, 시설, 프로그램 다양성과 선생님의 경력, 가르치는 스타일 등을 종합적으로 고려하여 최상의 선택을 할 수 있을 거예요. 실제로 학원을 방문하고 수업을 체험해보는 것도 중요한 판단 기준이 될 거예요. 자신에게 가장 맞는 댄스 학원과 선생님을 선택하여 댄스 여정을 즐겁게 떠나보세요!

레슨 및 연습 시간

오전 7시~9시:

하루를 맞이하는 시간, 누군가는 열정과 희망을 가슴에 품으며 하루를 시작하지만, 누군가는 심장 질환과 뇌-내출혈로 고통을 받는다. 또한, 자살 및 대부분의 죽음도 이 시간에 발생한다. 이 시간 때는 최악의 시간으로 차분하게 하루를 준비하는 명상으로 시작하면 좋을 것이다. 레슨 및 연습은 잠시 다른 시간 때에…

오전 9시~11시:

9시부터 인체는 통증에 제일 무디어지고 근심 걱정의 수치도 하루 중 제일 많이 낮아진다고 한다. 또한, 뇌의 활동이 높아 민첩함과 예리함도 최고로 이르게 된다. 암기력 또한 다른 시간 때 보다 15%나 더 효율적이므로 이 시간 때에 레슨을 받거나 연습하면 좋다.

정오 12시:

누구든 배고픈 상태에서 일하거나 레슨을 받으면 짜증이 날 것이다.

오후 1~2시:

인체의 컨디션이 다운되는 시간으로 레슨 받는 시간으로 적합하지 않다.

오후 3~4시:

인체 컨디션이 최상의 시간, 운동선수들이 최고로 선호하는 시간으로 레슨 및 연습하기 좋은 시간 때이다.

오후 5시:

혈압 수치가 하루 중 제일 높은 시간 때이다. 그만큼 나도 모르게 짜증이 많이 나는 시간 때에 레슨을 받는다는 것은 댄스 샘과 마찰이 생길 수 있는 시간 때이다.

오후 6시~7시:

이 시간 때에는 다이어트를 원하는 사람들이 레슨을 받으면 좋은 시간 때로 하루 중 먹고 싶은 욕구가 제일 강한 시간 때이기 때문이다.

오후 8시~11시:

인체는 청각 기능도 떨어지고 신진대사가 원활하지 않게 된다. 되도록 집에서 내일을 위해 휴식을 취하길 권한다.

LOD(Line of dance)

'Line of Dance'(LOD)는 공간을 효율적으로 활용하여 춤추는 무용수들이 원활하게 움직일 수 있도록 하는 중요한 개념입니다. LOD는 춤추는 공간에서 춤추는 사람들의 이동 경로를 정의하며, 주로 무용실, 댄스홀, 무용 장소 등에서 사용됩니다. 이것은 안전하고 조직적인 춤추는 활동을 가능하게 하고 춤추는 사람들 간의 충돌을 최소화하는 데 도움이 됩니다.

1. LOD는 대부분의 댄스장르에서 중요한 역할을 합니다. 특히 라틴 댄스, 볼룸 댄스, 소셜 댄스 등에서 사용됩니다. 각각의 댄스 장르에서 LOD는 조금씩 다를 수 있지만, 기본적으로 춤추는 사람들이 반시계 방향으로 움직이는 경로를 따라 이동하도록 설계됩니다. 이는 춤추는 사람들이 충돌 없이 서로를 피하면서 춤을 즐길 수 있게 돕습니다.

2. LOD를 이해하는 것은 춤추는 사람들에게 중요합니다. 춤추는 사람들은 LOD를 따라 이동하면서 춤을 추는데, 이는 춤추는 패턴과 조정에 중요한 영향을 미칩니다. 특히 그룹 댄스나 대규모 이벤트에서는 LOD를 따르는 것이 필수적입니다. 이는 춤추는 사람들이 서로 충돌하지 않고, 자연스럽게 움직이며, 조화롭게 춤을 추도록 도와줍니다.

3. LOD는 안전과 효율성을 높여줍니다. 춤추는 사람들이 LOD를 따르면서 움직이면 갑작스러운 충돌을 피할 수 있습니다. 또한, 춤추는 공간을 최대한 활용하여 무용 활동을 즐길 수 있게 해줍니다. 이는 춤추는 사람들이 더 많은 공간을 확보하고 더 많은 움직임을 할 수 있게 해줍니다.

4. LOD는 댄스 수업이나 댄스 공연 시에도 중요한 역할을 합니다. 이를 통해 학생들은 조직적이고 체계적인 방식으로 춤추는 기술을 배울 수 있습니다.

LOD는 춤추는 사람들이 움직이는 경로를 정의하고 조직하는 데 중요한 개념입니다. 이는 안전성, 조화성, 효율성을 높여주며, 무용 활동에서 핵심적인 역할을 합니다.

LOD (Spot Dances) 아닌 댄스 종목

Cha Cha, Rumba, Jive, Bolero, Swing, Mambo, Salsa, Merengue

LOD (Progressive Dances) 댄스 종목

Waltz, Tango, Viennese Waltz, Foxtrot, Quickstep, Samba, Paso Doble

자이브 LOD

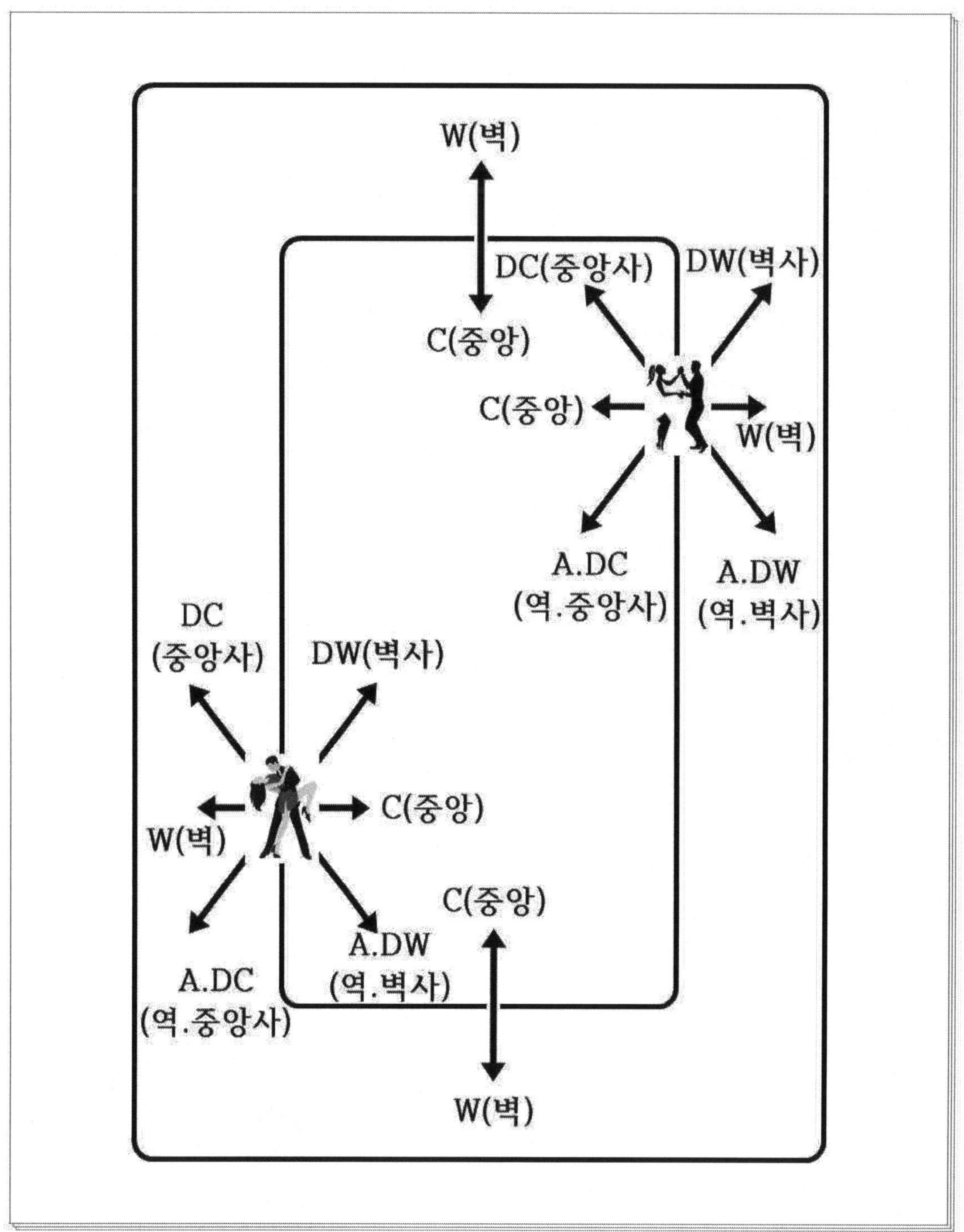

W(벽)
DC(중앙사)
DW(벽사)
C(중앙)
C(중앙)
W(벽)
A.DC
(역.중앙사)
A.DW
(역.벽사)
DC
(중앙사)
DW(벽사)
W(벽)
C(중앙)
C(중앙)
A.DW
(역.벽사)
A.DC
(역.중앙사)
W(벽)

모던 LOD

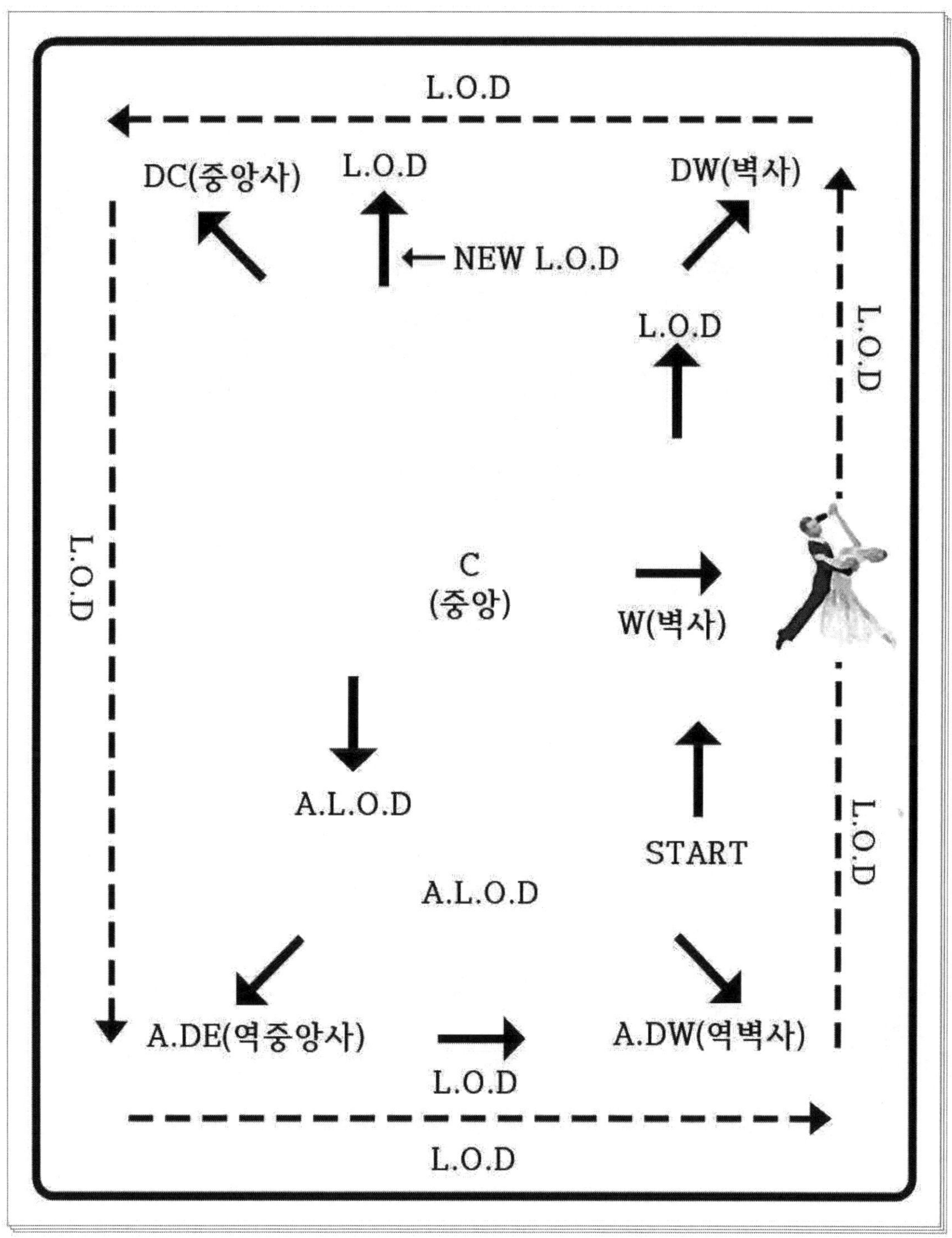
L.O.D
DC(중앙사)
L.O.D
DW(벽사)
NEW L.O.D
L.O.D
L.O.D
L.O.D
C
(중앙)
W(벽사)
A.L.O.D
START
L.O.D
A.L.O.D
A.DE(역중앙사)
A.DW(역벽사)
L.O.D
L.O.D

지르박 LOD

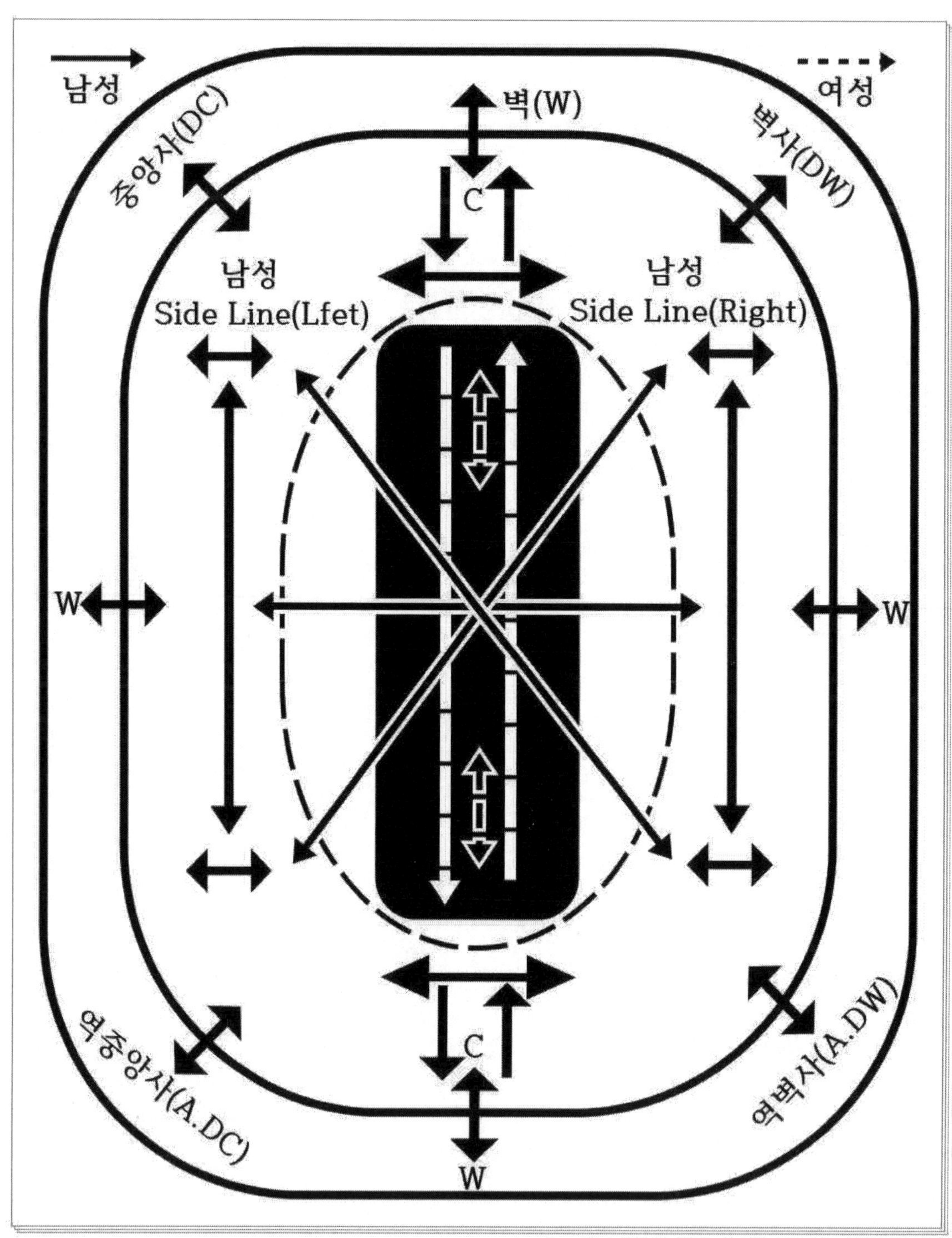
남성
여성
벽(W)
중앙사(DC)
벽사(DW)
C
남성
Side Line(Lfet)
남성
Side Line(Right)
W
W
C
역중앙사(A.DC)
역벽사(A.DW)
W

얼라인먼트(alignment)

플로어(홀)에 대한 몸과 발의 위치

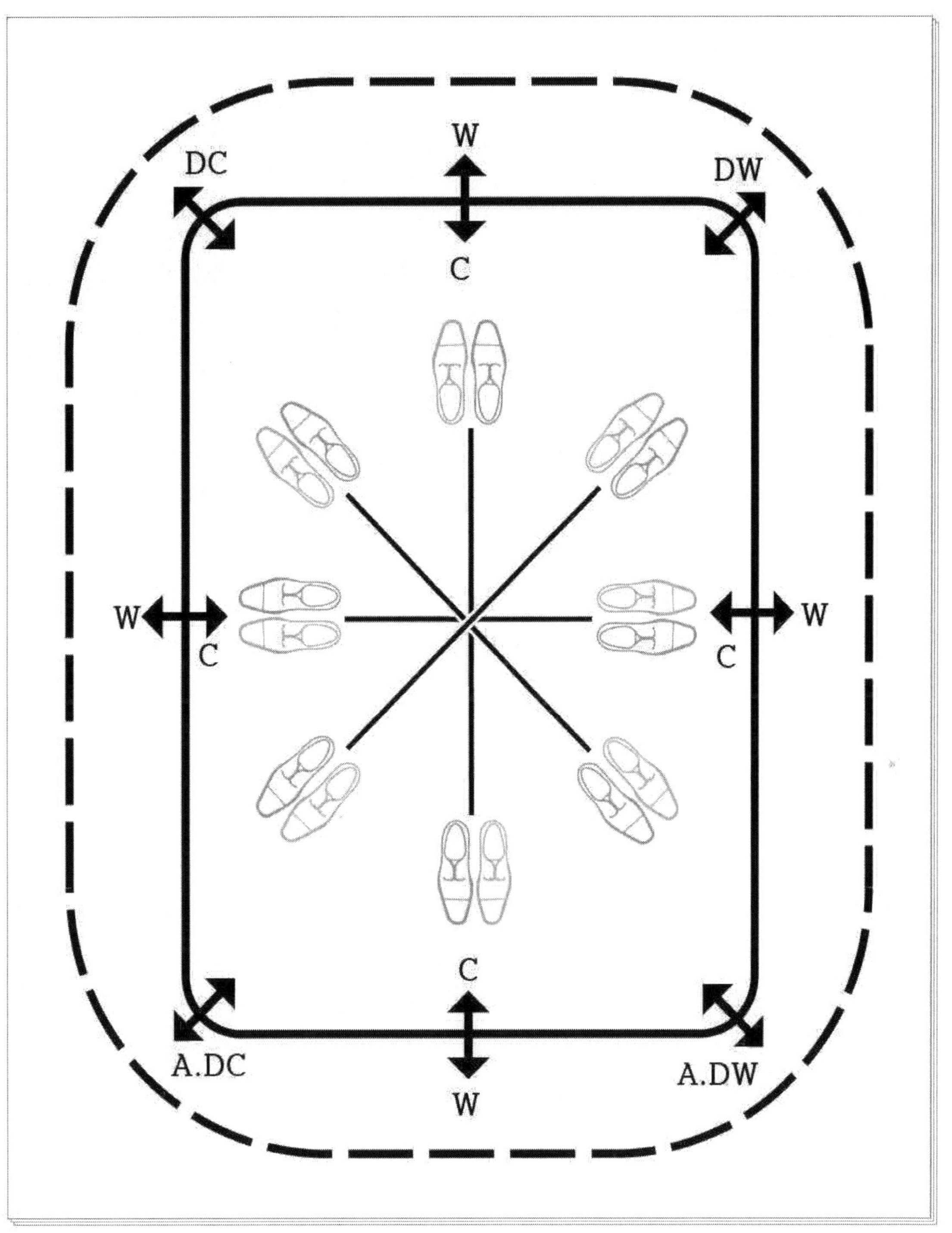

Clockwise(클락와이즈)

"시계 방향(Clockwise)"은 시계 바늘이 따라가는 방향으로 도는 것을 의미합니다.

일반적으로 시계 방향은 오른쪽으로 도는 방향을 나타내며, 시계의 시계 바늘이 따라 움직이는 방향과 같습니다. 이것은 오른쪽으로 회전하는 방향으로 생각할 수 있습니다.

반대로 "반시계 방향(Counter-clockwise)"은 시계 반대 방향으로, 왼쪽으로 도는 방향을 의미합니다. 춤이나 운동에서 움직임의 방향이나 회전을 설명할 때 자주 사용됩니다.

회전량 (Amount of Turn(어마운트 어브 턴))

피겨 스케이팅도 댄스처럼 회전이 많은 스포츠 종목 중 하나로 스핀 동작에 따라 스크래치 스핀, 레이백 스핀, 케치풋 레이백 스핀, 헤어커터 레이백 스핀, 비엘만 스핀 등이 있다. 발레는 회전 방식에 따라 구분하는데 제자리에서 회전하는 것을 삐루에뜨, 랑베르세, 푸에테 앙 투르낭이라 명칭하고 회전하면서 이동하는 것을 즈떼 앙 뚜르낭, 삐케 뚜르, 뚜르 셰네, 빠 드 부레 앙 뚜르앙으로 부르고 도약하면서 공중에서 회전하는 것을 투르 앙 레르라고 부른다. 댄스에서는 각 피겨(figure)의 회전량을 말하며, 회전량의 기준은 발의 위치로 계산되며, 360°를 8등분한 비율로써 표시된다. 회전량은 반드시 숫자로 표기하며 각도로는 표기하지 아니한다.

회전 및 각도는 우리가 공간을 이해하고 측정하는 데 필수적인 개념입니다. 각도는 두 선 사이의 회전 정도를 나타내는 단위이며, 이는 일반적으로 원을 기준으로 합니다. 우리의 현실 세계에서 회전은 물체의 움직임과 위치를 설명하는 데 중요한 역할을 합니다. 이것은 물리학, 공학, 수학 및 다른 많은 분야에서 핵심적인 개념으로 다뤄지고 있습니다.

각도는 일반적으로 도(Degree), 라디안(Radian) 등의 단위로 표현됩니다. 도는 일반적으로 원을 360 등분한 것이며, 라디안은 반지름의 길이와 호의 길이가 같을 때의 각도 단위입니다. 각도의 크기와 방향은 많은 물리적, 수학적 혹은 공학적 상황에서 중요한 의미를 갖습니다. 회전은 물체가 중심점을 중심으로 움직이는 것을 의미합니다. 회전은 질량의 이동, 운동량, 각운동량 등과 관련하여 과학적인 연구나 기술적인 설계에 매우 중요한 개념입니다. 회전의 속도, 가속도, 각운동량 등은 물체의 움직임과 안정성을 이해하는 데 도움을 줍니다. 물리학에서 회전 운동은 각운동량, 모멘트 등의 개념을 포함합니다. 모멘트는 물체가 회전하는 정도를 측정하는 데 사용되며, 물리적인 평형과 운동에 영향을 미칩니다. 또한, 회전 운동은 운동에너지, 회전 운동에너지 등의 개념을 통해 에너지의 형태로 변환되기도 합니다. 각도와 회전은 기계공학, 로봇공학, 항공우주공학 등 다양한 분야에서도 핵심적인 개념입니다. 회전 운동은 기계의 동력 전달, 제어, 안전 및 안정성을 보장하는 데 핵심적인 역할을 합니다. 또한 로봇이나 자동차 같은 시스템에서의 각도와 회전은 운동의 정확성과 안정성에 매우 중요한 영향을 미칩니다.

댄스에서의 회전 및 각도

댄스는 공간적 움직임과 몸의 조정을 통해 아름다운 퍼포먼스를 만들어냅니다. 이 과정에서 회전과 각도는 댄서의 기술적 표현을 결정짓는 중요한 요소 중 하나입니다.

각도의 기본 단위: 각도는 일반적으로 도(degree)로 표현됩니다. 한 바퀴(360°)가 전체 각도입니다. 이 도를 더 작은 단위로 나눌 수 있습니다.

각 단위 변환: 1° = 60 분(minute) = 3600 초

이런 분과 초는 각도를 더 세분화하여 표현할 때 사용됩니다. 예를 들어, 30° 15분은 30°와 15/60°(즉, 0.25°)를 합한 값입니다.

회전: 회전은 물체가 특정 각도만큼 돌아가는 것을 의미합니다.

180° 우회전: 반원을 그리며 오른쪽으로 도는 것을 의미합니다.

540° 우회전 (Rise Double Turn): 180° 우회전을 3번 한 것으로, 1바퀴에 1.5회 도는 것을 의미합니다. 720° 우회전 (Right Triple Turn): 180° 우회전을 4번 한 것으로, 2바퀴를 도는 것을 의미합니다.

직선으로의 회전: 이것은 직선상에서 회전하는 것을 의미합니다.

회전의 중요성

1. **기술적 측면:** 회전은 춤에서 매우 중요한 기술적 요소 중 하나입니다. 댄서들은 몸의 축을 중심으로 회전함으로써 춤의 다양한 동작을 완성하고, 특정한 스텝이나 모션을 부드럽고 정확하게 표현합니다. 이를 통해 춤의 다양한 움직임과 연결고리를 만들어냅니다.

2. **동작 완성과 연결:** 회전은 특히 다양한 동작을 완성하고 하나의 동작에서 다음 동작으로의 매끄러운 연결을 도와줍니다. 회전을 통해 댄서는 그들의 퍼포먼스를 더 자연스럽게 만들어, 시각적으로 매력적인 춤을 선보입니다.

각도와 댄스

1. **몸의 위치 조절:** 각도는 춤의 동작에서 몸의 위치와 방향을 조절하는 데 중요한 역할을 합니

다. 댄서들은 각도를 조정하여 그들의 움직임을 정확하게 보여주고, 특정한 스텝을 완성합니다.

2. **표현과 감정 전달**: 각도는 춤을 통해 감정과 표현을 전달하는 데에도 중요한 도구입니다. 특정한 각도로 몸을 조절하고 표현함으로써 댄서들은 그들의 춤으로 감정을 전달합니다.

회전의 기본 개념

회전은 물체가 중심을 중심으로 이동하는 것을 의미합니다. 이는 공간에서 물체가 돌아가거나, 중심 주변으로 움직이는 것을 설명합니다. 회전은 공전과 자전으로 나뉘며, 공전은 외부 요인에 의해 중심 주위로 움직이는 것을, 자전은 물체 자체가 회전하는 것을 나타냅니다.

회전에 관한 용어

원어	회전량	각도
One Eight Turn (원 에잇 턴)	1/8회전	45도
Quarter Turn (쿼터 턴)	1/4회전	90도
Three Eight Turn (쓰리 에잇 턴)	3/8회전	135도
Half Turn (하프 턴)	1/2회전	180도
Five Eight Turn (파이브 에잇 턴)	5/8회전	225도
Three Quarter Turn (쓰리 퀄터 턴)	3/4회전	270도
even Eight Turn (세븐 에잇 턴)	7/8회전	315도
One Turn (원 턴)	1회전	360도
Right Turn	180° 우회전	
Rise Double Turn	540° 우회전	
Right Triple Turn	720° 우회전	
Straight Right Double Turn	직선으로 540도 우회전	
Left Turn	180° 좌회전	
Left Double Turn	540° 좌회전	
Left Triple Turn	720° 좌회전	
Straight Left Double Turn	직선으로 540도 좌회전	
1/32 회전	11.25도	
1/16회전	22.5도	

Amount of Turn-Right

1.1/8턴(45°) 2.1/4턴(90°) 3.3/8턴(135°) 4.1/2턴(180°) 5.5/8턴(225°) 6. 3/4턴(270°) 7.7/8턴(315°) 8.360°

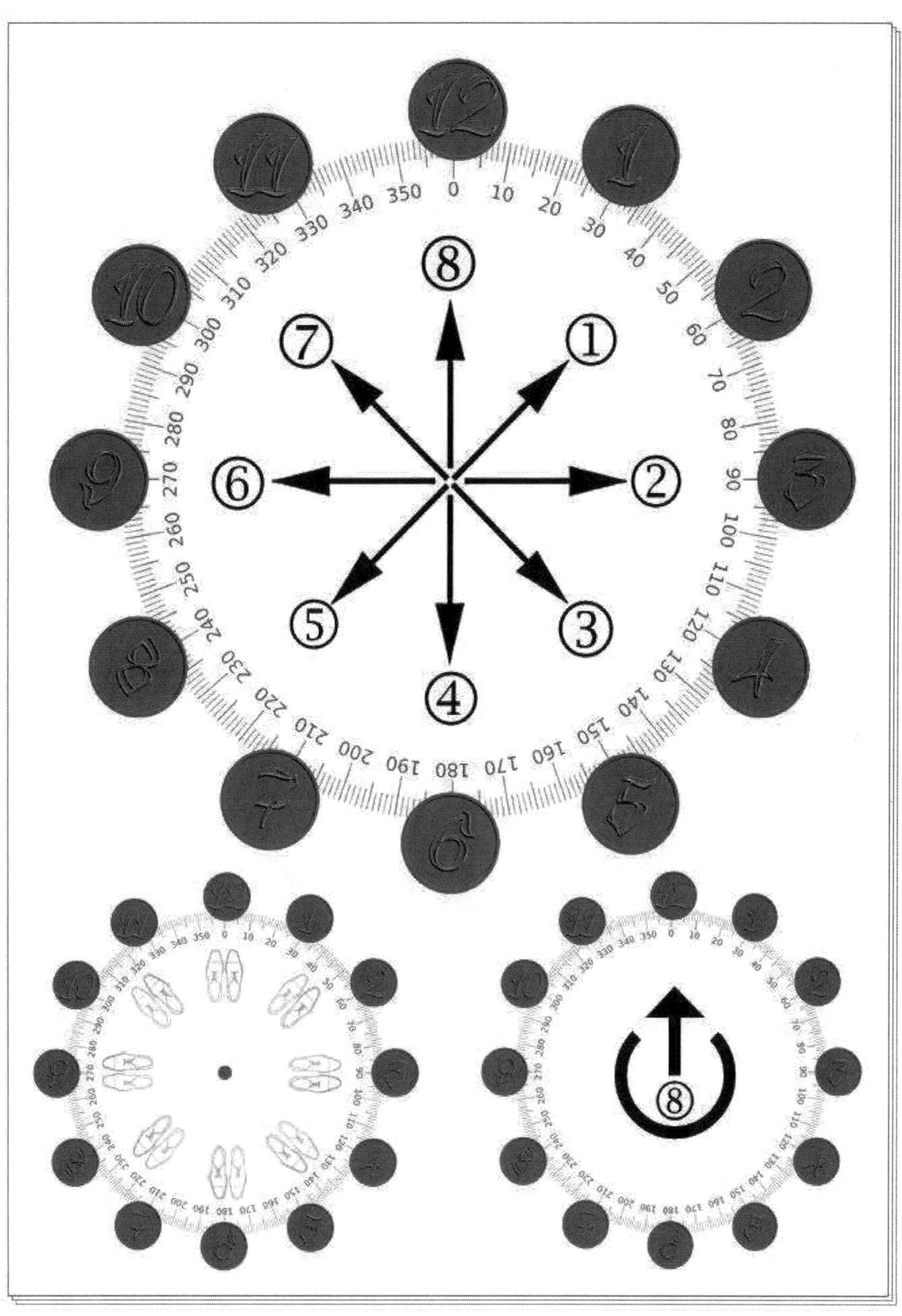

Amount of Turn-Left

1.7/8턴(315°) 2.3/4턴(270°) 3.5/8턴(225°) 4.1/2턴(180°) 5.3/8턴(135°) 6.1/4턴(90°) 7.1/8턴(45°) 8.360°

트로트 루틴

트로트 루틴 리드법

학원마다 홀드하는 방법을 다르게 레슨해준다. 어떤 학원은 배와 명치를 컨택하는 방식으로 또, 어떤 학원은 배, 명치, 가슴까지 컨택하는 방식으로 레슨해준다. 필자 같은 경우는 여성 파트너와 배 사이에 주먹이 들어갈 정도 떨어져 마주 서는 방법으로 레슨한다.

어떤 방식이 맞다 틀린다고는 할 수는 없지만 처음 한국식 트로트가 창시되어 전국팔도 유행한 당시 선생님들의 레슨 방식은 배 사이에 주먹이 들어갈 정도 떨어져 마주 서는 방식으로 레슨해 주었다. 세월이 지나 수많은 댄스 선생님들이 각자의 방식대로 레슨하다보니 트로트 홀드 또한 지금까지 전국팔도 통일이 되지 않았다. 악의적으로 배, 가슴, 치부까지 컨텍하는 방식으로 레슨해주는 선생님들도 많이 있다. 이런 선생들은 피해야 할 인간 중 한 부류로 여성은 특히 조심해야 한다. 춤 레슨이 아닌 다른 목적이 있을 수 있다.

정통적인 홀드 방식은 남성은 여성 파트너와 배 사이에 주먹이 들어갈 정도 떨어져 마주 서서 여성의 견갑골(날개 뼈)에 남성의 오른손으로 살짝 가져다 대고 여성의 왼손은 남성의 오른쪽 어깨 살짝 얹고 남성의 왼팔은 "L"자 모양으로 팔꿈치를 90°로 구부려 준 상태에서 왼손으로 여성의 오른손과 그립을 한다. 턱은 당기고 머리는 뒤로 올리고, 그립의 높이는 입 또는 눈높이이며 시선은 정면에서 약간 위를 바라본다. 남성과 여성은 양쪽 손가락을 벌리지 말고 모은 상태를 유지해야 하며, 남성과 여성은 서로 버티는 텐션이 느껴지도록 어깨 및 팔이 견고해야 한다. 춤을 추는 동안 서로의 체중이나 균형을 지켜야 하며, 남성은 여성을 안정적으로 이끌어주어야 한다.

트로트 리드하는 법 공식 3가지

1. **전진:** 남성이 앞으로 걸음을 내디뎌도, 여성은 왼손 엄지의 끝에서부터 왼팔, 오른손의 손바닥에 이르는 움직임을 느끼게 됩니다. 여성은 상체를 유지하고 오른손에 약간의 압력을 유지하면 남성의 움직임과 압력 변화를 느끼고, 그에 맞게 반응하게 되죠. 남성이 오른쪽이나 왼쪽으로 움직이거나 회전할 때, 남성의 프레임도 함께 움직이면서 많은 부분에서 그 움직임을 여성에게 자연스럽게 전달됩니다. 남성이 전진할 때 남성 왼손이 여성 오른손으로 자연스럽게 미는 압력이 전달되기 때문에 남성은 인위적으로 왼손이나 오른손으로 여성을 밀지 말아주세요.

2. **후진:** 남자가 뒤로 걸을 때, 남성 오른팔은 근육을 사용하여 자세를 유지하고, 여자는 그 움직임을 오른팔을 통해 느낍니다. 남자는 여자를 당기지 않고, 그냥 움직이면 여자가 자연스럽게 따라올 거예요. 그리고 남자가 앞으로 나가면, 남성 오른손이 여자의 등에 가해지는 압력이 줄어듭니다. 여자는 상체를 유지하고, 그의 손에 부드러운 압력을 줘서 그 압력 변화를 느끼고 움직이게 될 거예요. 남자가 좌우로 움직이면, 그의 몸이 움직여서 여러 접촉 지점을 통해 그 움직임이 전달돼요. 손

으로 밀거나 당기지 말고, 프레임을 단단하게 유지하고 함께 움직이는 거죠.

3. **회전:** 남성분들, 오른쪽으로 움직이고 싶을 때 왼손으로 밀지 말아야 합니다. 그런 밀기는 상체를 어색하게 움직여 자세를 망치게 될 됩니다. 대신, 조금 무릎을 굽히고 하체를 조금 돌려서 그녀에게 회전을 미리 알려주면 더 부드럽고, 균형 있는 자세를 지속적인 유지할 수 있을 겁니다.

1번 기본 베이식

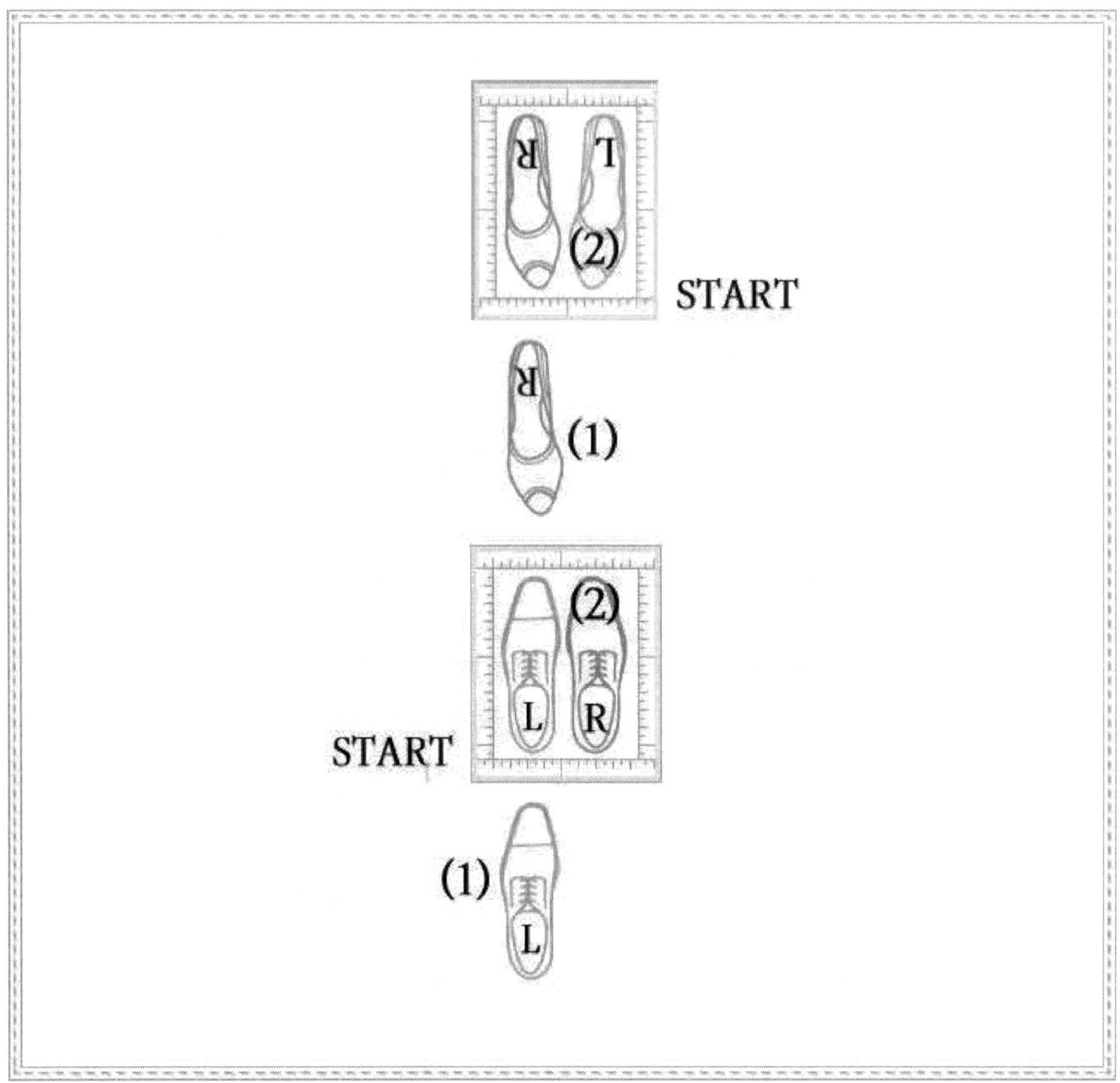

〈남성&여성〉

스텝	카운트	리듬	읽을 때	음악 타이밍	핸드 포지션
1보	1	S	슬로우	쿵	Hold
2보	2	S	슬로우	짝	Hold

〈남성〉

스텝	핸드	스텝 방식	액션
1보	왼손	놓고	Backward Walk
2보	왼손	놓고	Weight Shift (Forward)

스텝	풋 포지션	총 회전량
1보	왼발 후진	없음
2보	오른발 체중 이동	

〈여성〉

스텝	핸드	스텝 방식	액션
1보	오른손	놓고	Forward Walk
2보	오른손	놓고	Weight Shift (Backward)

스텝	풋 포지션	총 회전량
1보	오른발 전진	없음
2보	왼발 체중 이동	

1번 피겨는 전국팔도 어느 학원이든 제일 먼저 레슨해주는 기본스텝으로 쉽다면 쉽고 어렵다면 어려운 기본스텝이다. 이 스텝이 중요한 이유는 이 스텝을 어떤 식으로 레슨을 받고 어떤 식으로 여성에게 리드를 하느냐에 따라 춤사위는 크게 달라진다. 잘못된 리드법이 몸에 배면 고치기 힘들 뿐만 아니라 여성들이 불편할 수도 있다.

대부분 남성은 후진 스텝을 할 때 양쪽 손으로 인위적으로 여성을 밀고·당기거나 너무 강한 텐션을 주는 경우가 많다. 인위적으로 너무 강한 텐션을 주거나 당기면 여성은 불편함과 동시에 몸에 큰 부담을 받는다. 1보에서 텐션이 걸려 있는 상태에서 남성 발이 후진하면 자연스럽게 남성 왼손과 오른손도 후진하기 때문에 자연스럽게 여성을 리드하게 되니 인위적으로 리드 및 텐션의 강도를 더 줄 필요가 없다. 2보에서 남성이 오른발 체중 이동만 해도 여성은 왼손 엄지의 끝에서부터 왼팔, 오른손의 손바닥에 이르는 움직임을 느끼게 됩니다. 여성은 상체를 유지하고 오른손에 약간의 압력을 유지하면 남성의 움직임과 압력 변화를 느끼고, 그에 맞게 반응하게 된다.

2번 전진 4박

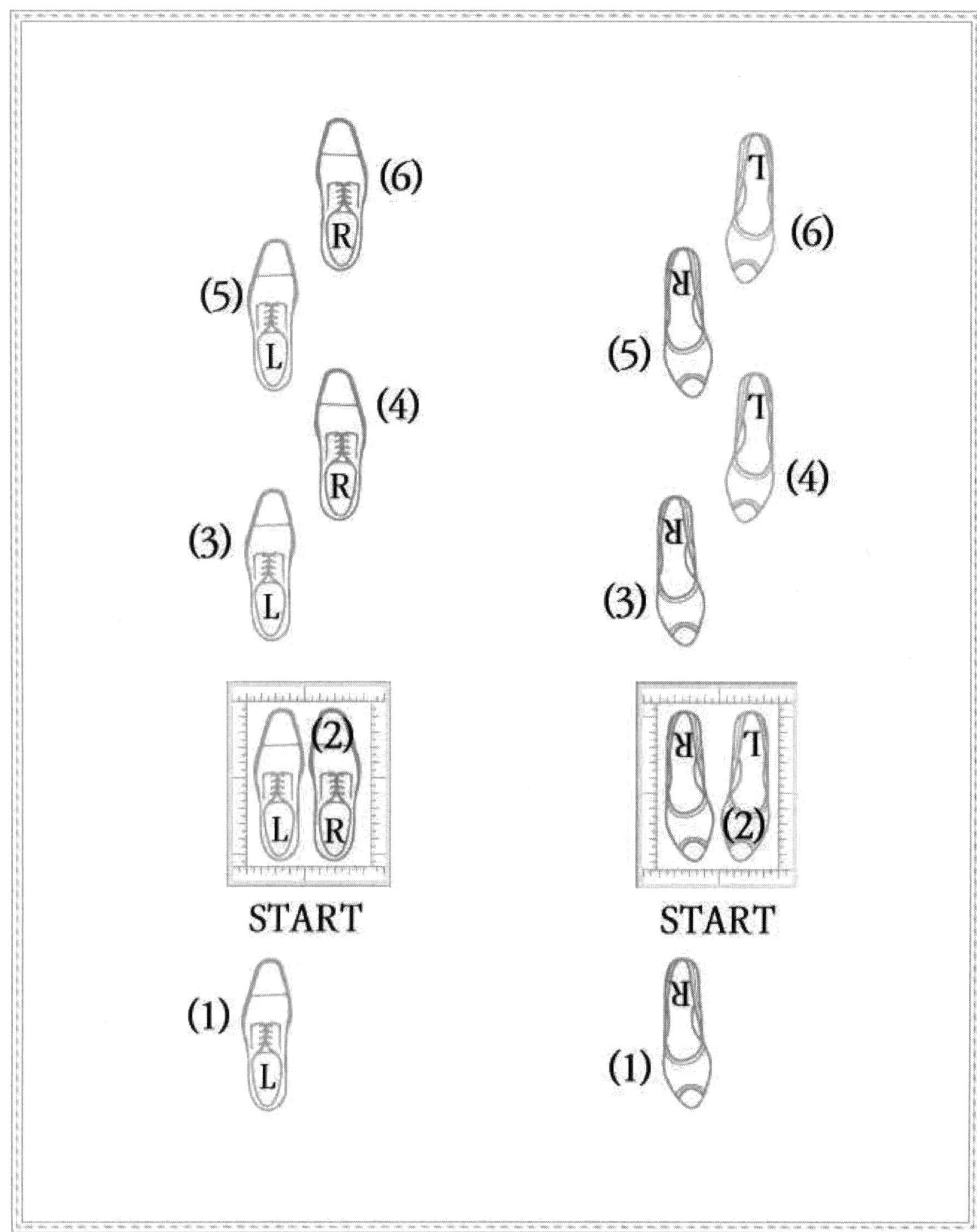

〈남성&여성〉

스텝	카운트	리듬	읽을 때	음악 타이밍	핸드 포지션

1보	1	S	슬로우	쿵	Hold
2보	2	S	슬로우	짝	Hold
3보	3	S	슬로우	쿵	Hold
4보	4	S	슬로우	짝	Hold
5보	5	S	슬로우	쿵	Hold
6보	6	S	슬로우	짝	Hold

〈남성〉

스텝	핸드	스텝 방식	액션
1보	왼손	놓고	Backward Walk
2보	왼손	놓고	Weight Shift (Forward)
3보	왼손	놓고	Forward Walk
4보	왼손	놓고	Forward Walk
5보	왼손	놓고	Forward Walk
6보	왼손	놓고	Forward Walk

스텝	풋 포지션	총 회전량
1보	왼발 후진	없음
2보	오른발 체중 이동	
3보	왼발 전진	
4보	오른발 전진	
5보	왼발 전진	
6보	오른발 전진	

〈여성〉

스텝	핸드	스텝 방식	액션
1보	오른손	놓고	Forward Walk
2보	오른손	놓고	Weight Shift (Backward)
3보	오른손	놓고	Backward Walk
4보	오른손	놓고	Backward Walk
5보	오른손	놓고	Backward Walk
6보	오른손	놓고	Backward Walk

스텝	풋 포지션	총 회전량
1보	오른발 전진	없음
2보	왼발 체중 이동	
3보	오른발 후진	
4보	왼발 후진	
5보	오른발 후진	
6보	왼발 후진	

1보에서 텐션이 걸려 있는 상태에서 남성 발이 후진하면 자연스럽게 남성 왼손과 오른손도 후진하기 때문에 자연스럽게 여성을 리드하게 되니 인위적으로 리드 및 텐션의 강도를 더 줄 필요가 없다. 2보에서 남성이 오른발 체중 이동만 해도 여성은 왼손 엄지의 끝에서부터 왼팔, 오른손의 손바닥에

이르는 움직임을 느끼게 된다. 여성은 상체를 유지하고 오른손에 약간의 압력을 유지하면 남성의 움직임과 압력 변화를 느끼고, 그에 맞게 반응하게 된다.

3보-6보에서 남성은 전진할 때 남성 오른손이 여자의 등에 가해지는 압력이 줄어들며 남성 왼손이 여성 오른손으로 자연스럽게 미는 압력이 전달되기 때문에 남성은 인위적으로 왼손이나 오른손으로 여성을 밀지 말아야 한다. 여성은 상체를 유지하고, 남성의 손에 부드러운 압력을 줘서 그 압력 변화를 느끼고 움직이게 된다.

3번 리듬 타기

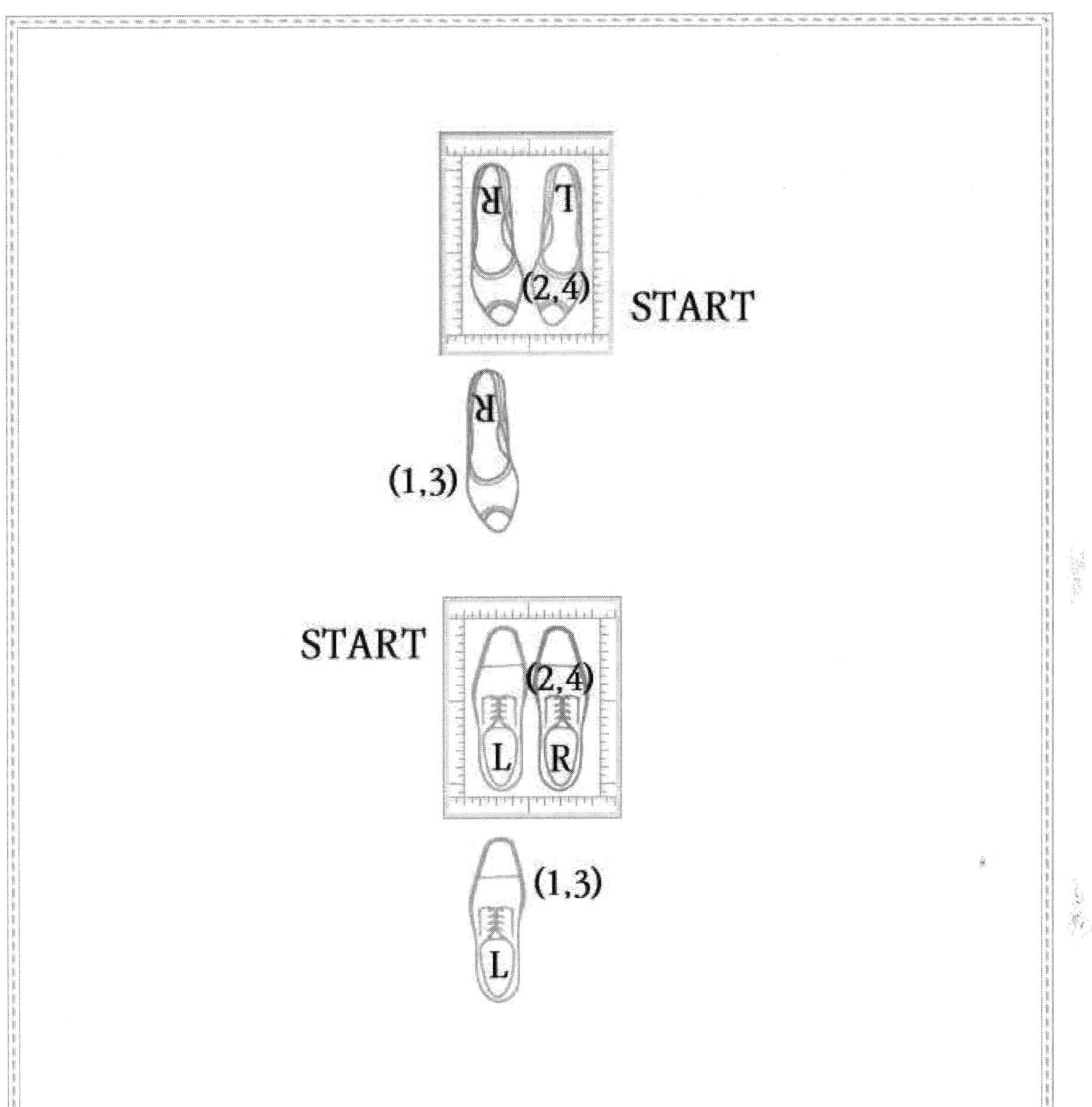

〈남성&여성〉

스텝	카운트	리듬	읽을 때	음악 타이밍	핸드 포지션
1보	1	S	슬로우	쿵	Hold
2보	2	S	슬로우	짝	Hold
3보	3	S	슬로우	쿵	Hold
4보	4	S	슬로우	짝	Hold

〈남성〉

스텝	핸드	스텝 방식	액션
1보	왼손	놓고	Backward Walk
2보	왼손	놓고	Weight Shift (Forward)
3보	왼손	놓고	Weight Shift (Backward)
4보	왼손	놓고	Weight Shift (Forward)

스텝	풋 포지션	총 회전량
1보	왼발 후진	없음
2보	오른발 체중 이동	
3보	왼발 체중 이동	
4보	오른발 체중 이동	

〈여성〉

스텝	핸드	스텝 방식	액션
1보	오른손	놓고	Forward Walk
2보	오른손	놓고	Weight Shift (Backward)
3보	오른손	놓고	Weight Shift (Forward)
4보	오른손	놓고	Weight Shift (Backward)

스텝	풋 포지션	총 회전량
1보	오른발 전진	없음
2보	왼발 체중 이동	
3보	오른발 후진	
4보	왼발 후진	

남성이 체중 이동만 해도 여성은 왼손 엄지의 끝에서부터 왼팔, 오른손의 손바닥에 이르는 움직임을 느끼게 된다. 여성은 상체를 유지하고 오른손에 약간의 압력을 유지하면 남성의 움직임과 압력 변화를 느끼고, 그에 맞게 반응하게 된다.

4번 전진 4박 후진 2박

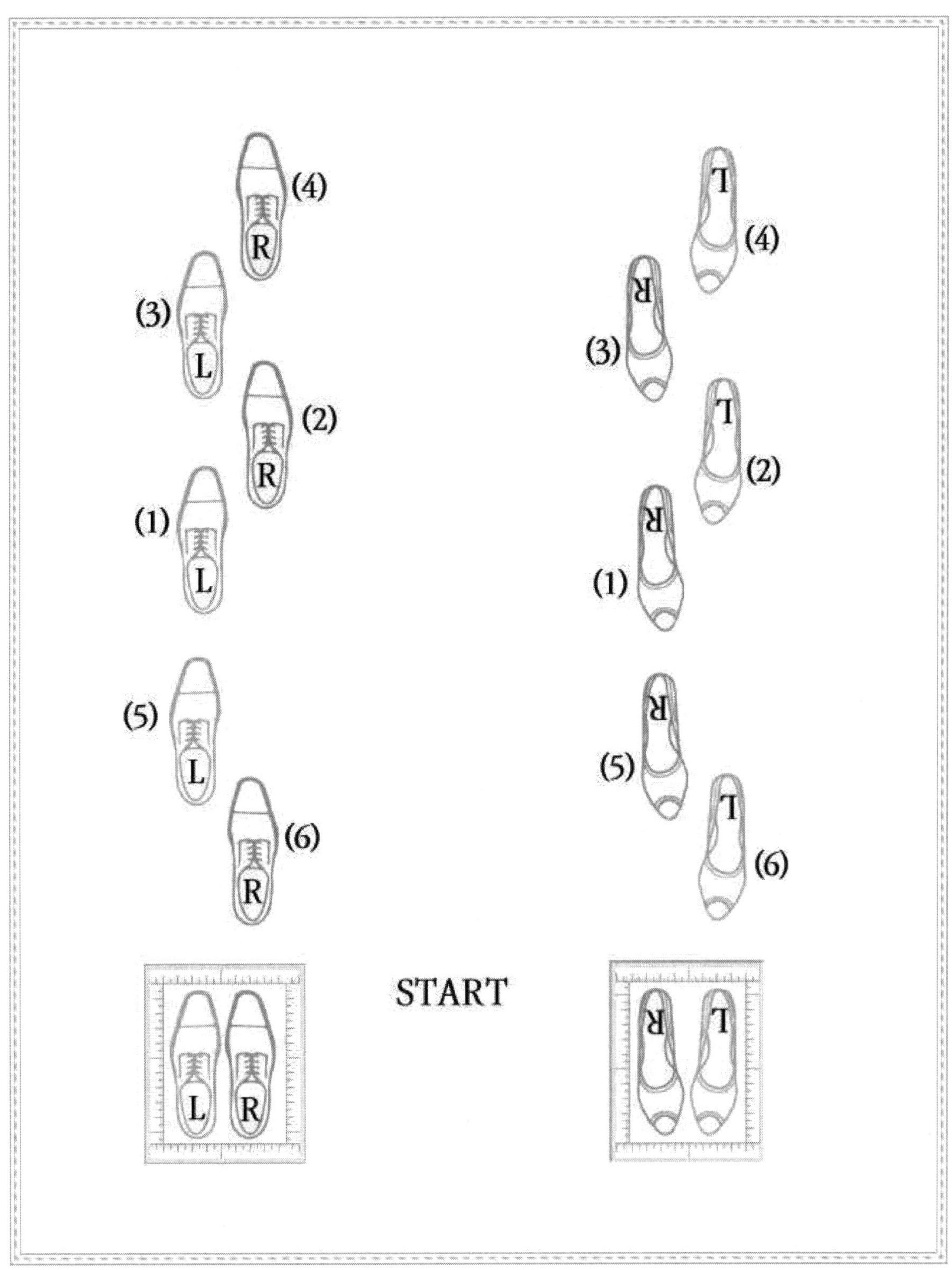

〈남성&여성〉

스텝	카운트	리듬	읽을 때	음악 타이밍	핸드 포지션
1보	1	S	슬로우	쿵	Hold
2보	2	S	슬로우	짝	Hold
3보	3	S	슬로우	쿵	Hold
4보	4	S	슬로우	짝	Hold
5보	5	S	슬로우	쿵	Hold
6보	6	S	슬로우	짝	Hold

〈남성〉

스텝	핸드	스텝 방식	액션
1보	왼손	놓고	Forward Walk
2보	왼손	놓고	Forward Walk
3보	왼손	놓고	Forward Walk
4보	왼손	놓고	Forward Walk
5보	왼손	놓고	Backward Walk
6보	왼손	놓고	Backward Walk

스텝	풋 포지션	총 회전량
1보	왼발 전진	없음
2보	오른발 전진	
3보	왼발 전진	
4보	오른발 전진	
5보	왼발 후진	
6보	오른발 후진	

〈여성〉

스텝	핸드	스텝 방식	액션
1보	오른손	놓고	Backward Walk
2보	오른손	놓고	Backward Walk
3보	오른손	놓고	Backward Walk
4보	오른손	놓고	Backward Walk
5보	오른손	놓고	Forward Walk
6보	오른손	놓고	Forward Walk

스텝	풋 포지션	총 회전량
1보	오른발 후진	없음
2보	왼발 후진	
3보	오른발 후진	
4보	왼발 후진	
5보	오른발 전진	
6보	왼발 전진	

리드법 1-3번 참고

5번 전진 2박 후진 2박

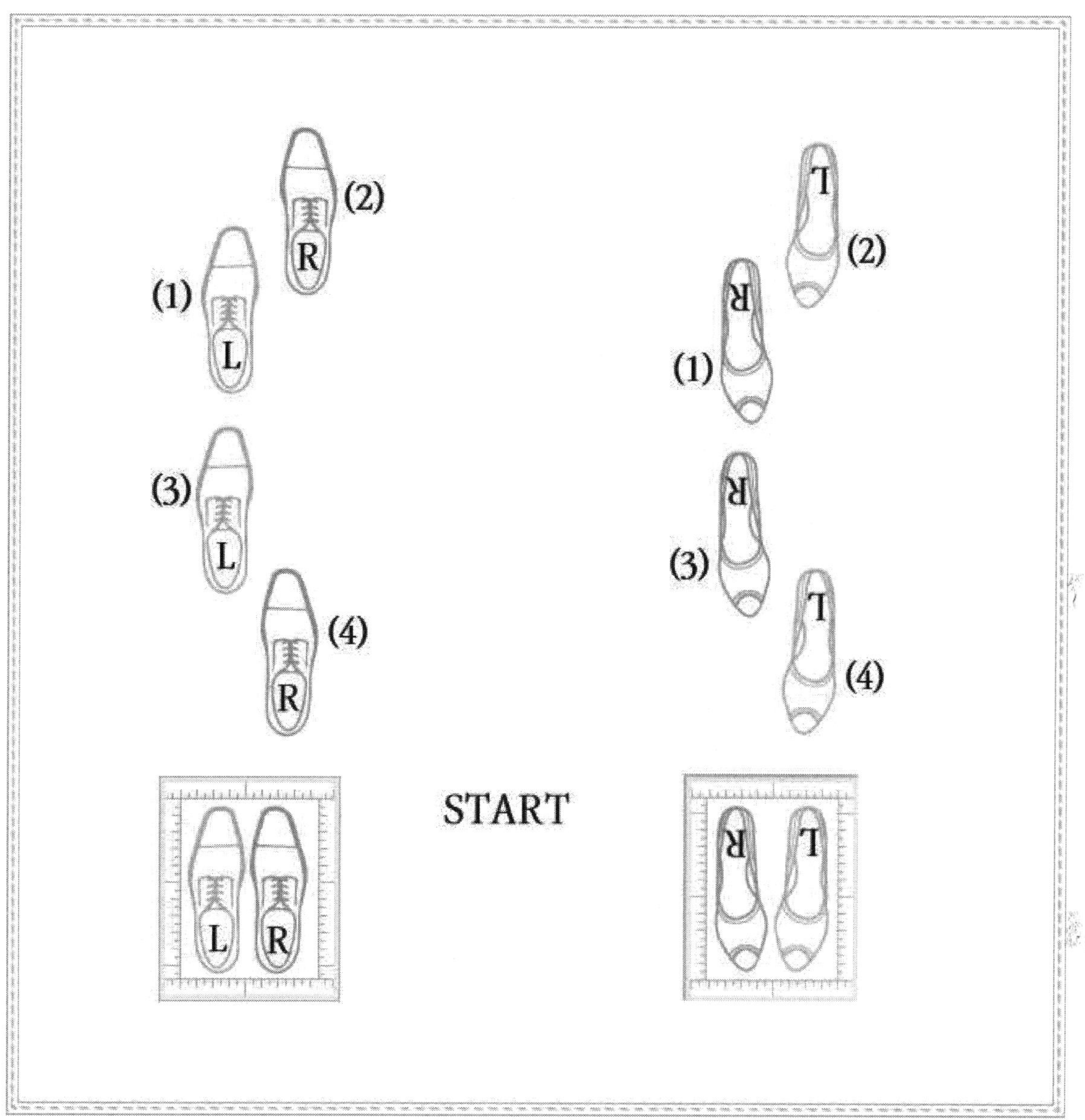

〈남성&여성〉

스텝	카운트	리듬	읽을 때	음악 타이밍	핸드 포지션
1보	1	S	슬로우	쿵	Hold
2보	2	S	슬로우	짝	Hold
3보	3	S	슬로우	쿵	Hold
4보	4	S	슬로우	짝	Hold

〈남성〉

스텝	핸드	스텝 방식	액션
1보	왼손	놓고	Forward Walk
2보	왼손	놓고	Forward Walk
3보	왼손	놓고	Backward Walk
4보	왼손	놓고	Backward Walk

스텝	풋 포지션	총 회전량
1보	왼발 전진	없음
2보	오른발 전진	
3보	왼발 후진	
4보	오른발 후진	

〈여성〉

스텝	핸드	스텝 방식	액션
1보	오른손	놓고	Backward Walk
2보	오른손	놓고	Backward Walk
3보	오른손	놓고	Forward Walk
4보	오른손	놓고	Forward Walk

스텝	풋 포지션	총 회전량
1보	오른발 후진	없음
2보	왼발 후진	
3보	오른발 전진	
4보	왼발 전진	

6번 전 · 후진 2박 리듬 타기

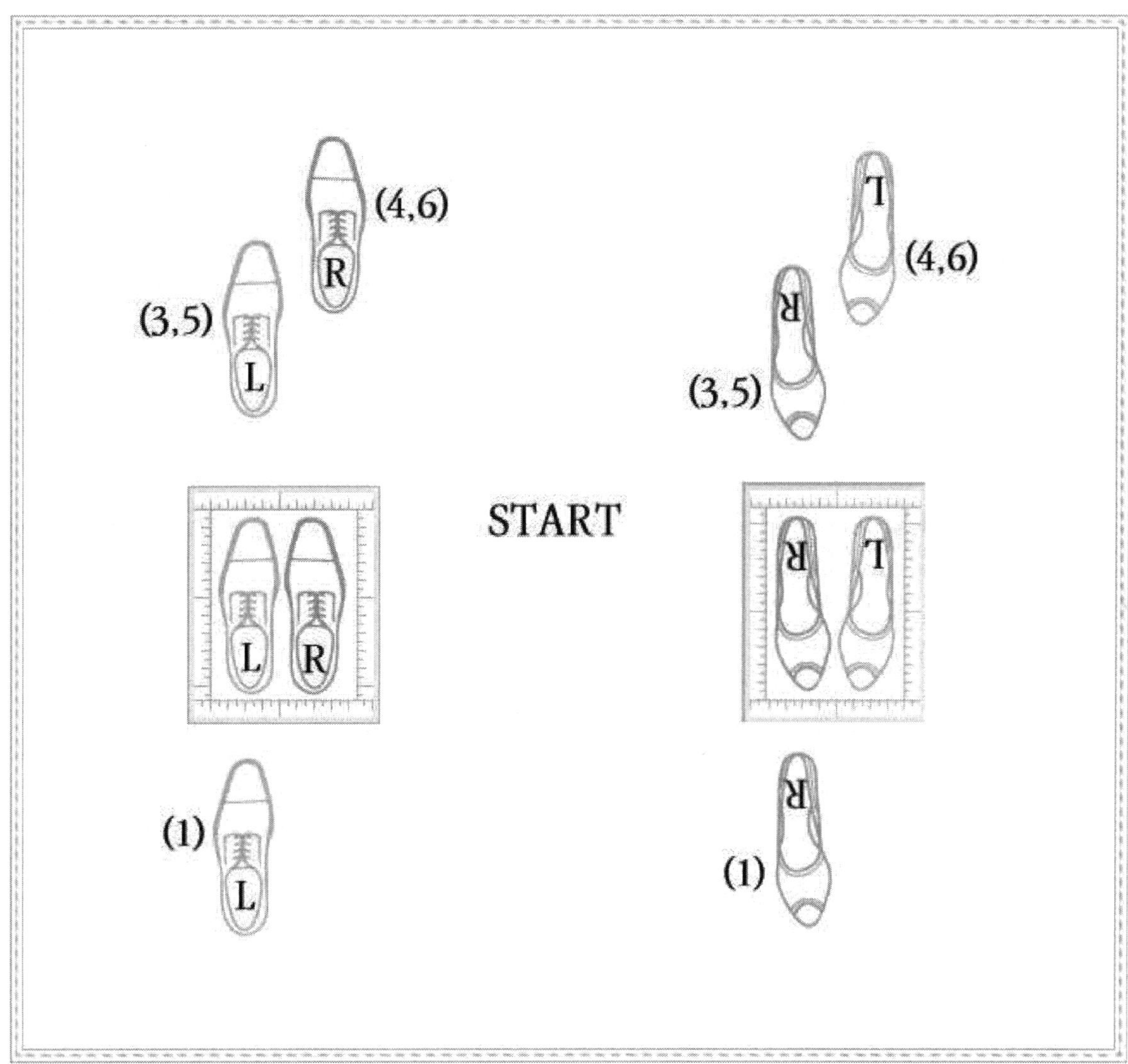

〈남성&여성〉

스텝	카운트	리듬	읽을 때	음악 타이밍	핸드 포지션
1보	1	S	슬로우	쿵	Hold
2보	2	S	슬로우	짝	Hold
3보	3	S	슬로우	쿵	Hold
4보	4	S	슬로우	짝	Hold
5보	5	S	슬로우	쿵	Hold
6보	6	S	슬로우	짝	Hold

〈남성〉

스텝	핸드	스텝 방식	액션

1보	왼손	놓고	Backward Walk
2보	왼손	놓고	Weight Shift(Forward)
3보	왼손	놓고	Forward Walk
4보	왼손	놓고	Forward Walk
5보	왼손	놓고	Weight Shift(Backward)
6보	왼손	놓고	Weight Shift(Forward)

스텝	풋 포지션	총 회전량
1보	왼발 후진	없음
2보	오른발 체중 이동	
3보	왼발 전진	
4보	오른발 전진	
5보	왼발 체중 이동	
6보	오른발 체중 이동	

〈여성〉

스텝	핸드	스텝 방식	액션
1보	오른손	놓고	Forward Walk
2보	오른손	놓고	Weight Shift(Backward)
3보	오른손	놓고	Backward Walk
4보	오른손	놓고	Backward Walk
5보	오른손	놓고	Weight Shift(Forward)
6보	오른손	놓고	Weight Shift(Backward)

스텝	풋 포지션	총 회전량
1보	오른발 전진	없음
2보	왼발 체중 이동	
3보	오른발 후진	
4보	왼발 후진	
5보	오른발 체중 이동	
6보	왼발 체중 이동	

7번 전진 4박 후진 2박 리듬 타기

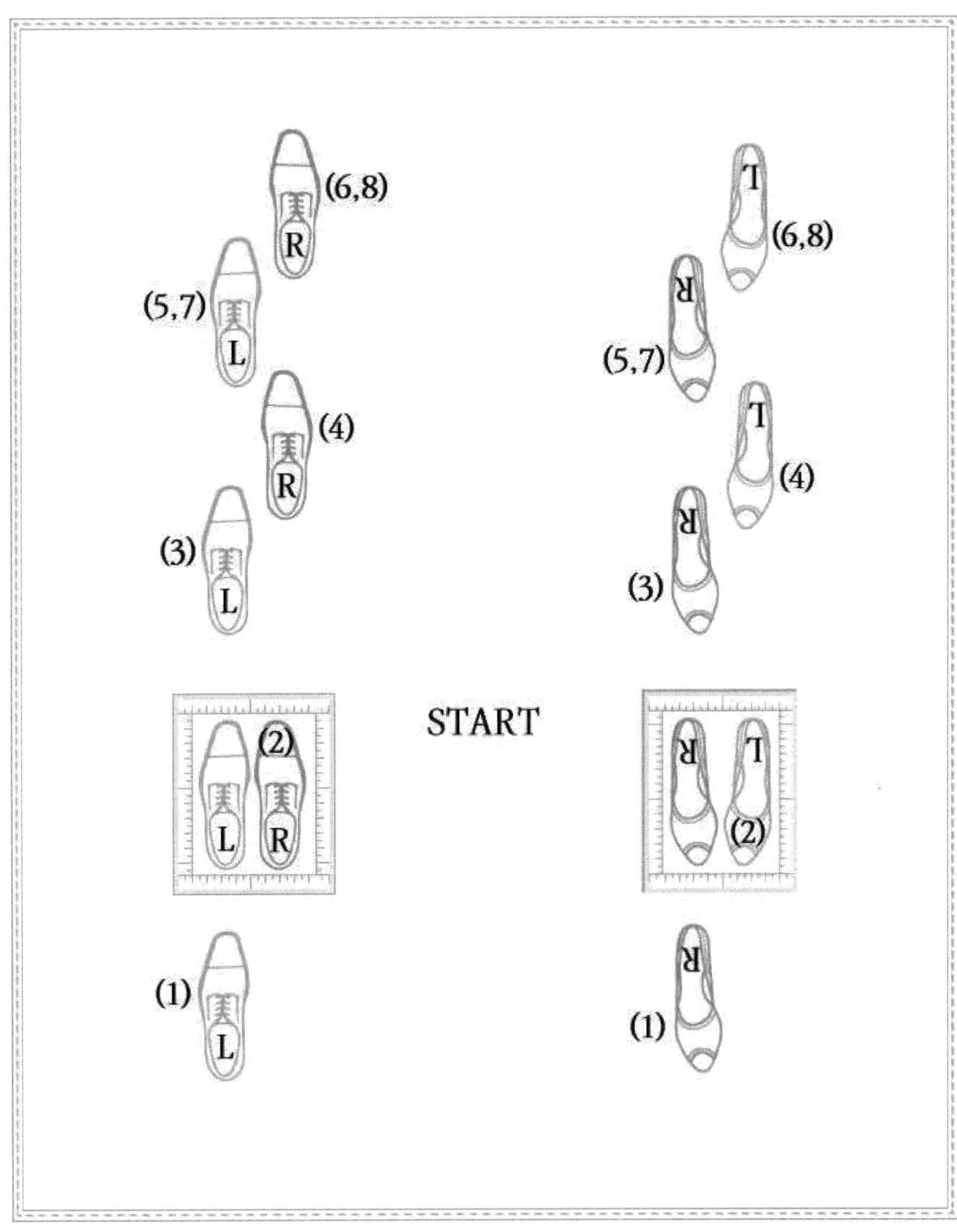

〈남성&여성〉

스텝	카운트	리듬	읽을 때	음악 타이밍	핸드 포지션
1보	1	S	슬로우	쿵	Hold
2보	2	S	슬로우	짝	Hold
3보	3	S	슬로우	쿵	Hold
4보	4	S	슬로우	짝	Hold
5보	5	S	슬로우	쿵	Hold
6보	6	S	슬로우	짝	Hold
7보	7	S	슬로우	쿵	Hold
8보	8	S	슬로우	짝	Hold

〈남성〉

스텝	핸드	스텝 방식	액션
1보	왼손	놓고	Backward Walk
2보	왼손	놓고	Weight Shift(Forward)
3보	왼손	놓고	Forward Walk
4보	왼손	놓고	Forward Walk
5보	왼손	놓고	Forward Walk
6보	왼손	놓고	Forward Walk
7보	왼손	놓고	Weight Shift(Backward)
8보	왼손	놓고	Weight Shift(Forward)

스텝	풋 포지션	총 회전량
1보	왼발 후진	없음
2보	오른발 체중 이동	
3보	왼발 전진	
4보	오른발 전진	
5보	왼발 전진	
6보	오른발 전진	
7보	왼발 체중 이동	
8보	오른발 체중 이동	

〈여성〉

스텝	핸드	스텝 방식	액션
1보	오른손	놓고	Forward Walk
2보	오른손	놓고	Weight Shift(Backward)
3보	오른손	놓고	Backward Walk
4보	오른손	놓고	Backward Walk
5보	오른손	놓고	Backward Walk
6보	오른손	놓고	Backward Walk
7보	오른손	놓고	Weight Shift(Forward)
8보	오른손	놓고	Weight Shift(Backward)

스텝	풋 포지션	총 회전량
1보	오른발 전진	없음

2보	왼발 체중 이동	
3보	오른발 후진	
4보	왼발 후진	
5보	오른발 후진	
6보	왼발 후진	
7보	오른발 체중 이동	
8보	왼발 체중 이동	

8번 전·후진 리듬 타기

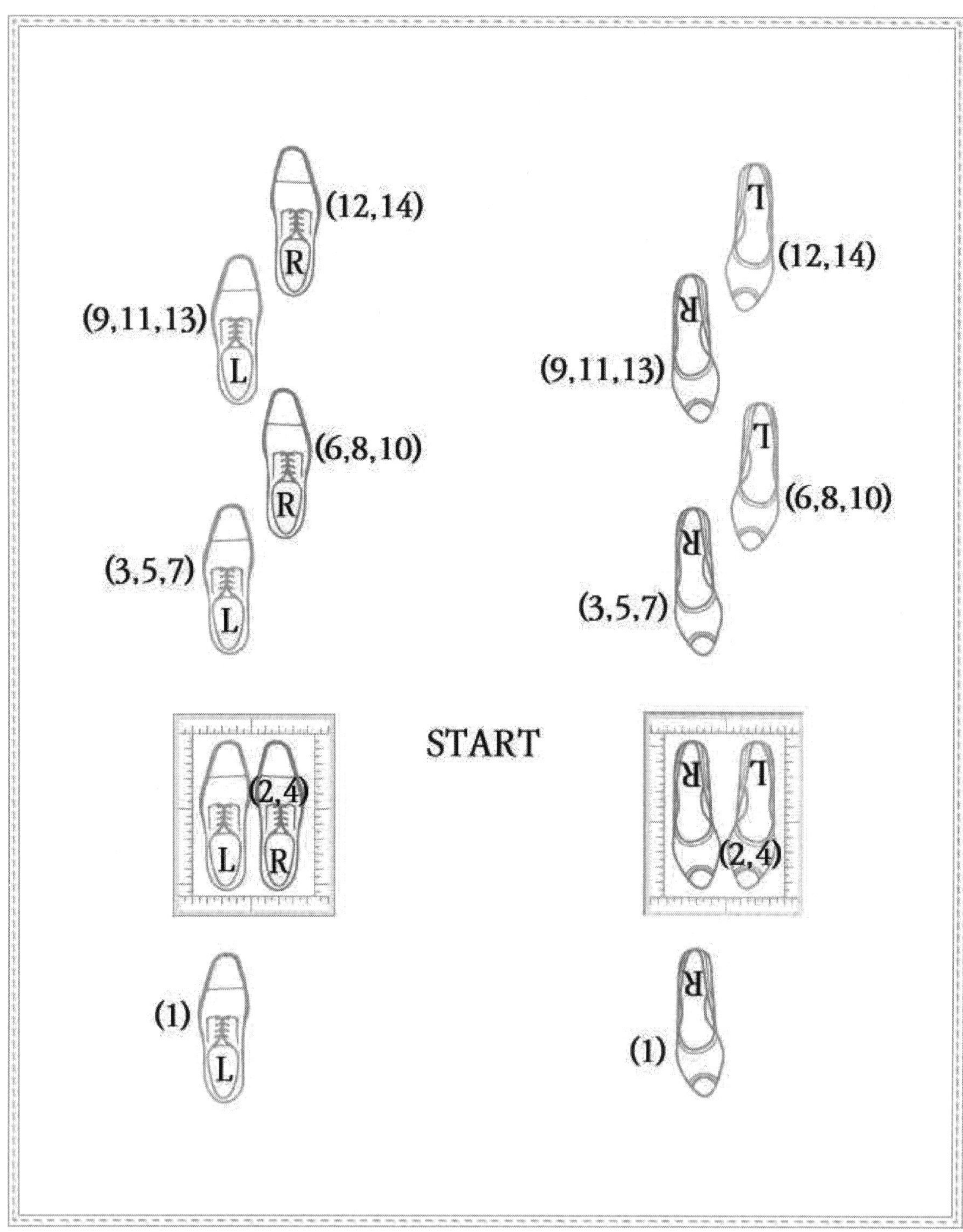

(12,14)
R
(9,11,13)
L
(6,8,10)
R
(3,5,7)
L
START
(2,4)
L
R
(1)
L
L
(12,14)
R
(9,11,13)
L
(6,8,10)
R
(3,5,7)
R
L
(2,4)
R
(1)

〈남성&여성〉

스텝	카운트	리듬	읽을 때	음악 타이밍	핸드 포지션
1보	1	S	슬로우	쿵	Hold
2보	2	S	슬로우	짝	Hold
3보	3	S	슬로우	쿵	Hold
4보	4	S	슬로우	짝	Hold
5보	5	S	슬로우	쿵	Hold
6보	6	S	슬로우	짝	Hold
7보	7	S	슬로우	쿵	Hold
8보	8	S	슬로우	짝	Hold
9보	9	S	슬로우	쿵	Hold
10보	10	S	슬로우	짝	Hold
11보	11	S	슬로우	쿵	Hold
12보	12	S	슬로우	짝	Hold
13보	13	S	슬로우	쿵	Hold
14보	14	S	슬로우	짝	Hold

〈남성〉

스텝	핸드	스텝 방식	액션
1보	왼손	놓고	Backward Walk
2보	왼손	놓고	Weight Shift(Forward)
3보	왼손	놓고	Forward Walk
4보	왼손	놓고	Weight Shift(Backward)
5보	왼손	놓고	Weight Shift(Forward)
6보	왼손	놓고	Forward Walk
7보	왼손	놓고	Weight Shift(Backward)
8보	왼손	놓고	Weight Shift(Forward)
9보	왼손	놓고	Forward Walk
10보	왼손	놓고	Weight Shift(Backward)
11보	왼손	놓고	Weight Shift(Forward)
12보	왼손	놓고	Forward Walk
13보	왼손	놓고	Weight Shift(Backward)
14보	왼손	놓고	Weight Shift(Forward)

스텝	풋 포지션	총 회전량
1보	왼발 후진	없음
2보	오른발 체중 이동	
3보	왼발 전진	
4보	오른발 체중 이동	
5보	왼발 체중 이동	
6보	오른발 전진	
7보	왼발 체중 이동	
8보	오른발 체중 이동	
9보	왼발 전진	
10보	왼발 체중 이동	
11보	오른발 체중 이동	
12보	오른발 전진	

13보	왼발 체중 이동	
14보	오른발 체중 이동	

〈여성〉

스텝	핸드	스텝 방식	액션
1보	오른손	놓고	Forward Walk
2보	오른손	놓고	Weight Shift(Backward)
3보	오른손	놓고	Backward Walk
4보	오른손	놓고	Weight Shift(Forward)
5보	오른손	놓고	Weight Shift(Backward)
6보	오른손	놓고	Backward Walk
7보	오른손	놓고	Weight Shift(Forward)
8보	오른손	놓고	Weight Shift(Backward)
9보	오른손	놓고	Backward Walk
10보	오른손	놓고	Weight Shift(Forward)
11보	오른손	놓고	Weight Shift(Backward)
12보	오른손	놓고	Backward Walk
13보	오른손	놓고	Weight Shift(Forward)
14보	오른손	놓고	Weight Shift(Backward)

스텝	풋 포지션	총 회전량
1보	오른발 전진	없음
2보	왼발 체중 이동	
3보	오른발 후진	
4보	왼발 체중 이동	
5보	오른발 체중 이동	
6보	왼발 후진	
7보	오른발 체중 이동	
8보	왼발 체중 이동	
9보	오른발 후진	
10보	왼발 체중 이동	
11보	오른발 체중 이동	
12보	왼발 후진	
13보	오른발 체중 이동	
14보	왼발 체중 이동	

9번 전 · 후진 8박

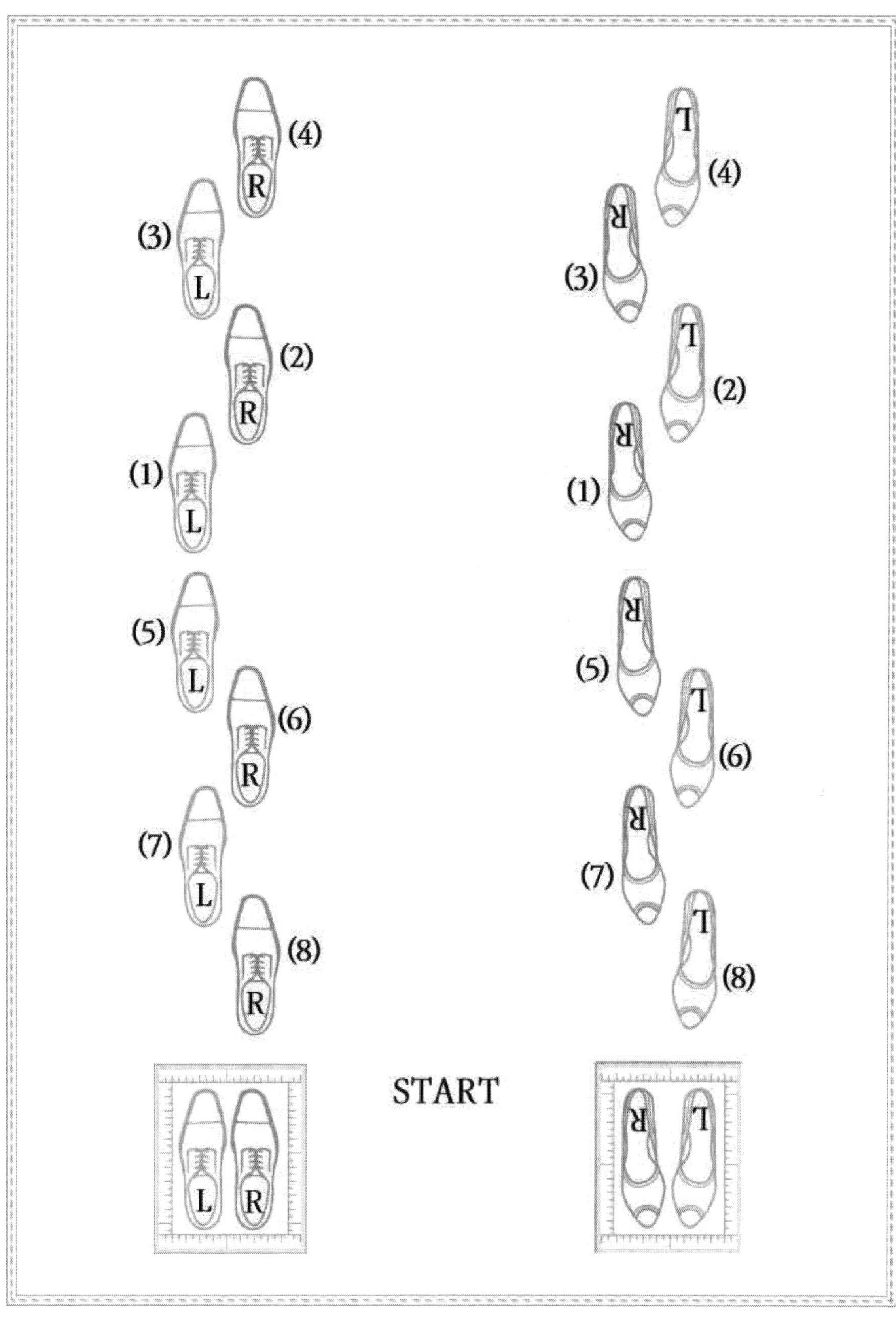

〈남성&여성〉

스텝	카운트	리듬	읽을 때	음악 타이밍	핸드 포지션
1보	1	S	슬로우	쿵	Hold
2보	2	S	슬로우	짝	Hold
3보	3	S	슬로우	쿵	Hold
4보	4	S	슬로우	짝	Hold
5보	5	S	슬로우	쿵	Hold
6보	6	S	슬로우	짝	Hold
7보	7	S	슬로우	쿵	Hold
8보	8	S	슬로우	짝	Hold

〈남성〉

스텝	핸드	스텝 방식	액션
1보	왼손	놓고	Forward Walk
2보	왼손	놓고	Forward Walk
3보	왼손	놓고	Forward Walk
4보	왼손	놓고	Forward Walk
5보	왼손	놓고	Backward Walk
6보	왼손	놓고	Backward Walk
7보	왼손	놓고	Backward Walk
8보	왼손	놓고	Backward Walk

스텝	풋 포지션	총 회전량
1보	왼발 전진	없음
2보	오른발 전진	
3보	왼발 전진	
4보	오른발 전진	
5보	왼발 후진	
6보	오른발 후진	
7보	왼발 후진	
8보	오른발 후진	

〈여성〉

스텝	핸드	스텝 방식	액션
1보	오른손	놓고	Backward Walk
2보	오른손	놓고	Backward Walk
3보	오른손	놓고	Backward Walk
4보	오른손	놓고	Backward Walk
5보	오른손	놓고	Forward Walk
6보	오른손	놓고	Forward Walk
7보	오른손	놓고	Forward Walk
8보	오른손	놓고	Forward Walk

스텝	풋 포지션	총 회전량
1보	오른발 후진	없음

2보	왼발 후진	
3보	오른발 후진	
4보	왼발 후진	
5보	오른발 전진	
6보	왼발 전진	
7보	오른발 전진	
8보	왼발 전진	

10번 후진 4박

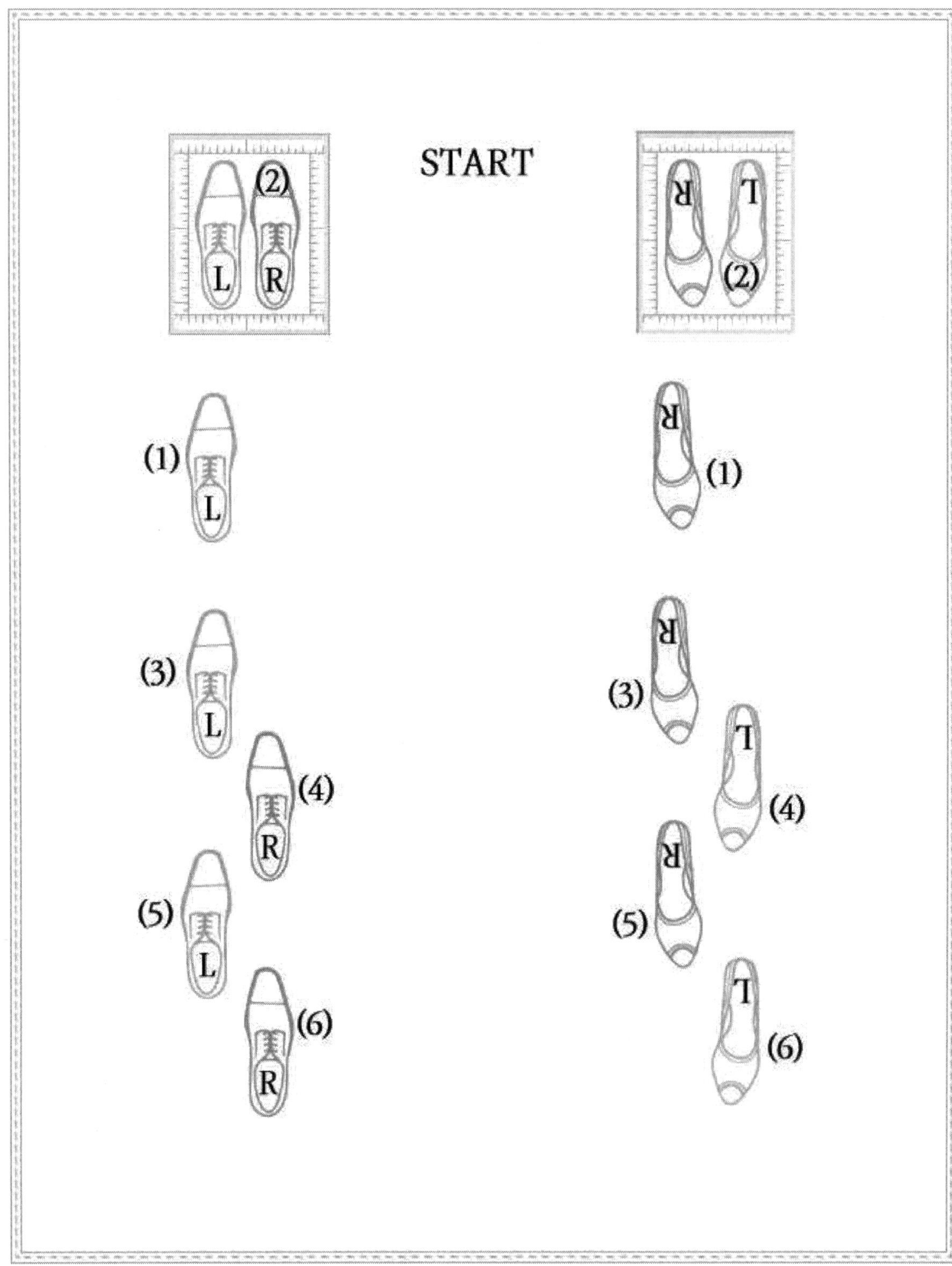

〈남성&여성〉

스텝	카운트	리듬	읽을 때	음악 타이밍	핸드 포지션
1보	1	S	슬로우	쿵	Hold
2보	2	S	슬로우	짝	Hold
3보	3	S	슬로우	쿵	Hold
4보	4	S	슬로우	짝	Hold
5보	5	S	슬로우	쿵	Hold
6보	6	S	슬로우	짝	Hold

〈남성〉

스텝	핸드	스텝 방식	액션
1보	왼손	놓고	Backward Walk
2보	왼손	놓고	Weight Shift(Forward)
3보	왼손	놓고	Backward Walk
4보	왼손	놓고	Backward Walk
5보	왼손	놓고	Backward Walk
6보	왼손	놓고	Backward Walk

스텝	풋 포지션	총 회전량
1보	왼발 후진	없음
2보	오른발 체중 이동	
3보	왼발 후진	
4보	오른발 후진	
5보	왼발 후진	
6보	오른발 후진	

〈여성〉

스텝	핸드	스텝 방식	액션
1보	오른손	놓고	Forward Walk
2보	오른손	놓고	Weight Shift(Backward)
3보	오른손	놓고	Forward Walk
4보	오른손	놓고	Forward Walk
5보	오른손	놓고	Forward Walk
6보	오른손	놓고	Forward Walk

스텝	풋 포지션	총 회전량
1보	오른발 전진	없음
2보	왼발 체중 이동	
3보	오른발 전진	
4보	왼발 전진	
5보	오른발 전진	
6보	왼발 전진	

11번 후진 4박 리듬 타기

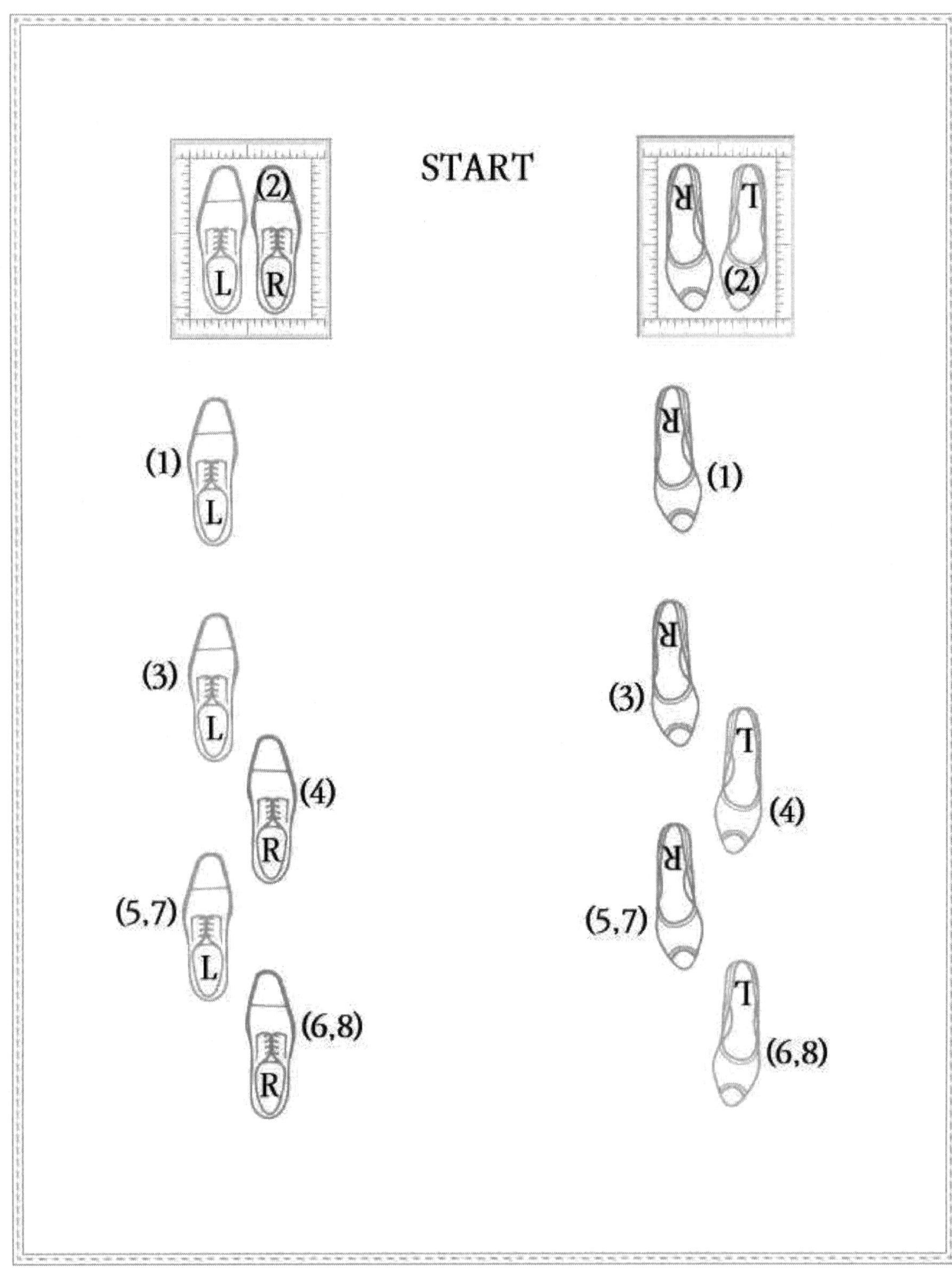

〈남성&여성〉

스텝	카운트	리듬	읽을 때	음악 타이밍	핸드 포지션
1보	1	S	슬로우	쿵	Hold
2보	2	S	슬로우	짝	Hold
3보	3	S	슬로우	쿵	Hold
4보	4	S	슬로우	짝	Hold
5보	5	S	슬로우	쿵	Hold
6보	6	S	슬로우	짝	Hold
7보	7	S	슬로우	쿵	Hold
8보	8	S	슬로우	짝	Hold

〈남성〉

스텝	핸드	스텝 방식	액션
1보	왼손	놓고	Backward Walk
2보	왼손	놓고	Weight Shift(Forward)
3보	왼손	놓고	Backward Walk
4보	왼손	놓고	Backward Walk
5보	왼손	놓고	Backward Walk
6보	왼손	놓고	Backward Walk
7보	왼손	놓고	Weight Shift(Forward)
8보	왼손	놓고	Weight Shift(Backward)

스텝	풋 포지션	총 회전량
1보	왼발 후진	없음
2보	오른발 체중 이동	
3보	왼발 후진	
4보	오른발 후진	
5보	왼발 후진	
6보	오른발 후진	
7보	왼발 체중 이동	
8보	오른발 체중 이동	

〈여성〉

스텝	핸드	스텝 방식	액션
1보	오른손	놓고	Forward Walk
2보	오른손	놓고	Weight Shift(Backward)
3보	오른손	놓고	Forward Walk
4보	오른손	놓고	Forward Walk
5보	오른손	놓고	Forward Walk
6보	오른손	놓고	Forward Walk
7보	오른손	놓고	Weight Shift(Backward)
8보	오른손	놓고	Weight Shift(Forward)

스텝	풋 포지션	총 회전량
1보	오른발 전진	없음

2보	왼발 체중 이동	
3보	오른발 전진	
4보	왼발 전진	
5보	오른발 전진	
6보	왼발 전진	
7보	오른발 체중 이동	
8보	왼발 체중 이동	

12번 라이트 샤세, 레프트 샤세

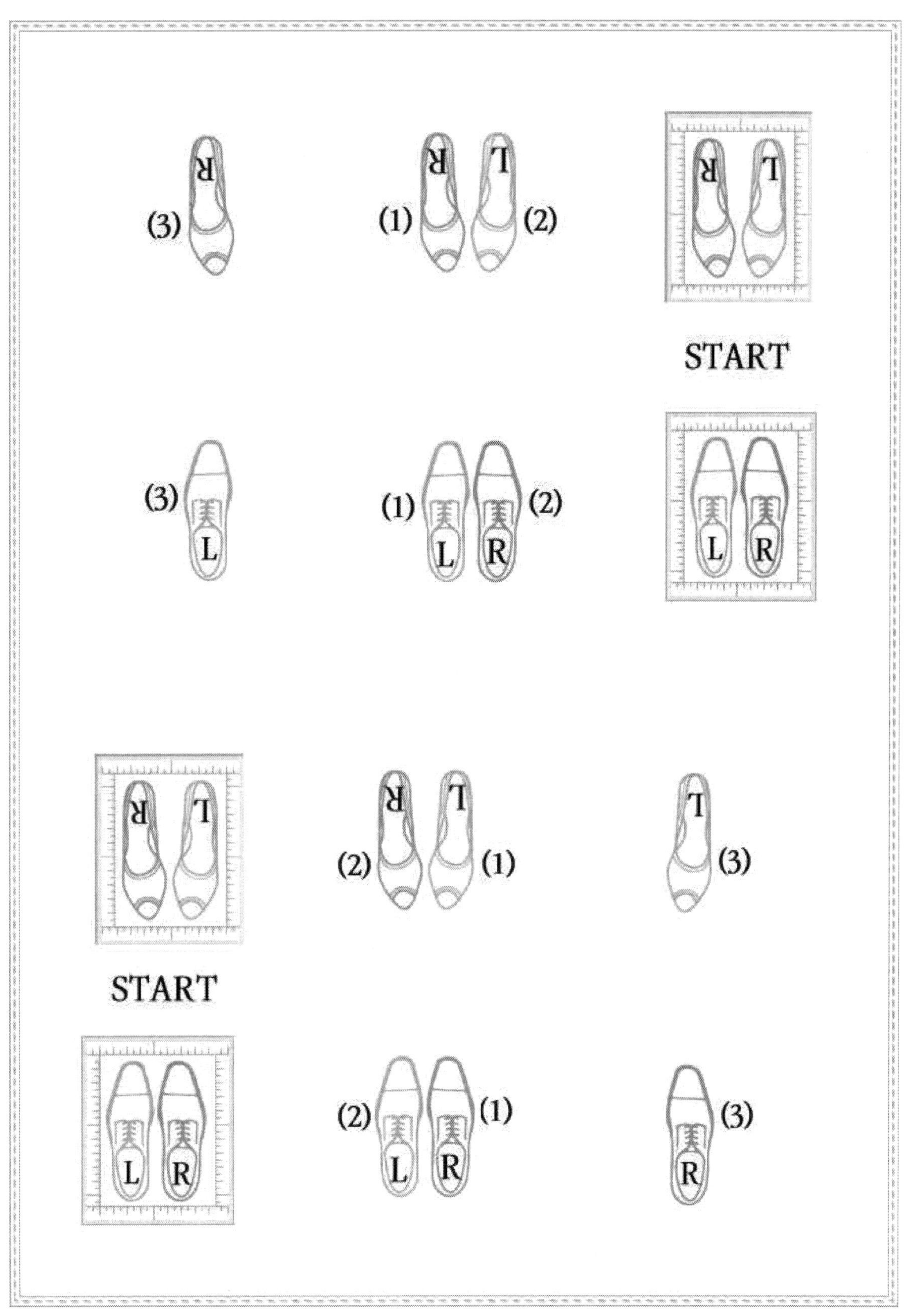

〈남성&여성〉

스텝	카운트	리듬	읽을 때	음악 타이밍	핸드 포지션
라이트 샤세					
1보	1	Q	퀵	쿵	Hold
2보	2	Q	퀵	짝	Hold
3보	3	S	슬로우	쿵	Hold
레프트 샤세					
1보	1	Q	퀵	짝	Hold
2보	2	Q	퀵	쿵	Hold
3보	3	S	슬로우	짝	Hold

〈남성〉

스텝	핸드	스텝 방식	액션
라이트 샤세			
1보	왼손	놓고	Side Step
2보	왼손	놓고	Side Step
3보	왼손	놓고	Side Step
레프트 샤세			
1보	왼손	놓고	Side Step
2보	왼손	놓고	Side Step
3보	왼손	놓고	Side Step

스텝	풋 포지션	총 회전량
라이트 샤세		
1보	오른발 오른쪽 옆으로	없음
2보	왼발 오른발에 모으고	
3보	오른발 오른쪽 옆으로	
레프트 샤세		
1보	왼발 왼쪽 옆으로	없음
2보	오른발 왼발 옆에 모으고	
3보	왼발 왼쪽 옆으로	

〈여성〉

스텝	핸드	스텝 방식	액션
라이트 샤세			
1보	오른손	놓고	Side Step
2보	오른손	놓고	Side Step
3보	오른손	놓고	Side Step
레프트 샤세			
1보	오른손	놓고	Side Step
2보	오른손	놓고	Side Step
3보	오른손	놓고	Side Step

스텝	풋 포지션	총 회전량
라이트 샤세		

1보	왼발 왼쪽 옆으로	없음
2보	오른발 왼발 옆에 모으고	
3보	왼발 왼쪽 옆으로	
레프트 샤세		
1보	오른발 오른쪽 옆으로	없음
2보	왼발 오른발에 모으고	
3보	오른발 오른쪽 옆으로	

발을 왼쪽이나 오른쪽으로 옆으로 이동시키는 사이드 스텝에서는 전·후진 스텝처럼 텐션이 걸린 상태를 유지하면서 왼발이나 오른발을 옆으로 이동하면 된다. 여성을 더 정확하게 리드를 하고 싶으면 여성을 리드하고자 하는 방향으로 남성 왼손으로 여성의 손을 당기고 오른손으로 여성의 등을 옆으로 밀어주면 된다. 여기서 주의해야 할 점은 너무 강한 텐션은 여성이 불쾌감을 가진다.

13번 라이트 샤세 4박, 레프트 샤세 4박

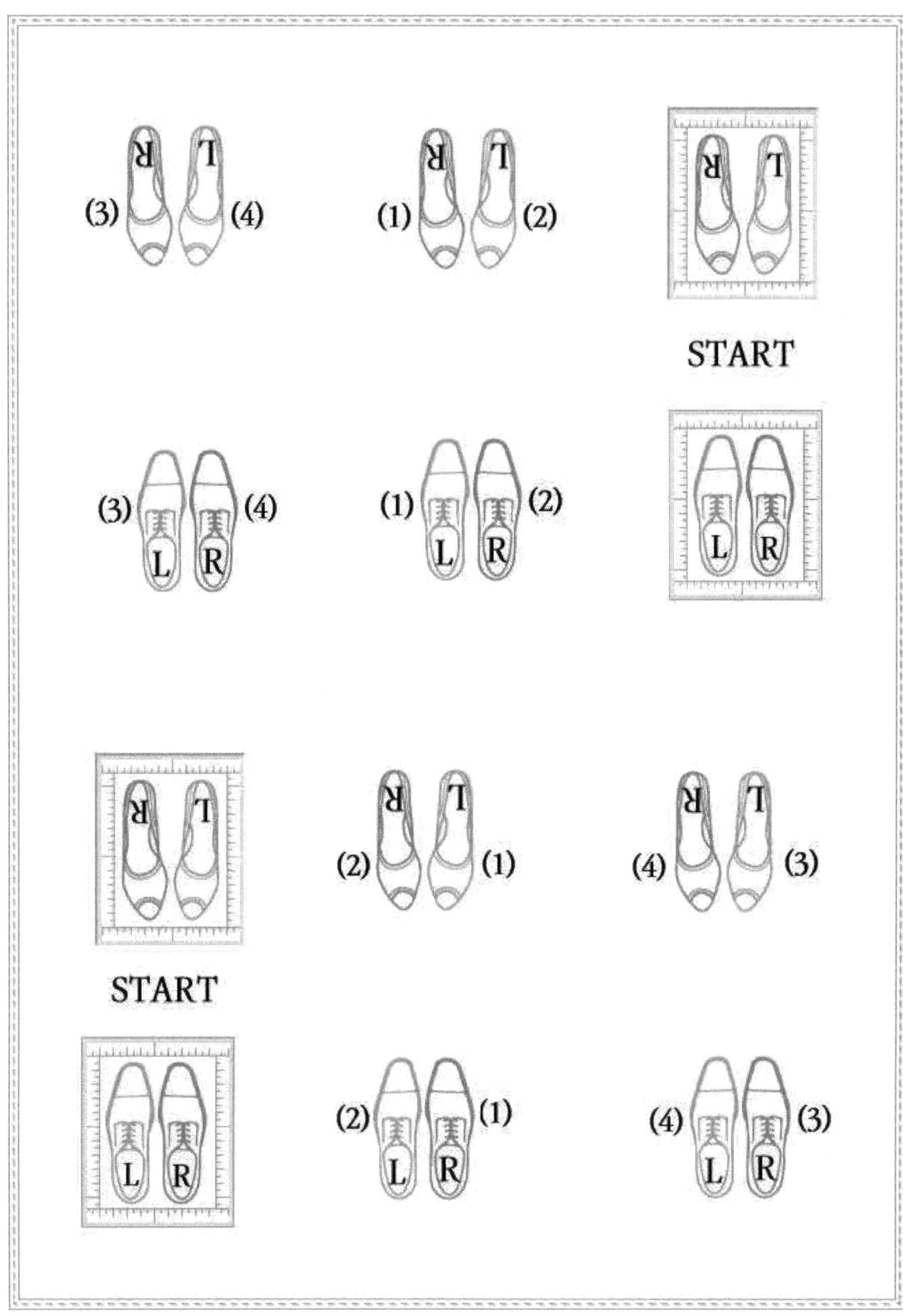

〈남성&여성〉

스텝	카운트	리듬	읽을 때	음악 타이밍	핸드 포지션
라이트 샤세					
1보	1	Q	퀵	쿵	Hold
2보	2	Q	퀵	짝	Hold
3보	3	Q	퀵	쿵	Hold
4보	4	Q	퀵	쿵	Hold
레프트 샤세					
1보	1	Q	퀵	짝	Hold
2보	2	Q	퀵	쿵	Hold
3보	3	Q	퀵	짝	Hold
4보	4	Q	퀵	쿵	Hold

〈남성〉

스텝	핸드	스텝 방식	액션
라이트 샤세			
1보	왼손	놓고	Side Step
2보	왼손	찍고	Side Step
3보	왼손	놓고	Side Step
4보	왼손	놓고	Side Step
레프트 샤세			
1보	왼손	놓고	Side Step
2보	왼손	놓고	Side Step
3보	왼손	놓고	Side Step
4보	왼손	놓고	Side Step

스텝	풋 포지션	총 회전량
라이트 샤세		
1보	오른발 오른쪽 옆으로	없음
2보	왼발 오른발에 모으고	
3보	오른발 오른쪽 옆으로	
4보	왼발 오른발에 모으고	
레프트 샤세		
1보	왼발 왼쪽 옆으로	없음
2보	오른발 왼발 옆에 모으고	
3보	왼발 왼쪽 옆으로	
4보	오른발 왼발 옆에 모으고	

〈여성〉

스텝	핸드	스텝 방식	액션
라이트 샤세			
1보	오른손	놓고	Side Step
2보	오른손	놓고	Side Step
3보	오른손	놓고	Side Step
4보	오른손	놓고	Side Step
레프트 샤세			

1보	오른손	놓고	Side Step
2보	오른손	놓고	Side Step
3보	오른손	놓고	Side Step
4보	오른손	놓고	Side Step

스텝	풋 포지션	총 회전량
	라이트 샤세	
1보	왼발 왼쪽 옆으로	없음
2보	오른발 왼발 옆에 모으고	
3보	왼발 왼쪽 옆으로	
4보	오른발 왼발 옆에 모으고	
	레프트 샤세	
1보	오른발 오른쪽 옆으로	없음
2보	왼발 오른발에 모으고	
3보	오른발 오른쪽 옆으로	
4보	왼발 오른발에 모으고	

14번 R/L 라이트 샤세, 레프트 샤세 @ L/R 레프트 샤세, 라이트 샤세

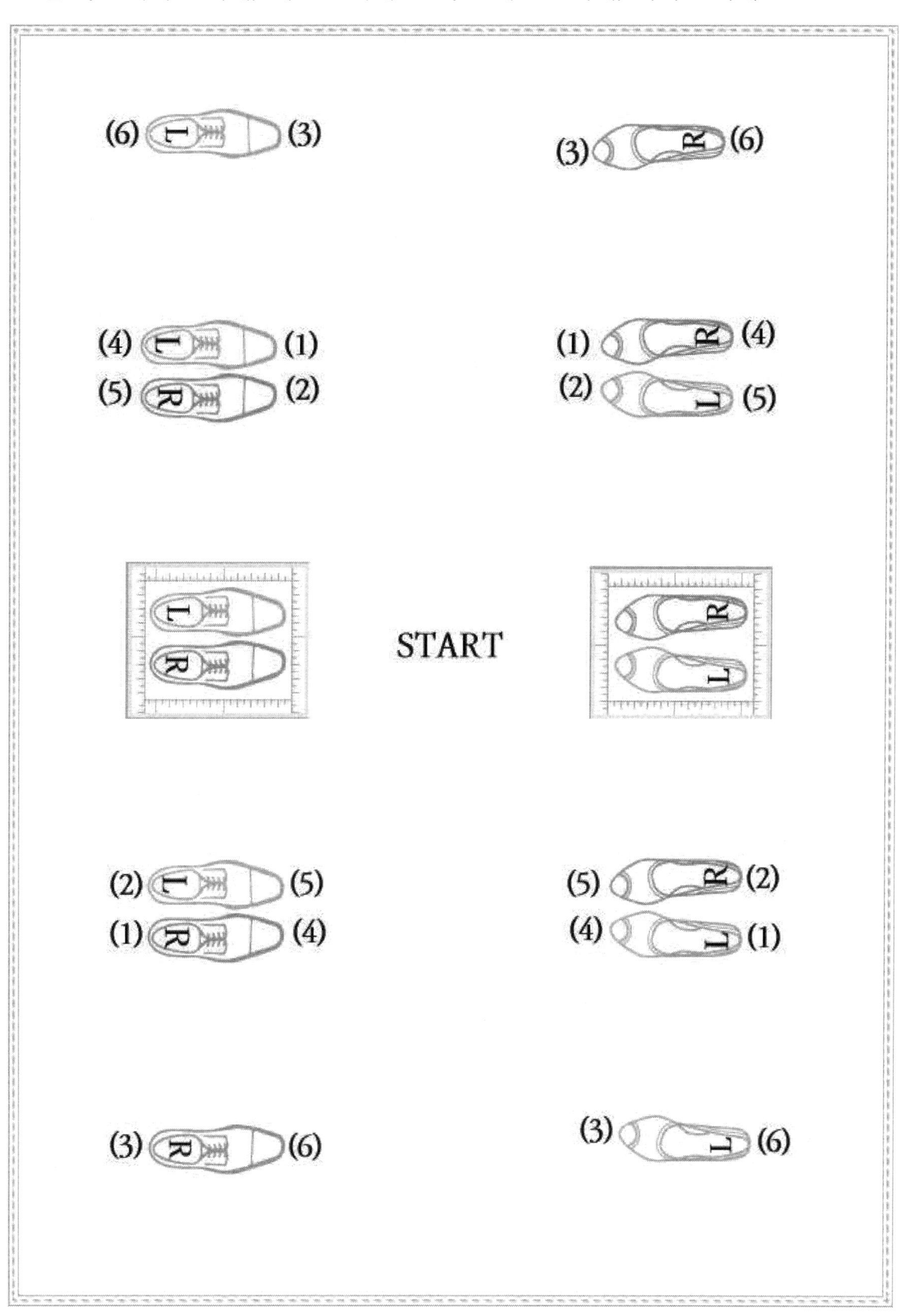

〈남성&여성〉 R/L

스텝	카운트	리듬	읽을 때	음악 타이밍	핸드 포지션
R					
1보	1	Q	퀵	쿵	Hold
2보	2	Q	퀵	짝	Hold
3보	3	S	슬로우	쿵	Hold
L					
4보	1	Q	퀵	짝	Hold
5보	2	Q	퀵	쿵	Hold
6보	3	S	슬로우	짝	Hold

〈남성〉

스텝	핸드	스텝 방식	액션
R			
1보	왼손	놓고	Side Step
2보	왼손	놓고	Side Step
3보	왼손	놓고	Side Step
L			
4보	왼손	놓고	Side Step
5보	왼손	놓고	Side Step
6보	왼손	놓고	Side Step

스텝	풋 포지션	총 회전량
R		
1보	오른발 오른쪽 옆으로	없음
2보	왼발 오른발에 모으고	
3보	오른발 오른쪽 옆으로	
L		
4보	왼발 왼쪽 옆으로	없음
5보	오른발 왼발 옆에 모으고	
6보	왼발 왼쪽 옆으로	

〈여성〉

스텝	핸드	스텝 방식	액션
R			
1보	오른손	놓고	Side Step
2보	오른손	놓고	Side Step
3보	오른손	놓고	Side Step
L			
4보	오른손	놓고	Side Step
5보	오른손	놓고	Side Step
6보	오른손	놓고	Side Step

스텝	풋 포지션	총 회전량
	R	
1보	왼발 왼쪽 옆으로	없음
2보	오른발 왼발 옆에 모으고	
3보	왼발 왼쪽 옆으로	
	L	
1보	오른발 오른쪽 옆으로	없음
2보	왼발 오른발에 모으고	
3보	오른발 오른쪽 옆으로	

〈남성&여성〉 L/R

스텝	카운트	리듬	읽을 때	음악 타이밍	핸드 포지션
			L		
1보	1	Q	퀵	쿵	Hold
2보	2	Q	퀵	짝	Hold
3보	3	S	슬로우	쿵	Hold
			R		
4보	1	Q	퀵	짝	Hold
5보	2	Q	퀵	쿵	Hold
6보	3	S	슬로우	짝	Hold

〈남성〉

스텝	핸드	스텝 방식	액션
	L		
1보	왼손	놓고	Side Step
2보	왼손	찍고	Side Step
3보	왼손	놓고	Side Step
	R		
4보	왼손	놓고	Side Step
5보	왼손	놓고	Side Step
6보	왼손	놓고	Side Step

스텝	풋 포지션	총 회전량
	L	
1보	왼발 왼쪽 옆으로	없음
2보	오른발 왼발 옆에 모으고	
3보	왼발 왼쪽 옆으로	
	R	
1보	오른발 오른쪽 옆으로	없음
2보	왼발 오른발에 모으고	
3보	오른발 오른쪽 옆으로	

〈여성〉

스텝	풋 포지션	총 회전량

L		
1보	오른발 오른쪽 옆으로	없음
2보	왼발 오른발에 모으고	
3보	오른발 오른쪽 옆으로	
R		
4보	왼발 왼쪽 옆으로	없음
5보	오른발 왼발 옆에 모으고	
6보	왼발 왼쪽 옆으로	

스텝	핸드	스텝 방식	액션
L			
1보	오른손	놓고	Side Step
2보	오른손	놓고	Side Step
3보	오른손	놓고	Side Step
R			
4보	오른손	놓고	Side Step
5보	오른손	놓고	Side Step
6보	오른손	놓고	Side Step

15번 체크 90도 턴

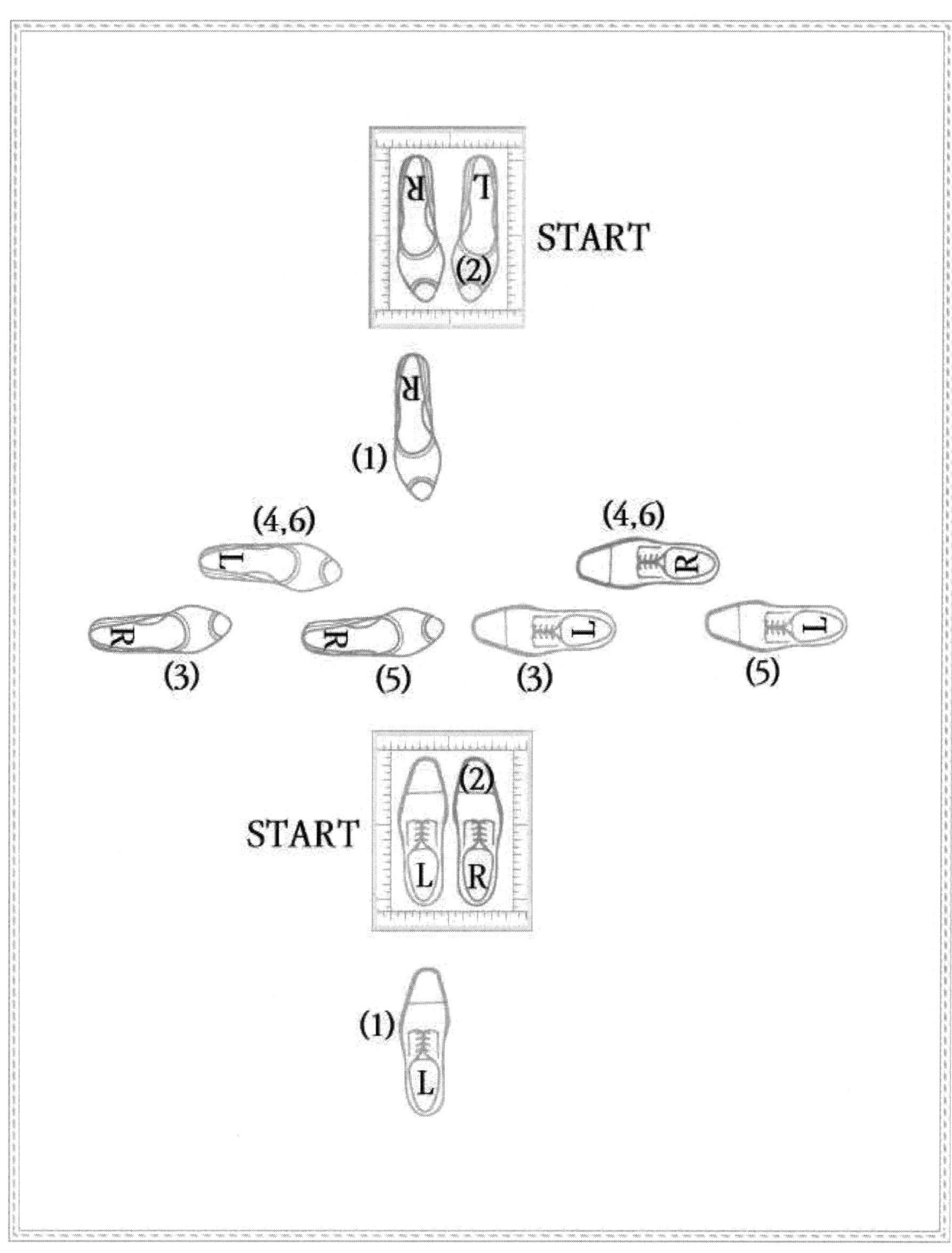

〈남성&여성〉

스텝	카운트	리듬	읽을 때	음악 타이밍	핸드 포지션
1보	1	S	슬로우	쿵	Hold
2보	2	S	슬로우	짝	Hold
3보	1	Q	퀵	쿵	Hold
4보	2	Q	퀵	짝	Hold
5보	3	S	슬로우	쿵	Hold
6보	4	S	슬로우	짝	Hold

〈남성〉

스텝	핸드	스텝 방식	액션
1보	왼손	놓고	Backward Walk
2보	왼손	찍고	Weight Shift(Forward)
3보	왼손	놓고	Turn
4보	왼손	놓고	Backward Walk
5보	왼손	놓고	Backward Walk
6보	왼손	찍고	Weight Shift(Forward)

스텝	풋 포지션	총 회전량
1보	왼발 후진	90°/L
2보	오른발 체중 이동	
3보	왼발 Turn/L	
4보	오른발 후진	
5보	왼발 후진	
6보	오른발 체중 이동	

〈여성〉

스텝	핸드	스텝 방식	액션
1보	오른손	놓고	Forward Walk
2보	오른손	찍고	Weight Shift(Backward)
3보	오른손	놓고	Turn
4보	오른손	놓고	Forward Walk
5보	오른손	놓고	Forward Walk
6보	오른손	찍고	Weight Shift(Backward)

스텝	풋 포지션	총 회전량
1보	오른발 전진	90°/L
2보	왼발 체중 이동	
3보	오른발 Turn/L	
4보	왼발 전진	
5보	오른발 전진	
6보	왼발 체중 이동	

홀드 상태에서 남성과 여성이 동시에 90° 회전하는 스텝에서는 텐션이 걸린 상태를 유지하면서 남

성은 회전하면 된다. 텐션이 걸린 상태에서 남성이 회전하면 자연스럽게 여성에게 텐션 및 리드가 전달되기 때문이다. 대부분 초보자는 강제로 여성을 손 및 등을 강하게 잡아당기는 경우가 있는데 너무 강한 리드나 텐션은 여성을 불편하게 만든다.

커플 간의 텐션은 특히 중요하다. 이는 춤의 흐름과 연결성을 유지하는 데 결정적인 역할을 한다. 따라서 춤을 추는 동안 텐션을 적절히 유지하고, 특히 회전 동작 시에도 텐션을 유지하는 것이 필요하다. 이를 통해 파트너에게 움직임과 리드를 부드럽게 전달할 수 있다.

효과적인 리드는 강제적이거나 강압적인 것이 아니라, 서로를 존중하고 협력하는 것에서 비롯된다. 남성은 텐션을 적절히 유지하면서 회전을 이끌어내야 하며, 이를 통해 여성에게 자연스럽고 부드러운 움직임을 전달할 수 있다. 따라서 리드를 제공하는 과정에서는 파트너의 편안함과 자연스러움을 고려하는 것이 중요하다.

16번 오픈

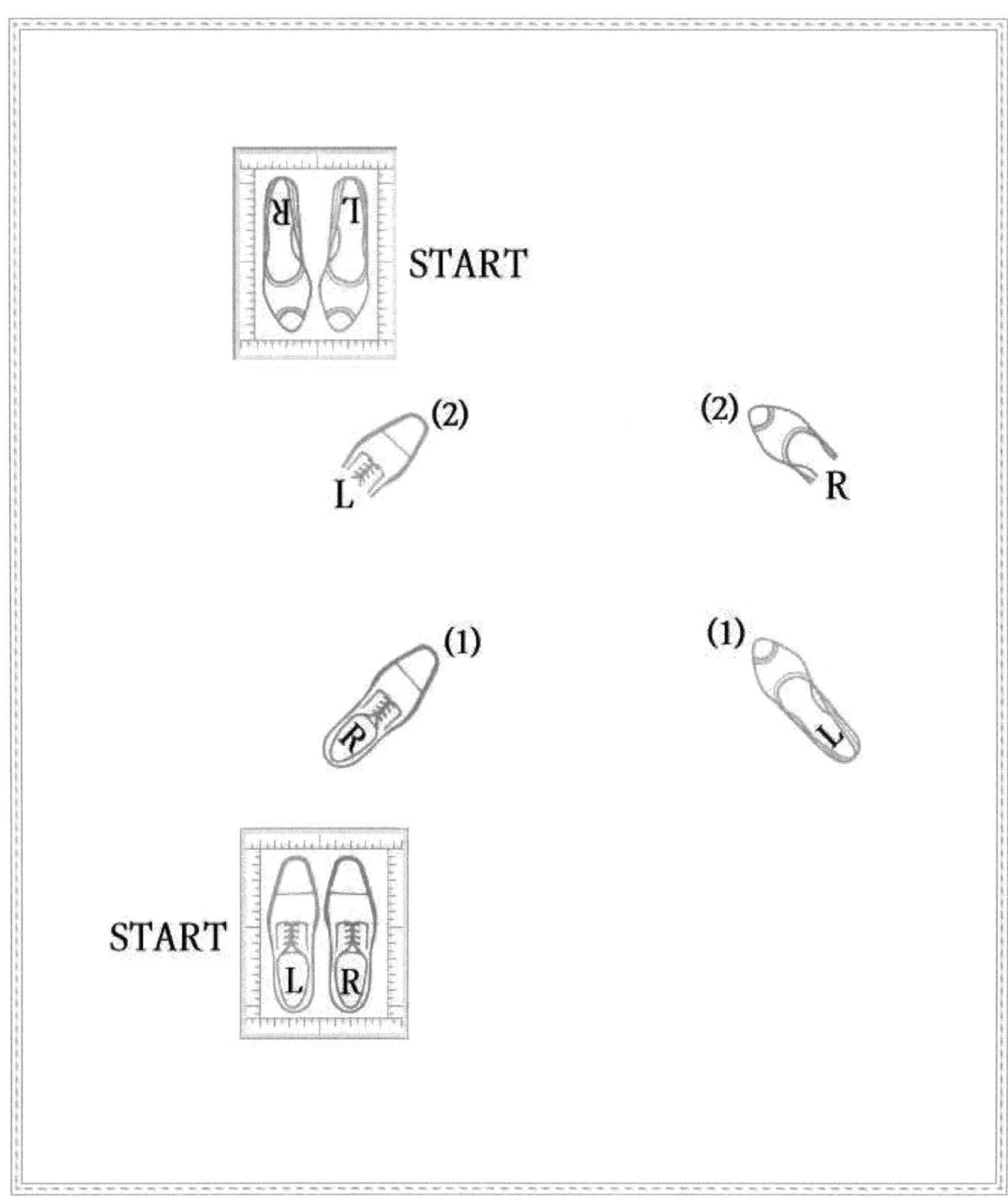

〈남성&여성〉

스텝	카운트	리듬	읽을 때	음악 타이밍	핸드 포지션
1보	1	S	슬로우	쿵	Hold
2보	2	S	슬로우	짝	Hold

〈남성〉

스텝	핸드	스텝 방식	액션
1보	왼손	놓고	Forward Walk
2보	왼손	찍고	Forward Walk

스텝	풋 포지션	총 회전량
1보	오른발 전진	없음
2보	왼발 약간 전진	

〈여성〉

스텝	핸드	스텝 방식	액션
1보	오른손	놓고	Turn, Backward Walk
2보	오른손	찍고	Backward Walk

스텝	풋 포지션	총 회전량
1보	왼발 후진, Turn/L	180°/L
2보	오른발 약간 후진	

Closed facing position에서 Promenade position으로 행하는 스텝으로 남성은 후진하면서 그립 된 여성의 오른손을 밀면서 남성의 오른손으로 여성의 견갑골을 당긴다.

전·후진 스텝을 강하게 리드하는 남성들은 이 스텝 또한 강한 리드나 텐션을 주면서 여성을 리드를 하는 경우가 많다. 남성과 여성은 텐션이 걸린 상태에서 자세, 어깨 및 팔의 견고한 상태를 유지하면서 여성을 리드를 하면 자연스럽게 여성에게 텐션 및 리드가 전달되기 때문에 너무 강한 리드 및 텐션을 줄 필요가 없다. 대부분 초보자는 강제로 여성을 손 및 등을 강하게 밀거나 잡아당기는 경우가 있는데 너무 강한 리드나 텐션은 여성을 불편하게 만든다.

17번 프롬나드 샤세

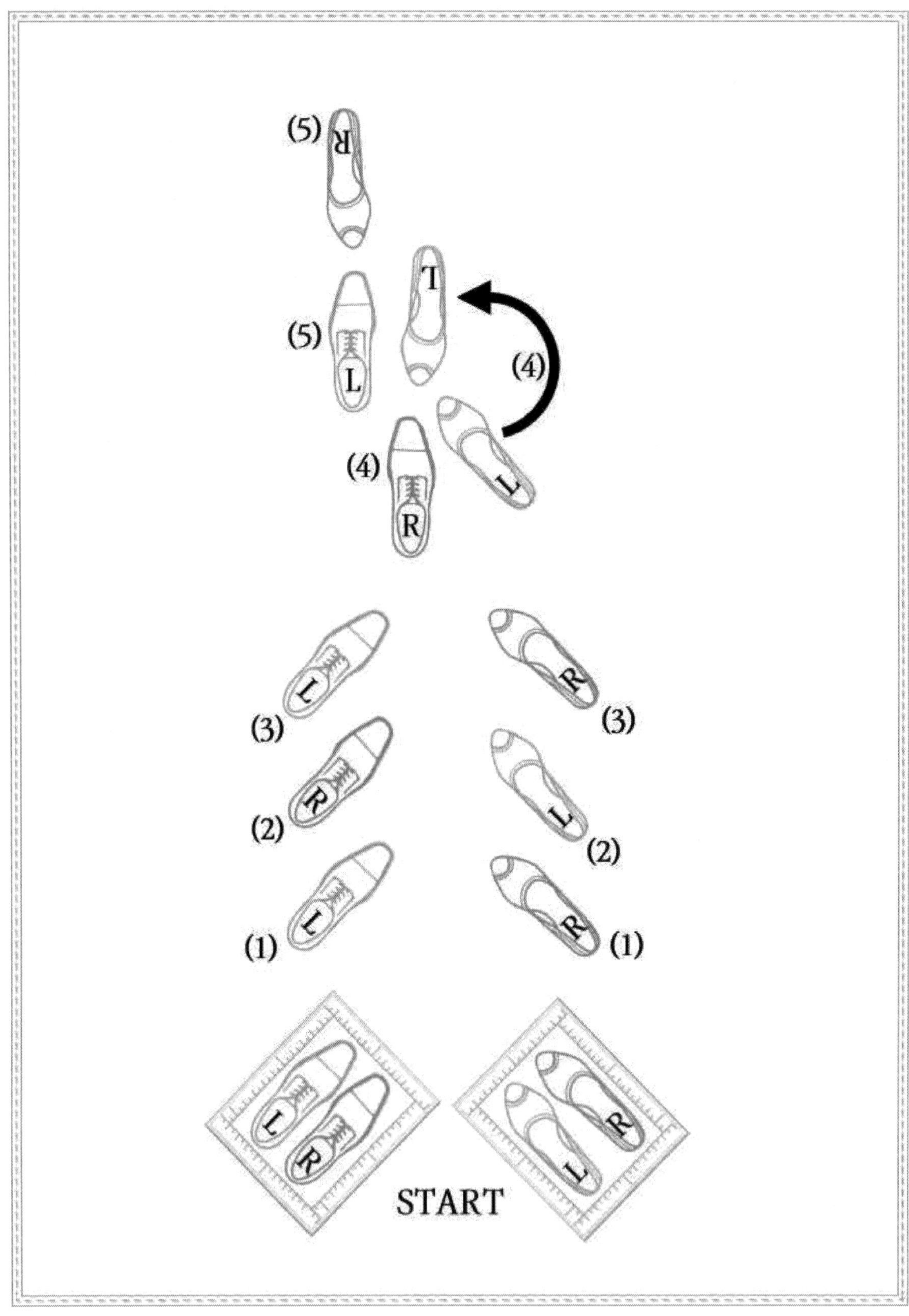

〈남성&여성〉

스텝	카운트	리듬	읽을 때	음악 타이밍	핸드 포지션
1보	1	S	슬로우	쿵	Hold
2보	2	S	슬로우	짝	Hold
3보	3	S	슬로우	쿵	Hold
4보	4	S	슬로우	짝	Hold
5보	5	S	슬로우	쿵	Hold

〈남성〉

스텝	핸드	스텝 방식	액션
1보	왼손	놓고	Forward Walk
2보	왼손	놓고	Forward Walk
3보	왼손	놓고	Forward Walk
4보	왼손	놓고	Forward Walk
5보	왼손	놓고	Forward Walk

스텝	풋 포지션	총 회전량
1보	왼발 전진	없음
2보	오른발 전진	
3보	왼발 전진	
4보	오른발 전진	
5보	왼발 전진	

〈여성〉

스텝	핸드	스텝 방식	액션
1보	오른손	놓고	Forward Walk
2보	오른손	놓고	Forward Walk
3보	오른손	놓고	Forward Walk
4보	오른손	놓고	Turn
5보	오른손	찍고	

스텝	풋 포지션	총 회전량
1보	왼발 전진	180°/L
2보	오른발 약간 전진	
3보	오른발 전진	
4보	왼발 Turn/R	
5보	오른발 후진	

Promenade position에서 남성과 여성은 텐션이 걸린 상태에서 자세, 어깨 및 팔의 견고한 상태를 유지하면서 남성은 전진 샤세를 한다. 인위적으로 여성의 손 및 견갑골을 밀면 안 된다. 텐션이 걸린 상태이기 때문에 남성이 전진 샤세를 하면 자연스레 리드가 된다.

여성을 리드를 하면 자연스럽게 여성에게 텐션 및 리드가 전달되기 때문에 너무 강한 리드 및 텐션을 줄 필요가 없다. 대부분 초보자는 강제로 여성을 손 및 등을 강하게 잡아당기는 경우가 있는데 너무 강한 리드나 텐션은 여성을 불편하게 만든다.

4보~5보, Promenade position에서 남성은 회전 없이 여성만 남성 정면 앞으로 회전시켜 세우는 스텝으로 대부분 남성은 팔로만 여성을 잡아당겨 리드를 하는데, 정확한 리드 법은 텐션이 걸린 상태를 유지하면서 상체를 왼쪽으로 틀어주면서 여성을 남성 앞에 세우면 된다.

18번 프롬나드 사이드 스텝

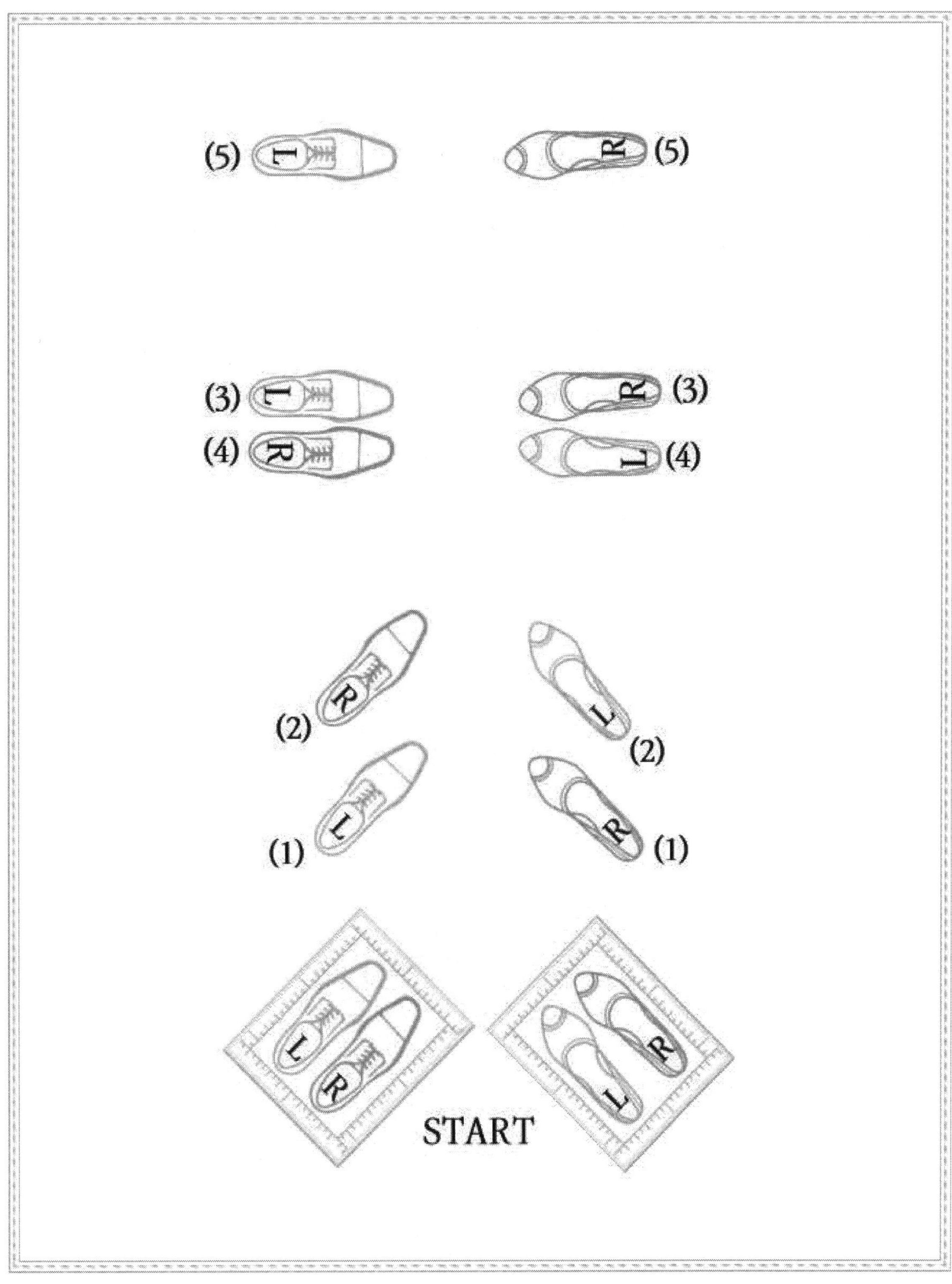

〈남성&여성〉

스텝	카운트	리듬	읽을 때	음악 타이밍	핸드 포지션
1보	1	S	슬로우	쿵	Hold
2보	2	S	슬로우	짝	Hold
3보	3	Q	퀵	쿵	Hold
4보	4	Q	퀵	짝	Hold
5보	5	S	슬로우	쿵	Hold

〈남성〉

스텝	핸드	스텝 방식	액션
1보	왼손	놓고	Forward Walk
2보	왼손	놓고	Forward Walk
3보	왼손	놓고	Turn, Side Step
4보	왼손	놓고	Side Step
5보	왼손	놓고	Side Step

스텝	풋 포지션	총 회전량
1보	왼발 전진	45°/R
2보	오른발 전진	
3보	왼발 오른쪽으로 턴하면서 옆으로	
4보	오른발 왼발 옆에 모으고	
5보	왼발 옆으로	

〈여성〉

스텝	핸드	스텝 방식	액션
1보	오른손	놓고	Forward Walk
2보	오른손	놓고	Forward Walk
3보	오른손	놓고	Turn, Side Step
4보	오른손	놓고	Side Step
5보	오른손	놓고	Side Step

스텝	풋 포지션	총 회전량
1보	오른발 전진	45°/L
2보	왼발 전진	
3보	오른발 왼쪽으로 턴하면서 옆으로	
4보	왼발 오른발 옆에 모으고	
5보	오른발 옆으로	

Promenade position에서 남성과 여성은 텐션이 걸린 상태에서 자세, 어깨 및 팔의 견고한 상태를 유지하면서 남성은 전진하고, 3보에 남성은 오른쪽으로 상체를 회전하면서 옆으로 사이드 스텝을 행하면 된다. 3보에서 초보 남성들은 과한 힘을 사용해 여성의 손을 잡아당기는 경우가 있는데 텐션이 걸린 상태에서 약간만 더 텐션을 주면서 여성 손을 당기면 된다.

19번 프롬나드 갈까 말까

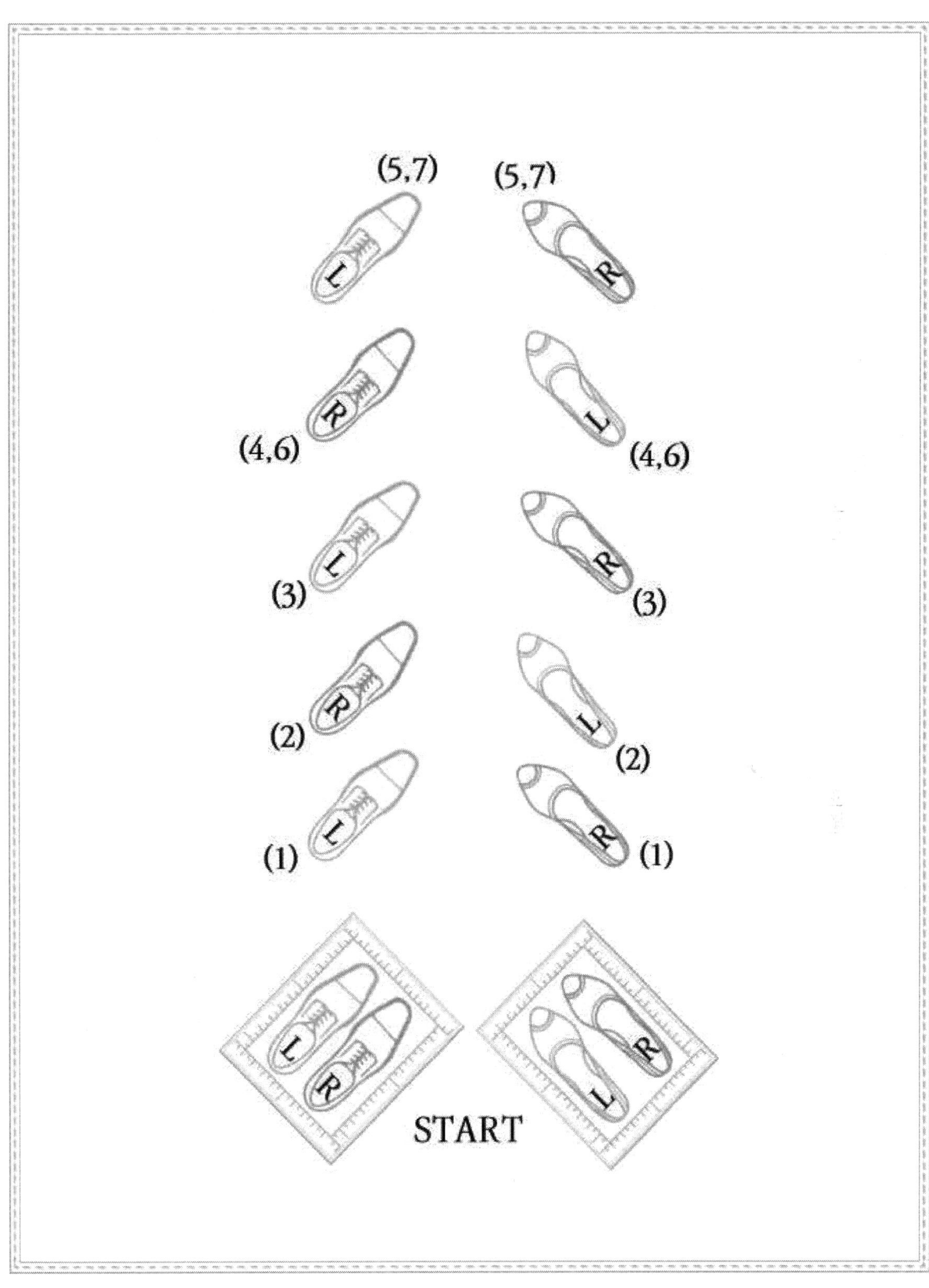

〈남성&여성〉

스텝	카운트	리듬	읽을 때	음악 타이밍	핸드 포지션
1보	1	S	슬로우	쿵	Hold
2보	2	S	슬로우	짝	Hold
3보	3	S	슬로우	쿵	Hold
4보	4	S	슬로우	짝	Hold
5보	5	S	슬로우	쿵	Hold
6보	6	S	슬로우	짝	Hold
7보	7	S	슬로우	쿵	Hold

〈남성〉

스텝	핸드	스텝 방식	액션
1보	왼손	놓고	Forward Walk
2보	왼손	놓고	Forward Walk
3보	왼손	놓고	Forward Walk
4보	왼손	놓고	Forward Walk
5보	왼손	놓고	Forward Walk
6보	왼손	놓고	Weight Shift(Backward)
7보	왼손	놓고	Weight Shift(Forward)

스텝	풋 포지션	총 회전량
1보	왼발 전진	없음
2보	오른발 전진	
3보	왼발 전진	
4보	오른발 전진	
5보	왼발 전진	
6보	오른발 체중 이동	
7보	왼발 체중 이동	

〈여성〉

스텝	핸드	스텝 방식	액션
1보	오른손	놓고	Forward Walk
2보	오른손	놓고	Forward Walk
3보	오른손	놓고	Forward Walk
4보	오른손	놓고	Forward Walk
5보	오른손	놓고	Forward Walk
6보	오른손	놓고	Weight Shift(Backward)
7보	오른손	놓고	Weight Shift(Forward)

스텝	풋 포지션	총 회전량
1보	오른발 전진	없음
2보	왼발 전진	
3보	오른발 전진	
4보	왼발 전진	
5보	오른발 전진	

6보	왼발 체중 이동	
7보	오른발 체중 이동	

20번 180도 체크턴

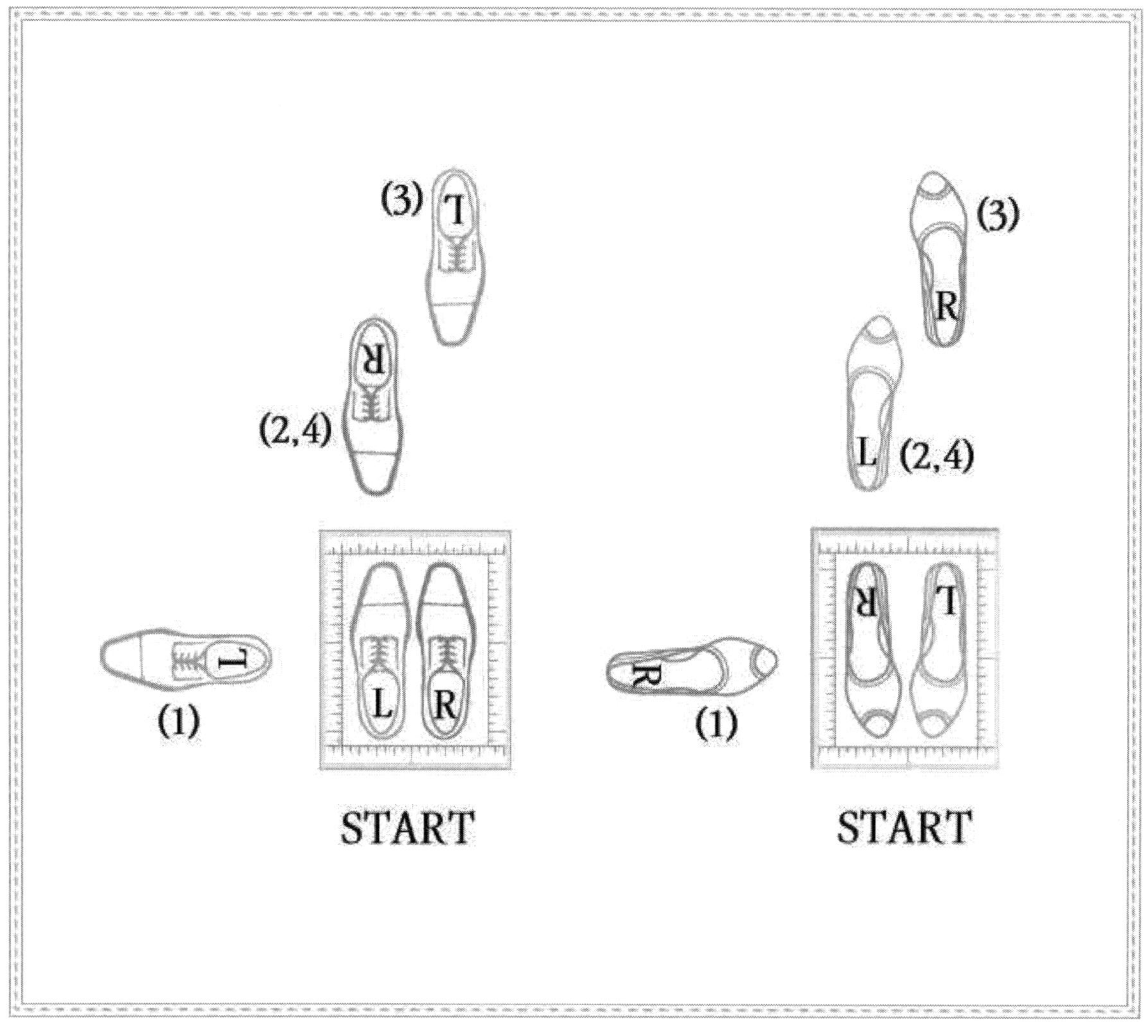

〈남성&여성〉

스텝	카운트	리듬	읽을 때	음악 타이밍	핸드 포지션
1보	1	S	슬로우	쿵	Hold
2보	2	S	슬로우	짝	Hold
3보	3	S	슬로우	쿵	Hold
4보	4	S	슬로우	짝	Hold

〈남성〉

스텝	핸드	스텝 방식	액션
1보	왼손	놓고	Turn
2보	왼손	놓고	Turn
3보	왼손	놓고	Backward Walk

4보	왼손	놓고	Weight Shift(Forward)

스텝	풋 포지션	총 회전량
1보	왼발 Turn/L	180°/L
2보	오른발 Turn/L	
3보	왼발 후진	
4보	오른발 체중 이동	

〈여성〉

스텝	핸드	스텝 방식	액션
1보	오른손	놓고	Turn
2보	오른손	놓고	Turn
3보	오른손	놓고	Forward Walk
4보	오른손	놓고	Weight Shift(Backward)

스텝	풋 포지션	총 회전량
1보	오른발 Turn/L	180°/L
2보	왼발 Turn/L	
3보	오른발 전진	
4보	왼발 체중 이동	

홀드 상태에서 남성과 여성이 동시에 180° 회전하는 스텝에서는 텐션이 걸린 상태를 유지하면서 남성은 회전하면 된다. 텐션이 걸린 상태에서 남성이 회전하면 자연스럽게 여성에게 텐션 및 리드가 전달되기 때문이다.

체크 턴 45°, 90°, 135°, 180°, 225°, 270°, 360°, 720°……
회전량이 크든, 작든 여성 리드법은 같다. 다만 남성이나 여성의 발 회전량이 틀리다.

21번 프롬나드 샤세, 스윙

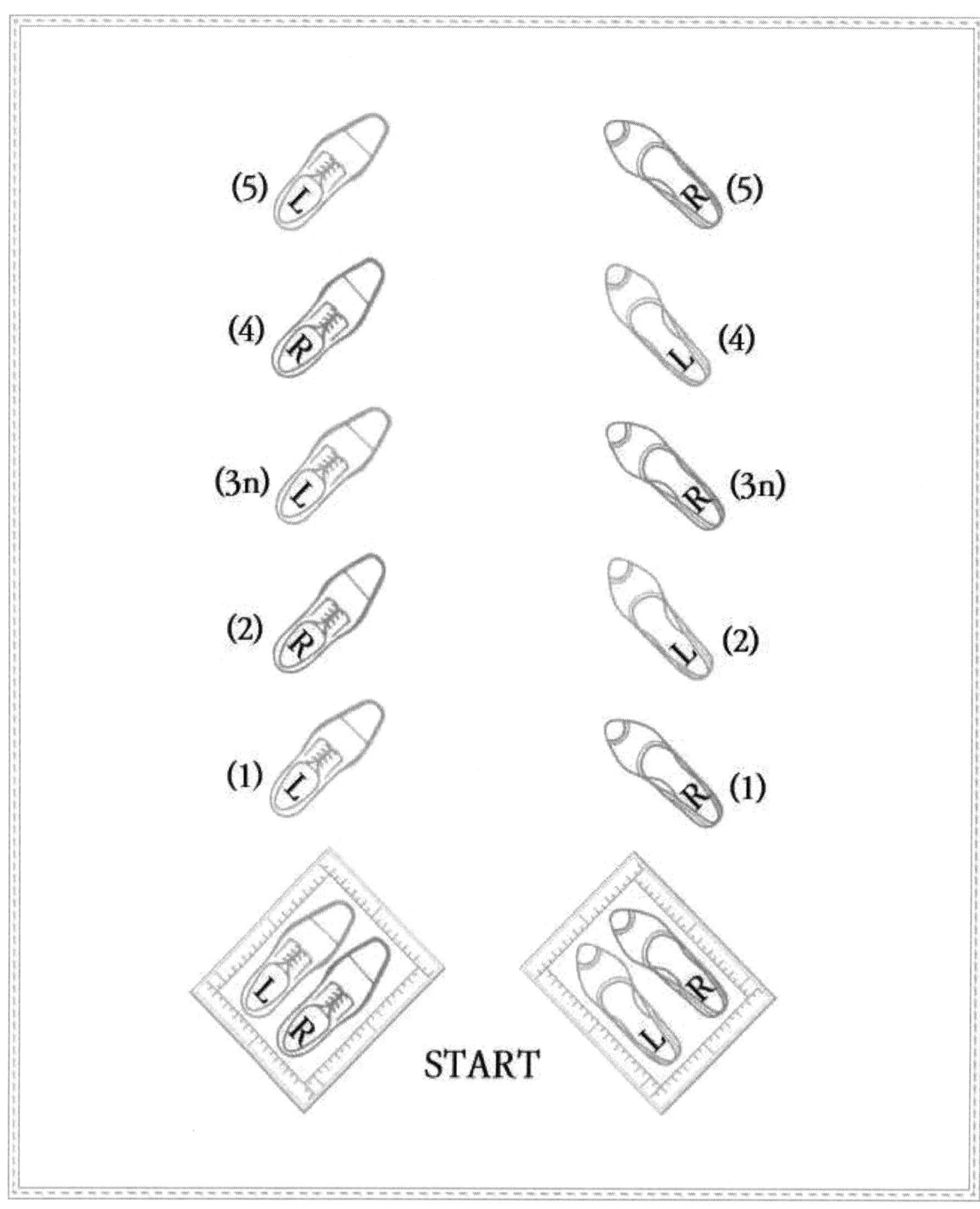

〈남성&여성〉

스텝	카운트	리듬	읽을 때	음악 타이밍	핸드 포지션
1보	1	S	슬로우	쿵	Hold

2보	2	S	슬로우	짝	Hold
3보	3	Sn	슬로우.엔	쿵	Hold
4보	4	S	슬로우	짝	Hold
5보	5	S	슬로우	쿵	Hold

〈남성〉

스텝	핸드	스텝 방식	액션
1보	왼손	놓고	Forward Walk
2보	왼손	놓고	Forward Walk
3보	왼손	찍고	Forward Walk, Body Sway
4보	왼손	놓고	Forward Walk
5보	왼손	놓고	Forward Walk

스텝	풋 포지션	총 회전량
1보	왼발 전진	없음
2보	오른발 전진	
3보	왼발 전진, Body Sway	
4보	오른발 전진	
5보	왼발 전진	

〈여성〉

스텝	핸드	스텝 방식	액션
1보	오른손	놓고	Forward Walk
2보	오른손	놓고	Forward Walk
3보	오른손	찍고	Forward Walk, Body Sway
4보	오른손	놓고	Forward Walk
5보	오른손	놓고	Forward Walk

스텝	풋 포지션	총 회전량
1보	오른발 전진	없음
2보	왼발 약간 전진	
3보	오른발 전진, Body Sway	
4보	왼발 전진	
5보	오른발 전진	

3보에 남성은 왼쪽 바디를 위로 스웨이 합니다.

스웨이는 춤이나 무용에서 사용되는 움직임 기법으로, 몸을 경사지게 하여 나타내는 동작을 의미합니다. 이 기술은 몸의 중심을 변화시키고, 균형을 유지하면서 자연스럽고 순환적인 운동을 만들어냅니다. 보디 스웨이는 주로 허리와 상체를 사용하여 발과 함께 움직이는 기술적인 동작으로, 몸의 무게 중심을 변화시킴으로써 천천히 혹은 유연하게 몸을 흔들거나 기울이는 움직임을 나타냅니다. 이는 춤이나 무용의 흐름을 부드럽고 자연스럽게 만들어주는 중요한 기법 중 하나입니다. 또한, 음악의 비트나 리듬에 맞춰 적용되며, 춤추는 동안 우아하고 유연한 움직임을 추가합니다. 춤이나 무용의 다양한 스타일과 기법에 따라 다르게 적용됩니다.

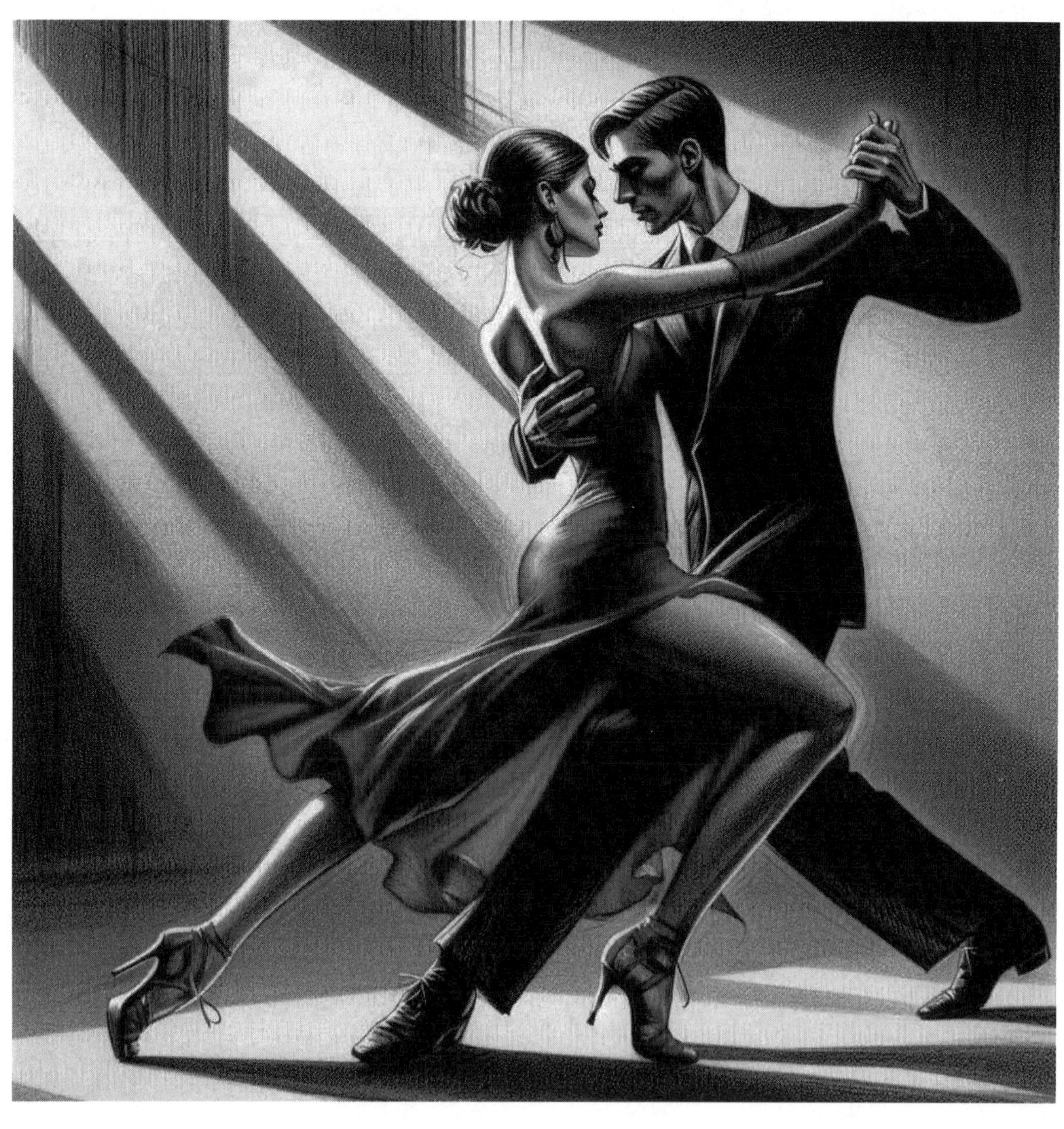

22번 역 오픈 프롬나드 턴

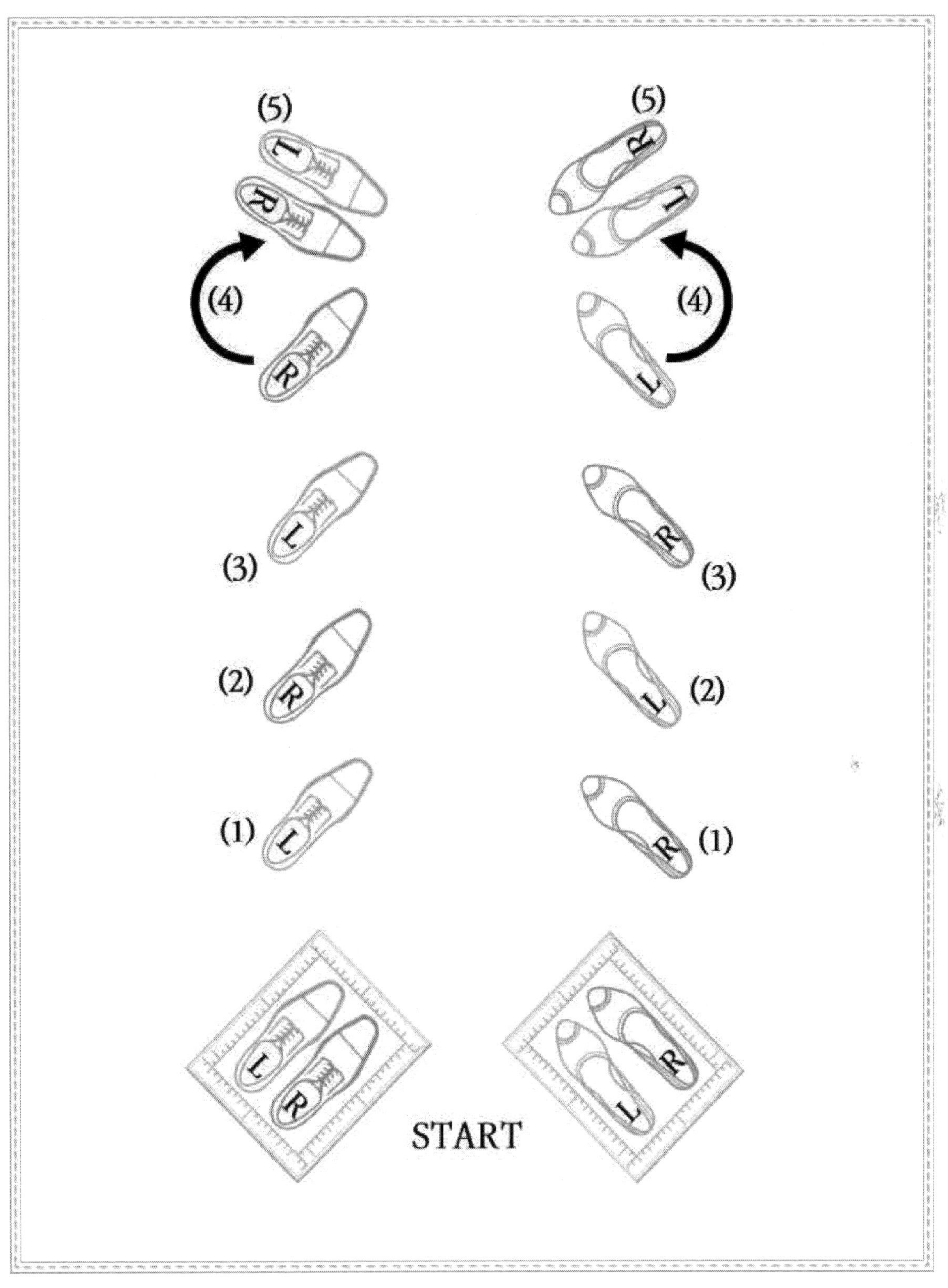

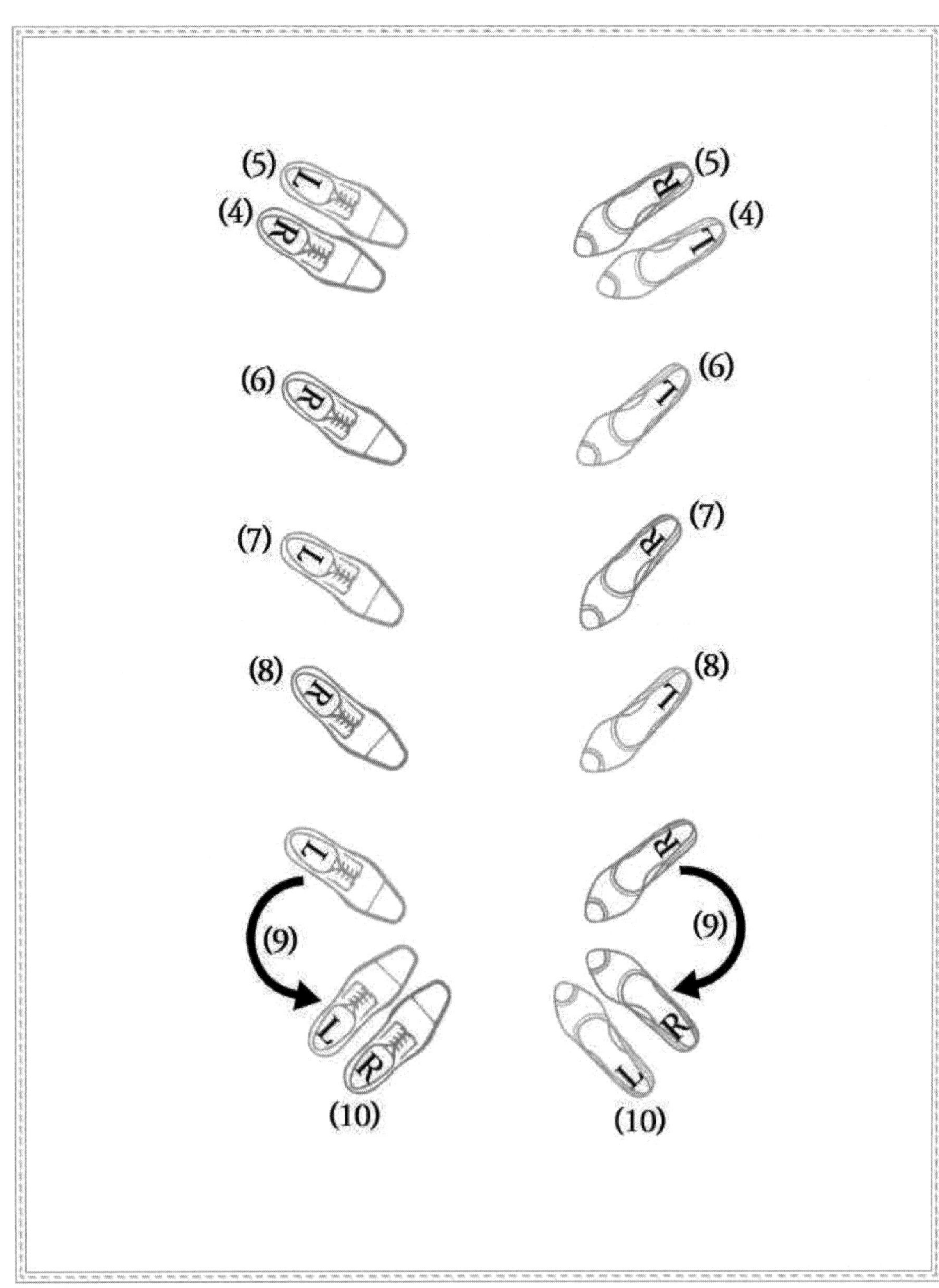
(5)
(4)
(5)
(4)
(6)
(6)
(7)
(7)
(8)
(8)
(9)
(9)
(10)
(10)

〈남성&여성〉

스텝	카운트	리듬	읽을 때	음악 타이밍	핸드 포지션
1보	1	S	슬로우	쿵	Hold
2보	2	S	슬로우	짝	Hold
3보	3	S	슬로우	쿵	Hold
4보	4	S	슬로우	짝	Hold
5보	5	S	슬로우	쿵	Hold
6보	6	S	슬로우	짝	Hold
7보	7	S	슬로우	짝	Hold
8보	8	S	슬로우	쿵	Hold
9보	9	S	슬로우	짝	Hold
10보	10	S	슬로우	쿵	Hold

〈남성〉

스텝	핸드	스텝 방식	액션
1보	왼손	놓고	Forward Walk
2보	왼손	놓고	Forward Walk
3보	왼손	놓고	Forward Walk
4보	왼손	놓고	Turn
5보	오른손	놓고	
6보	오른손	놓고	Forward Walk
7보	오른손	놓고	Forward Walk
8보	오른손	놓고	Forward Walk
9보	오른손	놓고	Turn
10보	왼손	놓고	

스텝	풋 포지션	총 회전량
1보	왼발 전진	180°/R 180°/L
2보	오른발 전진	
3보	왼발 전진	
4보	오른발 Turn/R	
5보	왼발 오른발 뒤에	
6보	오른발 전진	
7보	왼발 전진	
8보	오른발 전진	
9보	왼발 Turn/L	
10보	오른발 왼발 뒤에	

〈여성〉

스텝	핸드	스텝 방식	액션
1보	오른손	놓고	Forward Walk
2보	오른손	놓고	Forward Walk
3보	오른손	놓고	Forward Walk
4보	오른손	놓고	Turn
5보	왼손	놓고	
6보	왼손	놓고	Forward Walk

7보	왼손	놓고	Forward Walk
8보	왼손	놓고	Forward Walk
9보	왼손	놓고	Turn
10보	오른손	놓고	

스텝	풋 포지션	총 회전량
1보	오른발 전진	180°/R 180°/L
2보	왼발 전진	
3보	오른발 전진	
4보	왼발 Turn/L	
5보	오른발 왼발 뒤에	
6보	왼발 전진	
7보	오른발 전진	
8보	왼발 전진	
9보	오른발 Turn/R	
10보	왼발 오른발 뒤에	

Promenade position에서 프롬나드 전진 샤세, 역 오픈, 프롬나드 전진 샤세를 하는 피겨로 4보~5보에 남성은 R/180° 회전하면서 왼손으로 여성의 오른손을 남성 허리 쪽으로 이동, 남성 오른손으로 여성 왼손을 그립을 유지하면서 프롬나드 샤세를 하면 된다,

9보~10보에서 남성은 오른손을 여성 견갑골로 이동 왼손으로 여성 왼손을 잡는다.

23번 훅턴

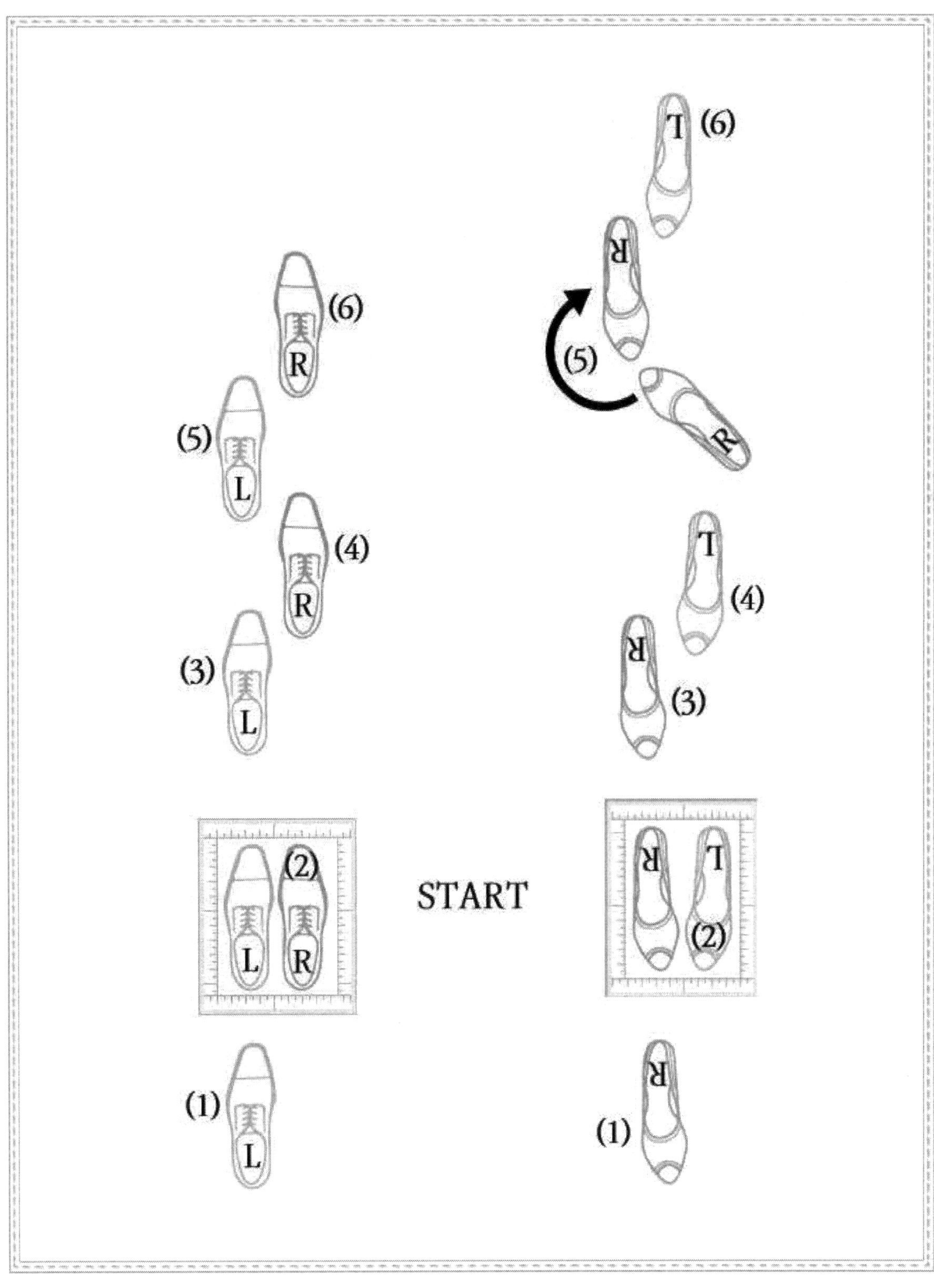

〈남성&여성〉

스텝	카운트	리듬	읽을 때	음악 타이밍	핸드 포지션
1보	1	S	슬로우	쿵	Hold
2보	2	S	슬로우	짝	Hold
3보	3	S	슬로우	쿵	Hold
4보	4	S	슬로우	짝	Hold
5보	5	S	슬로우	쿵	Hold
6보	6	S	슬로우	짝	Hold

〈남성〉

스텝	핸드	스텝 방식	액션
1보	왼손	놓고	Backward Walk
2보	왼손	놓고	Weight Shift(Forward)
3보	왼손	놓고	Forward Walk
4보	왼손	놓고	Forward Walk
5보	왼손	놓고	Forward Walk
6보	왼손	놓고	Forward Walk

스텝	풋 포지션	총 회전량
1보	왼발 후진	없음
2보	오른발 체중 이동	
3보	왼발 전진	
4보	오른발 전진	
5보	왼발 전진	
6보	오른발 전진	

〈여성〉

스텝	핸드	스텝 방식	액션
1보	오른손	놓고	Forward Walk
2보	오른손	놓고	Weight Shift(Backward)
3보	오른손	놓고	Backward Walk
4보	오른손	놓고	Backward Walk
5보	오른손	놓고	Turn
6보	오른손	놓고	Backward Walk

스텝	풋 포지션	총 회전량
1보	오른발 전진	360°/R
2보	왼발 체중 이동	
3보	오른발 후진	
4보	왼발 후진	
5보	오른발 Turn/R	
6보	왼발 후진	

남성은 4보에 왼손으로 그립한 여성 오른손을 여성 머리 위로 올려 오른쪽으로 회전시켜준다.

24번 전진 사이드 샤세(연속)

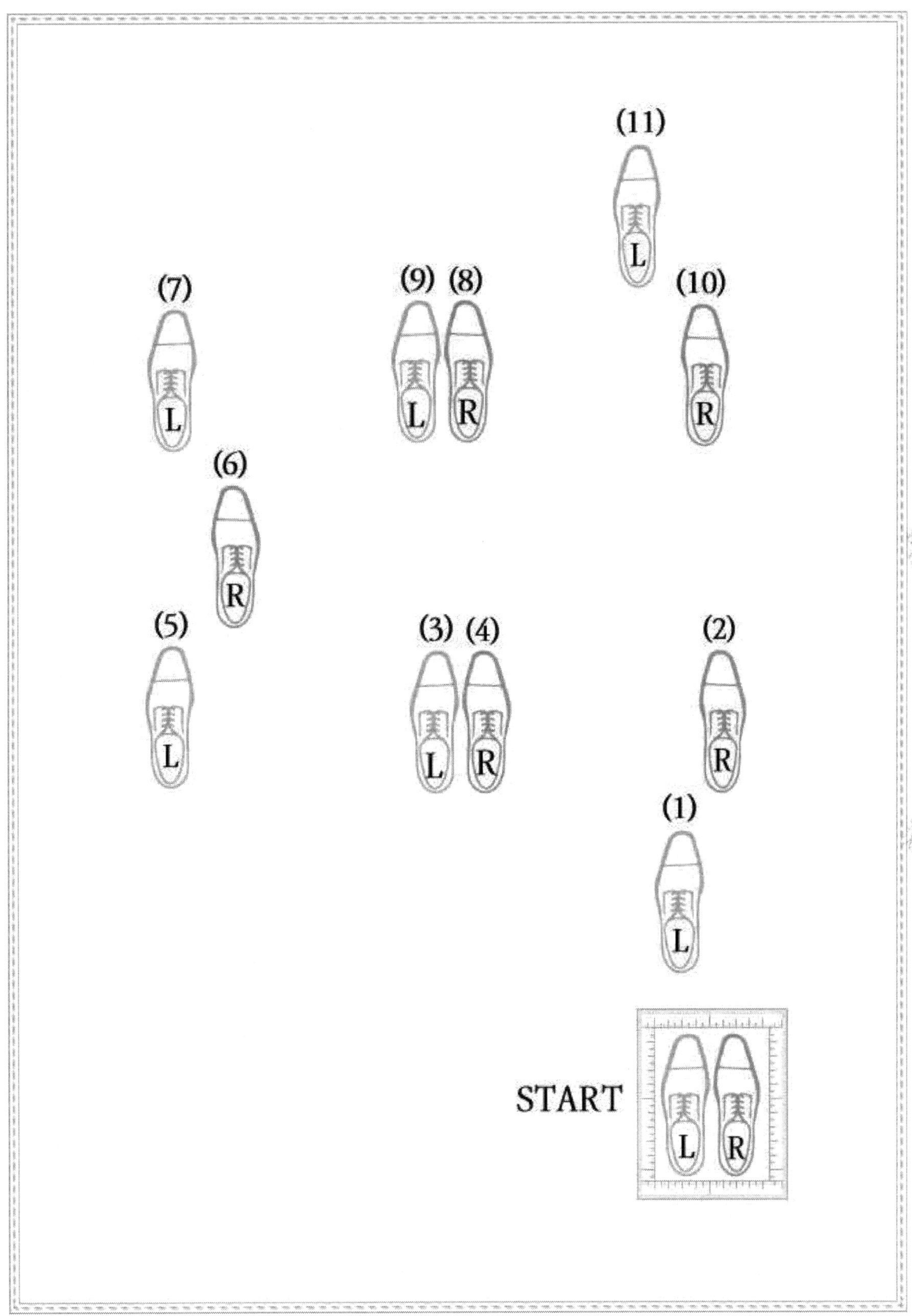

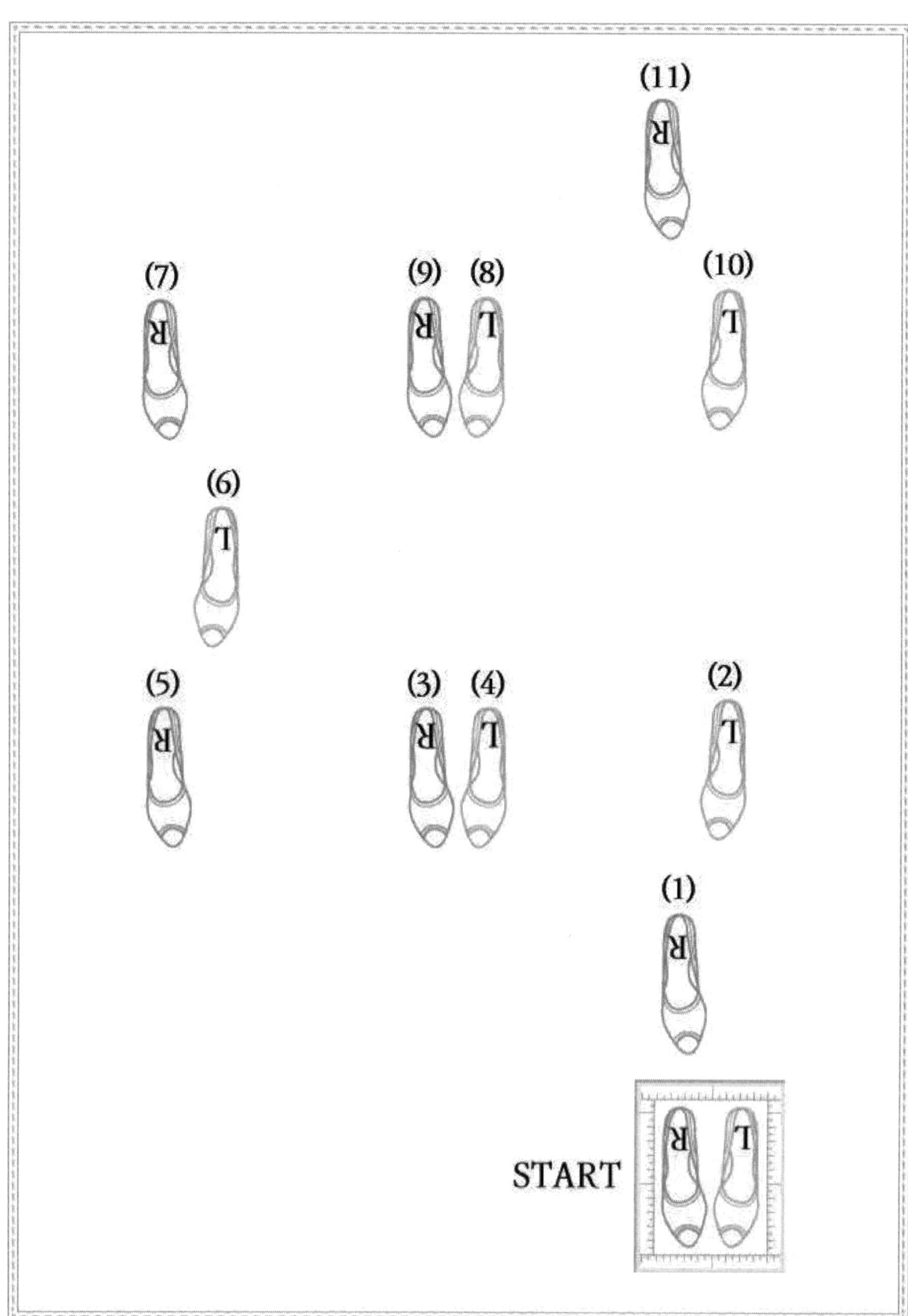
(11)
R
(7)
R
(9)
R
(8)
L
(10)
L
(6)
L
(5)
R
(3)
R
(4)
L
(2)
L
(1)
R
START
R
L

〈남성&여성〉

스텝	카운트	리듬	읽을 때	음악 타이밍	핸드 포지션
1보	1	S	슬로우	쿵	Hold
2보	2	S	슬로우	짝	Hold
3보	3	Q	퀵	쿵	Hold
4보	4	Q	퀵	쿵	Hold
5보	5	S	슬로우	짝	Hold
6보	6	S	슬로우	쿵	Hold
7보	7	S	슬로우	짝	Hold
8보	8	Q	퀵	쿵	Hold
9보	9	Q	퀵	짝	Hold
10보	10	S	슬로우	쿵	Hold
11보	11	S	슬로우	짝	Hold

〈남성〉

스텝	핸드	스텝 방식	액션
1보	왼손	놓고	Forward Walk
2보	왼손	놓고	Forward Walk
3보	왼손	놓고	Side Step
4보	왼손	놓고	Side Step
5보	왼손	놓고	Side Step
6보	왼손	놓고	Forward Walk
7보	왼손	놓고	Forward Walk
8보	왼손	놓고	Side Step
9보	왼손	놓고	Side Step
10보	왼손	놓고	Side Step
11보	왼손	놓고	Forward Walk

스텝	풋 포지션	총 회전량
1보	왼발 전진	없음
2보	오른발 전진	
3보	왼발 왼쪽 옆으로	
4보	오른발 왼발 옆에 모으고	
5보	왼발 왼쪽 옆으로	
6보	오른발 전진	
7보	왼발 전진	
8보	오른발 오른쪽 옆으로	
9보	왼발 오른발에 모으고	
10보	오른발 오른쪽 옆으로	
11보	왼발 전진	

〈여성〉

스텝	핸드	스텝 방식	액션
1보	오른손	놓고	Backward Walk
2보	오른손	놓고	Backward Walk
3보	오른손	놓고	Side Step

4보	오른손	놓고	Side Step
5보	오른손	놓고	Side Step
6보	오른손	놓고	Backward Walk
7보	오른손	놓고	Backward Walk
8보	오른손	놓고	Side Step
9보	오른손	놓고	Side Step
10보	오른손	놓고	Side Step
11보	오른손	놓고	Backward Walk

스텝	풋 포지션	총 회전량
1보	오른발 후진	없음
2보	왼발 후진	
3보	오른발 옆으로	
4보	왼발 오른발 옆에 모으고	
5보	오른발 옆으로	
6보	왼발 후진	
7보	오른발 후진	
8보	왼발 옆으로	
9보	오른발 왼발 옆에 모으고	
10보	왼발 옆으로	
11보	오른발 후진	

25번 후진 사이드 스텝(연속)

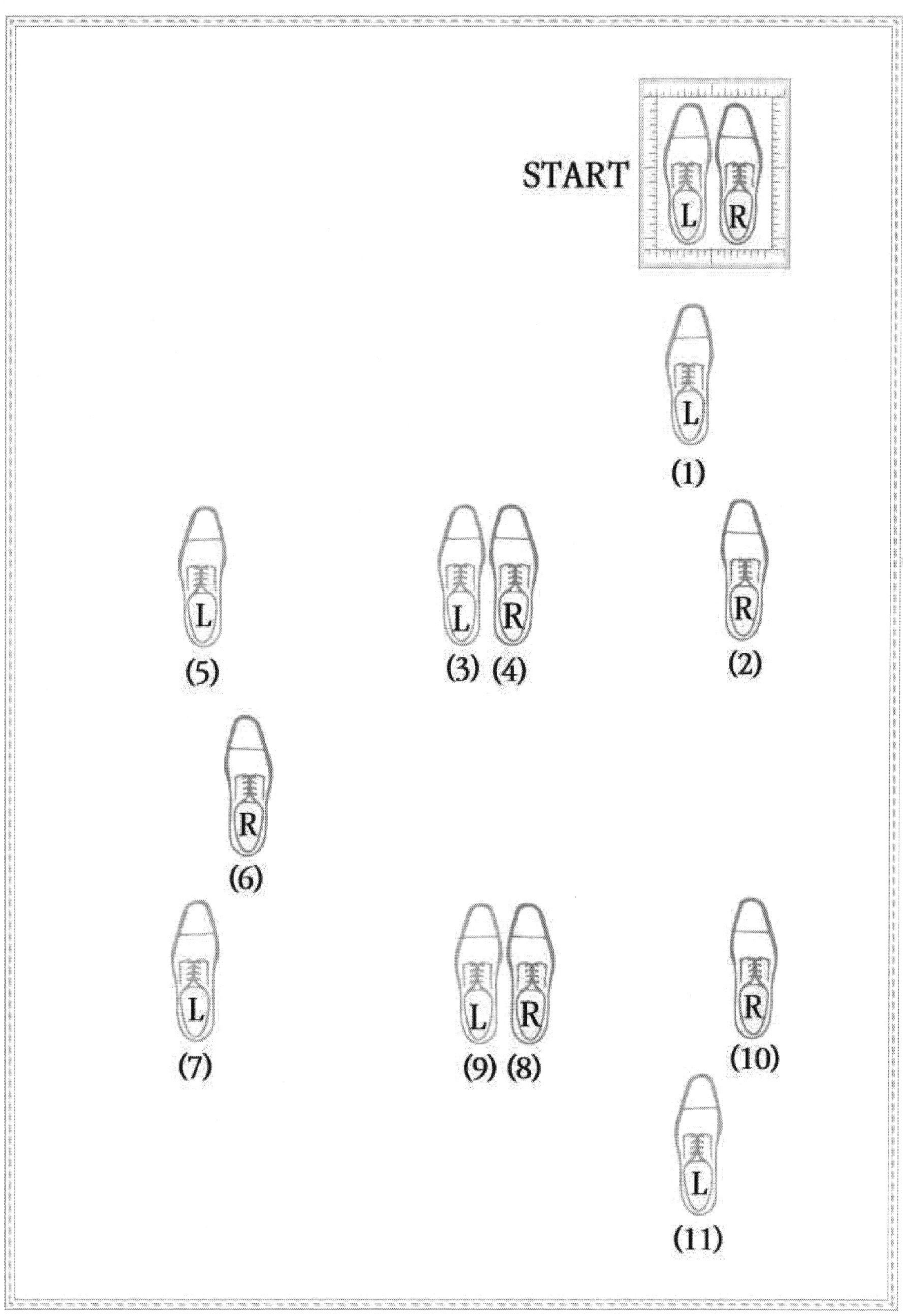

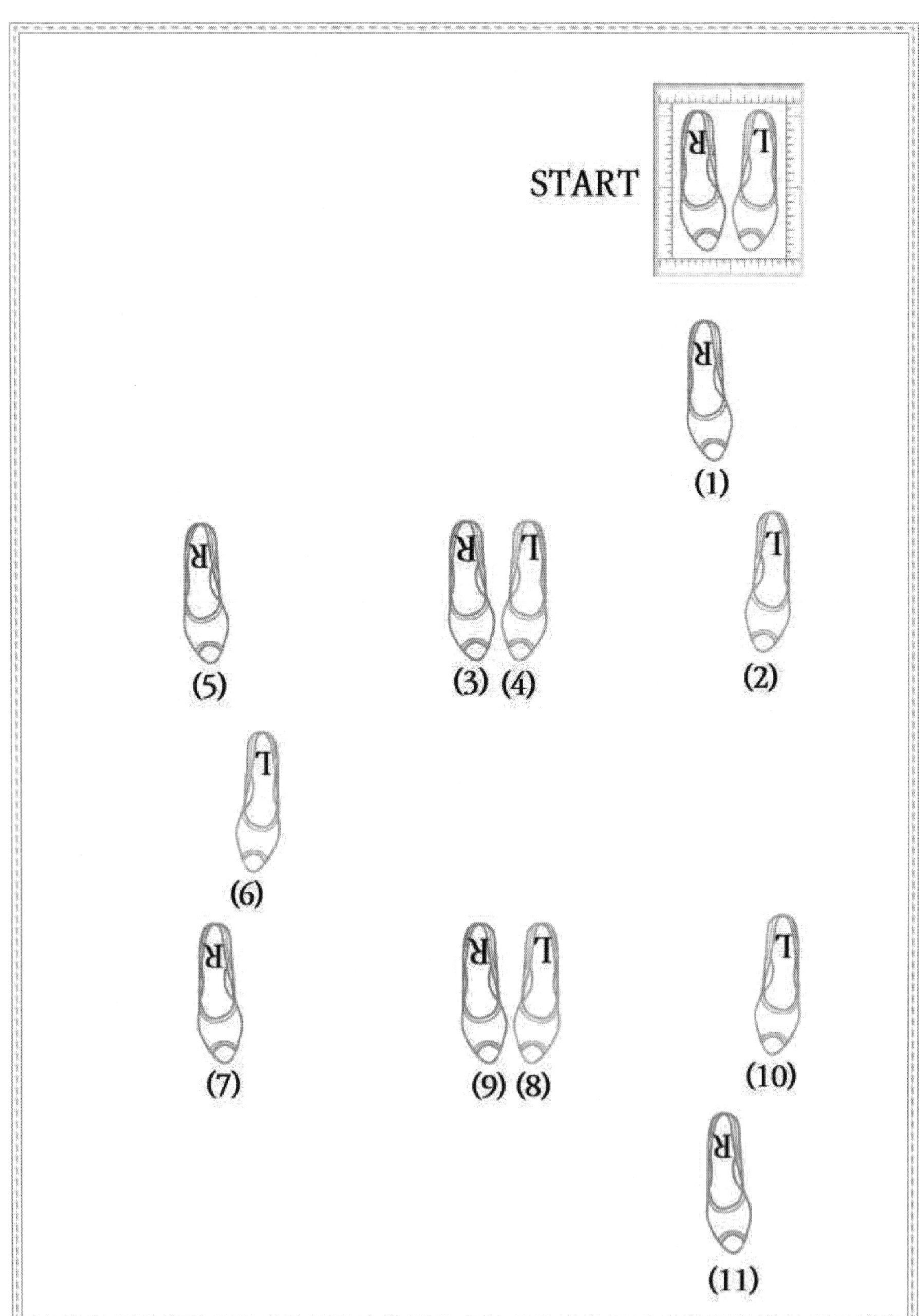
START
R
L
(1)
(2)
(3) (4)
(5)
(6)
(7)
(9) (8)
(10)
(11)

〈남성&여성〉

스텝	카운트	리듬	읽을 때	음악 타이밍	핸드 포지션
1보	1	S	슬로우	쿵	Hold
2보	2	S	슬로우	짝	Hold
3보	3	Q	퀵	쿵	Hold
4보	4	Q	퀵	쿵	Hold
5보	5	S	슬로우	짝	Hold
6보	6	S	슬로우	쿵	Hold
7보	7	S	슬로우	짝	Hold
8보	8	Q	퀵	쿵	Hold
9보	9	Q	퀵	짝	Hold
10보	10	S	슬로우	쿵	Hold
11보	11	S	슬로우	짝	Hold

〈남성〉

스텝	핸드	스텝 방식	액션
1보	왼손	놓고	Backward Walk
2보	왼손	놓고	Backward Walk
3보	왼손	놓고	Side Step
4보	왼손	놓고	Side Step
5보	왼손	놓고	Side Step
6보	왼손	놓고	Backward Walk
7보	왼손	놓고	Backward Walk
8보	왼손	놓고	Side Step
9보	왼손	놓고	Side Step
10보	왼손	놓고	Side Step
11보	왼손	놓고	Backward Walk

스텝	풋 포지션	총 회전량
1보	왼발 후진	없음
2보	오른발 후진	
3보	왼발 왼쪽 옆으로	
4보	오른발 왼발 옆에 모으고	
5보	왼발 왼쪽 옆으로	
6보	오른발 후진	
7보	왼발 후진	
8보	오른발 오른쪽 옆으로	
9보	왼발 오른발에 모으고	
10보	오른발 오른쪽 옆으로	
11보	왼발 후진	

〈여성〉

스텝	핸드	스텝 방식	액션
1보	오른손	놓고	Forward Walk
2보	오른손	놓고	Forward Walk
3보	오른손	놓고	Side Step

4보	오른손	놓고	Side Step
5보	오른손	놓고	Side Step
6보	오른손	놓고	Forward Walk
7보	오른손	놓고	Forward Walk
8보	오른손	놓고	Side Step
9보	오른손	놓고	Side Step
10보	오른손	놓고	Side Step
11보	오른손	놓고	Forward Walk

스텝	풋 포지션	총 회전량
1보	오른발 전진	없음
2보	왼발 전진	
3보	오른발 옆으로	
4보	왼발 오른발 옆에 모으고	
5보	오른발 옆으로	
6보	왼발 전진	
7보	오른발 전진	
8보	왼발 옆으로	
9보	오른발 왼발 옆에 모으고	
10보	왼발 옆으로	
11보	오른발 전진	

26번 후진 연속 사이드 스텝(L)

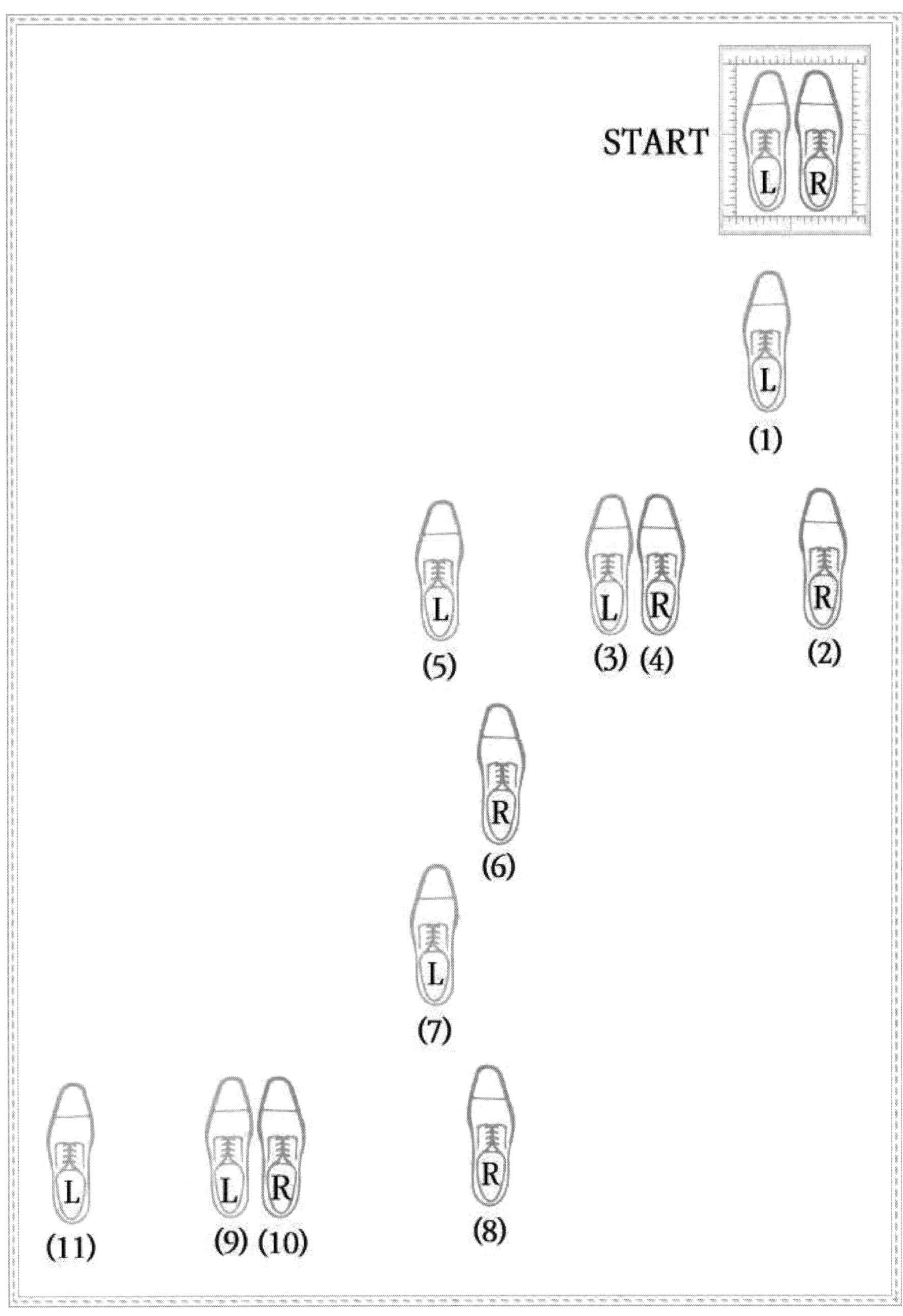

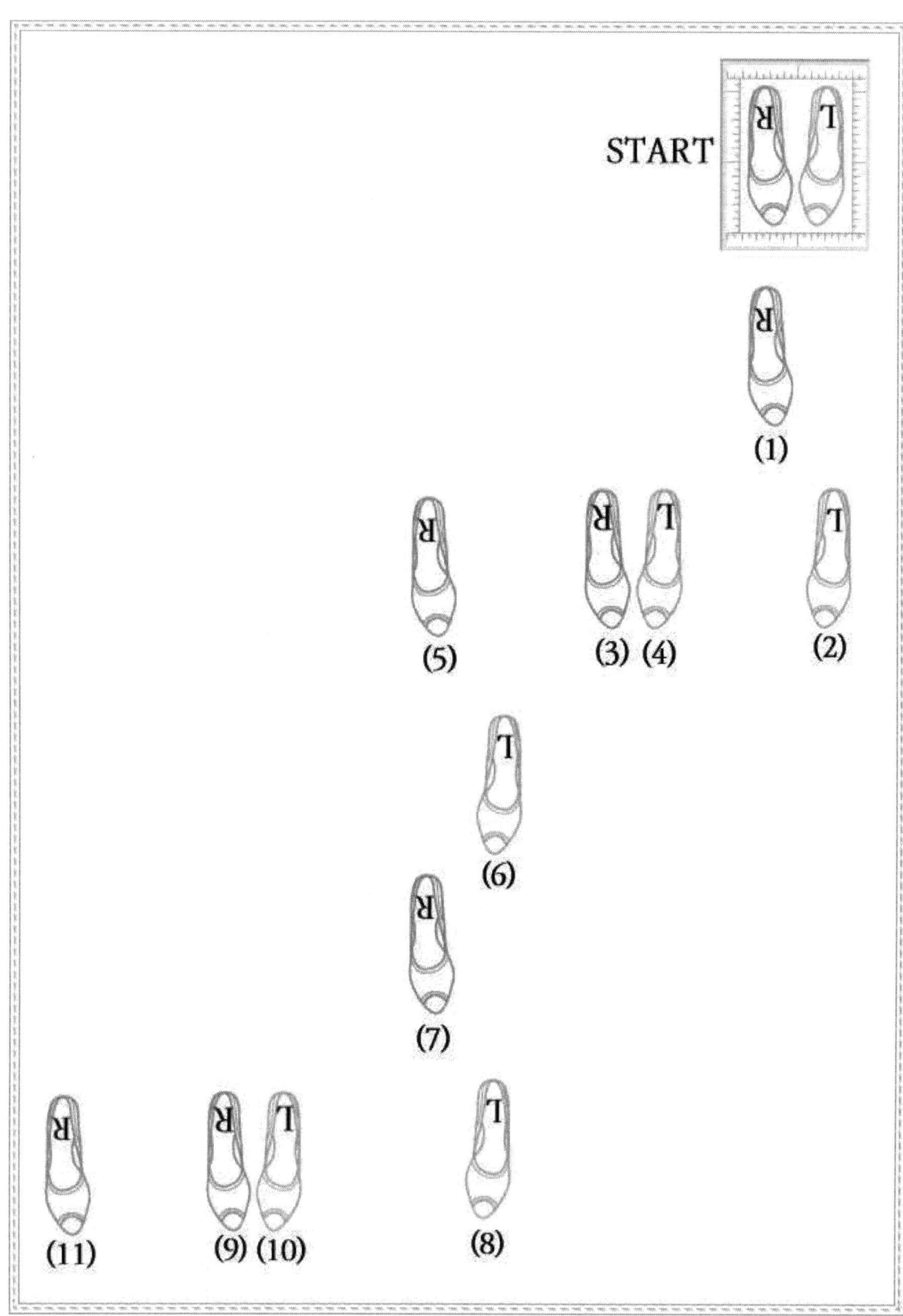
START
R
L
R
(1)
L
(2)
R
L
(3) (4)
R
(5)
L
(6)
R
(7)
L
(8)
R
L
(9) (10)
R
(11)

〈남성&여성〉

스텝	카운트	리듬	읽을 때	음악 타이밍	핸드 포지션
1보	1	S	슬로우	쿵	Hold
2보	2	S	슬로우	짝	Hold
3보	3	Q	퀵	쿵	Hold
4보	4	Q	퀵	쿵	Hold
5보	5	S	슬로우	짝	Hold
6보	6	S	슬로우	쿵	Hold
7보	7	S	슬로우	짝	Hold
8보	8	S	슬로우	쿵	Hold
9보	9	Q	퀵	짝	Hold
10보	10	Q	퀵	쿵	Hold
11보	11	S	슬로우	짝	Hold

〈남성〉

스텝	핸드	스텝 방식	액션
1보	왼손	놓고	Backward Walk
2보	왼손	놓고	Backward Walk
3보	왼손	놓고	Side Step
4보	왼손	놓고	Side Step
5보	왼손	놓고	Side Step
6보	왼손	놓고	Backward Walk
7보	왼손	놓고	Backward Walk
8보	왼손	놓고	Backward Walk
9보	왼손	놓고	Side Step
10보	왼손	놓고	Side Step
11보	왼손	놓고	Side Step

스텝	풋 포지션	총 회전량
1보	왼발 후진	없음
2보	오른발 후진	
3보	왼발 왼쪽 옆으로	
4보	오른발 왼발 옆에 모으고	
5보	왼발 왼쪽 옆으로	
6보	오른발 후진	
7보	왼발 후진	
8보	오른발 후진	
9보	왼발 왼쪽 옆으로	
10보	오른발 왼발 옆에 모으고	
11보	왼발 왼쪽 옆으로	

〈여성〉

스텝	핸드	스텝 방식	액션
1보	오른손	놓고	Forward Walk
2보	오른손	놓고	Forward Walk
3보	오른손	놓고	Side Step

4보	오른손	놓고	Side Step
5보	오른손	놓고	Side Step
6보	오른손	놓고	Forward Walk
7보	오른손	놓고	Forward Walk
8보	오른손	놓고	Forward Walk
9보	오른손	놓고	Side Step
10보	오른손	놓고	Side Step
11보	오른손	놓고	Side Step

스텝	풋 포지션	총 회전량
1보	오른발 전진	없음
2보	왼발 전진	
3보	오른발 옆으로	
4보	왼발 오른발 옆에 모으고	
5보	오른발 옆으로	
6보	왼발 전진	
7보	오른발 전진	
8보	왼발 전진	
9보	오른발 옆으로	
10보	왼발 오른발 옆으로 모으고	
11보	오른발 옆으로	

27번 전진 연속 사이드 스텝(L)

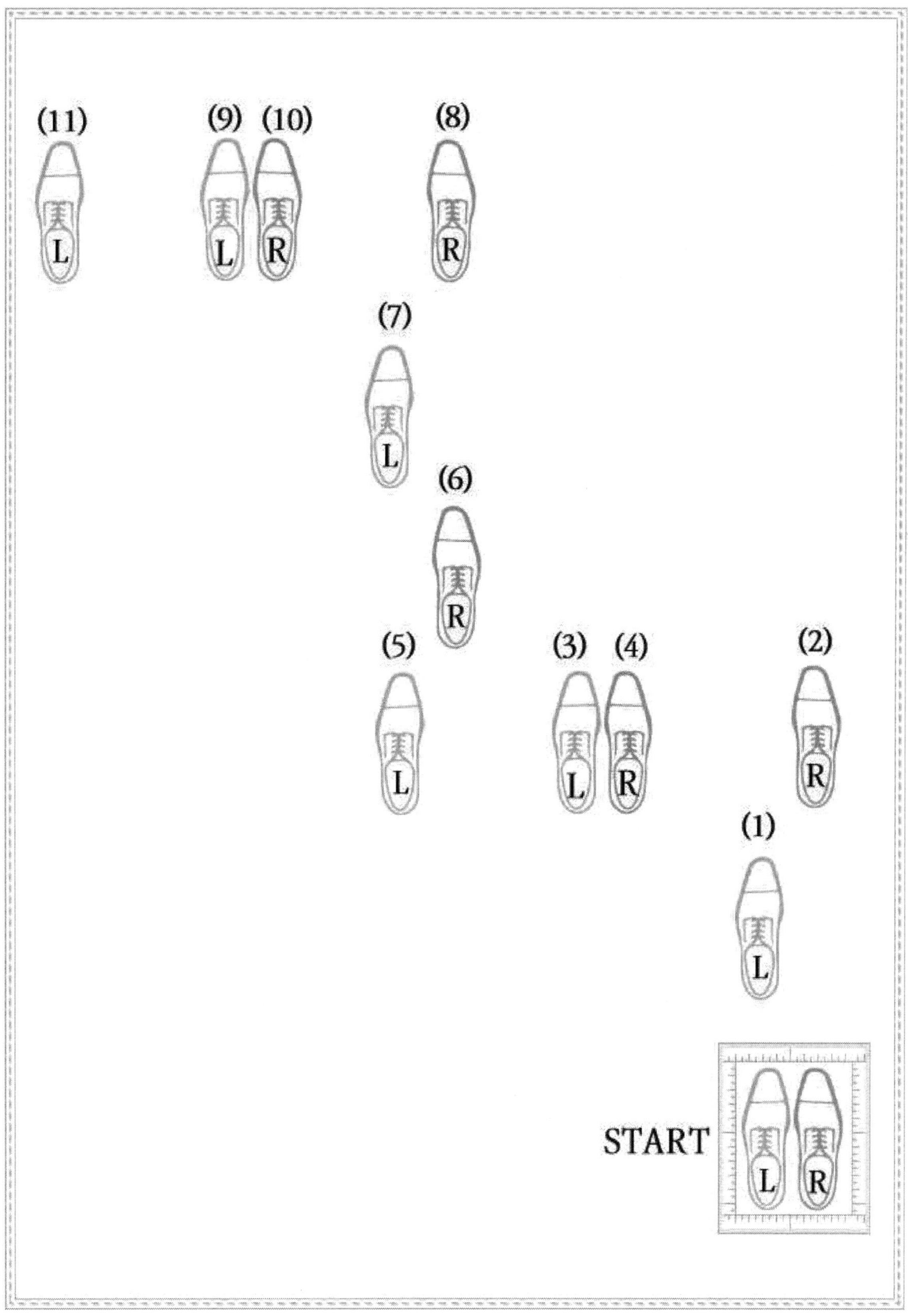

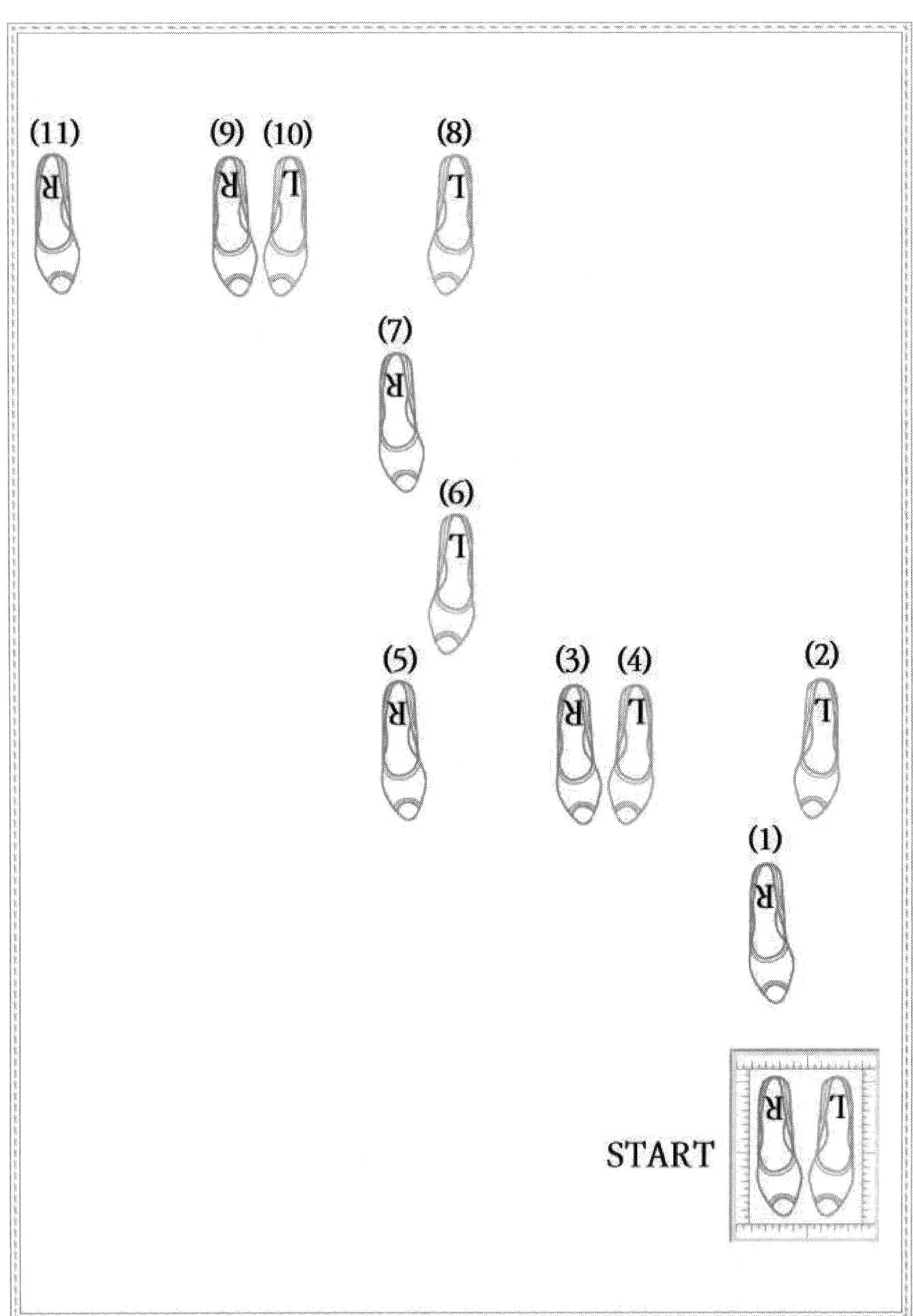
(11)
(9) (10)
(8)
R
R L
L
(7)
R
(6)
L
(5)
R
(3) (4)
R L
(2)
L
(1)
R
START
R L

〈남성&여성〉

스텝	카운트	리듬	읽을 때	음악 타이밍	핸드 포지션
1보	1	S	슬로우	쿵	Hold
2보	2	S	슬로우	짝	Hold
3보	3	Q	퀵	쿵	Hold
4보	4	Q	퀵	쿵	Hold
5보	5	S	슬로우	짝	Hold
6보	6	S	슬로우	쿵	Hold
7보	7	S	슬로우	짝	Hold
8보	8	S	슬로우	쿵	Hold
9보	9	Q	퀵	짝	Hold
10보	10	Q	퀵	쿵	Hold
11보	11	S	슬로우	짝	Hold

〈남성〉

스텝	핸드	스텝 방식	액션
1보	왼손	놓고	Forward Walk
2보	왼손	놓고	Forward Walk
3보	왼손	놓고	Side Step
4보	왼손	놓고	Side Step
5보	왼손	놓고	Side Step
6보	왼손	놓고	Forward Walk
7보	왼손	놓고	Forward Walk
8보	왼손	놓고	Forward Walk
9보	왼손	놓고	Side Step
10보	왼손	놓고	Side Step
11보	왼손	놓고	Side Step

스텝	풋 포지션	총 회전량
1보	왼발 전진	없음
2보	오른발 전진	
3보	왼발 왼쪽 옆으로	
4보	오른발 왼발 옆에 모으고	
5보	왼발 왼쪽 옆으로	
6보	오른발 전진	
7보	왼발 전진	
8보	오른발 전진	
9보	왼발 왼쪽 옆으로	
10보	오른발 왼발 옆에 모으고	
11보	왼발 왼쪽 옆으로	

〈여성〉

스텝	핸드	스텝 방식	액션
1보	오른손	놓고	Backward Walk
2보	오른손	놓고	Backward Walk
3보	오른손	놓고	Side Step

4보	오른손	놓고	Side Step
5보	오른손	놓고	Side Step
6보	오른손	놓고	Backward Walk
7보	오른손	놓고	Backward Walk
8보	오른손	놓고	Backward Walk
9보	오른손	놓고	Side Step
10보	오른손	놓고	Side Step
11보	오른손	놓고	Side Step

스텝	풋 포지션	총 회전량
1보	오른발 후진	없음
2보	왼발 후진	
3보	오른발 옆으로	
4보	왼발 오른발 옆에 모으고	
5보	오른발 옆으로	
6보	왼발 후진	
7보	오른발 후진	
8보	왼발 후진	
9보	오른발 옆으로	
10보	왼발 오른발 옆으로 모으고	
11보	오른발 옆으로	

28번 내추럴 프롬나드 턴

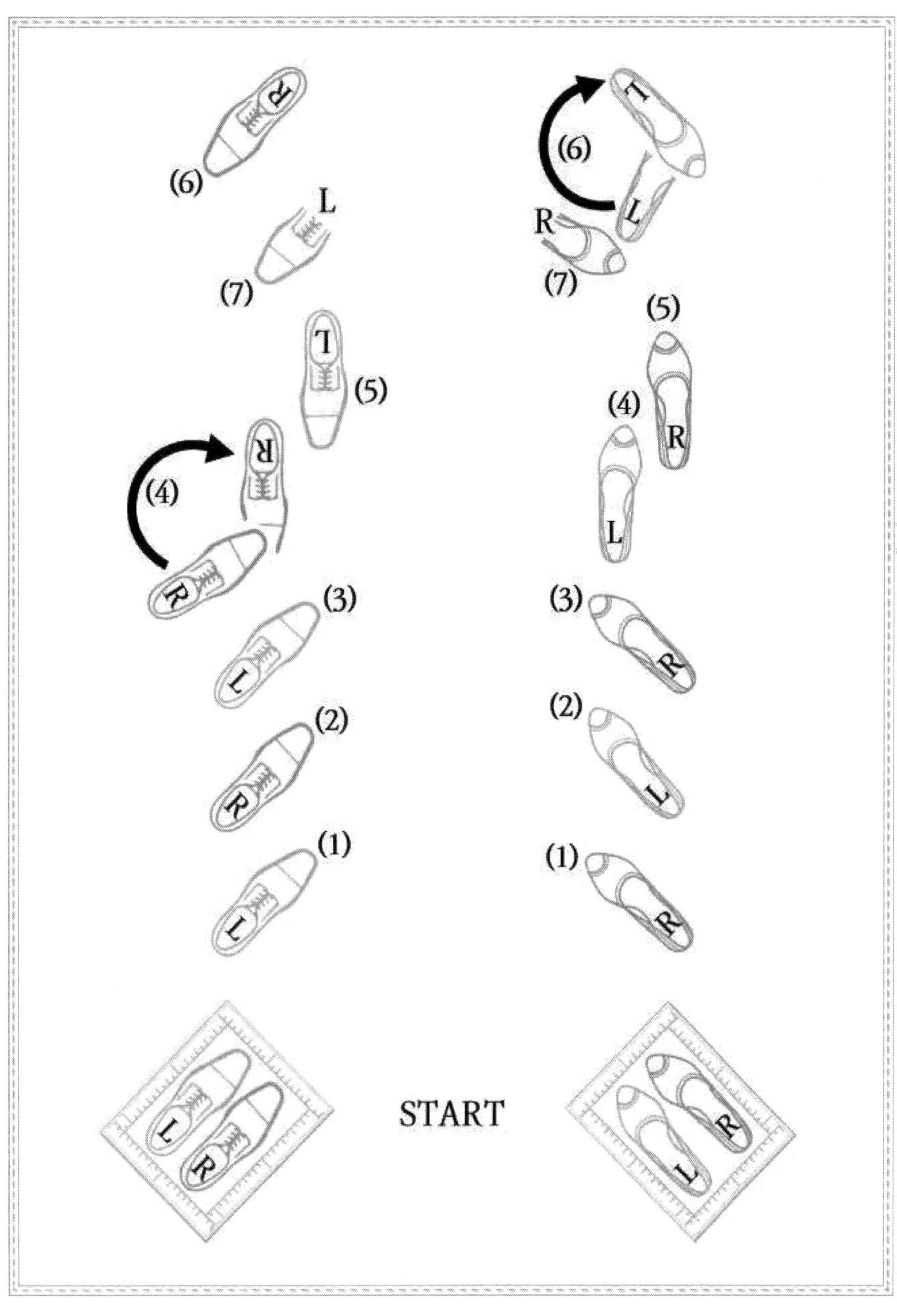

〈남성&여성〉

스텝	카운트	리듬	읽을 때	음악 타이밍	핸드 포지션
1보	1	S	슬로우	쿵	Hold
2보	2	S	슬로우	짝	Hold
3보	3	S	슬로우	쿵	Hold
4보	4	S	슬로우	짝	Hold
5보	5	S	슬로우	쿵	Hold
6보	6	S	슬로우	짝	Hold
7보	7	S	슬로우	짝	Hold

〈남성〉

스텝	핸드	스텝 방식	액션
1보	왼손	놓고	Forward Walk
2보	왼손	놓고	Forward Walk
3보	왼손	놓고	Forward Walk
4보	왼손	놓고	Turn
5보	왼손	놓고	Backward Walk
6보	왼손	놓고	Backward Walk
7보	왼손	놓고/찍고(선택)	Forward Walk

스텝	풋 포지션	총 회전량
1보	왼발 전진	180°/R
2보	오른발 전진	
3보	왼발 전진	
4보	오른발 Turn/R	
5보	왼발 후진	
6보	오른발 후진	
7보	왼발 전진	

〈여성〉

스텝	핸드	스텝 방식	액션
1보	오른팔	놓고	Forward Walk
2보	오른팔	놓고	Forward Walk
3보	오른팔	놓고	Forward Walk
4보	오른팔	놓고	Forward Walk
5보	오른팔	놓고	Forward Walk
6보	오른팔	놓고	Turn
7보	오른팔	놓고/찍고(선택)	Forward Walk

스텝	풋 포지션	총 회전량
1보	오른발 전진	180°/R
2보	왼발 전진	
3보	오른발 전진	
4보	왼발 전진	
5보	오른발 전진	

6보	오른발 Turn/R	
7보	오른발 전진	

Promenade position에서 전진 샤세를 행한 후 내추럴 턴을 하는 피겨로 현장에서도 인기 있는 피겨 중 하나이다.

남성과 여성은 텐션이 걸린 상태에서 자세, 어깨 및 팔의 견고한 상태를 유지하면서 남성은 전진 샤세를 한다. 인위적으로 여성의 손 및 견갑골을 밀면 안 된다. 텐션이 걸린 상태이기 때문에 남성이 전진 샤세를 하면 자연스레 리드가 된다.

남성은 4보에서 오른발을 여성의 왼발과 오른발 사이에 이동 후 180°/R 회전을 하는데 여기에 주의해야 점은 여성을 너무 손으로 당기거나 여성 다리 사이에 남성의 다리를 너무 깊숙하게 넣지 말아야 한다. 텐션이 걸린 상태이기 여성이 가는 길을 막으면서 열어주면 된다.

29번 더블 오픈

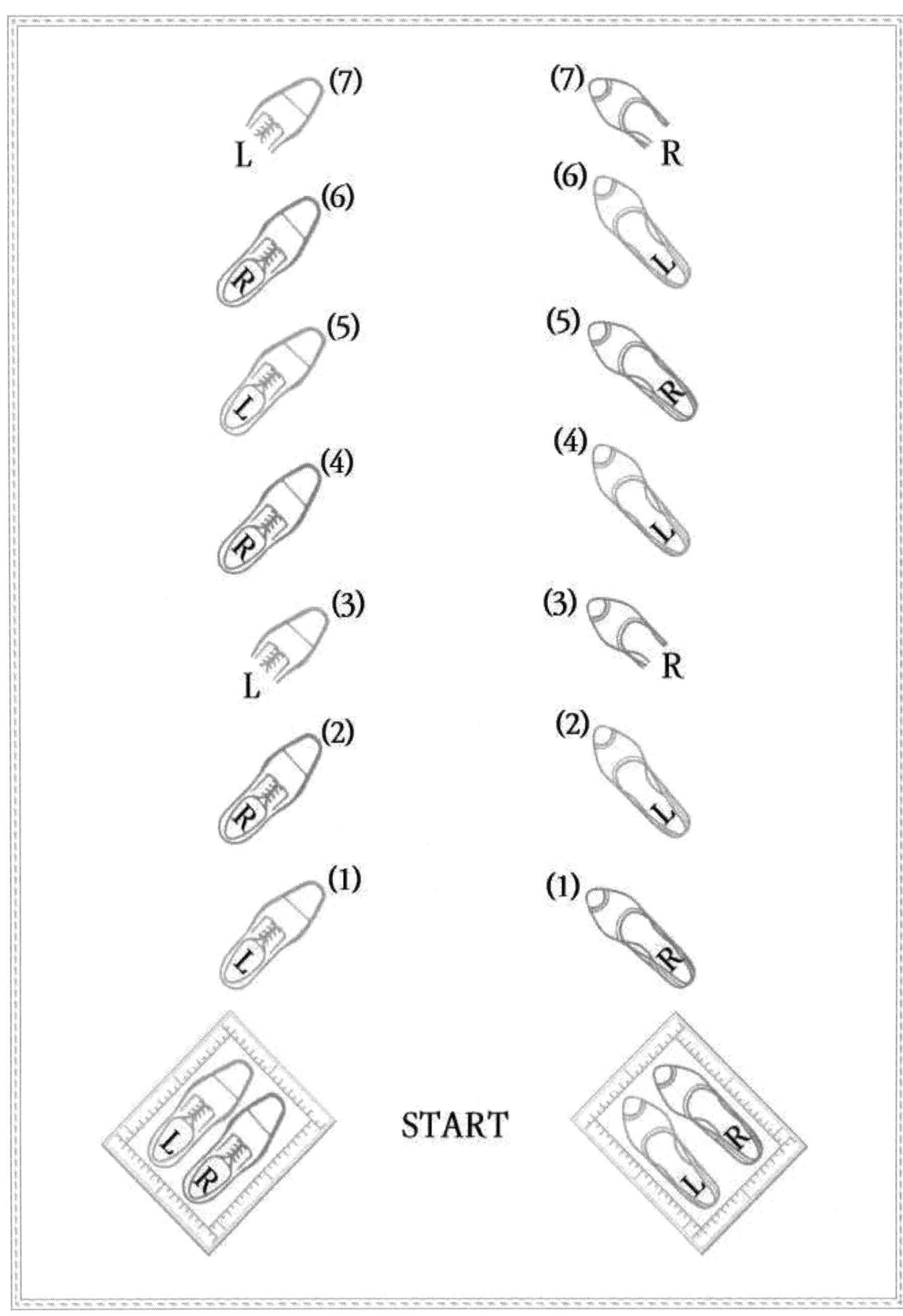

〈남성&여성〉

스텝	카운트	리듬	읽을 때	음악 타이밍	핸드 포지션
1보	1	S	슬로우	쿵	Hold
2보	2	S	슬로우	짝	Hold
3보	3	S	슬로우	쿵	Hold
4보	4	S	슬로우	짝	Hold
5보	5	S	슬로우	쿵	Hold
6보	6	S	슬로우	짝	Hold
7보	7	S	슬로우	짝	Hold

〈남성〉

스텝	핸드	스텝 방식	액션
1보	왼손	놓고	Forward Walk
2보	왼손	놓고	Forward Walk
3보	왼손	찍고	Forward Walk
4보	왼손	놓고	Forward Walk
5보	왼손	놓고	Forward Walk
6보	왼손	놓고	Forward Walk
7보	왼손	찍고	Forward Walk

스텝	풋 포지션	총 회전량
1보	왼발 전진	없음
2보	오른발 전진	
3보	왼발 전진	
4보	오른발 전진	
5보	왼발 전진	
6보	오른발 전진	
7보	왼발 전진	

〈여성〉

스텝	핸드	스텝 방식	액션
1보	오른손	놓고	Forward Walk
2보	오른손	놓고	Forward Walk
3보	오른손	놓고	Forward Walk
4보	오른손	놓고	Forward Walk
5보	오른손	찍고	Forward Walk
6보	오른손	놓고	Forward Walk
7보	오른손	놓고	Forward Walk

스텝	풋 포지션	총 회전량
1보	오른발 전진	없음
2보	왼발 전진	
3보	오른발 전진	
4보	왼발 전진	
5보	오른발 전진	

6보	왼발 전진	
7보	오른발 전진	

3보, 7보에서 남성은 여성 오른손을 살짝 당기면서 상체를 약간 여성 쪽으로 돌린다.

30번 헤드 플릭

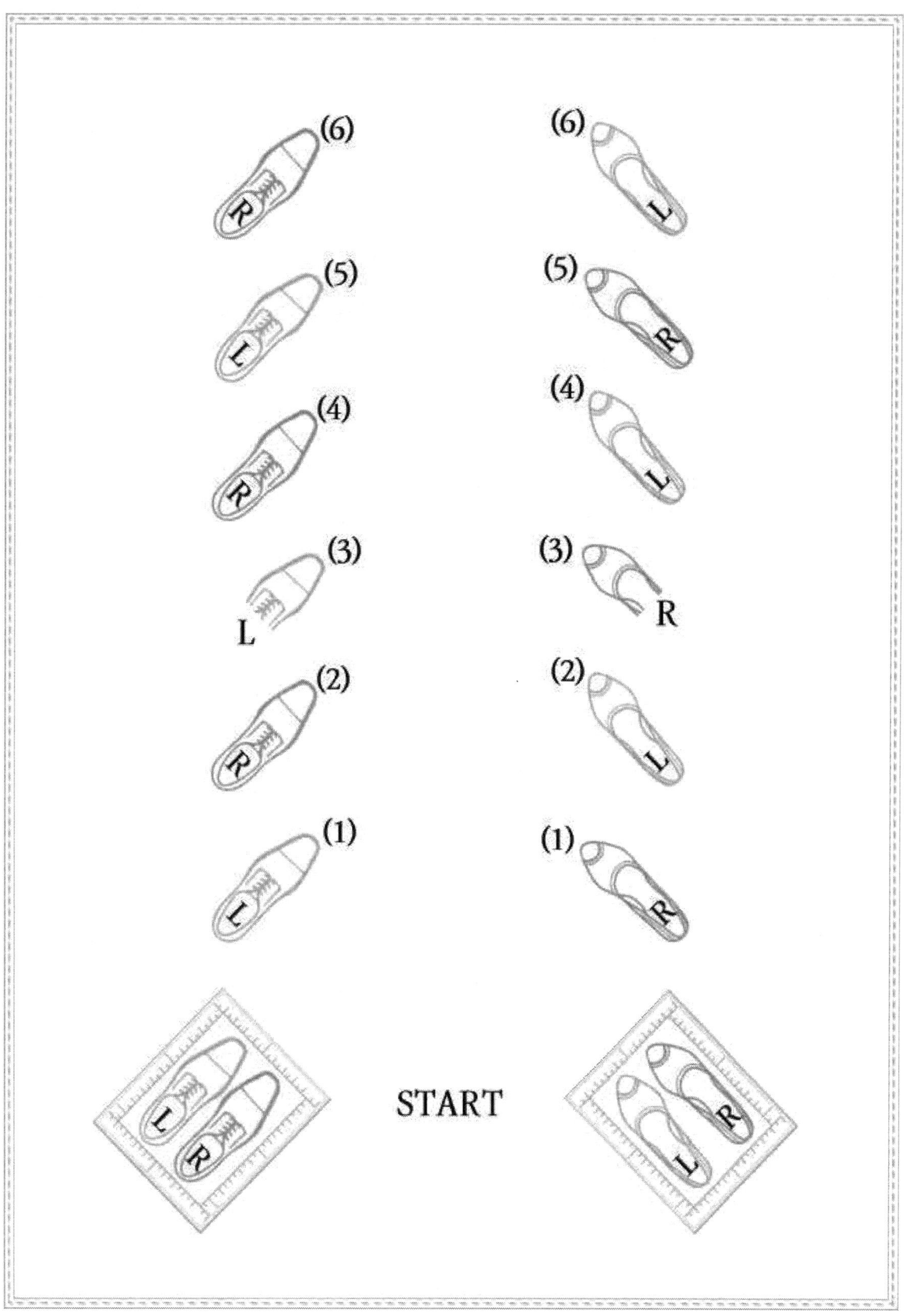

〈남성&여성〉

스텝	카운트	리듬	읽을 때	음악 타이밍	핸드 포지션
1보	1	S	슬로우	쿵	Hold
2보	2	S	슬로우	짝	Hold
3보	3	S	슬로우	쿵	Hold
4보	4	S	슬로우	짝	Hold
5보	5	S	슬로우	쿵	Hold
6보	6	S	슬로우	짝	Hold

〈남성〉

스텝	핸드	스텝 방식	액션
1보	왼손	놓고	Forward Walk
2보	왼손	놓고	Forward Walk
3보	왼손	찍고	Forward Walk
4보	왼손	놓고	Forward Walk
5보	왼손	놓고	Forward Walk
6보	왼손	놓고	Forward Walk

스텝	풋 포지션	총 회전량
1보	왼발 전진	없음
2보	오른발 전진	
3보	왼발 전진 (헤드를 오른쪽으로 돌리고, 왼쪽으로 돌리고)	
4보	오른발 전진	
5보	왼발 전진	
6보	오른발 전진	

〈여성〉

스텝	핸드	스텝 방식	액션
1보	오른손	놓고	Forward Walk
2보	오른손	놓고	Forward Walk
3보	오른손	찍고	Forward Walk
4보	오른손	놓고	Forward Walk
5보	오른손	놓고	Forward Walk
6보	오른손	놓고	Forward Walk

스텝	풋 포지션	총 회전량
1보	오른발 전진	없음
2보	왼발 전진	
3보	오른발 전진 (헤드를 왼쪽으로 돌리고, 오른쪽으로 돌리고))	
4보	왼발 전진	
5보	오른발 전진	

6보	왼발 전진	

프롬나드 샤세를 행한 후 헤드 플릭 액션을 하는 피겨로 크게 2가지로 방법으로 행할 수 있다.

1. 3보에 하체는 정면 고정, 남성은 헤드를 135° 오른쪽으로 돌리고, 여성은 헤드를 왼쪽으로 돌린다. 그 후 남성은 헤드를 왼쪽으로 돌리고, 여성은 헤드를 오른쪽으로 돌린다.

2. 3보에 하체는 정면 고정, 상체 및 헤드를 남성은 오른쪽으로 45° 오른쪽으로 돌리고, 여성은 상체 및 헤드를 왼쪽으로 돌린다. 그 후 남성은 상체 및 헤드를 왼쪽으로 돌리고, 여성은 상체 및 헤드를 오른쪽으로 돌린다.

31번 IN AND OUT(Down, UP)

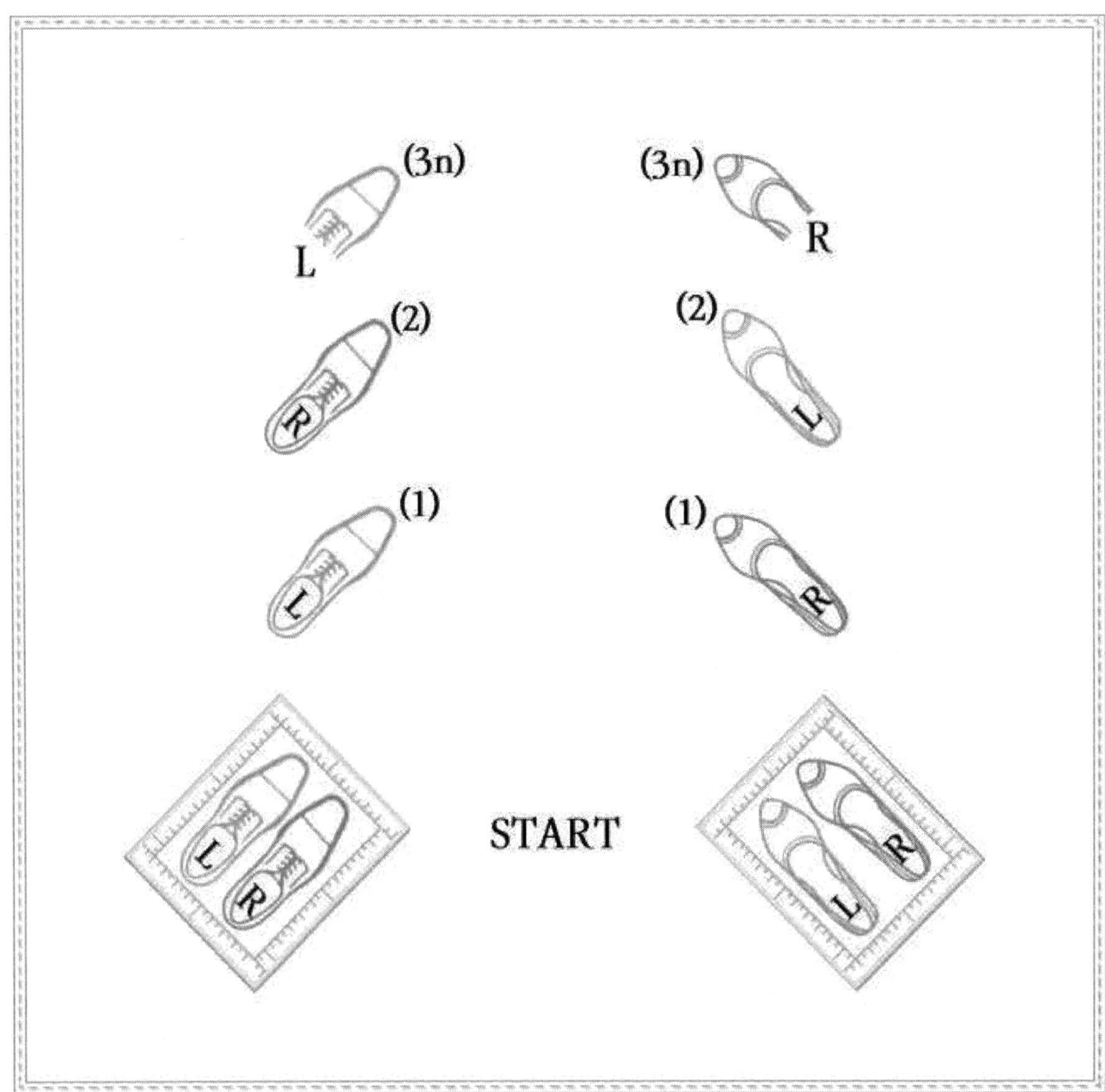

〈남성&여성〉

스텝	카운트	리듬	읽을 때	음악 타이밍	핸드 포지션
1보	1	S	슬로우	쿵	Hold
2보	2	S	슬로우	짝	Hold
3보	3	S.n	슬로우.엔	쿵	Hold

〈남성〉

스텝	핸드	스텝 방식	액션
1보	왼손	놓고	Forward Walk

2보	왼손	놓고	Forward Walk
3보	왼손	찍고	Forward Walk, Body Sway(Down, UP)

스텝	풋 포지션	총 회전량
1보	왼발 전진	없음
2보	오른발 전진	
3보	왼발 전진, Body Sway(Down, UP)	

〈여성〉

스텝	핸드	스텝 방식	액션
1보	오른손	놓고	Forward Walk
2보	오른손	놓고	Forward Walk
3보	오른손	찍고	Forward Walk, Body Sway(Down, UP)

스텝	풋 포지션	총 회전량
1보	오른발 전진	없음
2보	왼발 전진	
3보	오른발 전진, Body Sway(Down, UP)	

3보에 Body Sway(Down, UP) 스웨이 합니다.

32번 사이드 스텝 오픈

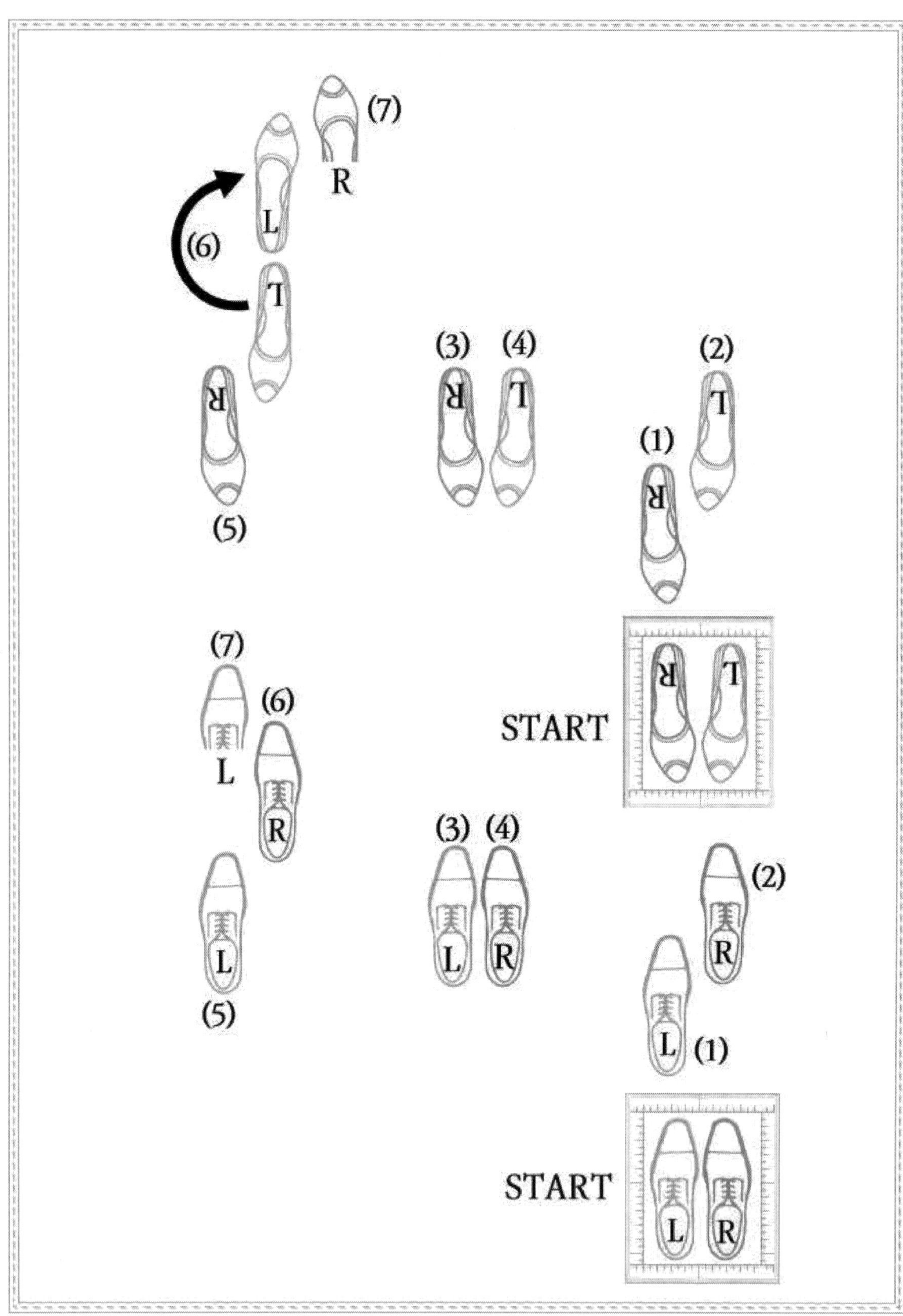

〈남성&여성〉

스텝	카운트	리듬	읽을 때	음악 타이밍	핸드 포지션
1보	1	S	슬로우	쿵	Hold
2보	2	S	슬로우	짝	Hold
3보	1	Q	퀵	쿵	Hold
4보	2	Q	퀵	짝	Hold
5보	3	S	슬로우	쿵	Hold
6보	4	S	슬로우	짝	Hold
7보	6	S	슬로우	쿵	Hold

〈남성〉

스텝	핸드	스텝 방식	액션
1보	왼손	놓고	Forward Walk
2보	왼손	놓고	Forward Walk
3보	왼손	놓고	Side Step
4보	왼손	놓고	Side Step
5보	왼손	놓고	Side Step
6보	왼손	놓고	Forward Walk
7보	왼손	찍고	Forward Walk

스텝	풋 포지션	총 회전량
1보	왼발 전진	없음
2보	오른발 전지	
3보	왼발 옆으로(왼쪽)	
4보	오른발 왼발 옆에 모으고	
5보	왼발 옆으로(왼쪽)	
6보	오른발 전진	
7보	왼발 전진	

〈여성〉

스텝	핸드	스텝 방식	액션
1보	오른손	놓고	Backward Walk
2보	오른손	놓고	Backward Walk
3보	오른손	놓고	Side Step
4보	오른손	놓고	Side Step
5보	오른손	놓고	Side Step
6보	오른손	놓고	Turn,
7보	오른손	찍고	Backward Walk

스텝	풋 포지션	총 회전량
1보	오른발 후진	180°/R
2보	왼발 후진	
3보	오른발 옆으로(오른쪽)	
4보	왼발 오른발 옆에 모으고	

5보	오른발 옆으로(오른쪽)	
6보	왼발 Turn/R	
7보	오른발 전진	

사이드 스텝을 행한 후 남성은 전진하면서 그립 된 여성의 오른손을 밀면서 남성의 오른손으로 여성의 견갑골을 당긴다.

33번 백 링크

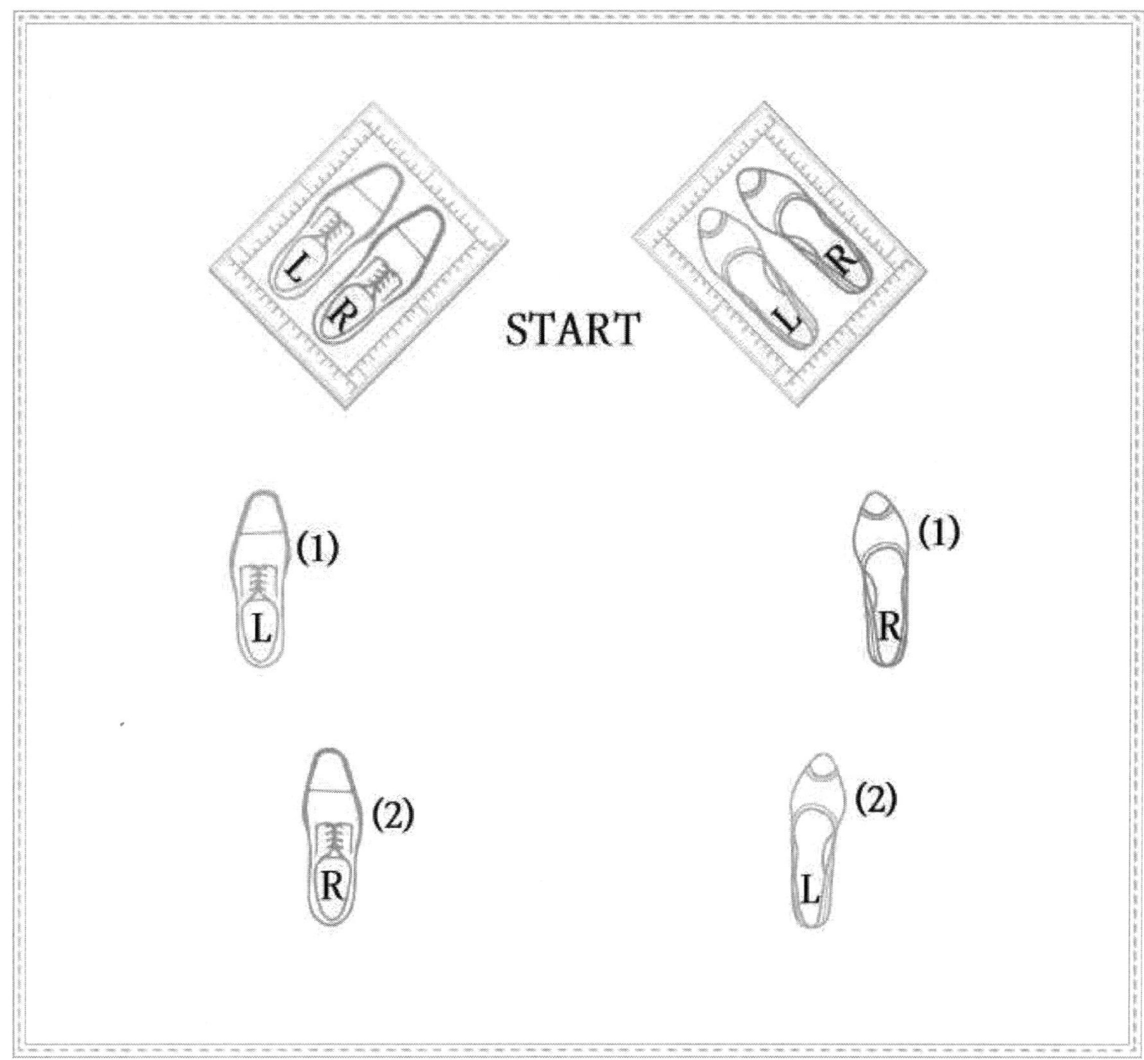

〈남성&여성〉

스텝	카운트	리듬	읽을 때	음악 타이밍	핸드 포지션
1보	1	S	슬로우	쿵	Hold
2보	2	S	슬로우	짝	Hold

〈남성〉

스텝	핸드	스텝 방식	액션
1보	왼손	놓고	Backward Walk
2보	왼손	놓고	Backward Walk

스텝	풋 포지션	총 회전량
1보	왼발 후진	없음

2보	오른발 후진	

〈여성〉

스텝	핸드	스텝 방식	액션
1보	오른손	놓고	Backward Walk
2보	오른손	놓고	Backward Walk

스텝	풋 포지션	총 회전량
1보	오른발 후진	없음
2보	왼발 후진	

Promenade position에서 남성은 2보에 후진 스텝을 하면서 바디 액션

34번 쿼터 턴

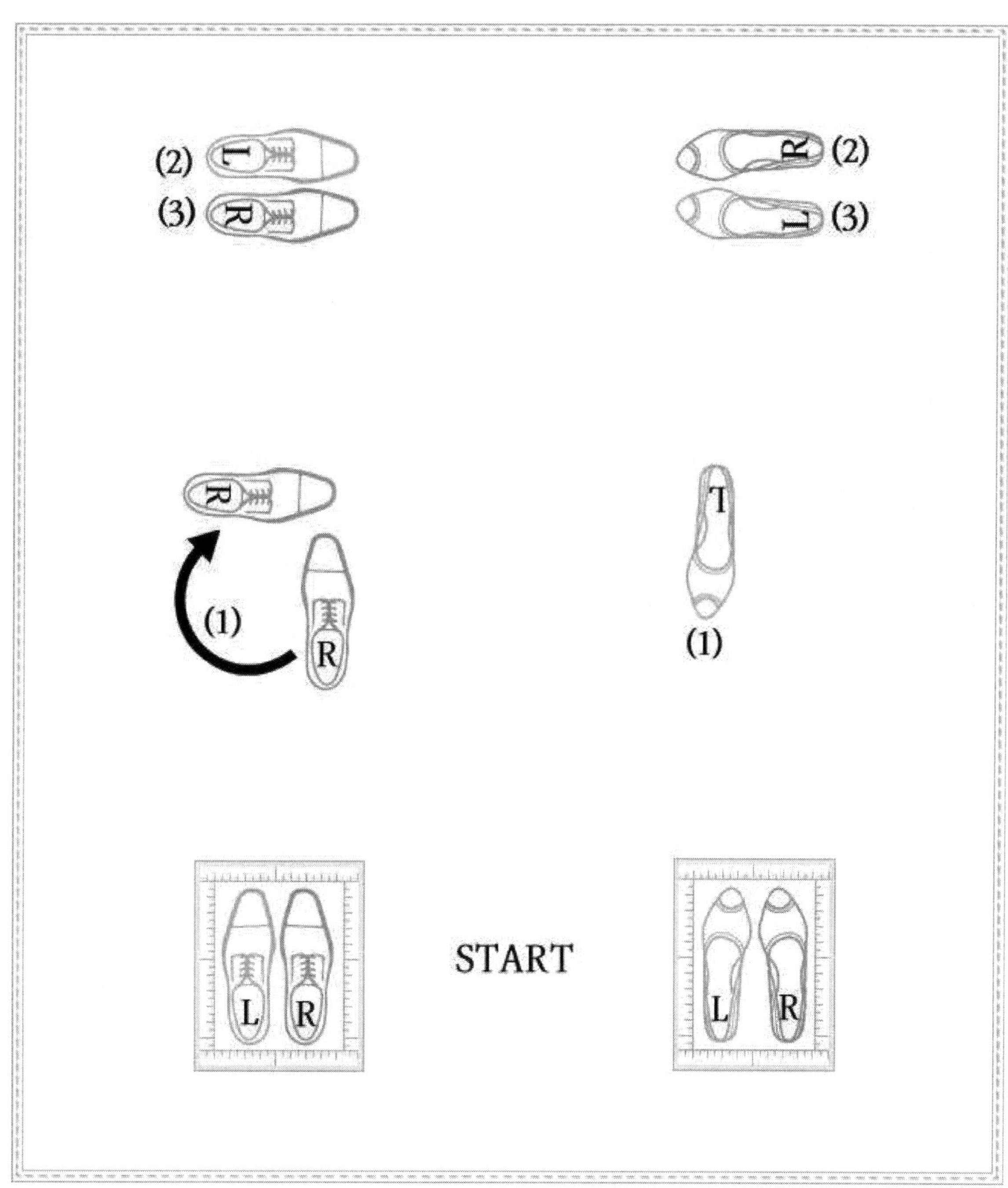

〈남성&여성〉

스텝	카운트	리듬	읽을 때	음악 타이밍	핸드 포지션
1보	1	S	슬로우	쿵	Hold
2보	2	Q	퀵	짝	Hold
3보	3	Q	퀵	쿵	Hold

〈남성〉

스텝	핸드	스텝 방식	액션
1보	왼손	놓고	Forward Walk, Turn
2보	왼손	놓고	Side Step
3보	왼손	놓고	Side Step

스텝	풋 포지션	총 회전량
1보	오른발 전진, Turn/R	90°/R
2보	왼발 옆으로	
3보	오른발 왼발 옆에 모으고	

〈여성〉

스텝	핸드	스텝 방식	액션
1보	오른손	놓고	Backward Walk
2보	오른손	놓고	Side Step
3보	오른손	놓고	Side Step

스텝	풋 포지션	총 회전량
1보	왼발 후진	90°/R
2보	오른발 옆으로	
3보	왼발 오른발 옆에 모으고	

남성은 오른발을 전진, 오른쪽으로 90° 회전하면서 여성을 오른쪽으로 90° 회전시켜준다.

35번 프롬나드, 남성 오른쪽 솔로 턴

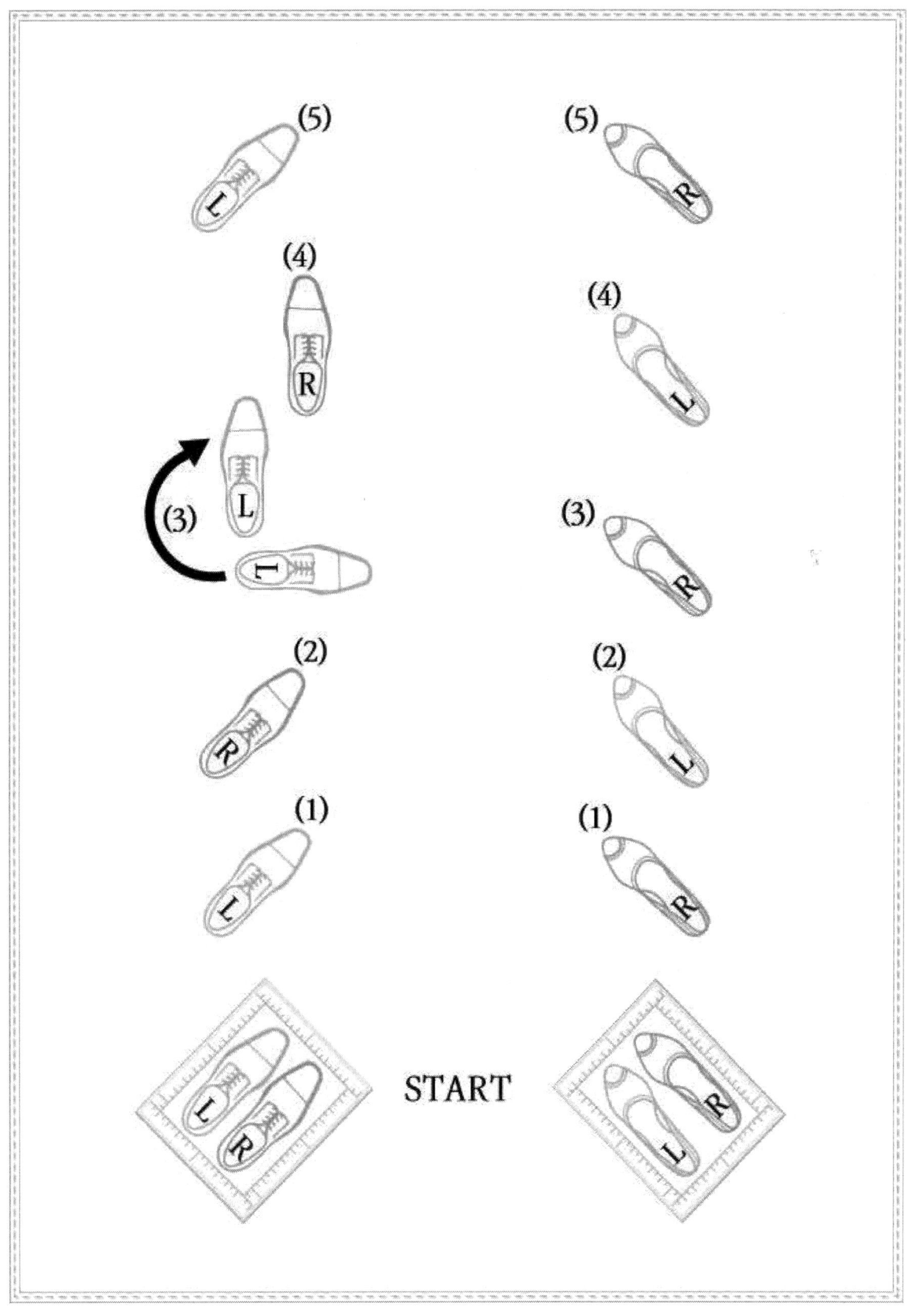

〈남성&여성〉

스텝	카운트	리듬	읽을 때	음악 타이밍	핸드 포지션
1보	1	S	슬로우	쿵	Hold
2보	2	S	슬로우	짝	Hold
3보	3	S	슬로우	쿵	Hold
4보	4	S	슬로우	짝	Hold
5보	5	S	슬로우	쿵	Hold

〈남성〉

스텝	핸드	스텝 방식	액션
1보	왼손	놓고	Forward Walk
2보	왼손	놓고	Forward Walk
3보		놓고	Forward Walk
4보	왼손	놓고	Turn
5보	왼손	놓고	Forward Walk

<table>
<tr><th>스텝</th><th>풋 포지션</th><th>총 회전량</th></tr>
<tr><td>1보</td><td>왼발 전진</td><td rowspan="5">360°/R</td></tr>
<tr><td>2보</td><td>오른발 전진</td></tr>
<tr><td>3보</td><td>왼발 Turn/R</td></tr>
<tr><td>4보</td><td>오른발 전진</td></tr>
<tr><td>5보</td><td>왼발 전진</td></tr>
</table>

〈여성〉

스텝	핸드	스텝 방식	액션
1보	오른손	놓고	Forward Walk
2보	오른손	놓고	Forward Walk
3보	오른손	놓고	Forward Walk
4보	오른손	놓고	Forward Walk
5보	오른손	놓고	Forward Walk

<table>
<tr><th>스텝</th><th>풋 포지션</th><th>총 회전량</th></tr>
<tr><td>1보</td><td>오른발 전진</td><td rowspan="5">없음</td></tr>
<tr><td>2보</td><td>왼발 전진</td></tr>
<tr><td>3보</td><td>오른발 전진</td></tr>
<tr><td>4보</td><td>왼발 전진</td></tr>
<tr><td>5보</td><td>오른발 전진</td></tr>
</table>

36번 프롬나드, 남성 왼쪽 솔로 턴

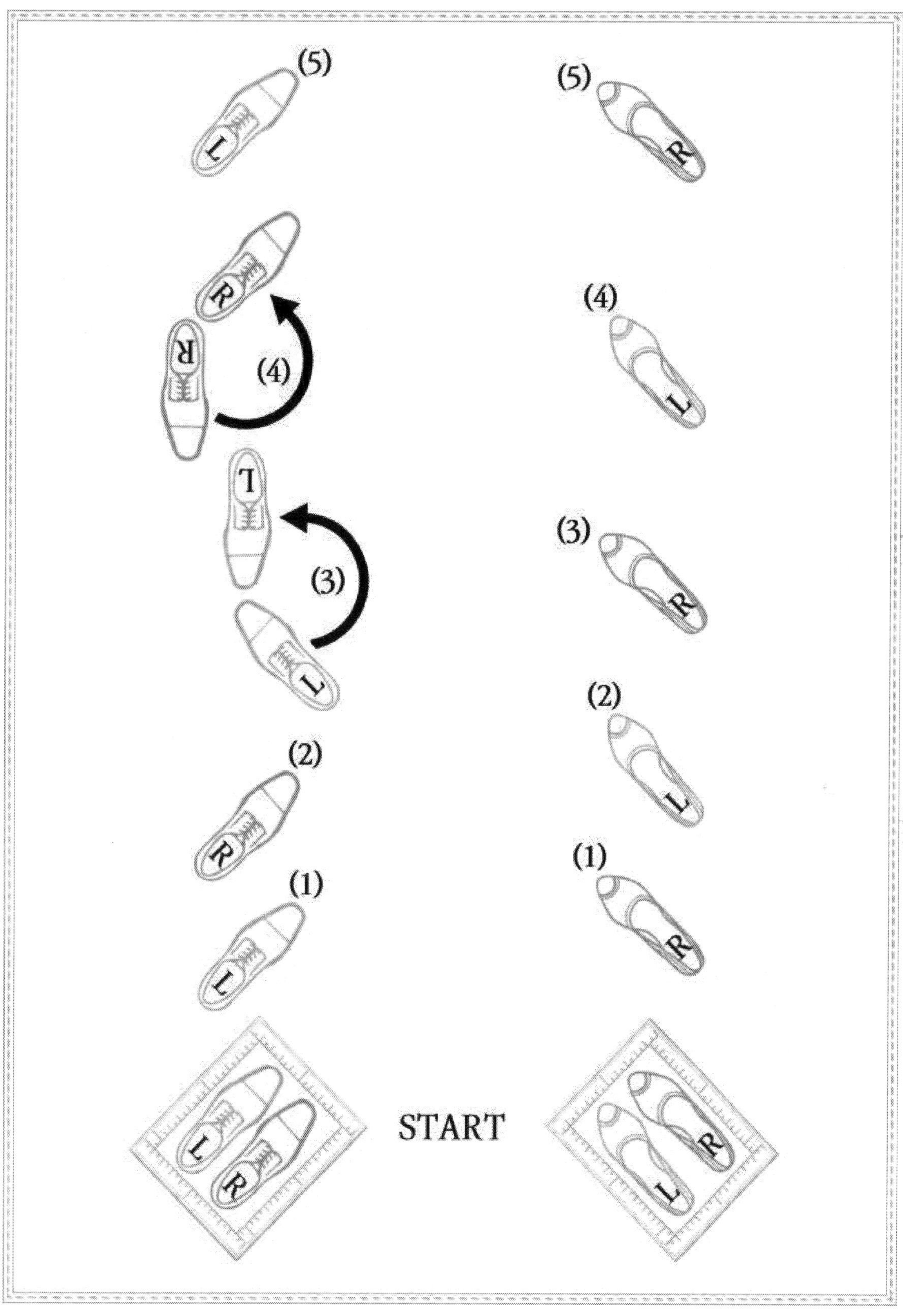

〈남성&여성〉

스텝	카운트	리듬	읽을 때	음악 타이밍	핸드 포지션
1보	1	S	슬로우	쿵	Hold
2보	2	S	슬로우	짝	Hold
3보	3	S	슬로우	쿵	Hold
4보	4	S	슬로우	짝	Hold
5보	5	S	슬로우	쿵	Hold

〈남성〉

스텝	핸드	스텝 방식	액션
1보	왼손	놓고	Forward Walk
2보	왼손	놓고	Forward Walk
3보		놓고	Turn
4보		놓고	Turn
5보	왼손	놓고	Forward Walk

스텝	풋 포지션	총 회전량
1보	왼발 전진	360°/L
2보	오른발 전진	
3보	왼발 Turn/L	
4보	오른발 Turn/L	
5보	왼발 전진	

〈여성〉

스텝	핸드	스텝 방식	액션
1보	오른손	놓고	Forward Walk
2보	오른손	놓고	Forward Walk
3보	오른손	놓고	Forward Walk
4보	오른손	놓고	Forward Walk
5보	오른손	놓고	Forward Walk

스텝	풋 포지션	총 회전량
1보	오른발 전진	없음
2보	왼발 전진	
3보	오른발 전진	
4보	왼발 전진	
5보	오른발 전진	

37번 프롬나드, 남성 오른쪽 건너기(왼발)

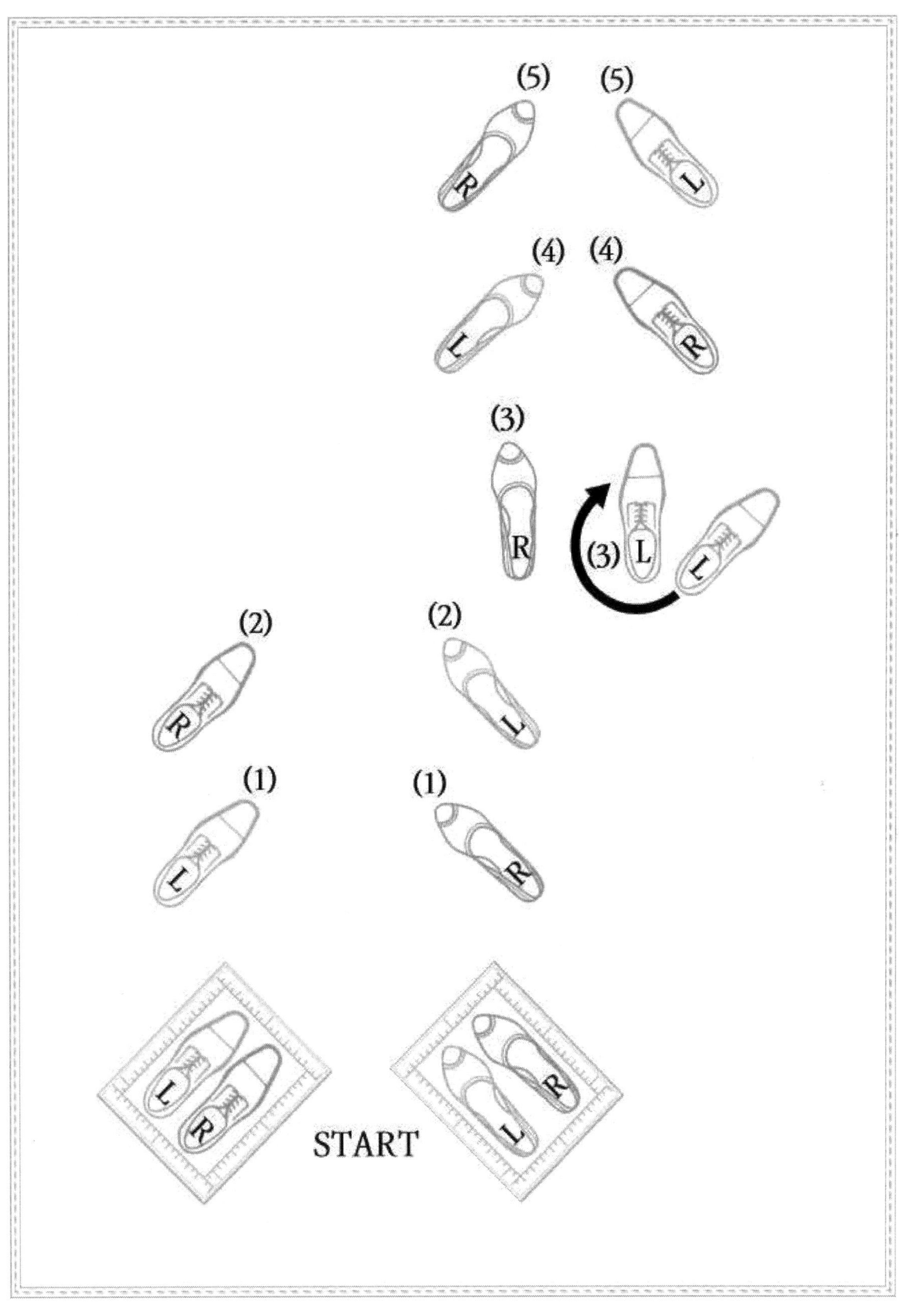

〈남성&여성〉

스텝	카운트	리듬	읽을 때	음악 타이밍	핸드 포지션
1보	1	S	슬로우	쿵	Hold
2보	2	S	슬로우	짝	Hold
3보	3	S	슬로우	쿵	Hold
4보	4	S	슬로우	짝	Hold
5보	5	S	슬로우	쿵	Hold

〈남성〉

스텝	핸드	스텝 방식	액션
1보	왼손	놓고	Forward Walk
2보	왼손	놓고	Forward Walk
3보	왼손	놓고	Turn
4보	오른손	놓고	Forward Walk
5보	오른손	놓고	Forward Walk

스텝	풋 포지션	총 회전량
1보	왼발 전진	360°/R
2보	오른발 전진	
3보	왼발 Turn/R	
4보	오른발 전진	
5보	왼발 전진	

〈여성〉

스텝	핸드	스텝 방식	액션
1보	오른손	놓고	Forward Walk
2보	오른손	놓고	Forward Walk
3보	오른손	놓고	Forward Walk
4보	왼손	놓고	Forward Walk
5보	왼손	놓고	Forward Walk

스텝	풋 포지션	총 회전량
1보	오른발 전진	없음
2보	왼발 전진	
3보	오른발 전진	
4보	왼발 전진	
5보	오른발 전진	

38번 프롬나드, 남성 오른쪽으로 건너기(오른발)

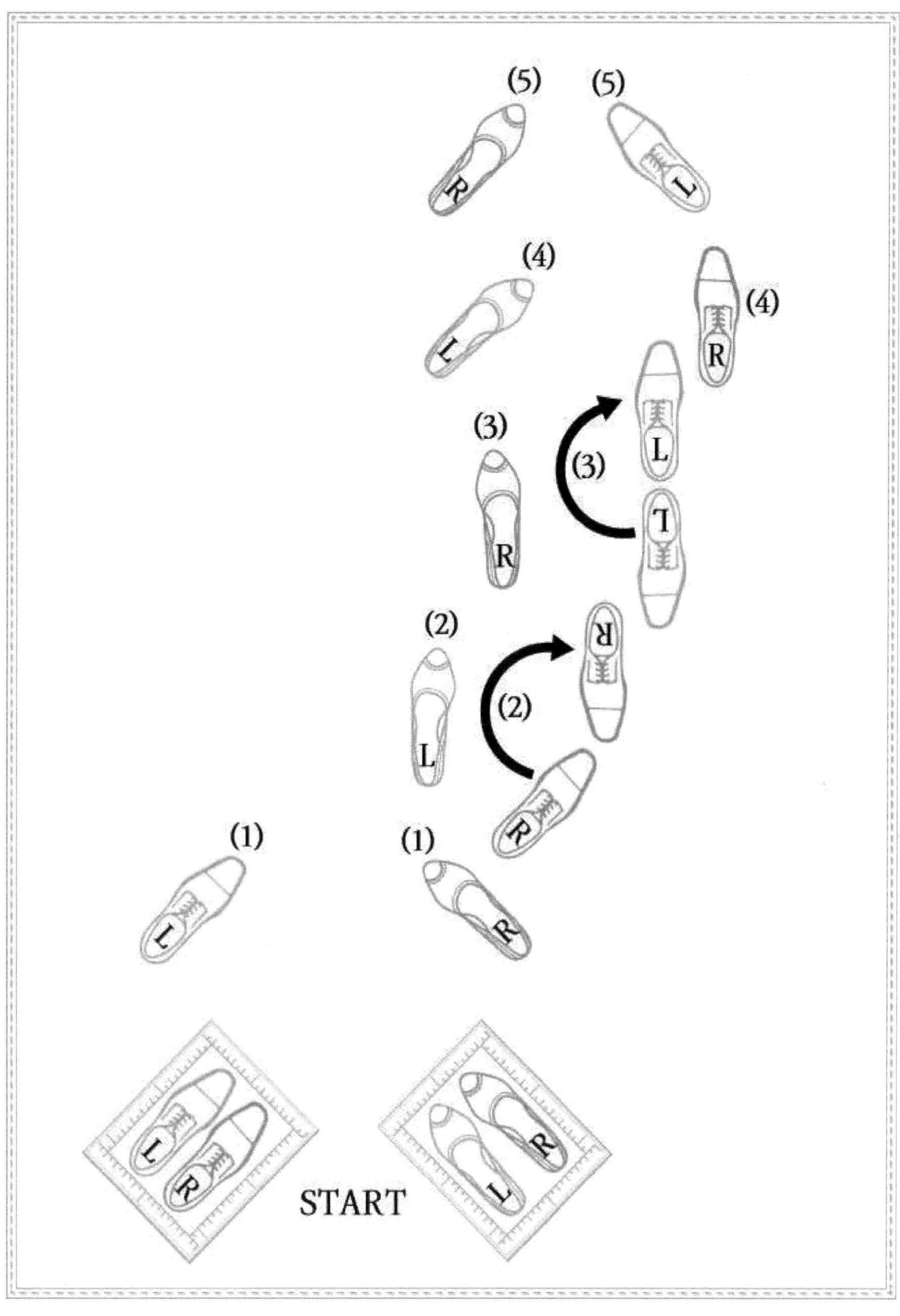

〈남성&여성〉

스텝	카운트	리듬	읽을 때	음악 타이밍	핸드 포지션
1보	1	S	슬로우	쿵	Hold
2보	2	S	슬로우	짝	Hold
3보	3	S	슬로우	쿵	Hold
4보	4	S	슬로우	짝	Hold
5보	5	S	슬로우	쿵	Hold

〈남성〉

스텝	핸드	스텝 방식	액션
1보	왼손	놓고	Forward Walk
2보	왼손	놓고	Turn
3보	오른손	놓고	Turn
4보	오른손	놓고	Forward Walk
5보	오른손	놓고	Forward Walk

스텝	풋 포지션	총 회전량
1보	왼발 전진	360°/R
2보	오른발 Turn/R	
3보	왼발 Turn/R	
4보	오른발 전진	
5보	왼발 전진	

〈여성〉

스텝	핸드	스텝 방식	액션
1보	오른손	놓고	Forward Walk
2보	오른손	놓고	Forward Walk
3보	왼손	놓고	Forward Walk
4보	왼손	놓고	Forward Walk
5보	왼손	놓고	Forward Walk

스텝	풋 포지션	총 회전량
1보	오른발 전진	없음
2보	왼발 전진	
3보	오른발 전진	
4보	왼발 전진	
5보	오른발 전진	

39번 프롬나드, 남성 왼쪽으로 건너기(왼발)

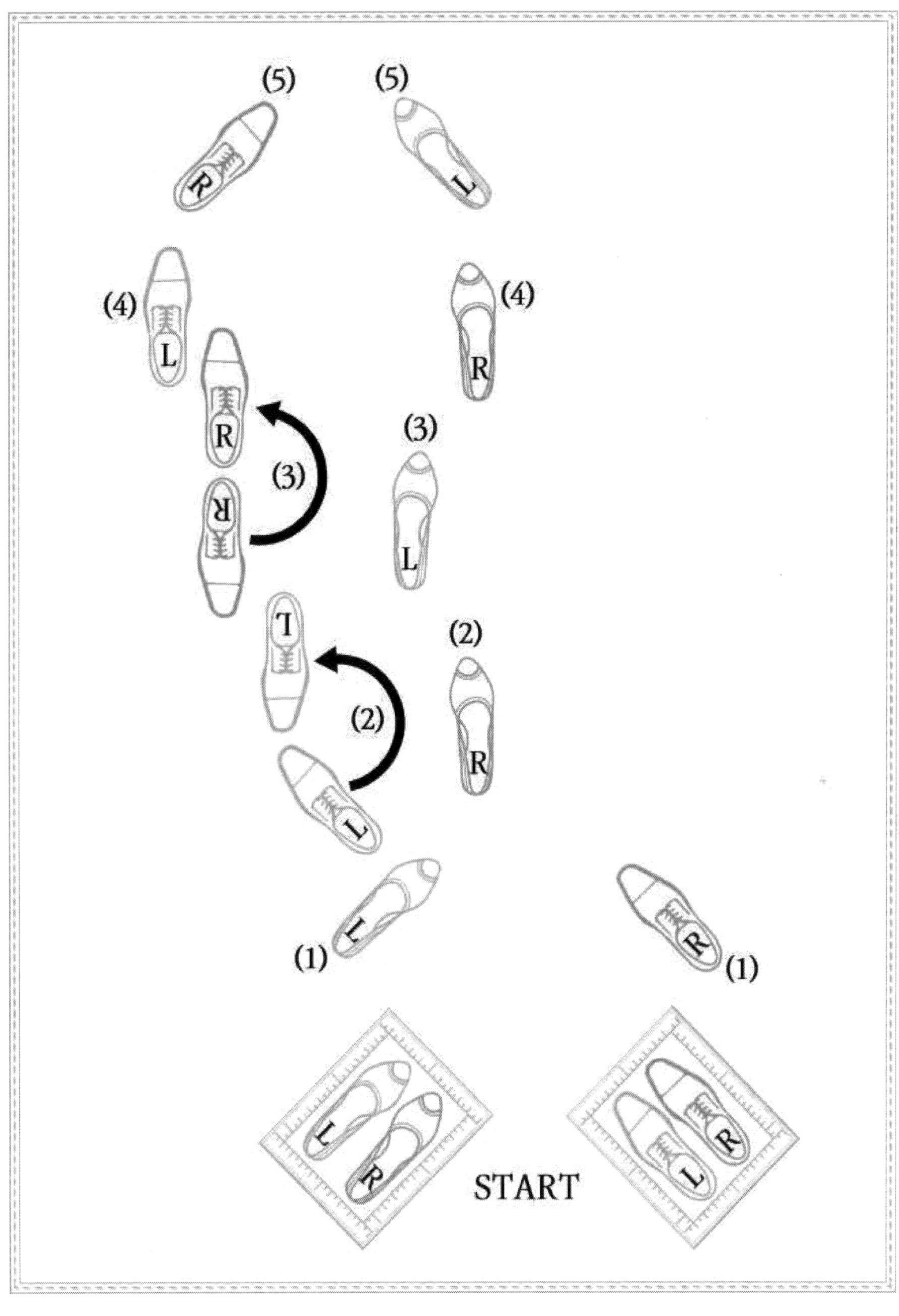

〈남성&여성〉

스텝	카운트	리듬	읽을 때	음악 타이밍	핸드 포지션
1보	1	S	슬로우	쿵	Hold
2보	2	S	슬로우	짝	Hold
3보	3	S	슬로우	쿵	Hold
4보	4	S	슬로우	짝	Hold
5보	5	S	슬로우	쿵	Hold

〈남성〉

스텝	핸드	스텝 방식	액션
1보	오른손	놓고	Forward Walk
2보	오른손	놓고	Turn
3보	왼손	놓고	Turn
4보	왼손	놓고	Forward Walk
5보	왼손	놓고	Forward Walk

스텝	풋 포지션	총 회전량
1보	오른발 전진	360°/L
2보	왼발 Turn/L	
3보	오른발 Turn/L	
4보	왼발 전진	
5보	오른발 전진	

〈여성〉

스텝	핸드	스텝 방식	액션
1보	왼손	놓고	Forward Walk
2보	왼손	놓고	Forward Walk
3보	오른손	놓고	Forward Walk
4보	오른손	놓고	Forward Walk
5보	오른손	놓고	Forward Walk

스텝	풋 포지션	총 회전량
1보	왼발 전진	없음
2보	오른발 전진	
3보	왼발 전진	
4보	오른발 전진	
5보	왼발 전진	

40번 프롬나드, 남성 왼쪽으로 건너기(오른발)

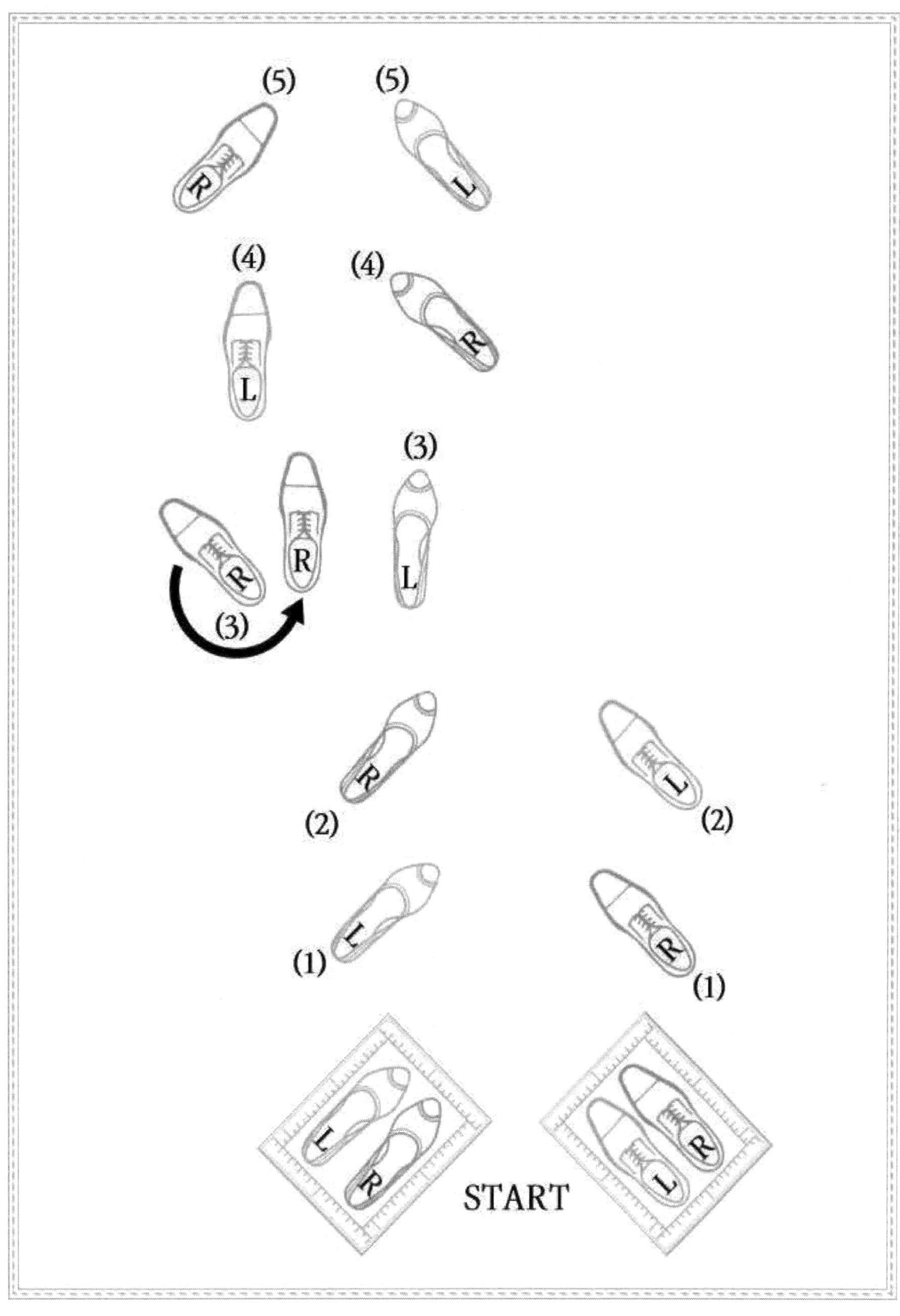

〈남성&여성〉

스텝	카운트	리듬	읽을 때	음악 타이밍	핸드 포지션
1보	1	S	슬로우	쿵	Hold
2보	2	S	슬로우	짝	Hold
3보	3	S	슬로우	쿵	Hold
4보	4	S	슬로우	짝	Hold
5보	5	S	슬로우	쿵	Hold

〈남성〉

스텝	핸드	스텝 방식	액션
1보	왼손	놓고	Forward Walk
2보	왼손	놓고	Forward Walk
3보	왼손	놓고	Turn
4보	오른손	놓고	Forward Walk
5보	오른손	놓고	Forward Walk

스텝	풋 포지션	총 회전량
1보	왼발 전진	360°/L
2보	오른발 전진	
3보	왼발 Turn/L	
4보	오른발 전진	
5보	왼발 전진	

〈여성〉

스텝	핸드	스텝 방식	액션
1보	오른손	놓고	Forward Walk
2보	오른손	놓고	Forward Walk
3보	오른손	놓고	Forward Walk
4보	왼손	놓고	Forward Walk
5보	왼손	놓고	Forward Walk

스텝	풋 포지션	총 회전량
1보	왼발 전진	없음
2보	오른발 전진	
3보	왼발 전진	
4보	오른발 전진	
5보	왼발 전진	

41번 프롬나드, 여성 라이트 턴

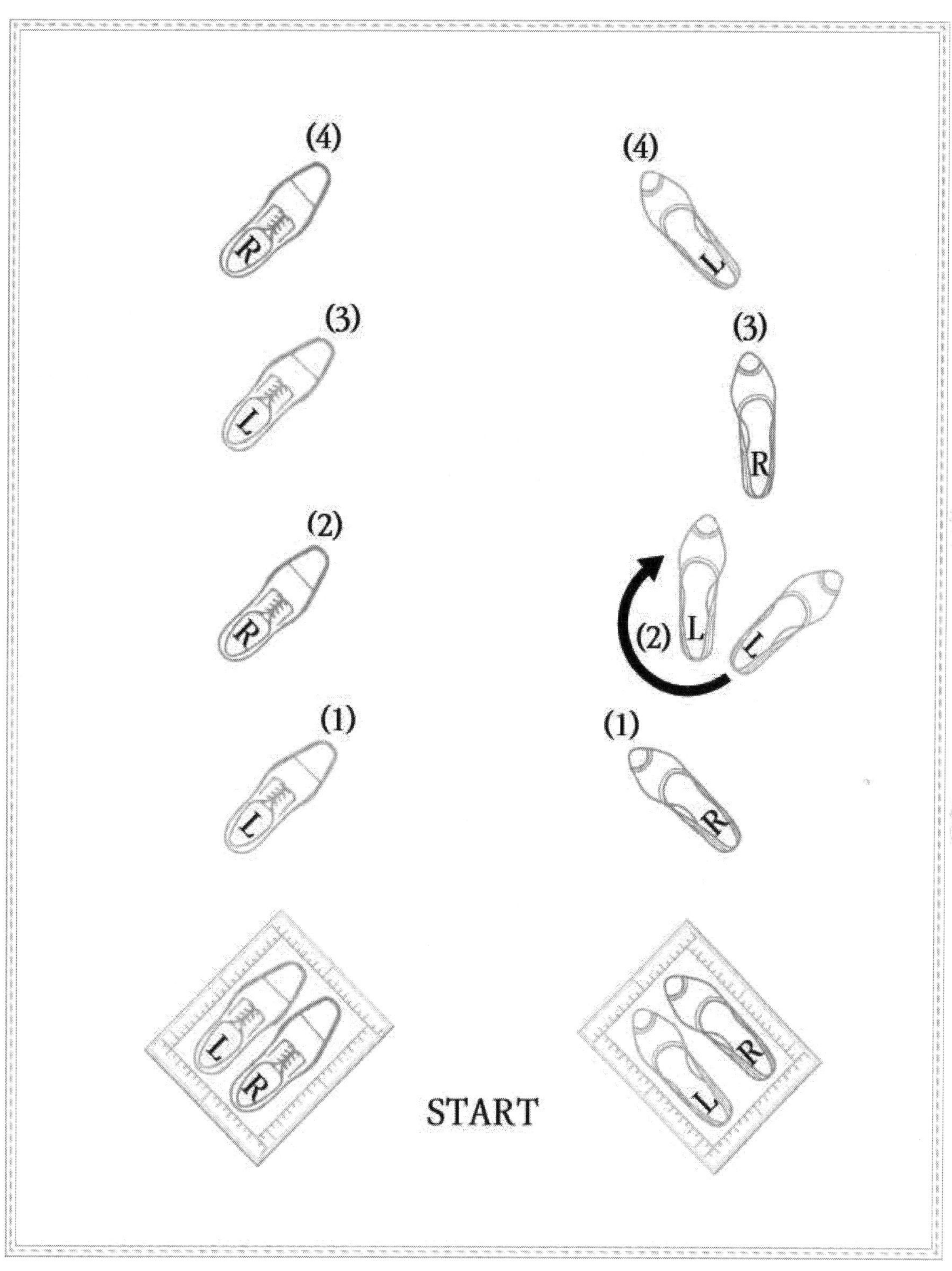

〈남성&여성〉

스텝	카운트	리듬	읽을 때	음악 타이밍	핸드 포지션
1보	1	S	슬로우	쿵	Hold
2보	2	S	슬로우	짝	Hold
3보	3	S	슬로우	쿵	Hold
4보	4	S	슬로우	짝	Hold

〈남성〉

스텝	핸드	스텝 방식	액션
1보	왼손	놓고	Forward Walk
2보	왼손	놓고	Forward Walk
3보	왼손	놓고	Forward Walk
4보	왼손	놓고	Forward Walk
5보	왼손	놓고	Forward Walk

스텝	풋 포지션	총 회전량
1보	왼발 전진	없음
2보	오른발 전진	
3보	왼발 전진	
4보	오른발 전진	

〈여성〉

스텝	핸드	스텝 방식	액션
1보	오른손	놓고	Forward Walk
2보	오른손	놓고	Turn
3보	오른손	놓고	Forward Walk
4보	오른손	놓고	Forward Walk
5보	오른손	놓고	Forward Walk

스텝	풋 포지션	총 회전량
1보	왼발 전진	R/360°
2보	오른발 전진	
3보	왼발 Turn/R	
4보	오른발 전진	

트로트 초·중급이상 피겨(스텝) 설명

블루스와 트로트는 95%이상 스텝이 비슷하거나 같습니다. 초·중급부터는 블루스 스텝(피겨)이랑 같아 블루스나 트로트를 더 공부하고 싶다면 “블루스 350가지 완전 정복Ⅰ”을 구입하세요.

여기에서는 “블루스 350가지 완전 정복Ⅰ”에서 수록한 족형도 12개만 수록하겠습니다.

1번 로터리 아웃 사이드 턴(여성)

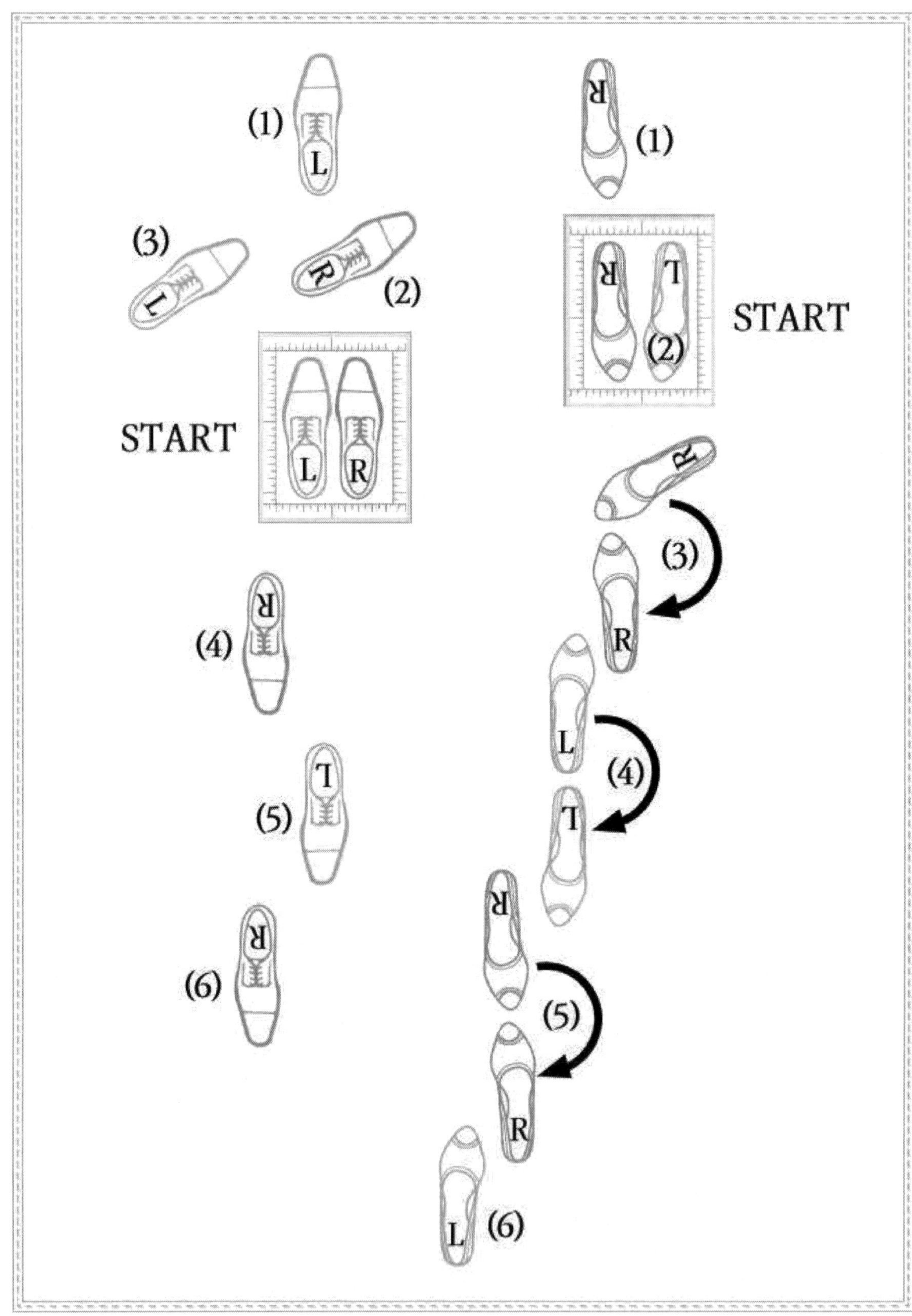

〈남성&여성〉

스텝	카운트	리듬	읽을 때	음악 타이밍	핸드 포지션
1보	1	Q	퀵	쿵	One Hand Joined
2보	2	Q	퀵	짝	One Hand Joined
3보	3	Q	퀵	쿵	
4보	4	Q	퀵	짝	
5보	5	Q	퀵	쿵	
6보	6	Q	퀵	짝	

〈남성〉

스텝	핸드	스텝 방식	액션
1보	왼손	놓고	Forward Walk
2보	왼손	놓고	Turn
3보		놓고	Backward Walk
4보		놓고	Forward Walk, Turn
5보		놓고	Forward Walk
6보		놓고	Forward Walk

스텝	풋 포지션	총 회전량
1보	왼발 전진	180°/L
2보	오른발 Turn/L	
3보	왼발 후진	
4보	오른발 전진, Turn/L	
5보	왼발 전진	
6보	오른발 전진	

〈여성〉

스텝	핸드	스텝 방식	액션
1보	오른손	놓고	Backward Walk
2보	오른손	놓고	Forward Walk
3보		놓고	Turn
4보		놓고	Turn
5보		놓고	Turn
6보		놓고	Backward Walk

스텝	풋 포지션	총 회전량
1보	오른발 후진	540°/R
2보	왼발 약간 앞으로	
3보	오른발 Turn/R	
4보	왼발 Turn/R	
5보	오른발 Turn/R	
6보	왼발 후진	

남성은 3보에 여성을 오른쪽으로 회전시켜주면서 남성은 여성을 쫓아가는 스텝으로 남성은 그립된 손을 여성 머리 위로 들어 오른쪽으로 틀어 회전시켜준 다음에 손을 내리면서 여성과 홀드를 한다.

2번 2 Walk 턴

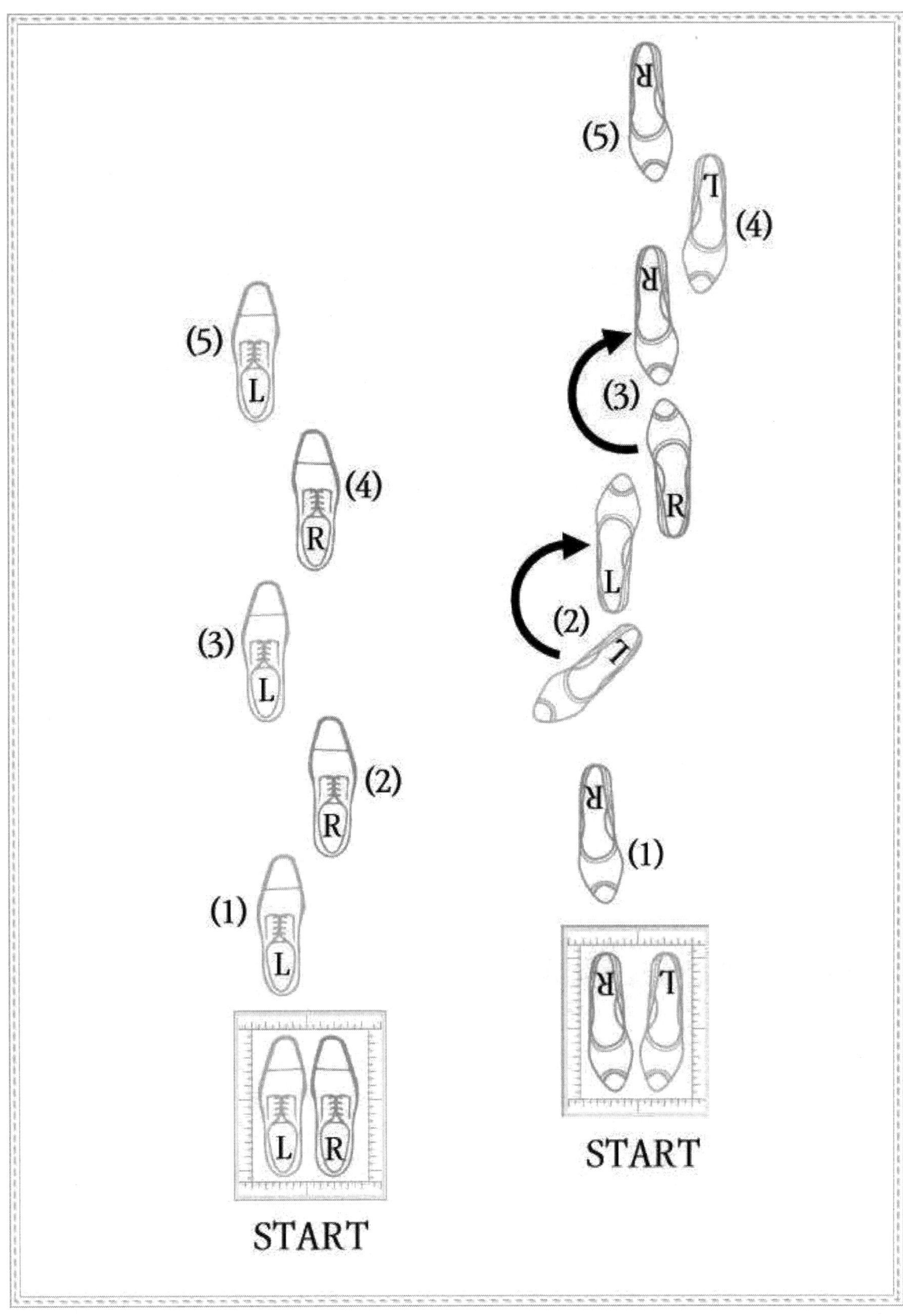

〈남성&여성〉

스텝	카운트	리듬	읽을 때	음악 타이밍	핸드 포지션
1보	1	Q	퀵	쿵	Hold
2보	2	Q	퀵	짝	One Hand Joined
3보	3	Q	퀵	쿵	One Hand Joined
4보	4	Q	퀵	짝	One Hand Joined
5보	5	Q	퀵	쿵	One Hand Joined

〈남성〉

스텝	핸드	스텝 방식	액션
1보	왼손	놓고	Forward Walk
2보	왼손	놓고	Forward Walk
3보	왼손	놓고	Forward Walk
4보	왼손	놓고	Forward Walk
5보	왼손	놓고	Forward Walk

스텝	풋 포지션	총 회전량
1보	왼발 전진	없음
2보	오른발 전진	
3보	왼발 전진	
4보	오른발 전진	
5보	왼발 전진	

〈여성〉

스텝	핸드	스텝 방식	액션
1보	오른팔	놓고	Backward Walk
2보	오른팔	놓고	Turn
3보	오른팔	놓고	Turn
4보	오른팔	놓고	Backward Walk
5보	오른팔	놓고	Backward Walk

스텝	풋 포지션	총 회전량
1보	오른발 후진	360°/R
2보	왼발 Turn/R	
3보	오른발 Turn/R	
4보	왼발 후진	
5보	오른발 후진	

이 피겨는 Closed facing position을 유지하면서 전진 투워 후 여성을 오른쪽으로 회전시켜주는 피겨로 남성은 회전량이 없다.

전진을 하면서 2보에 여성과 그립 된 손을 여성 머리 위로 올려주면서 3보에 여성을 오른쪽으로 회전시켜준다.

남성의 의도에 따라 360°, 720°, 1080°……등 여성을 회전시켜 줄 수 있다. 가끔 무식하게 여성을 많이 회전시켜주는 남성분도 있지만 대부분 남성은 360°, 720° 정도로만 여성을 회전시켜준다.

남성은 왼손으로만 여성을 회전시켜 줄 수도 있지만 확실하게 여성에게 리드를 전달하고자 할 때는 오른손으로 여성의 견갑골을 앞으로 당기고 밀어주면서 왼손으로 여성 오른손을 약간 더 텐션을 주면서 회전시켜 줄 수도 있다.

3번 리버스턴 인사이드 턴

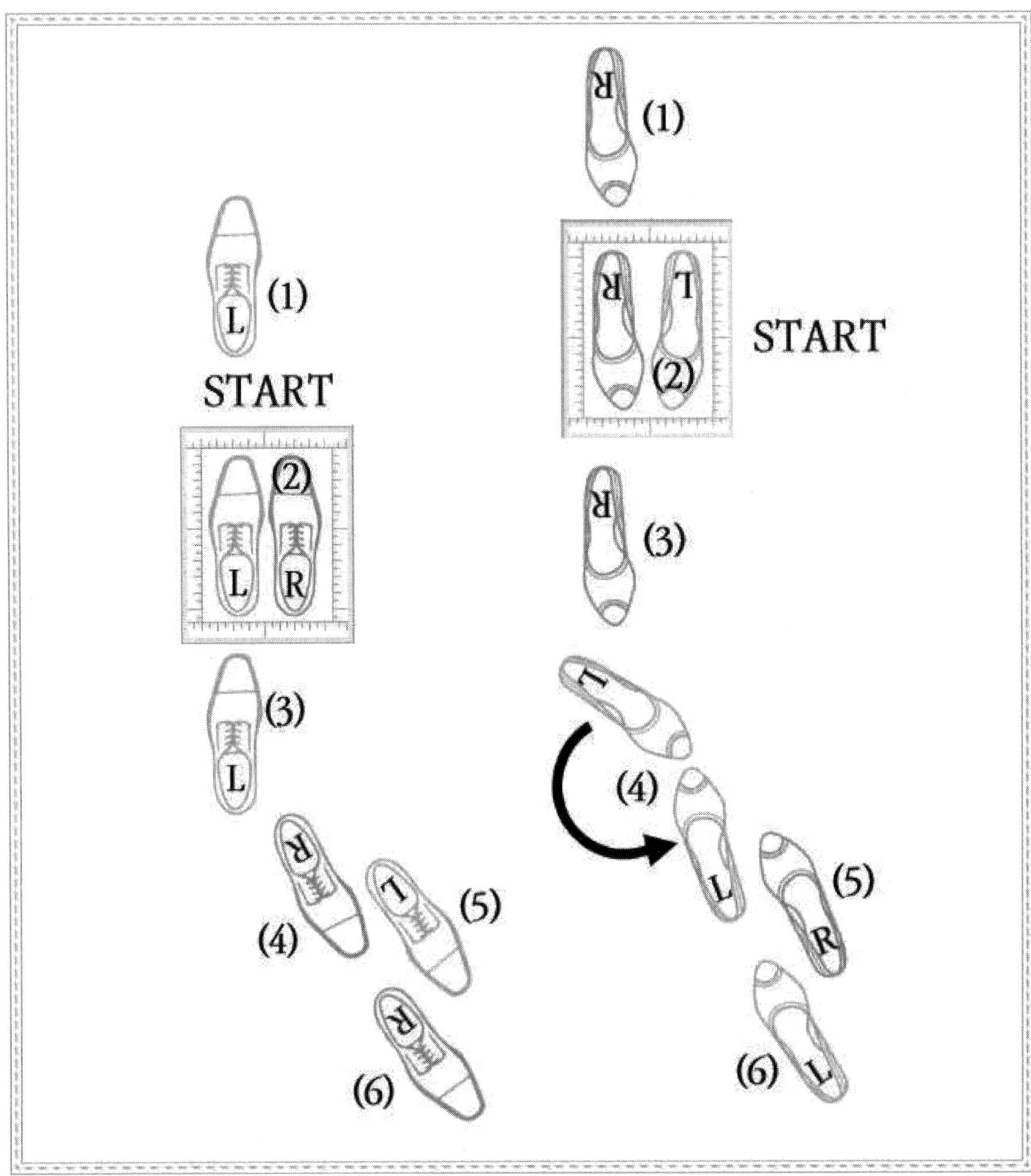

〈남성&여성〉

스텝	카운트	리듬	읽을 때	음악 타이밍	핸드 포지션
1보	1	Q	퀵	쿵	Hold
2보	2	Q	퀵	짝	Hold
3보	3	Q	퀵	쿵	One Hand Joined
4보	4	Q	퀵	짝	One Hand Joined

5보	5	Q	퀵	쿵	One Hand Joined
6보	6	Q	퀵	짝	One Hand Joined

〈남성〉

스텝	핸드	스텝 방식	액션
1보	왼손	놓고	Forward Walk
2보	왼손	놓고	Backward Walk
3보	왼손	놓고	Backward Walk
4보	왼손	놓고	Forward Walk, Turn
5보	왼손	놓고	Forward Walk
6보	왼손	놓고	Forward Walk

스텝	풋 포지션	총 회전량
1보	왼발 전진	180˚/R
2보	오른발 약간 후진	
3보	왼발 후진	
4보	오른발 전진 Turn/R	
5보	왼발 전진	
6보	오른발 전진	

〈여성〉

스텝	핸드	스텝 방식	액션
1보	오른손	놓고	Backward Walk
2보	오른손	놓고	Forward Walk
3보	오른손	놓고	Forward Walk
4보	오른손	놓고	Turn
5보	오른손	놓고	Backward Walk
6보	오른손	놓고	Backward Walk

스텝	풋 포지션	총 회전량
1보	오른발 후진	180˚/L
2보	왼발 약간 전진	
3보	오른발 전진	
4보	왼발 Turn/L	
5보	오른발 후진	
6보	왼발 후진	

이 피겨는 여성을 왼쪽으로 회전시켜주면서 남성은 여성을 쫓아가는 스텝으로 남성은 그립 된 손을 여성 머리 위로 들어 왼쪽으로 틀어 회전시켜준 다음에 손을 내리면서 여성과 홀드를 한다.

지르박을 먼저 배우고 블루스, 트로트를 배우기 때문에, 초보라도 여성을 리드하는 데에는 큰 어려움은 없으나 초보자들이 늘 하는 실수로 여성과의 거리를 생각하지도 않고 너무 큰 보폭이나 너무 작은 보폭으로 여성을 쫓아간다는 것이다. 여성이 보폭을 고려해 적절한 보폭으로 여성을 리드하면서 쫓아가야 한다.

남성은 여성을 어떤 방향으로 회전시켜줄지 선택해야 한다. 여성이 회전하는데 방해물이 없는지를 확인하고 방해물이 없는 방향으로 여성을 회전시켜 줘야 한다. 남성은 여성을 어떤 방향이든 자유자재로 보내야 실전에서도 접촉사고 없이 춤사위를 계속 진행할 수 있다.

4번 지그재그 워킹

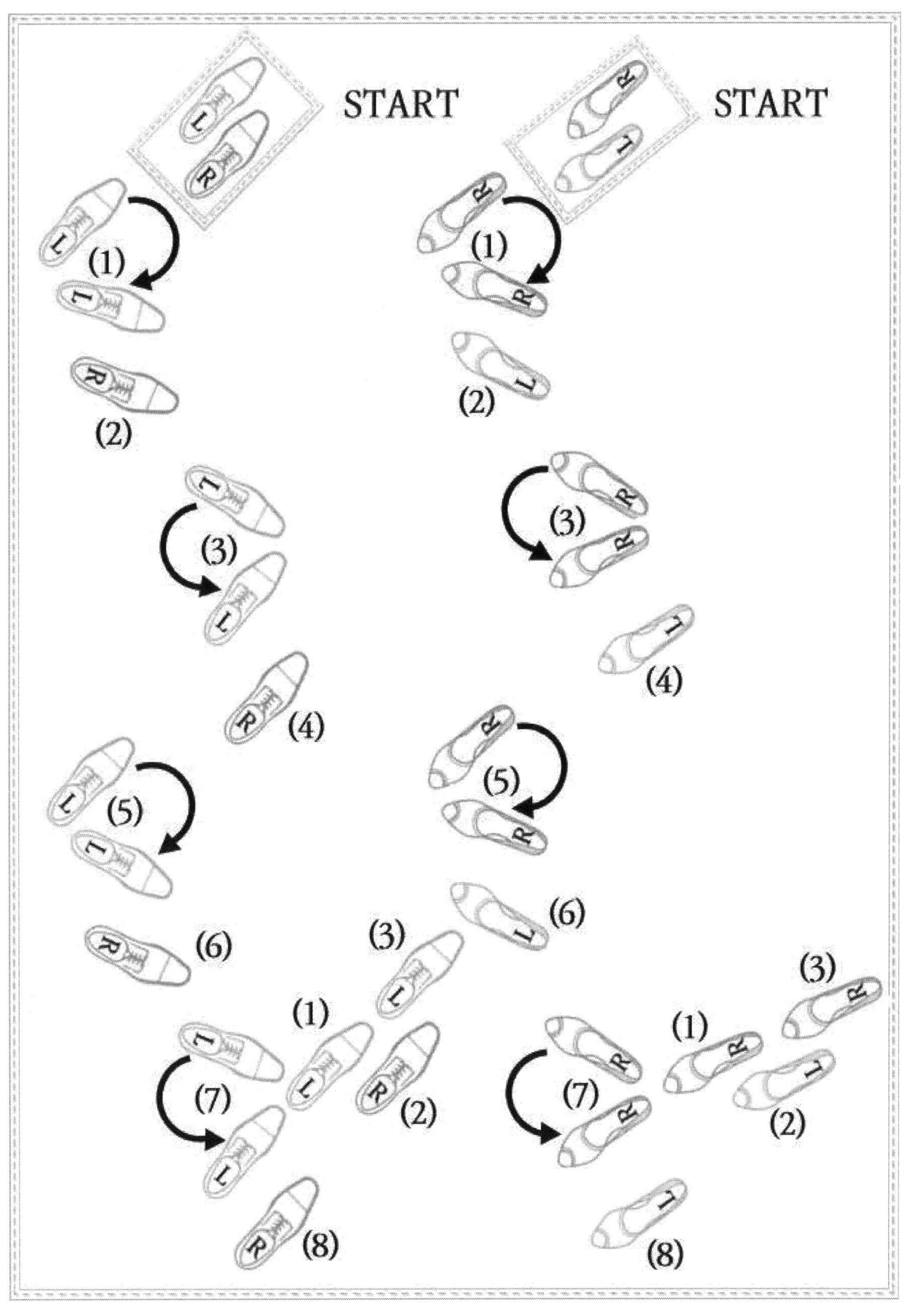

〈남성&여성〉

스텝	카운트	리듬	읽을 때	음악 타이밍	핸드 포지션
1보	1	Q	퀵	쿵	Hold
2보	2	Q	퀵	짝	Hold
3보	3	Q	퀵	쿵	Hold
4보	4	Q	퀵	짝	Hold
5보	5	Q	퀵	쿵	Hold
6보	6	Q	퀵	짝	Hold
7보	7	Q	퀵	짝	Hold
8보	8	Q	퀵	쿵	Hold
9보(1)	9	Q	퀵	짝	Hold
10보(2)	10	Q	퀵	쿵	Hold
11보(3)	11	Q	퀵	짝	Hold

〈남성〉

스텝	핸드	스텝 방식	액션
1보	왼손	놓고	Backward Walk
2보	왼손	놓고	Side Step
3보	왼손	놓고	Forward Walk
4보	왼손	놓고	Side Step
5보	왼손	놓고	Backward Walk
6보	왼손	놓고	Side Step
7보	왼손	놓고	Forward Walk
8보	왼손	놓고	Side Step
9보(1)	왼손	놓고	Forward Walk
10보(2)	왼손	놓고	Forward Walk
11보(3)	왼손	놓고	Forward Walk

스텝	풋 포지션	총 회전량
1보	왼발 후진	90°/R 90°/L
2보	오른발 옆으로	
3보	왼발 전진	
4보	오른발 옆으로	
5보	왼발 후진	
6보	오른발 옆으로	
7보	왼발 전진	
8보	오른발 옆으로	
9보(1)	왼발 전진	
10보(1)	오른발 전진	
11보(3)	왼발 전진	

〈여성〉

스텝	핸드	스텝 방식	액션
1보	오른손	놓고	Forward Walk
2보	오른손	놓고	Side Step
3보	오른손	놓고	Backward Walk

4보	오른손	놓고	Side Step
5보	오른손	놓고	Forward Walk
6보	오른손	놓고	Side Step
7보	오른손	놓고	Backward Walk
8보	오른손	놓고	Side Step
9보(1)	오른손	놓고	Backward Walk
10보(2)	오른손	놓고	Backward Walk
11보(3)	오른손	놓고	Backward Walk

스텝	풋 포지션	총 회전량
1보	오른발 전진	90°/R 90°/L
2보	왼발 옆으로	
3보	오른발 후진	
4보	왼발 옆으로	
5보	오른발 전진	
6보	왼발 옆으로	
7보	오른발 후진	
8보	왼발 옆으로	
9보(1)	오른발 후진	
10보(2)	왼발 후진	
11보(3)	오른발 후진	

이 피겨는 Closed facing position을 유지하면서 옆으로 지그재그 하는 피겨로 리드가 어려운 피겨이다. 대부분 남성은 팔을 배 노를 젓듯이 여성을 리드를 하는데 대부분 여성은 이런 리드에 불편함을 느끼며 춤사위 또한 흉하다. 대부분 남성은 본인이 어떤 모습으로 어떤 식으로 여성을 리드하는지 알 수 없다. 그래서 한 번 정도는 핸드폰으로 자신의 춤사위를 찍어 보면 자신의 장단점을 알 수 있을 것이다.

대부분 하수·중수들은 발을 이동하면 체중도 이동해야 하고 상체 또한 발끝이 향하는 쪽으로 향해야 하는데 발과 상체가 따로 논다. 즉 상체는 움직이지 않고 손만 배 노를 젓듯이 여성을 리드를 한다. 손 리드는 최소한으로 여성을 리드를 하는데, 리드하는 방식은 Closed facing position에서 텐션이 걸린 상태를 유지하고 자세, 어깨 및 팔의 견고한 상태에서 스텝 하나하나 체중을 확실하게 이동하고 상체 또한 발끝이 향하는 쪽으로 적절하게 틀어 준다. 텐션이 걸린 상태이기 때문에 남성이 지그재그 스텝을 하면 자연스레 여성 손으로 전달되기 때문에 인위적으로 여성을 밀거나 당길 필요가 없다. 다만 여성이 초보라면 약간의 강한 텐션 및 리드가 필요하다.

여성 또한 스텝 하나하나 체중도 이동해야 하고 상체 또한 발끝이 향하는 쪽으로 향해야 한다.

가끔 잘못된 습관으로 팔을 배 노를 젓듯이 팔을 사용하는 여성도 있다. 이런 잘못된 습관은 남성의 리드를 방해할 뿐만 아니라 남성에게 불편함을 줄 수 있다.

5번 리버스 턴&체크 턴(90°)

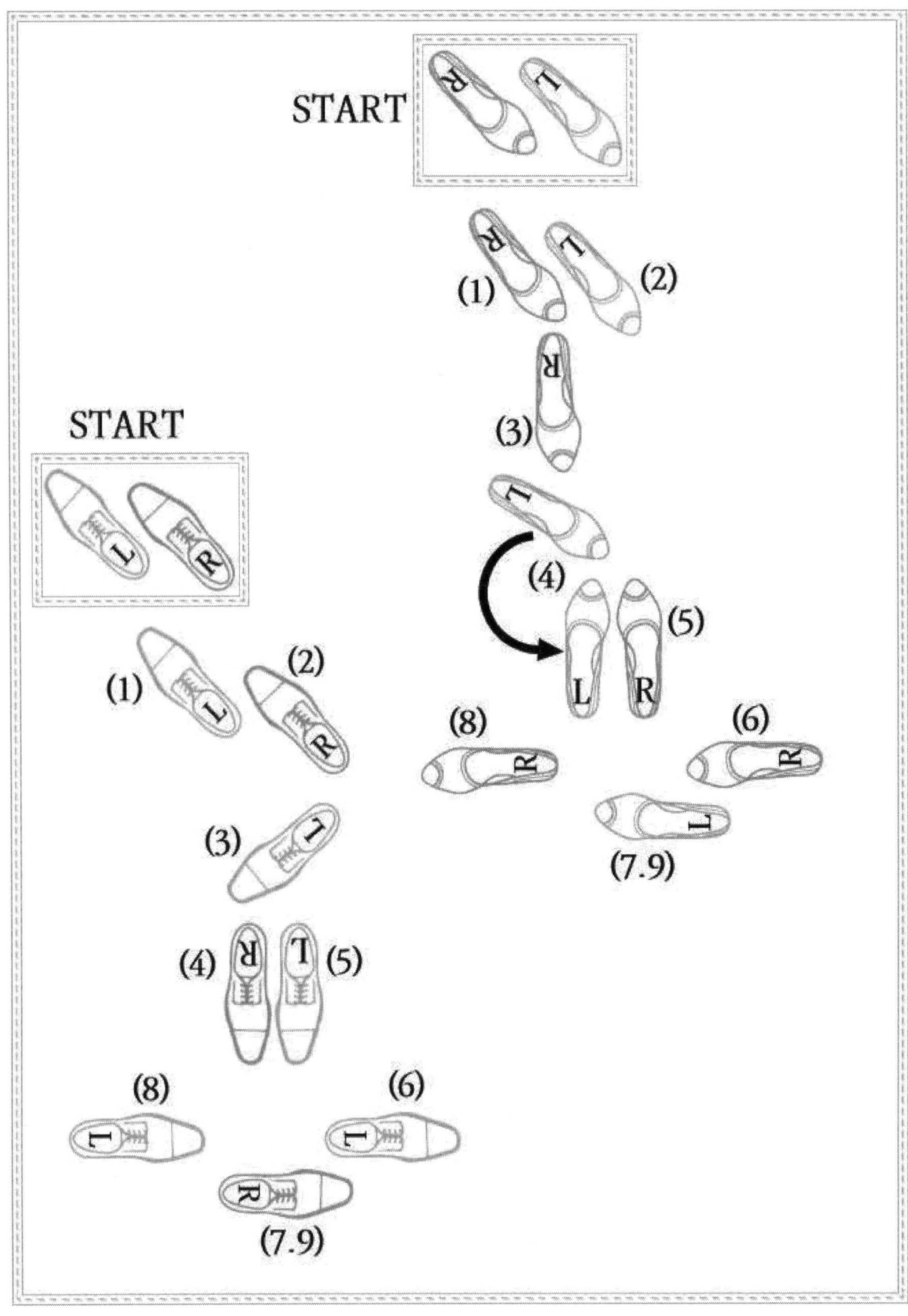

〈남성&여성〉

스텝	카운트	리듬	읽을 때	음악 타이밍	핸드 포지션
1보	1	Q	퀵	쿵	Hold
2보	2	&	엔	짝	Hold
3보	3	Q	퀵	쿵	Hold
4보	4	S	슬로우	짝	Hold
5보	5	S	슬로우	쿵	Hold
6보	6	S	슬로우	짝	Hold
7보	7	S	슬로우	짝	Hold
8보	8	S	슬로우	쿵	Hold
9보	9	S	슬로우	짝	Hold

〈남성〉

스텝	핸드	스텝 방식	액션
1보	왼손	놓고	Diagonally Backward Walk
2보	왼손	놓고	Diagonally Backward Walk
3보	왼손	놓고	Turn
4보	왼손	놓고	Turn
5보	왼손	놓고	
6보	왼손	놓고	Turn
7보	왼손	놓고	Backward Walk
8보	왼손	놓고	Backward Walk
9보	왼손	놓고	Weight Shift(Forward)

스텝	풋 포지션	총 회전량
1보	왼발 사선으로 후진	270°/L
2보	오른발 약간 후진	
3보	왼발 Turn/L	
4보	오른발 Turn/L	
5보	왼발 오른발 옆에 모으고	
6보	왼발 Turn/L	
7보	오른발 후진	
8보	왼발 후진	
9보	오른발 체중 이동	

〈여성〉

스텝	핸드	스텝 방식	액션
1보	오른손	놓고	Diagonally Forward Walk
2보	오른손	놓고	Diagonally Forward Walk
3보	오른손	놓고	Turn
4보	오른손	놓고	Turn
5보	오른손	놓고	
6보	오른손	놓고	Turn
7보	오른손	놓고	Forward Walk

8보	오른손	놓고	Forward Walk
9보	오른손	놓고	Weight Shift(Backward)

스텝	풋 포지션	총 회전량
1보	오른발 사선으로 전진	270°/L
2보	왼발 약간 전진	
3보	오른발 Turn/L	
4보	왼발 Turn/L	
5보	오른발 왼발 옆에 모으고	
6보	오른발 Turn/L	
7보	왼발 전진	
8보	오른발 전진	
9보	왼발 체중 이동	

이 피겨는 Closed facing position을 유지하면서 리버스턴(마무리턴) 후 체크 턴(90°)하는 피겨로 여성이나 남성들이 어려워하는 피겨이다.

여성을 리드해야지, 음악 들어야지, 본인 스텝 밟아야지, 남성은 여성을 리드하는 입장이라 여성보다 3~5배 정도 더 어렵다.

남성은 3보에서 여성이 지나갈 수 있게 확실하게 비켜주면서 4~5보에서 상체를 왼쪽으로 서서히 회전하면서 여성을 남성 앞으로 세운다. 이때 남성과 여성의 발이 동시에 떨어져야 한다. 초보 남성들이 하는 흔한 실수로 여성을 잡아당기거나 너무 강한 텐션으로 리드를 하는데 이런 잘못된 리드로 인해 여성은 중심이 흐트러지거나 발 죽임으로 스텝을 행한다는 것이다. 심한 경우 음악과 스텝이 어긋나는 경우도 있다. 또한, 경력이 얼마 안 된 남성들의 리드하는 모습을 보면 3보부터 여성의 팔을 당겨 4~5보에 팔이 남성 상체 쪽으로 접히는 경우가 많다.

텐션이 걸린 상태를 유지, 어깨 및 팔의 견고한 상태에서 남성이 회전하면 자연스럽게 여성에게 텐션 및 리드가 전달되기 때문에 여성은 저절로 회전하게 된다. 이런 방법으로 팔이 남성 상체 쪽으로 접히는 경우를 방지할 수 있다. 엉큼한 남성들은 의도적으로 팔을 상체 쪽으로 접는 경우가 있다. 이런 분들은 꾼이기 때문에 춤 실력이 어정쩡하거나 사지육신 및 얼굴이 맘에 안 들면 바로 손을 놔야 한다.

홀드 상태에서 남성과 여성이 동시에 90° 회전하는 스텝에서는 텐션이 걸린 상태를 유지하면서 남성은 회전하면 된다. 텐션이 걸린 상태에서 남성이 회전하면 자연스럽게 여성에게 텐션 및 리드가 전달되기 때문이다. 대부분 초보자는 강제로 여성을 손 및 등을 강하게 잡아당기는 경우가 있는데 너무 강한 리드나 텐션은 여성을 불편하게 만든다.

6번 백 지그재그

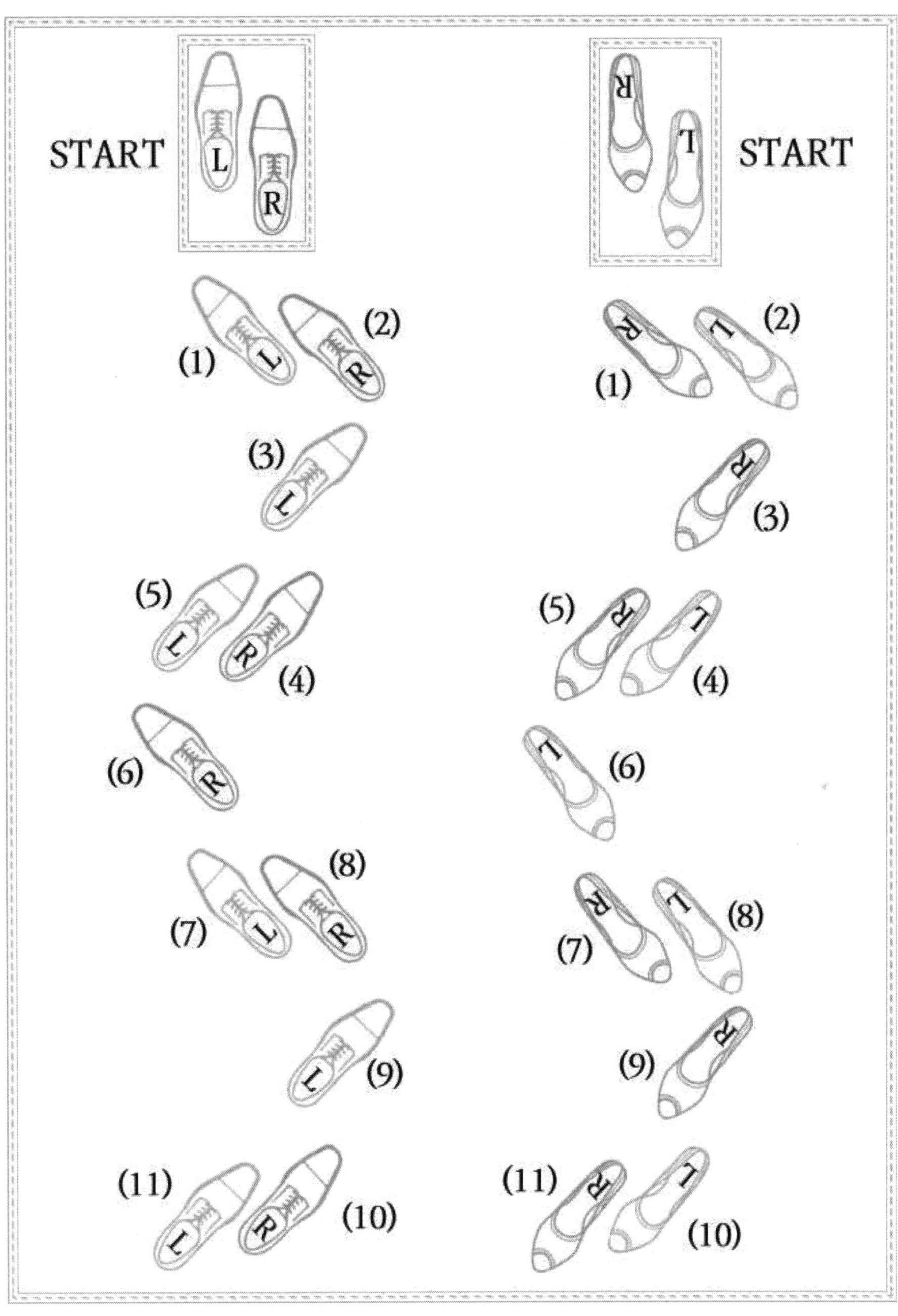
START
L
R
R
L
START
(1)
L
(2)
R
(3)
L
(5)
L
R
(4)
(6)
R
(7)
L
(8)
R
(9)
L
(11)
L
R
(10)
(1)
R
(2)
L
R
(3)
(5)
R
L
(4)
L
(6)
(7)
R
L
(8)
(9)
R
(11)
R
L
(10)

〈남성&여성〉

스텝	카운트	리듬	읽을 때	음악 타이밍	핸드 포지션
1보	1	Q	퀵	쿵	Hold
2보	2	&	엔	짝	Hold
3보	3	Q	퀵	쿵	Hold
4보	4	Q	퀵	짝	Hold
5보	5	&	엔	쿵	Hold
6보	6	Q	퀵	짝	Hold
7보	7	Q	퀵	짝	Hold
8보	8	&	엔	쿵	Hold
9보	9	Q	퀵	짝	Hold
10보	10	Q	퀵	쿵	Hold
11보	11	&	엔	짝	Hold

〈남성〉

스텝	핸드	스텝 방식	액션
1보	왼손	놓고	Diagonally Backward Walk
2보	왼손	놓고	Backward Walk
3보	왼손	놓고	Diagonally Backward Walk
4보	왼손	놓고	Backward Walk
5보	왼손	놓고	Backward Walk
6보	왼손	놓고	Diagonally Backward Walk
7보	왼손	놓고	Backward Walk
8보	왼손	놓고	Backward Walk
9보	왼손	놓고	Diagonally Backward Walk
10보	왼손	놓고	Backward Walk
11보	왼손	놓고	Backward Walk

스텝	풋 포지션	총 회전량
1보	왼발 사선으로 후진, Turn/R	90˚/R 90˚/L
2보	오른발 후진	
3보	왼발 사선으로 후진, Turn/L	
4보	오른발 후진	
5보	왼발 후진	
6보	오른발 사선으로 후진, Turn/R	
7보	왼발 후진	
8보	오른발 후진	
9보	왼발 사선으로 후진, Turn/L	
10보	오른발 후진	
11보	왼발 후진	

〈여성〉

스텝	핸드	스텝 방식	액션
1보	오른손	놓고	Diagonally Forward Walk
2보	오른손	놓고	Forward Walk
3보	오른손	놓고	Diagonally Forward Walk

4보	오른손	놓고	Forward Walk
5보	오른손	놓고	Forward Walk
6보	오른손	놓고	Diagonally Forward Walk
7보	오른손	놓고	Forward Walk
8보	오른손	놓고	Forward Walk
9보	오른손	놓고	Diagonally Forward Walk
10보	오른손	놓고	Forward Walk
11보	오른손	놓고	Forward Walk

스텝	풋 포지션	총 회전량
1보	오른발 사선으로 전진, Turn/L	
2보	왼발 전진	
3보	오른발 사선으로 전진, Turn/R	
4보	왼발 전진	
5보	오른발 전진	90°/R
6보	왼발 사선으로 전진, Turn/L	
7보	오른발 전진	90°/L
8보	왼발 전진	
9보	오른발 사선으로 전진, Turn/R	
10보	왼발 전진	
11보	오른발 전진	

이 피겨는 Closed facing position을 유지하면서 백 지그재그 하는 피겨로 남성과 여성은 텐션이 걸린 상태에서 자세, 어깨 및 팔의 견고한 상태를 유지하면서 남성은 후진한다.

인위적으로 여성의 손 및 견갑골을 당기면 안 된다. 텐션이 걸린 상태이기 때문에 남성이 후진하면 자연스레 리드가 된다. 여성을 리드를 하면 자연스럽게 여성에게 텐션 및 리드가 전달되기 때문에 너무 강한 리드 및 텐션을 줄 필요가 없다. 대부분 초보자는 강제로 여성을 손 및 등을 강하게 잡아 당기는 경우가 있는데 너무 강한 리드나 텐션은 여성을 불편하게 만든다.

남성은 백 후진을 하면서 이때 몸을 약간 왼쪽, 오른쪽으로 Sway(15°)를 한다.

Backward을 할 때 여성과의 간격을 보면서 발 폭을 조절해야 한다. 남성은 여성의 신장(키)을 고려해서 Sway 액션을 해야 하고, 백 지그재그 회전량은 0°, 15°, 35°, 45°, 60°, 75°, 90°, 105°, 135° 등 남성의 의도에 따라 회전량은 달라질 수 있다.

대부분 남성은 여성과 Closed facing position을 유지하면서 Sway 액션 없이 백 지그재그 하는 경우가 많다. 대부분 학원에서는 Sway를 가르쳐주지 않는다. Sway 액션을 행하면서 백 지그재그를 하는 경우, Sway 액션 없이 백 지그재그를 하는 경우 춤사위가 하늘과 땅 차이이다.

등 근육을 사용해 Sway를 해야 하는데 흉내만 내는 남성은 등 근육이 아닌 어깨, 팔만 사용한다. 잘 못 하면 몸이 찌그러질 수가 있다. 대부분 왈츠를 배운 남성들이 Sway를 많이 한다.

7번 홀드 턴, 전진 스텝

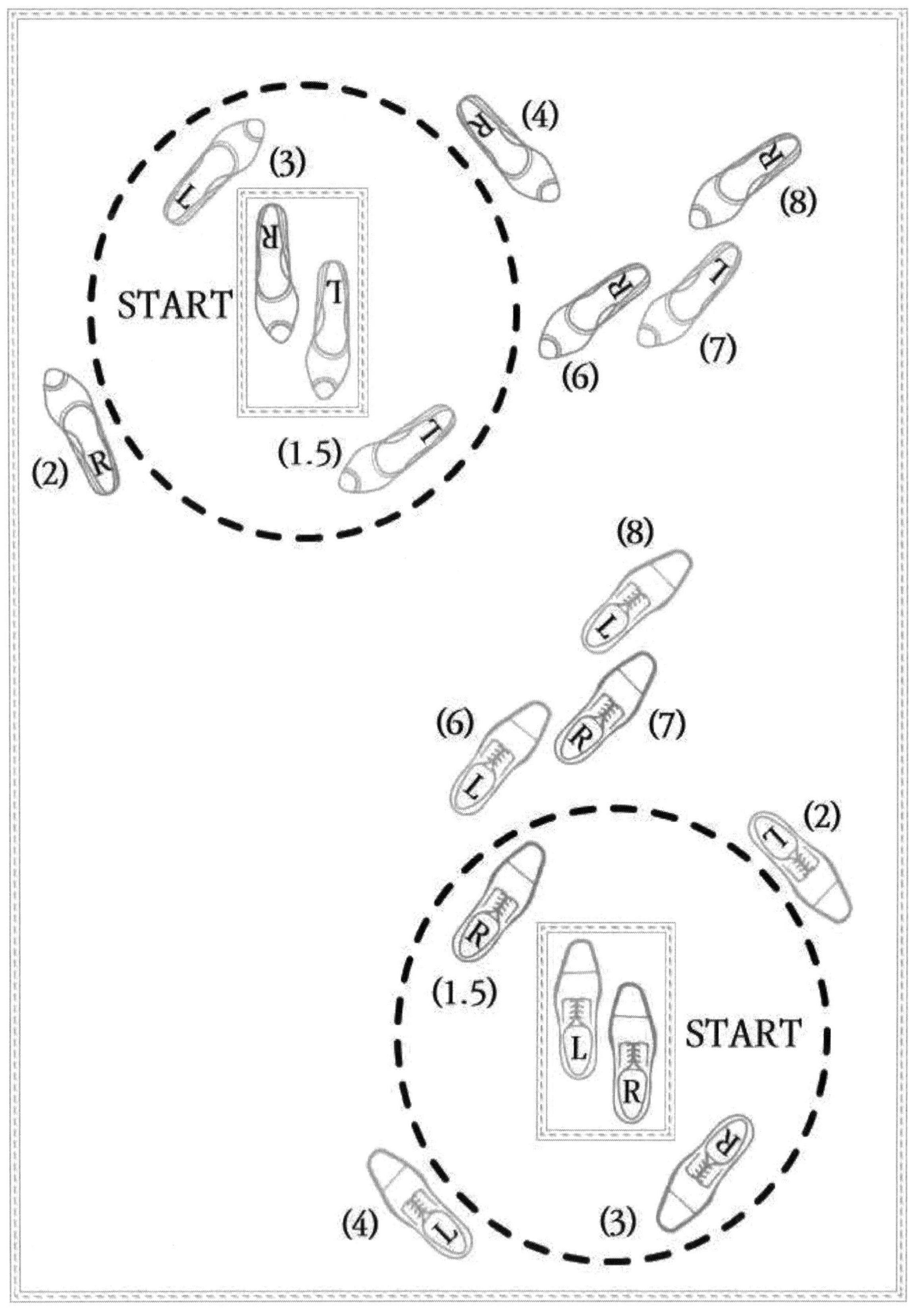

〈남성&여성〉

스텝	카운트	리듬	읽을 때	음악 타이밍	핸드 포지션
1보	1	Q	퀵	쿵	Hold
2보	2	Q	퀵	짝	Hold
3보	3	Q	퀵	쿵	Hold
4보	4	Q	퀵	짝	Hold
5보	5	Q	퀵	쿵	Hold
6보	6	Q	퀵	짝	Hold
7보	7	Q	퀵	짝	Hold
8보	8	Q	퀵	쿵	Hold

〈남성〉

스텝	핸드	스텝 방식	액션
1보	왼손	놓고	Circular
2보	왼손	놓고	Circular
3보	왼손	놓고	Circular
4보	왼손	놓고	Circular
5보	왼손	놓고	Circular
6보	왼손	놓고	Forward Walk
7보	왼손	놓고	Forward Walk
8보	왼손	놓고	Forward Walk

스텝	풋 포지션	총 회전량
1보	오른발 Circular	360°/R
2보	왼발 Circular	
3보	오른발 Circular	
4보	왼발 Circular	
5보	오른발 Circular	
6보	왼발 전진	
7보	오른발 전진	
8보	왼발 전진	

〈여성〉

스텝	핸드	스텝 방식	액션
1보	오른손	놓고	Circular
2보	오른손	놓고	Circular
3보	오른손	놓고	Circular
4보	오른손	놓고	Circular
5보	오른손	놓고	Circular
6보	오른손	놓고	Backward Walk
7보	오른손	놓고	Backward Walk
8보	오른손	놓고	Backward Walk

스텝	풋 포지션	총 회전량
1보	왼발 Circular	

2보	오른발 Circular	360°/R
3보	왼발 Circular	
4보	오른발 Circular	
5보	왼발 Circular	
6보	오른발 후진	
7보	왼발 후진	
8보	오른발 후진	

Closed facing position을 유지하면서 남성과 여성은 Circular, 6보에 남성은 전진, 여성은 후진하는 피겨로 텐션이 걸린 상태라면 추가적인 리드나 텐션을 필요 없지만, 여성의 레벨에 따라 오른손으로 여성의 등을 살짝 당기면서 회전 후 왼손으로 여성 오른손을 살짝 밀면서 전진하면 된다.

회전량 및 방향은 남성 의도에 따라 달라질 수 있다.

8번 등 뒤로 8박 허리 걸이 턴

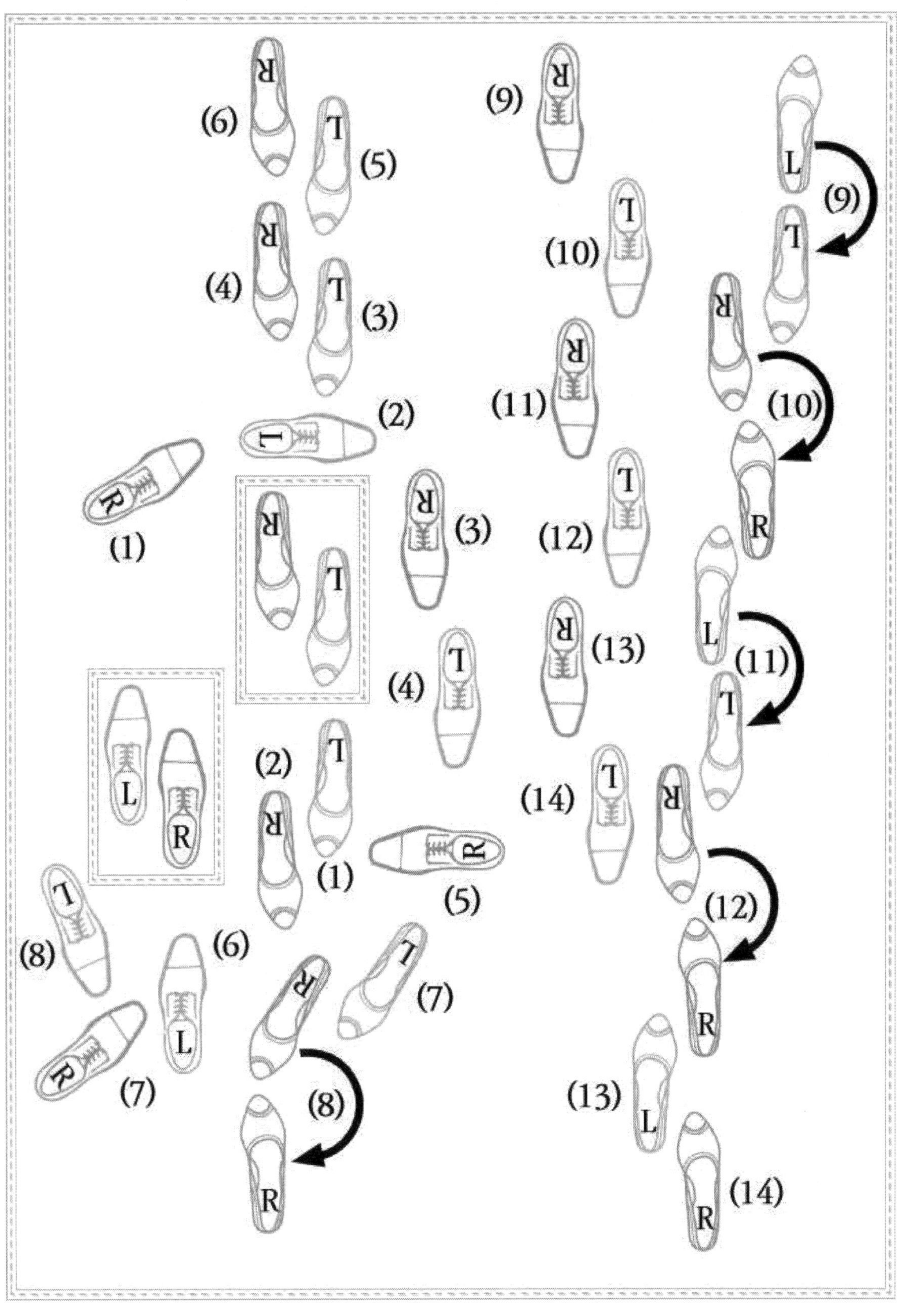

〈남성&여성〉

스텝	카운트	리듬	읽을 때	음악 타이밍	핸드 포지션
1보	1	Q	퀵	쿵	One Hand Joined
2보	2	Q	퀵	짝	One Hand Joined
3보	3	Q	퀵	쿵	One Hand Joined
4보	4	Q	퀵	짝	One Hand Joined
5보	5	Q	퀵	쿵	One Hand Joined
6보	6	Q	퀵	짝	One Hand Joined
7보	7	Q	퀵	짝	One Hand Joined
8보	8	Q	퀵	쿵	One Hand Joined
9보	9	Q	퀵	짝	One Hand Joined
10보	10	Q	퀵	쿵	One Hand Joined
11보	11	Q	퀵	짝	One Hand Joined
12보	12	Q	퀵	쿵	One Hand Joined
13보	13	Q	퀵	짝	One Hand Joined
14보	14	Q	퀵	쿵	One Hand Joined

〈남성〉

스텝	핸드	스텝 방식	액션
1보	오른손	놓고	Turn
2보	오른손	놓고	Turn
3보	오른손	놓고	Turn
4보	오른손	놓고	Forward Walk
5보	오른손	놓고	Turn
6보	오른손	놓고	Turn
7보	오른손	놓고	Turn
8보	오른손	놓고	Turn
9보	오른손	놓고	Forward Walk, Turn
10보	오른손	놓고	Forward Walk
11보	오른손	놓고	Forward Walk
12보	오른손	놓고	Forward Walk
13보	오른손	놓고	Forward Walk
14보	오른손	놓고	Forward Walk

스텝	풋 포지션	총 회전량
1보	오른발 사선으로 전진, Turn/R	180°/R
2보	왼발 Turn/R	
3보	오른발 Turn/R	
4보	왼발 전진	
5보	오른발 Turn/R	
6보	왼발 Turn/R	
7보	오른발 Turn/R	
8보	왼발 Turn/R	
9보	오른발 Turn/R	
10보	왼발 전진	
11보	오른발 전진	
12보	왼발 전진	

13보	오른발 전진	
14보	왼발 전진	

〈여성〉

스텝	핸드	스텝 방식	액션
1보	오른손	놓고	Forward Walk
2보	오른손	놓고	Forward Walk
3보	오른손	놓고	Backward Walk
4보	오른손	놓고	Backward Walk
5보	오른손	놓고	Backward Walk
6보	오른손	놓고	Backward Walk
7보	오른손	놓고	Turn
8보	오른손	놓고	Turn
9보	오른손	놓고	Turn
10보	오른손	놓고	Turn
11보	오른손	놓고	Turn
12보	오른손	놓고	Turn
13보	오른손	놓고	Backward Walk
14보	오른손	놓고	Backward Walk

스텝	풋 포지션	총 회전량
1보	왼발 전진	900˚/R
2보	오른발 전진	
3보	왼발 후진	
4보	오른발 후진	
5보	왼발 후진	
6보	오른발 후진	
7보	왼발 사선으로 전진, Turn/R	
8보	오른발 Turn/R	
9보	왼발 Turn/R	
10보	오른발 Turn/R	
11보	왼발 Turn/R	
12보	오른발 Turn/R	
13보	왼발 후진	
14보	오른발 후진	

이 스텝은 지르박에서도 나오는 스텝으로 지르박에서도 이 스텝을 별 어려움 없이 여성을 리드 할 수 있다면 블루스에서도 별 어려움 없이 여성을 리드 할 수 있을 것이다.

여성의 스텝은 전진 스텝을 하면서 허리 걸이, 후진 스텝, 허리 걸이를 풀면서 오른쪽으로 회전, 남성은 여성 등 뒤로 이동하면서 오른손으로 여성 오른손을 허리에 이동시켜주고(허리 걸이), 허리 걸이 상태를 유지해주면서 여성을 후진시킨다. 이때 남성은 여성 정면 앞으로 이동, 여성의 허리 걸이를 풀어주면서 오른쪽으로 회전시켜준다. 리드법은 지르박이랑 같다.

남성은 여성의 보폭에 맞춰 스텝 하나하나 밟아야 하며, 여성 오른손이 너무 허리 위쪽으로 올라가지 않도록 주의해야 한다. 여성 오른손의 적절한 위치는 꼬리뼈에서 5cm~10cm 위쪽이다.

블루스, 트로트 매니아층 연세를 보면 어깨가 대부분 굳었기 때문에 잘못하면 여성에게 의도치 않은 부상을 안겨 줄 수도 있다.

9번 트윙클

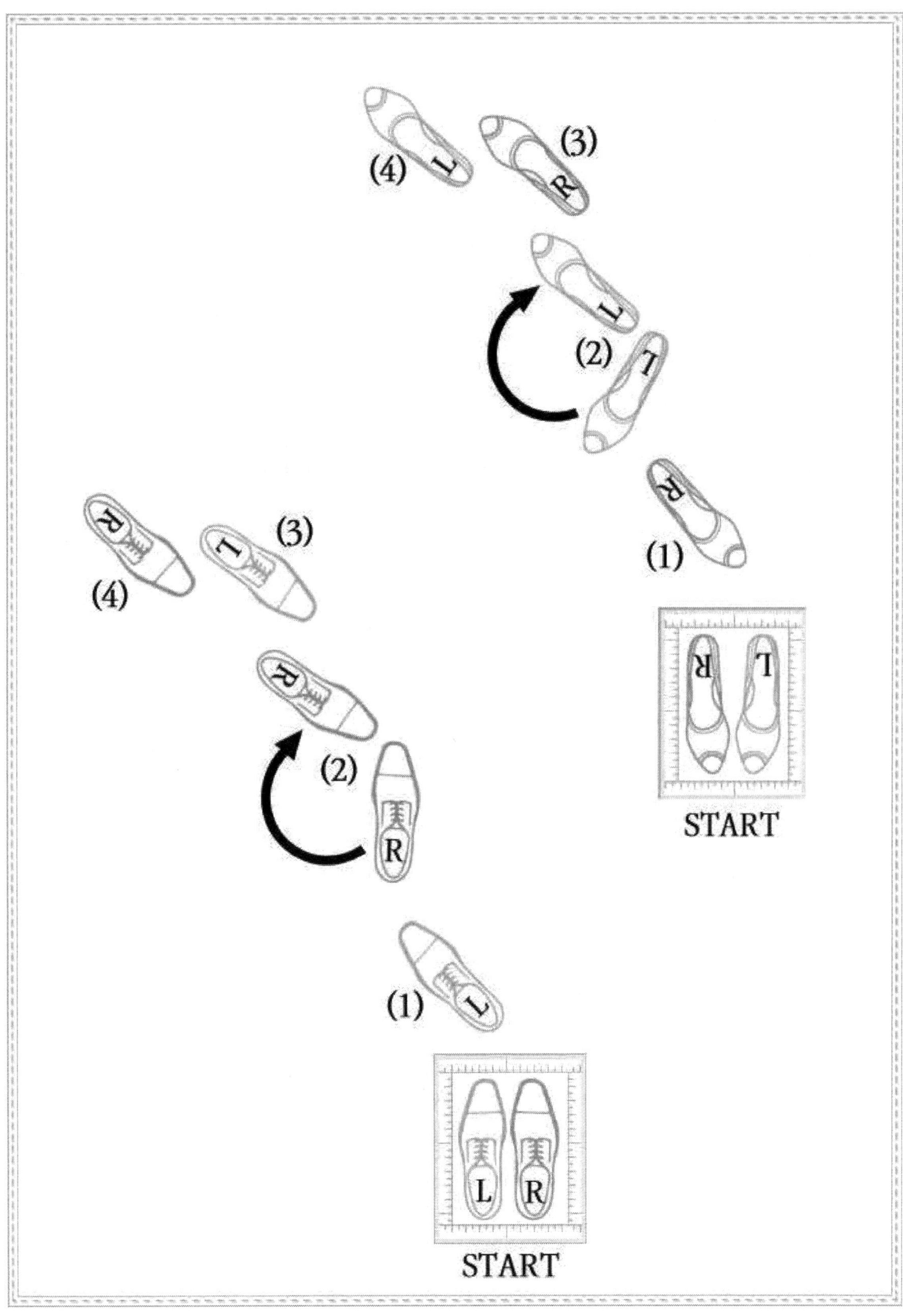

〈남성&여성〉

스텝	카운트	리듬	읽을 때	음악 타이밍	핸드 포지션
1보	1	Q	퀵	쿵	Hold
2보	2	Q	퀵	짝	Hold
3보	3	Q	퀵	쿵	Hold
4보	4	Q	퀵	짝	Hold

〈남성〉

스텝	핸드	스텝 방식	액션
1보	왼손	놓고	Forward Walk
2보	왼손	놓고	Turn
3보	왼손	놓고	Backward Walk
4보	왼손	놓고	Backward Walk

스텝	풋 포지션	총 회전량
1보	왼발 전진	180°/R
2보	오른발 Turn/R	
3보	왼발 후진	
4보	오른발 후진	

〈여성〉

스텝	핸드	스텝 방식	액션
1보	오른손	놓고	Backward Walk
2보	오른손	놓고	Turn
3보	오른손	놓고	Forward Walk
4보	오른손	놓고	Forward Walk

스텝	풋 포지션	총 회전량
1보	오른발 후진	180°/R
2보	왼발 Turn/R	
3보	오른발 전진	
4보	왼발 전진	

Closed facing position 상태에서 남성은 1보에 전진, 2보에 사선으로 전진하면서 오른쪽으로 180° 회전을 한 후 후진 스텝을 진행한다.

남성과 여성은 텐션이 걸린 상태에서는 여성을 인위적으로 리드 할 필요가 없다. 다만 여성이 초보자거나, 텐션이 걸린 상태가 아니라면 살짝 텐션을 주면서 리드를 해야한다.

10번 전진 지그재그

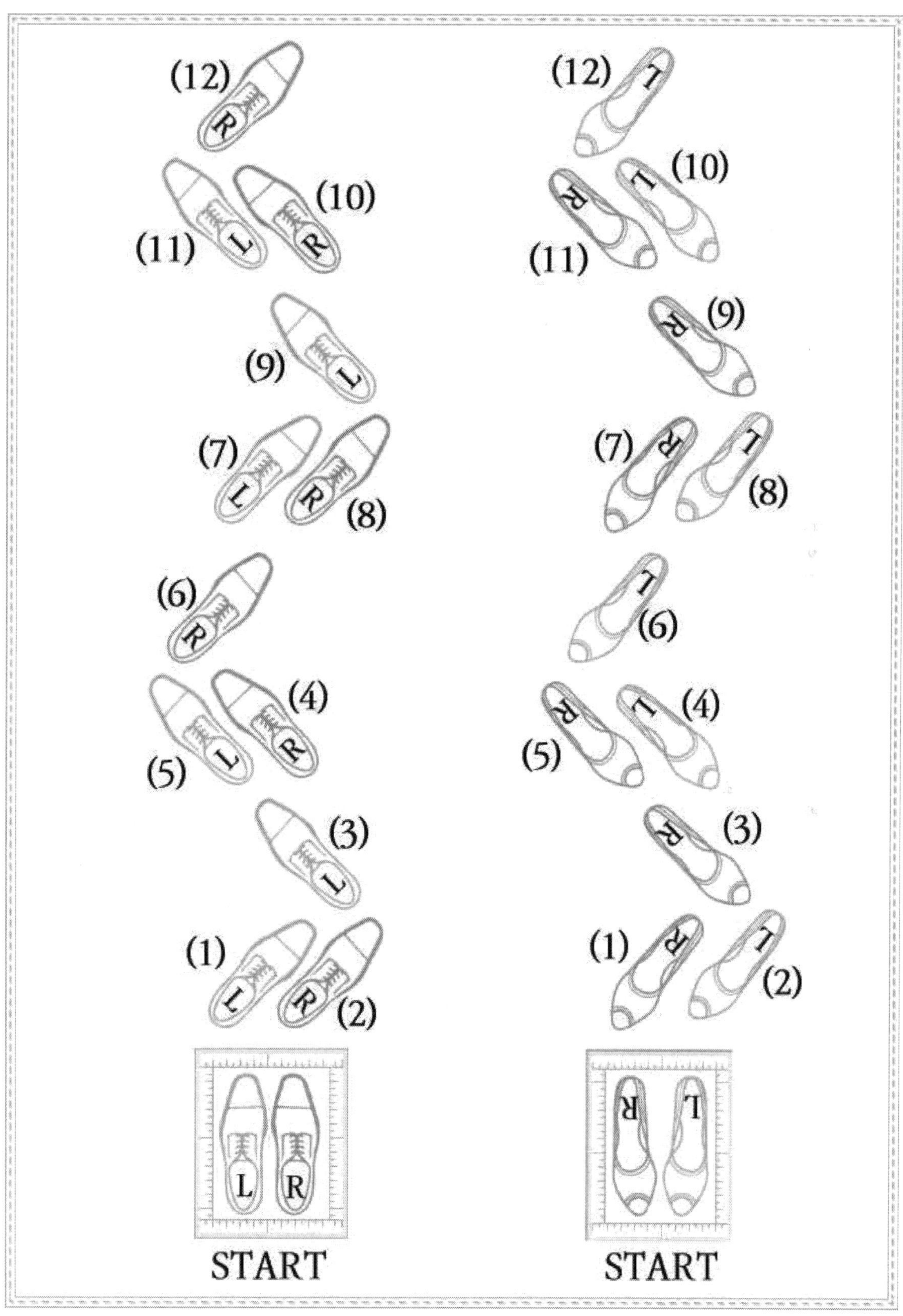
(12)
R
(12)
L
(11)
L
(10)
R
R
L
(10)
(11)
(9)
L
R
(9)
(7)
L
R
(8)
(7)
R
L
(8)
(6)
R
L
(6)
(5)
L
R
(4)
R
L
(4)
(5)
(3)
L
R
(3)
(1)
L
R
(2)
(1)
R
L
(2)
L
R
START
R
L
START

〈남성&여성〉

스텝	카운트	리듬	읽을 때	음악 타이밍	핸드 포지션
1보	1	Q	퀵	쿵	Hold
2보	2	&	엔	짝	Hold
3보	3	Q	퀵	쿵	Hold
4보	4	Q	퀵	짝	Hold
5보	5	&	엔	쿵	Hold
6보	6	Q	퀵	짝	Hold
7보	7	Q	퀵	짝	Hold
8보	8	&	엔	쿵	Hold
9보	9	Q	퀵	짝	Hold
10보	10	Q	퀵	쿵	Hold
11보	11	&	엔	짝	Hold
12보	12	Q	퀵	쿵	Hold

〈남성〉

스텝	핸드	스텝 방식	액션
1보	왼손	놓고	Diagonally Forward Walk
2보	왼손	놓고	Forward Walk
3보	왼손	놓고	Diagonally Forward Walk
4보	왼손	놓고	Forward Walk
5보	왼손	놓고	Forward Walk
6보	왼손	놓고	Diagonally Forward Walk
7보	왼손	놓고	Forward Walk
8보	왼손	놓고	Forward Walk
9보	왼손	놓고	Diagonally Forward Walk
10보	왼손	놓고	Forward Walk
11보	왼손	놓고	Forward Walk
12보	왼손	놓고	Diagonally Forward Walk

스텝	풋 포지션	총 회전량
1보	왼발 사선으로 전진	
2보	오른발 전진	
3보	왼발 사선으로 전진	
4보	오른발 전진	
5보	왼발 전진	
6보	오른발 사선으로 전진	90°/R
7보	왼발 전진	90°/L
8보	오른발 전진	
9보	왼발 사선으로 전진	
10보	오른발 전진	
11보	왼발 전진	
12보	오른발 사선으로 전진	

〈여성〉

스텝	핸드	스텝 방식	액션

1보	오른손	놓고	Diagonally Backward Walk
2보	오른손	놓고	Backward Walk
3보	오른손	놓고	Diagonally Backward Walk
4보	오른손	놓고	Backward Walk
5보	오른손	놓고	Backward Walk
6보	오른손	놓고	Diagonally Backward Walk
7보	오른손	놓고	Backward Walk
8보	오른손	놓고	Backward Walk
9보	오른손	놓고	Diagonally Backward Walkal
10보	오른손	놓고	Backward Walk
11보	오른손	놓고	Backward Walk
12보	오른손	놓고	Diagonally Backward Walk

스텝	풋 포지션	총 회전량
1보	오른발 사선으로 후진	
2보	왼발 후진	
3보	오른발 사선으로 후진	
4보	왼발 후진	
5보	오른발 후진	
6보	왼발 사선으로 후진	90°/R
7보	오른발 후진	90°/L
8보	왼발 후진	
9보	오른발 사선으로 후진	
10보	왼발 후진	
11보	오른발 후진	
12보	왼발 사선으로 후진	

전진 지그재그 리드 법은 백 지그재그 리드법 반대임.

11번 백 스텝, 런닝 브레이크

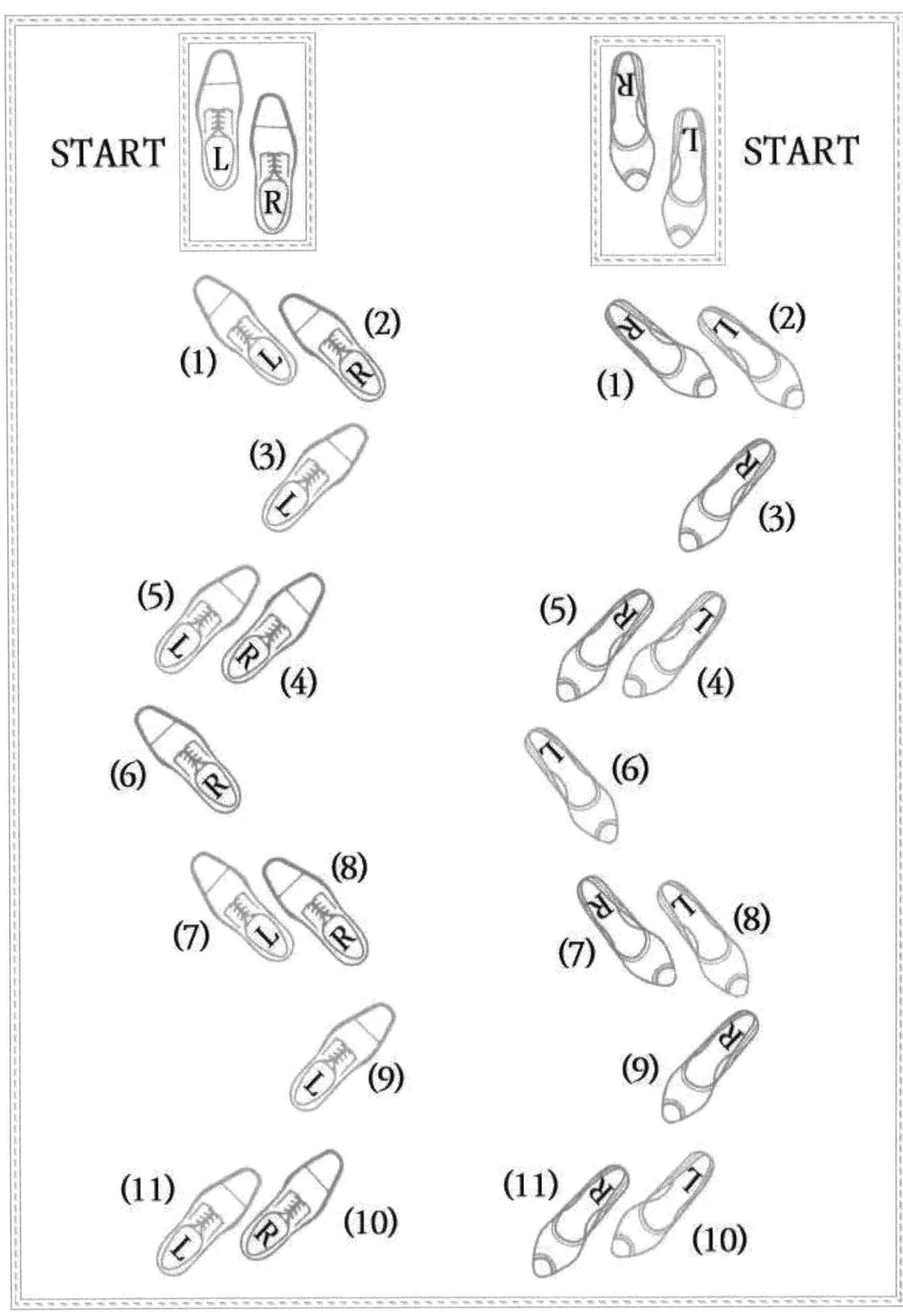

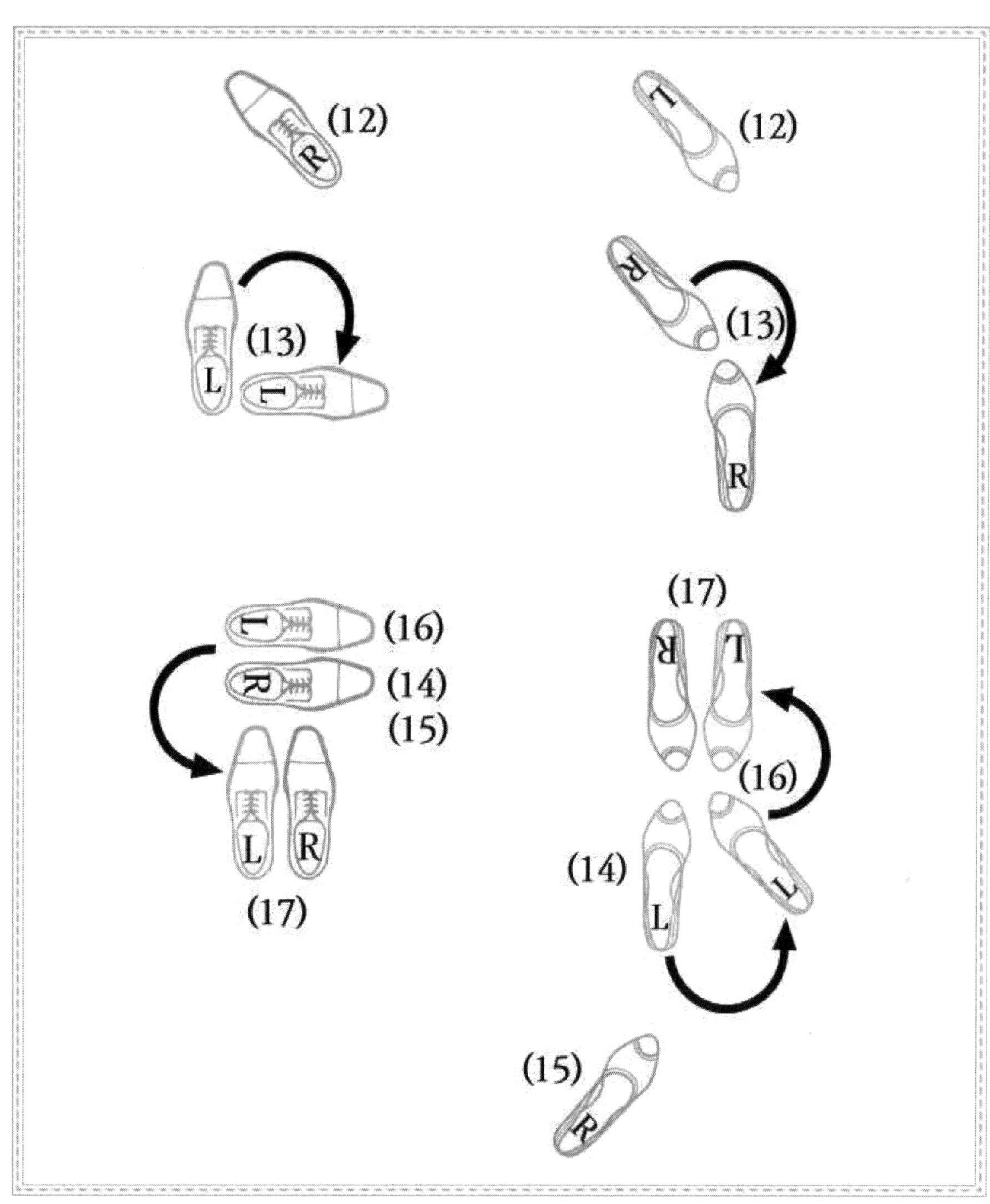

〈남성&여성〉

스텝	카운트	리듬	읽을 때	음악 타이밍	핸드 포지션
1보	1	Q	퀵	쿵	Hold
2보	2	&	엔	짝	Hold
3보	3	Q	퀵	쿵	Hold
4보	4	Q	퀵	짝	Hold

5보	5	&	엔	쿵	Hold
6보	6	Q	퀵	짝	Hold
7보	7	Q	퀵	짝	Hold
8보	8	&	엔	쿵	Hold
9보	9	Q	퀵	짝	Hold
10보	10	Q	퀵	쿵	Hold
11보	11	&	엔	짝	Hold
12보	12	Q	퀵	쿵	Hold
13보	13	S	슬로우	짝	Hold
14보	14	&	엔	쿵	Hold
15보	15	S	슬로우	짝	Hold
16보	16	&	엔	쿵	Hold
17보	17	Q	퀵	짝	Hold

〈남성〉

스텝	핸드	스텝 방식	액션
1보	왼손	놓고	Diagonally Backward Walk
2보	왼손	놓고	Backward Walk
3보	왼손	놓고	Diagonally Backward Walk
4보	왼손	놓고	Backward Walk
5보	왼손	놓고	Backward Walk
6보	왼손	놓고	Diagonally Backward Walk
7보	왼손	놓고	Backward Walk
8보	왼손	놓고	Backward Walk
9보	왼손	놓고	Diagonally Backward Walk
10보	왼손	놓고	Backward Walk
11보	왼손	놓고	Backward Walk
12보	왼손	놓고	Diagonally Backward Walk
13보	왼손	놓고	Backward Walk, Turn
14보	왼손	놓고	Side Step
15보	왼손	놓고	Side
16보	왼손	놓고	Side Step
17보	왼손	놓고	Turn

스텝	풋 포지션	총 회전량
1보	왼발 사선으로 후진, Turn/R	90°/R 180°/L
2보	오른발 후진	
3보	왼발 사선으로 후진, Turn/L	
4보	오른발 후진	
5보	왼발 후진	
6보	오른발 사선으로 후진, Turn/R	
7보	왼발 후진	
8보	오른발 후진	
9보	왼발 사선으로 후진, Turn/L	
10보	오른발 후진	
11보	왼발 후진	
12보	오른발 사선으로 후진, Turn/R	
13보	왼발 후진, Turn/R	

14보	오른발 옆으로	
15보	체중 이동/RF	
16보	왼발 오른발 옆에 모으고	
17보	양쪽 발이 모은 상태에서 Turn/L	

〈여성〉

스텝	핸드	스텝 방식	액션
1보	오른손	놓고	Diagonally Forward Walk
2보	오른손	놓고	Forward Walk
3보	오른손	놓고	Diagonally Forward Walk
4보	오른손	놓고	Forward Walk
5보	오른손	놓고	Forward Walk
6보	오른손	놓고	Diagonally Forward Walk
7보	오른손	놓고	Forward Walk
8보	오른손	놓고	Forward Walk
9보	오른손	놓고	Diagonally Forward Walk
10보	오른손	놓고	Forward Walk
11보	오른손	놓고	Forward Walk
12보	오른손	놓고	Diagonally Forward Walk
13보	오른손	놓고	Forward Walk, Turn
14보	오른손	놓고	Backward Walk
15보	오른손	놓고	Backward Walk
16보	오른손	놓고	Turn
17보	오른손	놓고	

스텝	풋 포지션	총 회전량
1보	오른발 사선으로 전진, Turn/L	180°/R 180°/L
2보	왼발 전진	
3보	오른발 사선으로 전진, Turn/R	
4보	왼발 전진	
5보	오른발 전진	
6보	왼발 사선으로 전진, Turn/L	
7보	오른발 전진	
8보	왼발 전진	
9보	오른발 사선으로 전진, Turn/R	
10보	왼발 전진	
11보	오른발 전진	
12보	왼발 사선으로 전진, Turn/L	
13보	오른발, Turn/R	
14보	왼발 후진	
15보	오른발 후진	
16보	왼발, Turn/R	
17보	오른발 왼발 옆에 모으고	

13보, 남성은 왼발을 후진과 동시에 여성 전진하도록 앞으로 당긴다. 남성은 오른쪽으로 회전하면서 여성을 오른쪽으로 회전시켜준다.

14보, 남성은 오른발을 오른쪽 옆으로 이동하면서 여성 왼발이 후진하도록 왼손으로 여성 오른손을 밀어준다.

15보, 남성은 왼발이 오른발 옆에 모으면서, 여성 오른발이 사선으로 후진할 수 있게 오른손을 밀어준다.

16보, 남성은 양쪽 발이 모은 상태를 유지하면서 여성 오른손을 당기면서 왼쪽으로 회전시켜준다.

17보, 남성은 양발이 다 모은 상태에서 왼쪽으로 회전과 동시에 여성 오른손을 당기면서 여성 견갑골에 위치한 남성 오른손으로 밀어준다.

12번 백 스텝 후 아웃사이드 턴

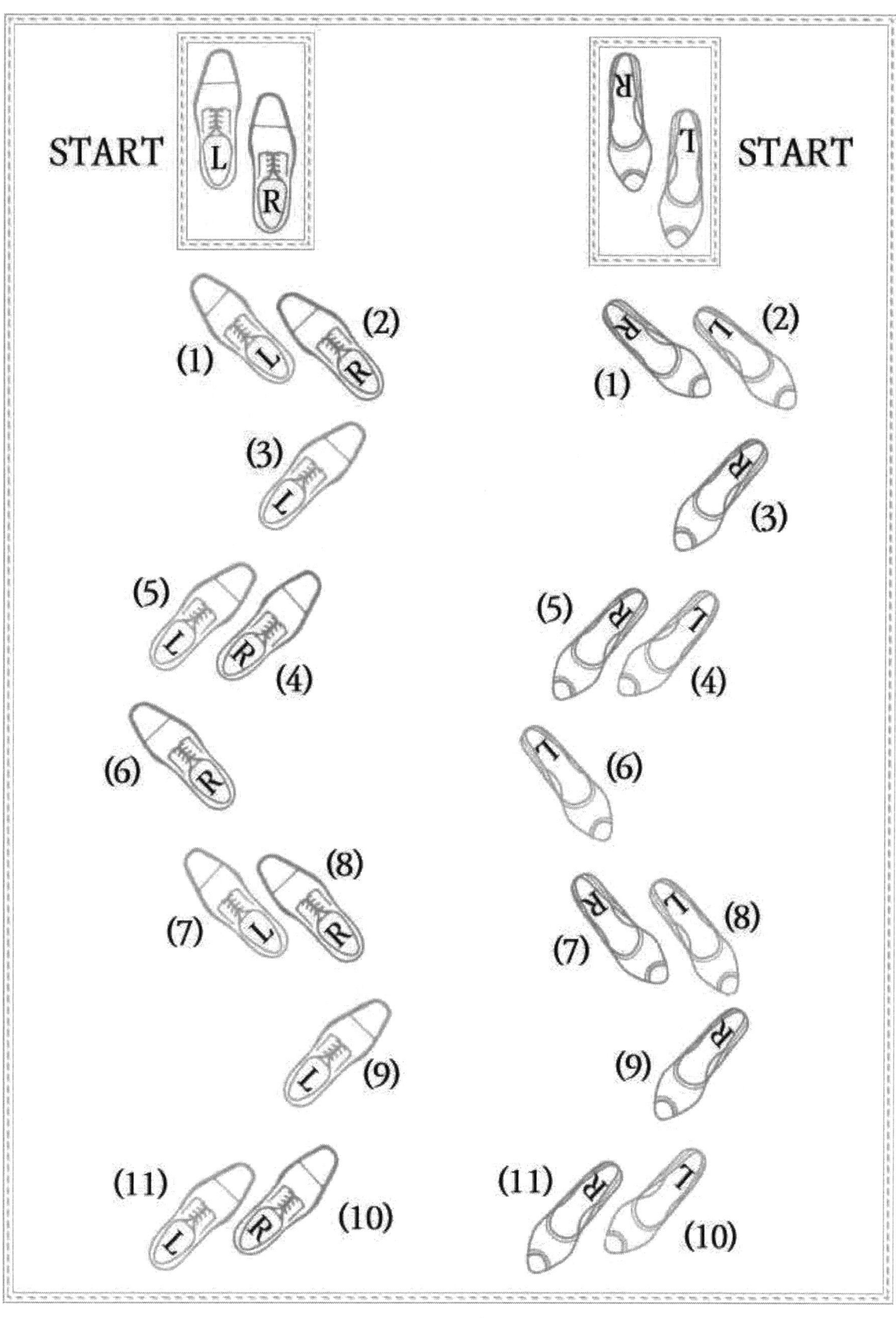

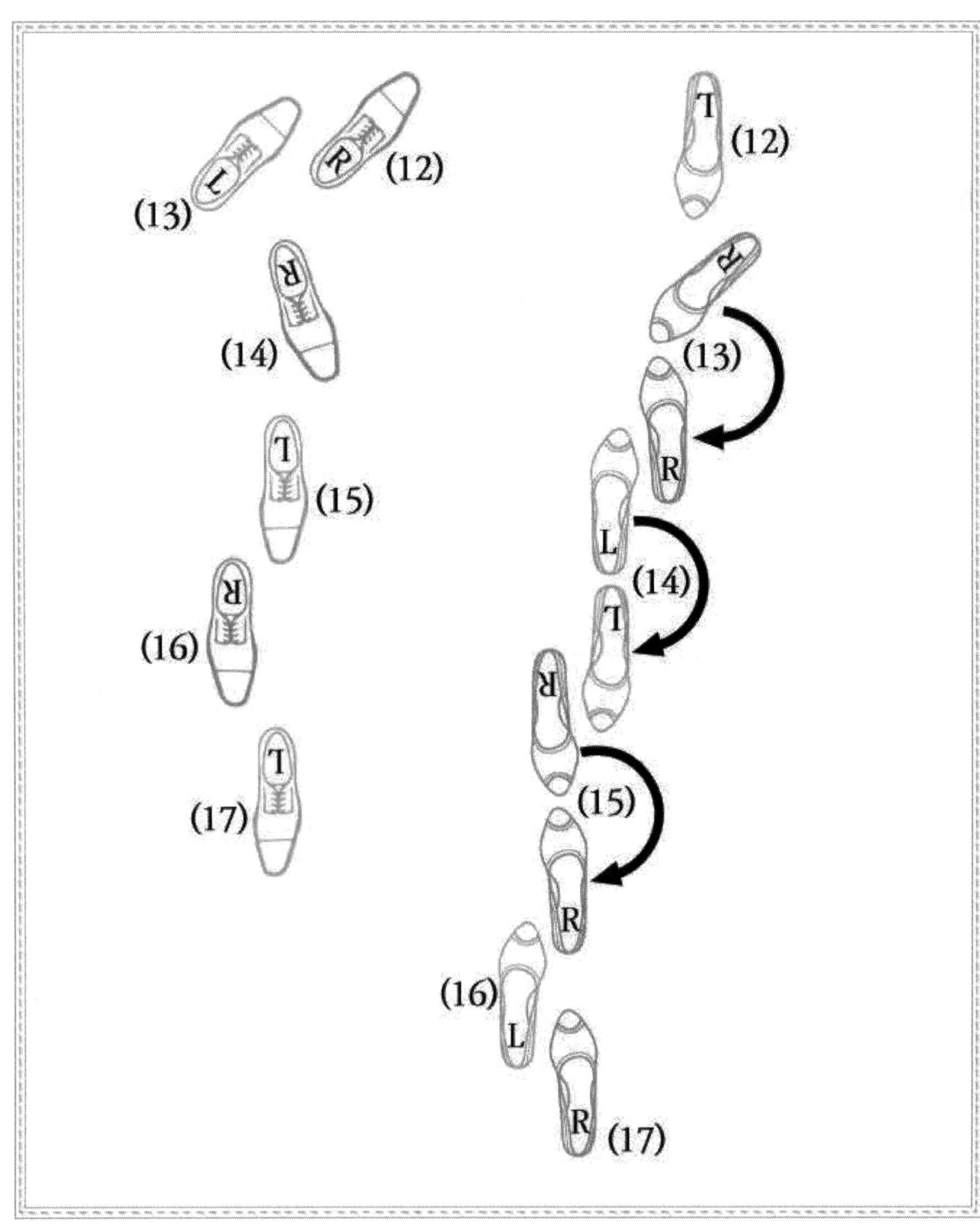

〈남성&여성〉

스텝	카운트	리듬	읽을 때	음악 타이밍	핸드 포지션
1보	1	Q	퀵	쿵	Hold
2보	2	&	엔	짝	Hold
3보	3	Q	퀵	쿵	Hold

4보	4	Q	퀵	짝	Hold
5보	5	&	엔	쿵	Hold
6보	6	Q	퀵	짝	Hold
7보	7	Q	퀵	짝	Hold
8보	8	&	엔	쿵	Hold
9보	9	Q	퀵	짝	Hold
10보	10	Q	퀵	쿵	Hold
11보	11	&	엔	짝	Hold
12보	12	Q	퀵	쿵	Hold
13보	13	Q	퀵	짝	One Hand Joined
14보	14	Q	퀵	쿵	One Hand Joined
15보	15	Q	퀵	짝	One Hand Joined
16보	16	Q	퀵	쿵	One Hand Joined
17보	17	Q	퀵	짝	One Hand Joined

〈남성〉

스텝	핸드	스텝 방식	액션
1보	왼손	놓고	Diagonally Backward Walk
2보	왼손	놓고	Backward Walk
3보	왼손	놓고	Diagonally Backward Walk
4보	왼손	놓고	Backward Walk
5보	왼손	놓고	Backward Walk
6보	왼손	놓고	Diagonally Backward Walk
7보	왼손	놓고	Backward Walk
8보	왼손	놓고	Backward Walk
9보	왼손	놓고	Diagonally Backward Walk
10보	왼손	놓고	Backward Walk
11보	왼손	놓고	Backward Walk
12보	왼손	놓고	Backward Walk
13보	왼손	놓고	Backward Walk
14보	왼손	놓고	Forward Walk, Turn
15보	왼손	놓고	Forward Walk
16보	왼손	놓고	Forward Walk
17보	왼손	놓고	Forward Walk

스텝	풋 포지션	총 회전량
1보	왼발 사선으로 후진, Turn/R	180°/R 90°/L
2보	오른발 후진	
3보	왼발 사선으로 후진, Turn/L	
4보	오른발 후진	
5보	왼발 후진	
6보	오른발 사선으로 후진, Turn/R	
7보	왼발 후진	
8보	오른발 후진	
9보	왼발 사선으로 후진, Turn/L	
10보	오른발 후진	
11보	왼발 후진	
12보	오른발 후진	

13보	왼발 후진	
14보	오른발 Turn/R	
15보	왼발 전진	
16보	오른발 전진	
17보	왼발 전진	

〈여성〉

스텝	핸드	스텝 방식	액션
1보	오른손	놓고	Diagonally Forward Walk
2보	오른손	놓고	Forward Walk
3보	오른손	놓고	Diagonally Forward Walk
4보	오른손	놓고	Forward Walk
5보	오른손	놓고	Forward Walk
6보	오른손	놓고	Diagonally Forward Walk
7보	오른손	놓고	Forward Walk
8보	오른손	놓고	Forward Walk
9보	오른손	놓고	Diagonally Forward Walk
10보	오른손	놓고	Forward Walk
11보	오른손	놓고	Forward Walk
12보	오른손	놓고	Forward Walk
13보	오른손	놓고	Turn
14보	오른손	놓고	Turn
15보	오른손	놓고	Turn
16보	오른손	놓고	Backward Walk
17보	오른손	놓고	Backward Walk

스텝	풋 포지션	총 회전량
1보	오른발 사선으로 전진, Turn/L	540°/R 90°/L
2보	왼발 전진	
3보	오른발 사선으로 전진, Turn/R	
4보	왼발 전진	
5보	오른발 전진	
6보	왼발 사선으로 전진, Turn/L	
7보	오른발 전진	
8보	왼발 전진	
9보	오른발 사선으로 전진, Turn/R	
10보	왼발 전진	
11보	오른발 전진	
12보	왼발 전진	
13보	오른발 Turn/R	
14보	왼발 Turn/R	
15보	오른발 Turn/R	
16보	왼발 후진	
17보	오른발 후진	

남성은 13보에 후진하면서 여성 오른손을 여성 머리 위로 올려주면서 여성을 오른쪽으로 회전시켜준다.

트롯 왈츠

스텝(Step) 및 발에 대한 약자

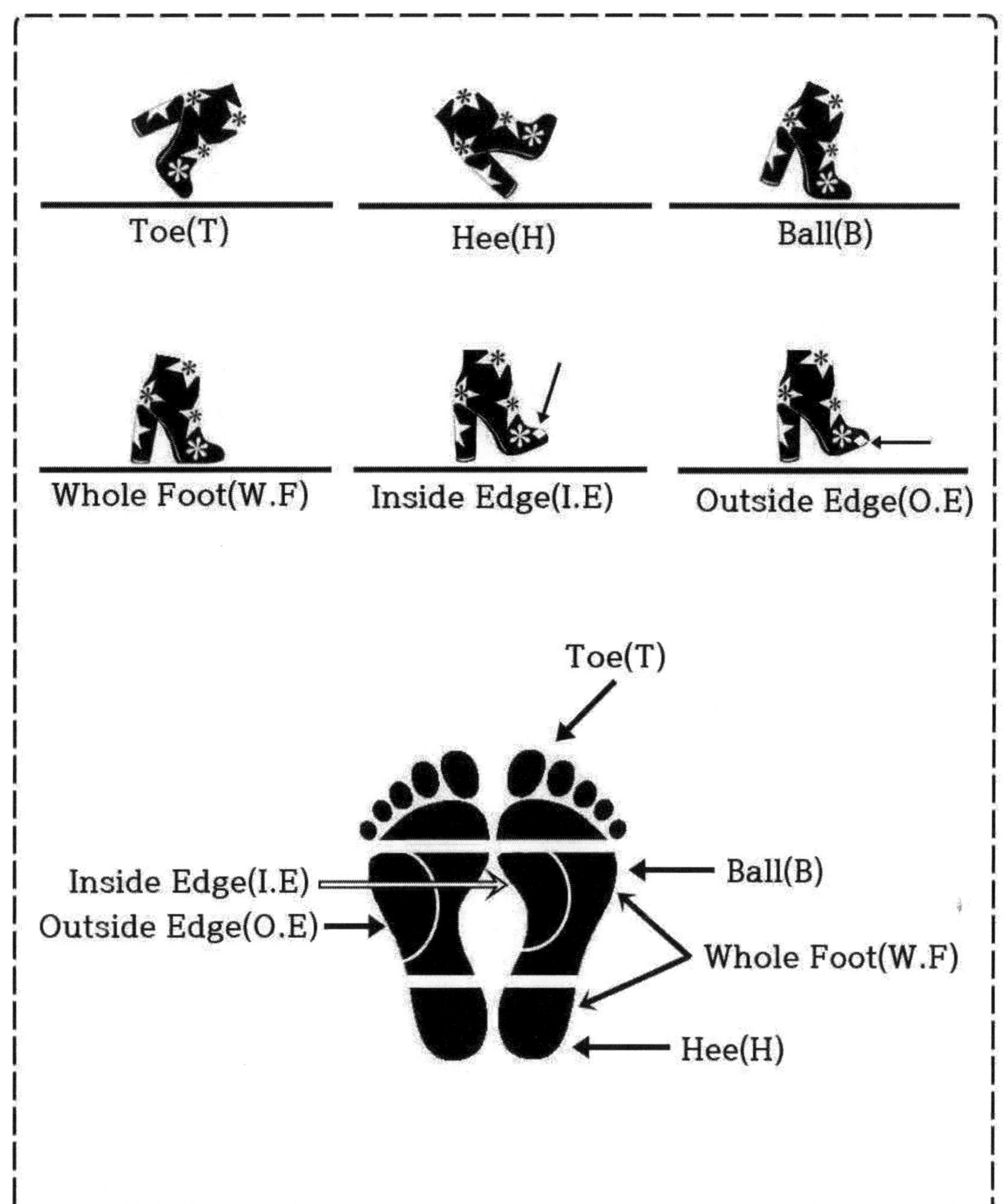

오른발	스텝 설명	왼발	스텝 설명
Right Foot(RF)	오른쪽 발	Left Foot(LF)	왼쪽 발
Right Ball(RB)	오른쪽 앞꿈치	Left Ball(LB)	왼쪽 앞꿈치
Right Hell(RH)	오른쪽 뒤꿈치	Left Hell(LH)	왼쪽 뒤꿈치
Right Toe(RT)	오른쪽 발가락	Left Toe(LT)	왼쪽 발가락
Right Flat	오른쪽 발바닥	Left Flat	왼쪽 발바닥
Right Inside	오른쪽 발바닥 안쪽	Left Inside Edge	왼쪽 발바닥 안쪽 옆면

Edge	옆면		
Right Outside Edge	오른쪽 바깥쪽 가장자리	Left Outside Edge	왼쪽 바깥쪽 가장자리
Right Whole Foot	오른쪽 발바닥전체	Left Whole Foot	왼쪽 발바닥 전체
원어	약자	한글	뜻(의미)
Footwork	Fwk	풋워크	발의 놀림 (발을 쓰는 기술)
No Foot Rise	NFR	노 푸트 라이즈	Heel을 바닥에 붙인 채 상체와 발을 뻗어 일어서는 것
body rise		바디 라이즈	Heel을 바닥에 붙인 채 상체와 발을 뻗어 일어서는 것, No Foot Rise라고도 함
Contrary Body Movement Position	CBMP	콘트러리 바디 무브먼트 포지션	상체를 우회전이나 좌회전하지 않은 상태에서, 한쪽 Foot을 상체의 앞이나 뒤를 가로질러 step한 Position
Foot		풋	발
Toe	T	토우	발가락, 발가락 끝부분
Ball	B	볼	앞굽, 발 앞꿈치
Heel	H	힐	발뒤꿈치
Inside Edge	I.E	인사이드 엣지	발바닥의 안쪽 가장자리 부분
Inside Edge Of Toe	I/E of T	인사이드 엣지 오브 토우	발끝 안쪽 옆면
Outside Edge Of Toe	O/E of T	아웃사이드 엣지 오브 토우	발끝 바깥쪽 옆면
Flat	F	플랫	바닥에 발바닥 전체가 닿음
Ball Flat	BF	볼 플랫	발 앞굽이 바닥에 닿음
Heel Flat	HF	힐 플랫	발뒤꿈치가 바닥에 닿음
Whole Foot	WF	호울 풋	발바닥이(전체) 바닥에 닿음

방향에 관한 용어 및 약호

원어	약자	한글	의미(뜻)
Alignment		얼라이먼트	발이 가리키는 방향
Direction		디렉션	몸의 진행방향
Line of Dance	LOD	라인 오브 댄스	왼쪽 방향, 즉 시계 반대 방향으로 춤의 진행 시키는 선
Against The LOD	ag.LOD	어게인스 더 엘오디	역 LOD

Against	ag	어게인스	등지고
Diagonally	Diag	다이어그널리	사선으로,비스듬히
Diagonally To the Wall Against	A.DW	다이어그널리 투 더 월 어게인스	역 벽사
Diagonally to Center Against	A.DC	다이어그널리 투 센터 어게인스	역중앙사
Wall	W	월	벽
Center	C	센터	중앙
Diagonally to Center	D.C	다이어그널리 투 센터	중앙사
Diagonally to Wall	D.W	다이어그널리 월	벽사
Back	B	백	뒤로
Forward	Fwd	포워드	앞쪽으로
Backward	Bwd	백워드	뒤쪽으로
side		사이드	옆으로
Outside		아웃사이드	바깥쪽으로
Outside partner	Op	아웃사이드 파트너	파트너 바깥으로
Facing	F	페이싱	전방(전진)으로 움직이는 것
Backing	B	백킹	후방(후진)으로 움직이는 것
Pointing	P	포인팅	발과 몸이 다른 방향이 될 때
Left	L	레프트	왼쪽
Right	R	라이트	오른쪽
Natural	Nat	내추럴	오른쪽으로
Reverse	Rev	리버스	왼쪽으로
Contra		콘트라	반대로
Zig Zag		지그재그	Z자 형태로
Place		플레이스	위치
Backing Against Center	BAC	백킹 어게인스 센터	역 중앙
Facing Against To Wall	FAW	페이싱 어게인스 투 월	역 벽사
Facing To Wall	FW	페이싱 투 월	벽면 방향
spot		스팟	점

LOD에서 오른쪽으로 1/8 돌면, 벽(W)을 45도 각도로 마주보게 되는데, 이를 DW(Diagonal Wall)라고 부릅니다.

LOD에서 왼쪽으로 1/8 돌면, 센터(C)를 45도 각도로 마주보게 되는데, 이를 DC(Diagonal Center)라고 부릅니다.

LOD에서 오른쪽으로 3/8 돌면, 벽(W)을 45도 각도로 마주보게 되는데, 이를 DW A LOD (Diagonal Wall Against Line of Direction)라고 부릅니다.

LOD에서 왼쪽으로 3/8 돌면, 센터(C)를 45도 각도로 마주보게 되는데,이를 DC A LOD (Diagonal Center Against Line of Direction)라고 부릅니다.

Turnout

회전(Turnout)은 발을 외로 돌려 발가락이 서로 반대 방향을 향하도록 하는 것을 말합니다. 발을 병렬로 놓으면 발이 평행한 상태이고, 회전을 주면 발가락이 밖을 향하게 됩니다.

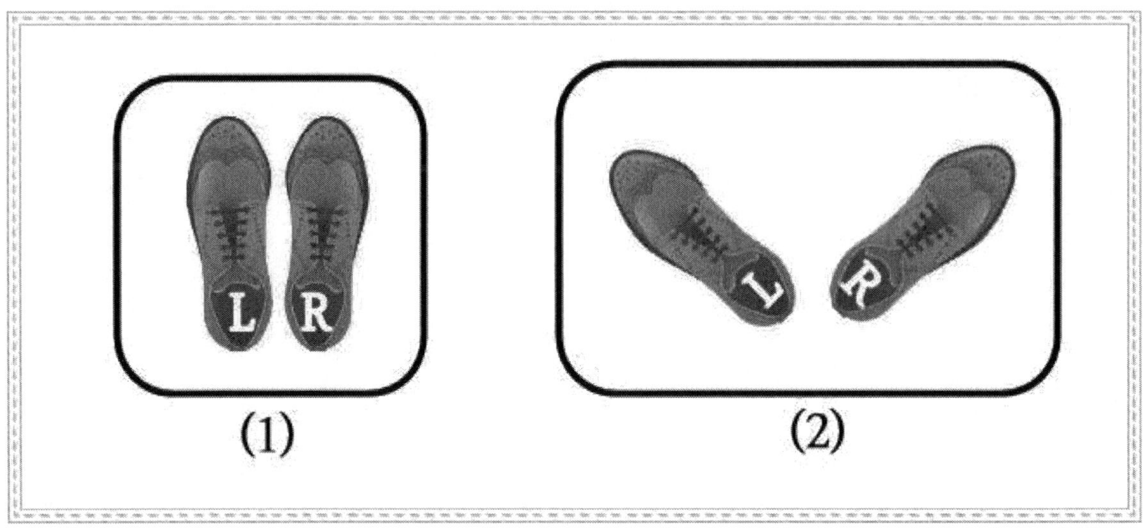

발을 병렬로 유지: 발이 나란히 놓여 있음.(1)

발을 외로 돌림: 발가락이 서로 반대 방향으로 향함.(2)

스탠다드 스타일에서는 주로 발을 병렬로 놓고 사용합니다. 라틴 및 리듬 댄스에서는 보통 발을 외로 돌리는 것이 권장되며, 원하는 정도는 45도에서 90도 사이입니다. 발레 댄서는 다리를 회전시켜 무조건 발가락과 무릎이 같은 방향을 가리키도록 노력하고, 라틴 댄서는 발목에서 발을 외로 돌리기를 허용합니다.

Positions of the Feet(핏) (발의 위치)

발의 위치를 설명하는 방법에는 여러 가지가 있습니다. 한 가지 방법은 하나의 발에 대한 각도나 위치를 설명하는 것이고, 다른 방법은 두 발 간의 위치나 각도를 서로 비교하여 설명하는 것입니다.

아래에서는 발의 다양한 위치를 설명하는 가장 일반적인 방법 중 하나인 12가지 기본 발 위치를 살펴보겠습니다.

(1). 발을 모아 놓음. (2). 발을 벌려 옆으로 나란히 놓음. (3). 발뒤꿈치를 모아 놓고 발가락 끝을 부채꼴로 벌려 놓음 (4). 발가락 끝을 모아 놓고 발뒤꿈치를 벌려 놓음. (5). 발 모아 놓은 상태에서 오른쪽으로 사선으로 (6). 발 모아 놓은 상태에서 왼쪽으로 사선으로 (7). 발을 모아 놓은 상태에서 오른발을 세워 발가락을 찍고 (8). 오른발 앞에 있는 상태에서 왼발 오른발 뒤 크로스

(9). 발을 모아 놓은 상태에서 왼발을 세워 발가락을 찍고 (10). 발을 벌려 하나는 다른 하나의 앞에 놓음. (11). 발을 모아 놓고, 발뒤꿈치를 발등에 맞춰 놓음. (12). 발을 모아 놓고, 하나는 다른

하나의 앞에 놓아 발가락이 발끝에 닿도록 놓음.

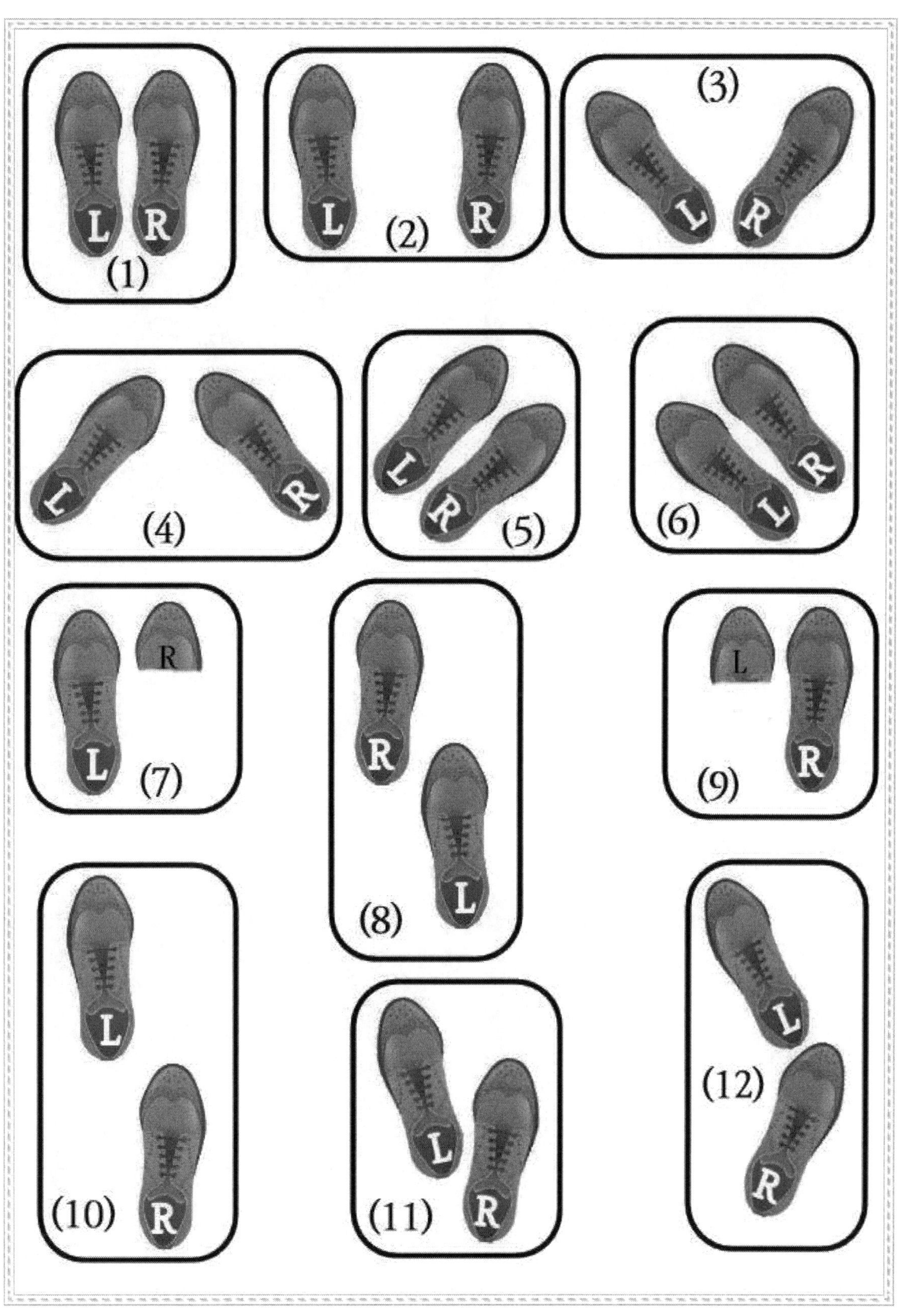

Alignments(얼라인먼트스) 종류

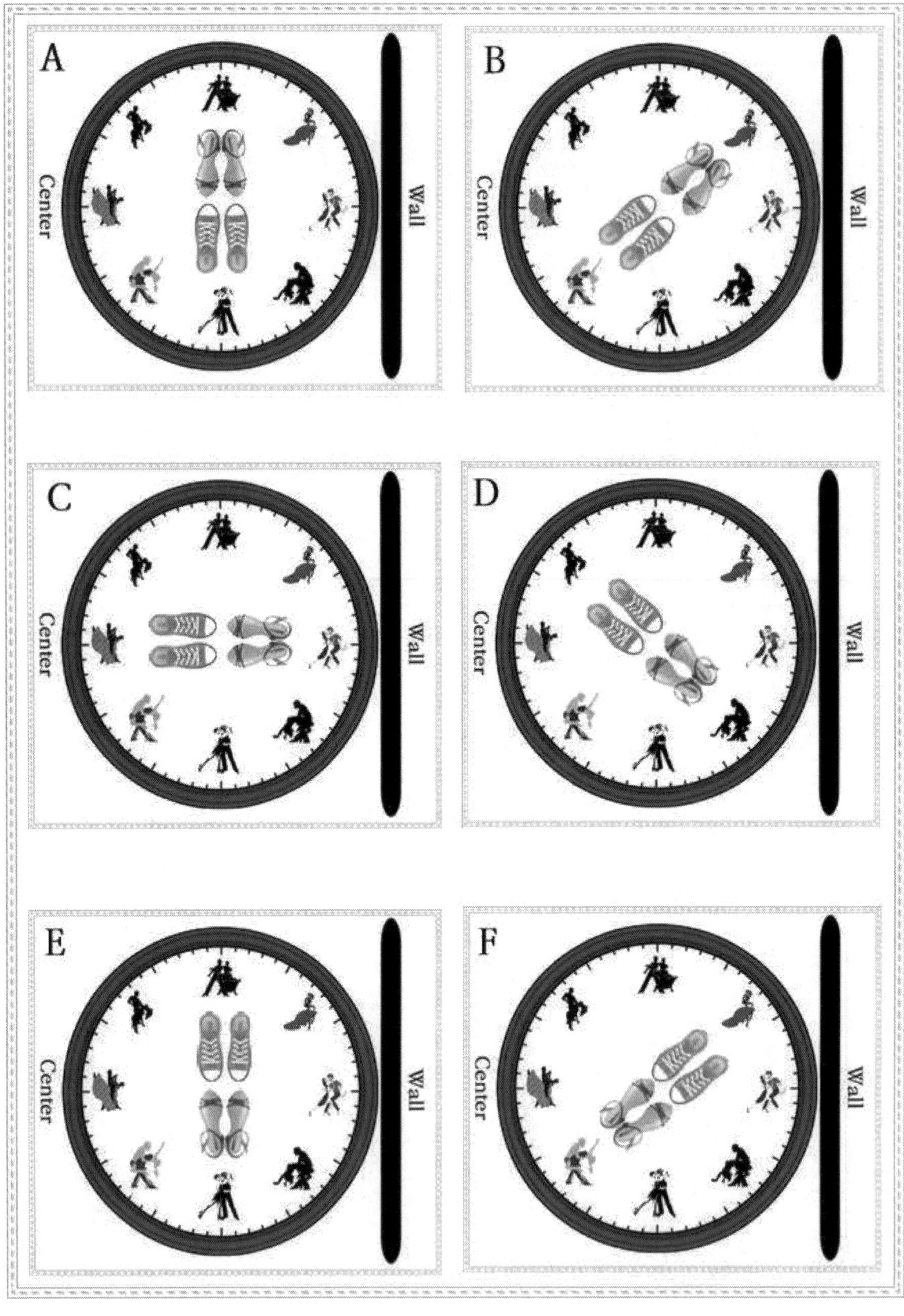

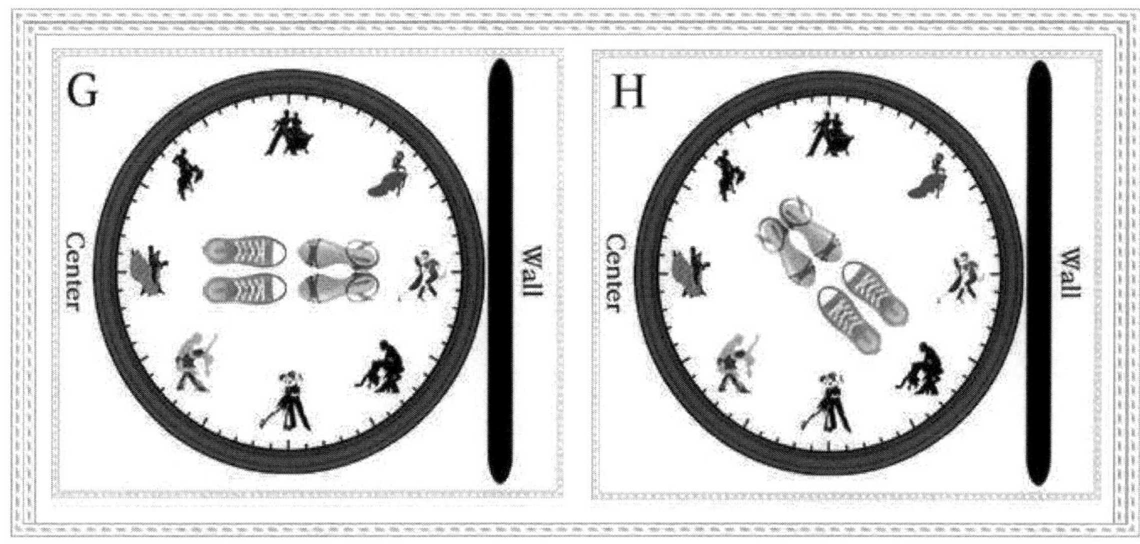

	Man	Lady
A	Facing line of dance	Backing line of dance
B	Facing diagonal wall	Backing diagonal wall
C	Facing wall	Backing wall
D	Facing diagonal wall against line of dance	Backing diagonal wall against line of dance
E	Facing against line of dance	Backing against line of dance
F	Facing diagonal center against line of dance	Backing diagonal center against line of dance
G	Facing center	Backing center
H	Facing diagonal center	Backing diagonal center

Natural turn

남성

발 위치

Step1/Timing 1: 오른발 앞으로 (HT)

Step2/Timing 2: 왼발을 옆으로 (T), Sway(R)

Step3/Timing 3: 오른발이 왼발에 모으고 (TH), Sway(R)

Step4/Timing 1: 왼발 뒤로 (TH)

Step5/Timing 2: 오른발을 옆으로 (T), Sway(L)

Step6/Timing 3: 왼발이 오른발에 모으고 (TH), Sway(L)

Turn

Step1/Timing 1: 오른쪽으로 회전 시작, Alignment(Facing DW)

Step2/Timing 2: 1-2 사이에서 1/4 회전, Alignment(Backing DC)

Step3/Timing 3: 2-3 사이에서 1/8 회전, Alignment(Backing LOD)

Step4/Timing 1: 오른쪽으로 회전 시작, Alignment(Backing LOD)

Step5/Timing 2: 4-5 사이에서 3/8 회전, Alignment(Pointing DC)

Step6/Timing 3: 회전 끝, Alignment(Facing DC)

여성

발 위치

Step1/Timing 1: 왼발을 뒤로 (HT)

Step2/Timing 2: 오른발을 옆으로 (T), Sway(L)

Step3/Timing 3: 왼발을 오른발에 모으고 (TH), Sway(L

Step4/Timing 1: 오른발을 앞으로 (TH)

Step5/Timing 2: 왼발을 옆으로 (T), Sway(R)

Step6/Timing 3: 오른발을 왼발에 모으고 (TH), Sway(R)

Turn

Step1/Timing 1: 오른쪽으로 회전 시작, Alignment(Backing DC)

Step2/Timing 2: 1-2 사이에 3/8 회전, Alignment(Pointing LOD)

Step3/Timing 3: 회전 완료, Alignment(Facing LOD)

Step4/Timing 1: 오른쪽으로 회전 시작, Alignment(Facing LOD)

Step5/Timing 2: 4-5 사이에 1/4 회전, Alignment(Backing Centre)

Step6/Timing 3: 5-6 사이에 1/8 회전, Alignment(Backing DC)

Step 1-6에서 남성과 여성의 Position은 Closed이다.

Reverse turn

남성

발 위치

Step1/Timing 1: 왼발(LF) 앞으로 (HT)

Step2/Timing 2: 오른발(RF) 옆으로 (T), Sway(L)

Step3/Timing 3: 왼발(LF)을 오른발(RF)에 모으고 (TH), Sway(L)

Step4/Timing 1: 오른발(RF) 뒤로 (TH)

Step5/Timing 2: 왼발(LF) 옆으로 (T), Sway(R)

Step6/Timing 3: 오른발(RF)을 왼발(LF)에 모으고 (TH), Sway(R)

Turn

Step1/Timing 1: 왼쪽으로 회전 시작, Alignment(Facing DC)

Step2/Timing 2: 1-2 사이에서 1/4 회전, Alignment(Backing DW)

Step3/Timing 3: 2-3 사이에서 1/8 회전, Alignment(Backing DW)

Step4/Timing 1: 왼쪽으로 회전 시작, Alignment(Backing DW)

Step5/Timing 2: 4-5 사이에서 3/8 회전, Alignment(Pointing DW)

Step6/Timing 3: 회전 끝, Alignment(Facing DW)

Step 1-6에서 남성과 여성의 Position은 Closed이다.

여성

발 위치

Step1/Timing 1: 오른발(RF) 뒤로 (HT)

Step2/Timing 2: 왼발(LF) 옆으로 (T), Sway(R)

Step3/Timing 3: 오른발(RF) 왼발(LF)에 모으고 (TH), Sway(R)

Step4/Timing 1: 왼발(LF) 앞으로 (TH)

Step5/Timing 2: 오른발(RF) 옆으로 (T), Sway(L)

Step6/Timing 3: 왼발(LF) 오른발(RF) 모으고 (TH), Sway(L)

Turn

Step1/Timing 1: 왼쪽으로 회전 시작, Alignment(Backing DC)

Step2/Timing 2: 1-2 사이에서 3/8 회전, Alignment(Pointing LOD)

Step3/Timing 3: 회전 완료, Alignment(Facing LOD)

Step4/Timing 1: 왼쪽으로 회전 시작, Alignment(Facing LOD)

Step5/Timing 2: 4-5 사이에서 1/4 회전, Alignment(Backing Wall)

Step6/Timing 3: 5-6 사이에서 1/8 회전, Alignment(Backing DW)

Step 1-6에서 남성과 여성의 Position은 Closed이다.

Natural spin turn

남성

발 위치

Step1/Timing 1: RF(오른발)를 앞으로 전진(HT)

Step2/Timing 2: LF(왼발)를 측면으로 이동(T), Sway(R)

Step3/Timing 3: RF(오른발)을 LF(왼발) 옆에 모으고(TH), Sway(R)

Step4/Timing 1: LF(왼발)을 뒤로 이동하면서 약간 측면으로, 발가락은 안으로 돌림(TH)

Step5/Timing 2: RF(오른발)을 전진(CBMP) (T)

Step6/Timing 3: LF(왼발)을 측면으로 이동하면서 약간 뒤로 이동(TH)

Turn

Step1/Timing 1: 오른쪽 회전 시작, Alignment(Facing DW)

Step2/Timing 2: 1-2 사이에 1/4 회전, Alignment(Backing DC)

Step3/Timing 3: 2-3 사이에 1/8 회전, Alignment(Backing LOD)

Step4/Timing 1: 4에서 오른쪽으로 1/2 회전 (피벗), Alignment(Backing DW to facing LOD)

Step5/Timing 2: 계속해서 회전을 유지, Alignment(Facing LOD)

Step6/Timing 3: 5-6 사이에 3/8 회전, Alignment(Backing DC)

여성

발 위치

Step1/Timing 1: LF(왼발)를 뒤로(HT)

Step2/Timing 2: RF(오른발)를 측면(T), Sway(L)

Step3/Timing 3: LF(왼발)을 RF(오른발) 옆에 모으고(TH), Sway(L)

Step4/Timing 1: RF(오른발)을 앞으로 전진(TH)

Step5/Timing 2: LF(왼발)을 뒤로 이동하면서 약간 측면으로 이동, RF(오른발) LF(왼발)에 브러시 하듯이(T)

Step6/Timing 3: RF(오른발)을 대각선 앞으로 전진(TH)

Turn

Step1/Timing 1: 오른쪽으로 회전 시작, Alignment(Backing DC)

Step2/Timing 2: 1-2 사이에 3/8 회전하면서 몸은 덜 돌아가도록, Alignment(Pointing LOD)

Step3/Timing 3: 회전 종료, Alignment(Facing LOD)

Step4/Timing 1: 4에서 오른쪽으로 1/2 회전 (피벗), Alignment(Facing LOD to backing LOD)

Step5/Timing 2: 계속해서 회전을 유지, Alignment(Backing LOD)

Step6/Timing 3: 5-6 사이에 3/8 회전, Alignment(Facing DC)

Step 1-6에서 남성과 여성의 Position은 Closed이다.

Right foot closed change

남성

발 위치

Step/Timing 1: 오른발을 앞으로(HT)

Step/Timing 2: 왼발을 옆으로 이동하면서 약간 앞으로 이동(T), Sway(R)

Step/Timing 3: 오른발을 왼발 옆에 모으고(HT), Sway(R)

Turn

Step/Timing 1: 없음, Alignment(facing DC)

Step/Timing 2: 없음, Alignment(facing DC)

Step/Timing 3: 없음, Alignment(facing DC)

여성

발 위치

Step/Timing 1: 왼발 뒤로(HT)

Step/Timing 2: 오른발을 옆으로 이동하면서 약간 뒤로(T), Sway(L)

Step/Timing 3: 왼발을 오른발 옆에 모으고(TH), Sway(L)

Turn

Step/Timing 1: 없음, Alignment(backing DC)

Step/Timing 2: 없음, Alignment(backing DC)

Step/Timing 3: 없음, Alignment(backing DC)

Step 1-3에서 남성과 여성의 Position은 Closed이다.

Left foot closed change

남성

발 위치

Step/Timing 1: 오른발을 앞으로 (HT)

Step/Timing 2: 왼발을 옆으로 이동하면서 약간 앞으로(T), Sway(L)

Step/Timing 3: 오른발을 왼발 옆에 모으기(TH), Sway(L)

Turn

Step/Timing 1: 없음, Alignment(facing DC)

Step/Timing 2: 없음, Alignment(facing DC)

Step/Timing 3: 없음, Alignment(facing DC)

여성

발 위치

Step/Timing 1: 왼발 뒤로(HT)

Step/Timing 2: 오른발을 옆으로 이동하면서 약간 뒤로(T), Sway(R)

Step/Timing 3: 왼발을 오른발 옆에 모으고(TH), Sway(R)

Turn

Step/Timing 1: 없음, Alignment(backing DC)

Step/Timing 2: 없음, Alignment(backing DC)

Step/Timing 3: 없음, Alignment(backing DC)

Step 1-3에서 남성과 여성의 Position은 Closed이다

Whisk

남성

발 위치

Step1/Timing 1: 왼발 전진 (HT), Position(Closed)

Step2/Timing 2: 오른발을 옆으로 움직이면서 약간 앞으로 이동 (T), Position(Closed)

Step3/Timing 3: 왼발을 오른발 뒤로 교차 (TH), Position(PP)

Turn

Step1/Timing 1: Alignment(Facing DW)

Step2/Timing 2: Alignment(Facing DW)

Step3/Timing 3: 몸을 오른쪽으로 돌리고, Alignment(Facing DW)

여성

발 위치

Step1/Timing 1: 오른발 후진 (HT), Position(Closed)

Step2/Timing 2: 왼발을 옆으로 움직이면서 약간 뒤로 이동 (T), Position(Closed)

Step3/Timing 3: 오른발을 왼발 뒤로 교차 (TH), Position(PP)

Turn

Step1/Timing 1: Alignment(Backing DW)

Step2/Timing 2: Alignment(Pointing DC)

Step3/Timing 3: 1-2 사이에서 오른쪽으로 1/4 회전, Alignment(Facing DC)

Chasse from promenade position

남성

발 위치

Step1/Timing 1: 오른발 전진(CBMP) (HT), Position(PP)

Step2/Timing 2: 왼발을 측면으로 이동하면서 약간 앞으로 (T), Position(PP)

Step3/Timing &: 오른발을 왼발에 가깝게 모으고 (T), Position(Closed)

Step4/Timing 3: 왼발을 측면으로 이동하면서 약간 앞으로 (TH), Position(Closed)

Turn

(회전량 없음)

Step1/Timing 1: Alignment(Facing DW)

Step2/Timing 2: Alignment(Facing DW)

Step3/Timing &: Alignment(Facing DW)

Step4/Timing 3: Alignment(Facing DW)

여성

발 위치

Step1/Timing 1: CBMP에서 LF(왼발)을 앞으로, 가로질러 이동. (HT), Position(PP)

Step2/Timing 2: RF(오른발)를 측면으로 이동 (T), Position(PP)

Step3/Timing &: LF(왼발)를 RF(오른발)에 가깝게 모으고 (T), Position(Closed)

Step4/Timing 3: RF(오른발)를 측면으로 이동시키면서 약간 뒤로 (TH), Position(Closed)

Turn

Step1/Timing 1: 왼쪽으로 회전 시작, Alignment(Facing DC)

Step2/Timing 2: 1-2 사이에서 1/8 회전, Alignment(Backing Wall)

Step3/Timing &: 2-3 사이에서 1/8 회전, Alignment(Backing DW)

Step4/Timing 3: Alignment(Backing DW)

Closed impetus

남성

발 위치

Step1/Timing 1: 왼발을 후진 (TH), Position(Closed)

Step2/Timing 2: 오른발을 왼발에 가깝게 모으고 (힐 턴) (HT), Sway(L), Position(Closed)

Step3/Timing 3: 왼발을 측면으로 이동하면서 약간 뒤로 이동 (TH), Position(Closed)

Turn

Step1/Timing 1: 오른쪽으로 회전을 시작, Alignment(Backing LOD)

Step2/Timing 2: 1-2 사이에서 3/8의 회전, Alignment(Facing DC)

Step3/Timing 3: 2-3 1/4의 회전, Alignment(Backing DC against LOD)

여성

발 위치

Step1/Timing 1: 오른발 앞으로 (HT), Position(Closed)

Step2/Timing 2: 왼발 옆으로, 그 후 RF를 LF 쪽으로 brush (힐 턴) (T), Sway(R), Position(Closed)

Step3/Timing 3: 오른발을 대각선으로 앞으로 (TH), Position(Closed)

Turn

Step1/Timing 1: 오른쪽으로 회전 시작, Alignment(Facing LOD)

Step2/Timing 2: 1-2 사이에서 3/8 회전, Alignment(Backing DC)

Step3/Timing 3: 2-3 사이에서 1/4 회전, Alignment(Facing DC against LOD)

Basic weave

남성

발 위치

Step1/Timing 1: 오른발 후진 (TH), Position(Closed)

Step2/Timing 2: 왼발 전진(HT), Position(Closed)

Step3/Timing 3: 오른발 측면으로 (TH), Position(Closed)

Step4/Timing 1: 왼발 후진(CBMP) (TH), Position(OP)

Step5/Timing 2: 오른발 후진 (T), Position(Closed)

Step6/Timing 3: 왼발 측면으로 약간 앞으로 이동 (TH), Position(Closed)

Turn

Step1/Timing 1: Alignment(Backing DW)

Step2/Timing 2: 왼쪽으로 회전 시작, Alignment(Facing DC against LOD)

Step3/Timing 3: 2-3 사이에서 1/8 회전, Alignment(Backing LOD)

Step4/Timing 1: 3-4 사이에서 1/8 회전, Alignment(Backing DC)

Step5/Timing 2: 왼쪽으로 회전 시작, Alignment(Backing DC)

Step6/Timing 3: 5-6 사이에서 1/4 회전, Alignment(Pointing DW)

여성

발 위치

Step1/Timing 1: 왼발 앞으로 이동(HT), Position(Closed)

Step2/Timing 2: 오른발 뒤로 이동(T), Position(Closed)

Step3/Timing 3: 왼발 측면으로 이동(TH), Position(Closed)

Step4/Timing 1: 오른발 앞으로 이동(CBMP) (HT), Position(OP)

Step5/Timing 2: 왼발 앞으로 이동(T), Position(Closed)

Step6/Timing 3: 오른발을 측면으로 약간 뒤로 이동(TH), Position(Closed)

Turn

Step1/Timing 1: Alignment(Facing DW)

Step2/Timing 2: 왼쪽으로 회전 시작, Alignment(Backing DC against LOD)

Step3/Timing 2-3 사이에서 1/4 회전, Alignment(Pointing DC)

Step4/Timing 1: Alignment(Facing DC)

Step5/Timing 2: 왼쪽으로 회전 시작, Alignment(Facing DC)

Step6/Timing 3: 5-6 사이에서 1/4 회전, Alignment(Backing DW)

Back lock

남성

발 위치

Step1/Timing 1: 왼발 뒤로 이동(CBMP) (HT), Position(OP)

Step2/Timing 2: 오른발 뒤로 이동 (T), Position(Closed)

Step3/Timing &: 왼발 오른발 앞으로 교차 (T), Position(Closed)

Step4/Timing 3: 오른발 대각선으로 뒤로 이동 (TH), Position(Closed)

Turn

Step1/Timing 1: Alignment(Backing DW)

Step2/Timing 2: Alignment(Backing DW)

Step3/Timing &: Alignment(Backing DW)

Step4/Timing 3: Alignment(Backing DW)

여성

발 위치

Step1/Timing 1: 오른발 앞으로 이동(CBMP) (HT), Position(OP)

Step2/Timing 2: 왼발 대각선으로 앞으로 이동(T), Position(Closed)

Step3/Timing &: 오른발 왼발 뒤로 교차함 (T), Position(Closed)

Step4/Timing 3: 왼발 대각선으로 앞으로 이동 (TH), Position(Closed)

Turn

Step1/Timing 1: Alignment(Facing DW)

Step2/Timing 2: Alignment(Facing DW)

Step3/Timing &: Alignment()Facing DW

Step4/Timing 3: Alignment(Facing DW)

Weave from promenade position

남성

발 위치

Step1/Timing 1: RF 앞으로 & CBMP에서 가로질러 (HT), Position(PP)

Step2/Timing 2: LF 앞으로 (T), Position(Closed)

Step3/Timing 3: RF 측면으로 & 약간 뒤로 (TH), Position(Closed)

Step4/Timing 1: LF 뒤로(CBMP) (TH), Position(OP)

Step5/Timing 2: RF 뒤로 (T), Position(Closed)

Step6/Timing 3: LF 측면으로 & 약간 앞으로 (TH), Position(Closed)

Turn

Step1/Timing 1: 왼쪽으로 1/8 회전, Alignment(Pointing DC)

Step2/Timing 2: 왼쪽으로 회전하면서 계속 이동, Alignment(Facing DC)

Step3/Timing 3: 2-3 사이에서 1/4 회전, Alignment(Backing DW)

Step4/Timing 1: 3-4 사이에서 1/8 회전, Alignment(Backing LOD)

Step5/Timing 2: 왼쪽으로 회전하면서 계속 이동, Alignment(Backing LOD)

Step6/Timing 3: 5-6 사이에서 3/8 회전, Alignment(Pointing DW)

여성

발 위치

Step1/Timing 1: 왼발을 전진(CBMP) (HT), Position(PP)

Step2/Timing 2: 오른발을 옆으로 이동하며 약간 뒤로 (T), Position(Closed)

Step3/Timing 3: 왼발을 옆으로 이동하면서 약간 앞으로 (TH), Position(Closed)

Step4/Timing 1: 오른발을 앞으로 전진(CBMP) (TH), Position(OP)

Step5/Timing 2: 왼발을 앞으로 전진 (T), Position(Closed)

Step6/Timing 3: 오른발을 옆으로 이동하며 약간 뒤로 (TH), Position(Closed)

Turn

Step1/Timing 1: 왼쪽으로 회전 시작, Alignment(Facing Centre)

Step2/Timing 2: 1-2 사이에서 3/8 회전, Alignment(Backing DC)

Step3/Timing 3: 2-3 사이에서 3/8 회전, Alignment(Pointing LOD)

Step4/Timing 1: Alignment(Facing LOD)

Step5/Timing 2: 왼쪽으로 회전 시작, Alignment(Facing LOD)

Step6/Timing 3: 5-6 사이에서 3/8 회전, Alignment(Backing DW)

Double reverse spin

남성

발 위치

Step1/Timing 1: 왼발 앞으로 이동 (HT), Position(Closed)

Step2/Timing 2: 오른발 측면으로 이동(T), Position(Closed)

Step3/Timing &: 왼발 오른발에 체중을 이동하지 않고 모으고 (토 피벗) (T (LF)), Position(Closed)

Step4/Timing 3: 오른발에 체중을 유지함(TH (RF)), Position(Closed)

Turn

Step1/Timing 1: 왼쪽으로 회전 시작, Alignment(Facing DC)

Step2/Timing 2: 1-2 사이에서 1/4 회전, Alignment(Backing DW)

Step3/Timing &: 2-3 사이에서 3/8 회전, Alignment(Facing Wall)

Step4/Timing 3: 3-4 사이에서 1/4 회전, Alignment(Facing LOD)

여성

발 위치

Step1/Timing 1: 오른발 뒤로 이동 (TH), Position(Closed)

Step2/Timing 2: 왼발 오른발에 체중을 이동하지 않고 모으고 (힐 턴) (HT), Position(Closed)

Step3/Timing &: 오른발 측면으로 약간 뒤로 이동 (T), Position(Closed)

Step4/Timing 3: 왼발 오른발 앞으로 교차함 (TH), Position(Closed)

Turn

Step1/Timing 1: 왼쪽 회전 시작, Alignment(Backing DC)

Step2/Timing 2: 1-2 사이에서 3/8 회전, Alignment(Facing LOD)

Step3/Timing &: 2-3 사이에서 1/4 회전, Alignment(Backing Wall)

Step4/Timing 3: 3-4 사이에서 1/4 회전, Alignment(Backing LOD)

Progressive chasse to right

남성

발 위치

Step1/Timing 1: 왼발 앞으로 이동 (HT), Position(Closed)

Step2/Timing 2: 오른발 측면으로 이동 (T), Position(Closed)

Step3/Timing &: 왼발 오른발에 모으고 (T), Position(Closed)

Step4/Timing 3: 오른발 측면으로 약간 뒤로 이동 (TH), Position(Closed)

Turn

Step1/Timing 1: 왼쪽 회전 시작, Alignment(Facing DC)

Step2/Timing 2: 1-2 사이에서 1/8 회전, Alignment(Backing Wall)

Step3/Timing &: 2-3 사이에서 1/8 회전, Alignment(Backing DW)

Step4/Timing 3: Alignment(Backing DW)

여성

발 위치

Step1/Timing 1: 오른발 뒤로 이동 (TH), Position(Closed)

Step2/Timing 2: 왼발 측면으로 이동 (T), Position(Closed)

Step3/Timing &: 오른발 왼발 옆에 모으고 (T), Position(Closed)

Step4/Timing 3: 왼발 측면으로 약간 앞으로 이동 (TH), Position(Closed)

Turn

Step1/Timing 1: 왼쪽으로 회전 시작, Alignment(Backing DC)

Step2/Timing 2: 1-2 사이에서 1/4 회전, Alignment(Pointing DW)

Step3/Timing &: Alignment(Facing DW)

Step4/Timing 3: Alignment(Facing DW)

Open impetus

남성

발 위치

Step1/Timing 1: 왼발을 뒤로 후진 (TH), Position(Closed)

Step2/Timing 2: 오른발을 왼발에 모으면서 힐 턴 (HT), Sway(L), Position(Closed)

Step3/Timing 3: 왼발을 옆으로 이동하기 (TH), Position(PP)

Turn

Step1/Timing 1: 오른쪽으로 회전 시작, Alignment(Backing LOD)

Step2/Timing 2: 1-2 사이에서 3/8 회전, Alignment(Facing DC)

Step3/Timing 3: 2-3 사이에서 1/8 회전, Alignment(Facing LOD)

여성

발 위치

Step1/Timing 1: 오른발을 앞으로 전진 (HT), Position(Closed)

Step2/Timing 2: 왼발을 옆으로 이동, 오른발을 왼발 쪽으로 브러시해서 가져옴 (T), Sway(R), Position(Closed)

Step3/Timing 3: 오른발을 옆으로 이동 (TH), Position(PP)

Turn

Step1/Timing 1: 오른발 회전 시작, Alignment(Facing LOD)

Step2/Timing 2: 1-2 사이에서 3/8 회전, Alignment(Backing DC)

Step3/Timing 3: 2-3 사이에서 3/8 회전, Alignment(Facing Centre)

Hesitation change

남성

발 위치

Step1/Timing 1: 오른발 앞으로 이동 (HT), Position(Closed)

Step2/Timing 2: 왼발 측면으로 이동 (T), Sway(R), Position(Closed)

Step3/Timing 3: 오른발 왼발 옆에 모으고 (TH), SwayRL), Position(Closed)

Step4/Timing 1: 왼발 뒤로 이동 (TH), Position(Closed)

Step5/Timing 2: 오른발 측면으로 작은 걸음으로(힐 풀) (H, i/e of foot), Sway(L), Position(Closed)

Step6/Timing 3: 왼발에 체중을 이동하지 않고 RF에 가까이 모으고 (i/e of T, Sway(L), Position(Closed)

Turn

Step1/Timing 1: 오른쪽 회전 시작, Alignment(Facing DW)

Step2/Timing 2: 1-2 사이에서 1/4 회전, Alignment(Backing DC)

Step3/Timing 3: 2-3 사이에서 1/8 회전, Alignment(Backing LOD)

Step4/Timing 1: 오른쪽 회전 시작, Alignment(Backing LOD)

Step5/Timing 2: 4-5 사이에서 3/8 회전, Alignment(Facing DC)

Step6/Timing 3: Alignment(Facing DC)

여성

발 위치

Step1/Timing 1: 왼발을 뒤로 이동 (TH), Position(Closed)

Step2/Timing 2: 오른발을 측면으로 이동 (T), Sway(L), Position(Closed)

Step3/Timing 3: 왼발 오른발 옆에 모으고 (TH), Sway(L), Position(Closed)

Step4/Timing 1: 오른발을 앞으로 이동 (HT), Position(Closed)

Step5/Timing 2: 왼발을 측면으로 이동 (TH), Sway(R), Position(Closed)

Step6/Timing 3: 오른발에 체중 이동 없이 왼발에 모으고 (i/e of T), Sway(R), Position(Closed)

Turn

Step1/Timing 1: 오른쪽 회전 시작, Alignment(Backing DW)

Step2/Timing 2: 1-2 사이에서 3/8 회전, Alignment(Pointing LOD)

Step3/Timing 3: 회전 완료, Alignment(Facing LOD)

Step4/Timing 1: 오른쪽 회전 시작, Alignment(Facing LOD)

Step5/Timing 2: 4-5 사이에서 3/8 회전, Alignment(Backing DC)

Step6/Timing 3: Alignment(Backing DC)

Wing

남성

발 위치

Step1/Timing 1: 오른발 전진, CBMP에서 가로질러 (HT), Position(PP)

Step2/Timing 2: 왼발을 오른발 쪽으로 끌어당기고 (Flat), Sway(R)

Step3/Timing 3: 왼발을 오른발에 모으고 (Flat), Sway(R), Position(OP on L)

Turn

Step1/Timing 1: 오른발을 왼쪽으로 1/8 돌리고, Alignment(Pointing LOD)

Step2/Timing 2: 몸을 왼쪽으로 돌리고, Alignment(Facing LOD)

Step3/Timing 3: 계속해서 몸을 왼쪽으로 돌리고, Alignment(Facing LOD)

여성

발 위치

Step1/Timing 1: 왼발 전진(CBMP) (HT), Position(PP)

Step2/Timing 2: 오른발을 앞으로 전진 (T), Sway(L)

Step3/Timing 3: 왼발을 CBMP에서 앞으로 전진 (TH), Sway(L), Position(OP on L)

Turn

Step1/Timing 1: 왼쪽으로 회전 시작, Alignment(Facing DC)

Step2/Timing 2: 1-2 사이에서 1/8 회전, Alignment(Facing Centre)

Step3/Timing 3: 2-3 사이에서 1/4 회전, Alignment(Facing against LOD)

Back whisk

남성

발 위치

Step1/Timing 1: 왼발 뒤로 이동 (TH), Position(Closed)

Step2/Timing 2: 오른발 대각선으로 뒤로 이동 (T), Sway(L), Position(Closed)

Step3/Timing 3: 왼발 오른발 뒤로 교차함 (TH), Sway(L), Position(PP)

Turn

Step1/Timing 1: Alignment(Backing DC against LOD)

Step2/Timing 2: Alignment(Backing DC against LOD)

Step3/Timing 3: Alignment(Facing DW)

여성

발 위치

Step1/Timing 1: 오른발 앞으로 이동 (HT), Position(Closed)

Step2/Timing 2: 오른쪽 회전 시작 (T), Sway(R), Position(Closed)

Step3/Timing 3: 왼발 측면으로 이동 (TH), Sway(R), Position(PP)

Turn

Step1/Timing 1: 1-2 사이에서 1/8 회전 , Alignment(Facing DC against LOD)

Step2/Timing 2: 오른발 왼발 뒤로 교차, Alignment(Facing Centre)

Step3/Timing 3: 2-3 사이에서 1/8 회전, Alignment(Facing DC)

Outside change

남성

발 위치

Step1/Timing 1: 왼발 뒤로 이동(CBMP) (TH), Position(OP)

Step2/Timing 2: 오른발을 뒤로 이동(T), Position(Closed)

Step3/Timing 3: 왼발을 측면으로 이동하면서 약간 앞으로 이동(TH), Position(Closed)

Turn

Step1/Timing 1: Alignment(Backing DC)

Step2/Timing 2: 왼쪽으로 회전 시작, Alignment(Backing DC)

Step3/Timing 3: 2-3 사이에서 1/4 회전, Alignment(Pointing DW)

여성

발 위치

Step1/Timing 1: 오른발 앞으로(CBMP) (HT), Position(OP)

Step2/Timing 2: 왼발 앞으로 이동(T), Position(Closed)

Step3/Timing 3: 오른발 측면으로 이동하면서 약간 뒤로 이동(TH), Position(Closed)

Turn

Step1/Timing 1: Alignment(Facing DC)

Step2/Timing 2: 왼쪽으로 회전 시작, Alignment(Facing DC)

Step3/Timing 3: 2-3 사이에서 1/4 회전, Alignment(Backing DW)

Open telemark

남성

발 위치

Step1/Timing 1: 왼발을 앞으로 전진 (TH), Position(Closed)

Step2/Timing 2: 오른발을 옆으로 이동 (T), Sway(L), Position(Closed)

Step3/Timing 3: 왼발을 옆으로 이동 (TH), Position(PP)

Turn

Step1/Timing 1: 왼쪽으로 회전 시작, Alignment(Facing DC)

Step2/Timing 2: 1-2 사이에서 3/8 회전, Alignment(Backing LOD)

Step3/Timing 3: 2-3 사이에서 3/8 회전, Alignment(Facing DW)

여성

발 위치

Step1/Timing 1: 오른발을 뒤로 후진 (TH), Position(Closed)

Step2/Timing 2: 왼발을 오른발에 가까이 모으면서 힐 턴 (HT), Sway(R), Position(Closed)

Step3/Timing 3: 오른발을 옆으로 이동 (TH), Position(PP)

Turn

Step1/Timing 1: 왼쪽으로 회전 시작, Alignment(Backing DC)

Step2/Timing 2: 1-2 사이에서 3/8 회전, Alignment(Facing LOD)

Step3/Timing 3: 2-3 사이에서 1/8 회전, Alignment(Facing DC)

Reverse pivot

남성

발 위치

Step1/Timing &: 오른발 뒤로 작은 걸음으로 내디뎌서 발끝을 안으로 돌림(CBMP) (THT), Position(Closed)

Turn

Step1/Timing &: 왼쪽으로 1/2 회전, Alignment(Backing LOD to facing LOD)

여성

발 위치

Step1/Timing &: 왼발 앞으로 작은 걸음으로 내디뎌서 발끝을 바깥으로 돌림(CBMP) (TH), Position(Closed)

Turn

Step1/Timing &: 왼쪽으로 1/2 회전, Alignment(Facing LOD to backing LOD)

Drag hesitation

남성

발 위치

Step1/Timing 1: LF(왼발)를 앞으로 전진 (HT), Position(Closed)

Step2/Timing 2: RF(오른발)를 측면으로 이동 (T), Position(Closed)

Step3/Timing 3: LF(왼발)를 무게를 옮기지 않고 RF(오른발)에 가까이 모으고 (TH(RF)), Position(Closed)

Turn

Step1/Timing 1: 왼쪽으로 회전 시작, Alignment(Facing LOD)

Step2/Timing 2: 1-2 사이에서 1/4 회전, Alignment(Backing Wall)

Step3/Timing 3: 2-3 사이에서 1/8 회전, Alignment(Backing DW)

여성

발 위치

Step1/Timing 1: RF(오른발)를 후진 (TH), Position(Closed)

Step2/Timing 2: LF(왼발)를 옆으로 (T), Position(Closed)

Step3/Timing 3: RF(오른발)에 무게를 옮기지 않고 LF(왼발)에 가까이 모으고 (TH(LF)), Position(Closed)

Turn

Step1/Timing 1: 왼쪽으로 회전 시작, Alignment(Backing LOD)

Step2/Timing 2: 1-2 사이에서 1/4 회전, Alignment(Facing Wall)

Step3/Timing 3: 2-3 사이에서 1/8 회전, Alignment(Facing DW)

Left whisk

남성

발 위치

Step1/Timing 1: RF(오른발)를 후진 (TH), Position(Closed)

Step2/Timing 2: LF(왼발)를 측면으로 이동시키면서 약간 앞으로 전진(TH), Sway(R), Position(Closed)

Step3/Timing 3: RF(오른발) LF(왼발) 뒤로 교차 (T), Sway(R), Position(CPP)

Step4/Timing 1: 양발로 오른쪽으로 돌아가면서 트위스트 (Flat (LF), T (RF)), Position(CPP)

Step5/Timing &: 트위스트를 유지하면서 계속 진행 (Flat (LF), T (RF)), Position(Closed)

Step6/Timing 2: 트위스트를 계속 유지하면서 계속 진행 (Flat (LF), T (RF), Position(OP)

Step7/Timing 3: 체중을 RF(오른발)에 옮기면서 마무리 (TH), Position(Closed)

Turn

Step1/Timing 1: 왼쪽으로 회전 시작, Alignment(Backing LOD)

Step2/Timing 2: 1-2 사이에서 3/8 회전하되 몸은 덜 돌리고, Alignment(Pointing DW)

Step3/Timing 3: 회전 마무리, Alignment(Facing DW)

Step4/Timing 1: Alignment(Step 7의 정렬 방향으로)

Step5/Timing &: Alignment(Step 7의 정렬 방향으로)

Step6/Timing 2: Alignment(Step 7의 정렬 방향으로)

Step7/Timing 3: 4-7까지 천천히 오른쪽으로 1회전, Alignment(Backing DC against LOD)

여성

발 위치

Step1/Timing 1: LF(왼발)를 앞으로 전진 (HT), Position(Closed)

Step2/Timing 2: RF(오른발)를 측면으로 이동시키면서 약간 뒤로 (T), Sway(L), Position(Closed)

Step3/Timing 3: LF(왼발)가 RF(오른발) 앞으로 교차 (TH), Sway(L), Position(CPP)

Step4/Timing 1: RF(오른발)를 앞으로, 잔걸음으로 (HT),Sway(L), Position(CPP)

Step5/Timing &: LF(왼발)를 앞으로, 잔걸음으로 (T), Position(Closed)

Step6/Timing 2: RF(오른발)를 앞으로, 잔걸음으로 (T), Position(OP)

Step7/Timing 3: LF(왼발)를 앞으로, 잔걸음으로 (TH), Position(Closed)

Turn

Step1/Timing 1: 왼쪽으로 회전 시작, Alignment(Facing DC)

Step2/Timing 2: 1-2 사이에서 3/8 회전, Alignment(Backing DW)

Step3/Timing 3: 2-3 사이에서 1/8 회전, Alignment(Backing LOD)

Step4/Timing 1: 오른쪽으로 회전 시작, Alignment(Facing against LOD)

Step5/Timing &: 4-5 사이에서 3/8 회전, Alignment(Facing DC)

Step6/Timing 2: 5-6 사이에서 3/8 회전, Alignment(Facing Wall)

Step7/Timing 3: 6-7 사이에서 3/8 회전, Alignment(Facing DC against LOD)

Contra check

남성

발 위치

Step1/Timing 1: LF(왼발) 전진(CBMP) (HF), Position(Closed)

Step2/Timing 2: 무게를 RF(오른발)로 옮기고, 그 후 LF(왼발)를 RF(오른발) 쪽으로 브러시 (T), Position(Closed)

Step3/Timing 3: LF(왼발)를 측면으로 이동 (TH), Position(PP)

Turn

Step1/Timing 1: 왼쪽으로 1/8 회전, Alignment(Facing LOD)

Step2/Timing 2: 오른쪽으로 1/8 회전, Alignment(Backing DC against LOD)

Step3/Timing 3: Alignment(Facing DW)

여성

발 위치

Step1/Timing 1: RF(오른발)를 뒤로 후진(CBMP) (TH), Position(Closed)

Step2/Timing 2: 체중을 LF(왼발)로 옮기고 RF(오른발)를 LF(왼발) 쪽으로 브러시 (T), Position(Closed)

Step3/Timing 3: RF(오른발)를 측면으로 이동 (TH), Position(PP)

Turn

Step1/Timing 1: 왼쪽으로 1/8 회전, Alignment(Backing LOD)

Step2/Timing 2: 오른쪽으로 1/8 회전, Alignment(Facing DC against LOD)

Step3/Timing 3: 2-3 사이에서 오른쪽으로 1/4 회전, Alignment(Facing DC)

Turning lock to right

남성

발 위치

Step1/Timing 1: 오른발 후진 (T), Sway(R), Position(Closed)

Step2/Timing &: 왼발 오른발 앞으로 교차 (T), Sway(R), Position(Closed)

Step3/Timing 2: 오른발을 옆으로 약간 앞으로 (T), Position(Closed)

Step4/Timing 3: 왼발을 옆으로 (TH), Position(PP)

Turn

Step1/Timing 1: 오른쪽으로 회전 시작 Alignment(Backing LOD)

Step2/Timing &: 1-2 사이에서 1/4 회전, Alignment(Backing Wall)

Step3/Timing 2: 2-3 사이에서 1/4 회전, Alignment(Pointing LOD)

Step4/Timing 3: 상체를 오른쪽으로 돌리고, Alignment(Facing LOD)

여성

발 위치

Step1/Timing 1: 왼발을 전진 (T), Sway(L), Position(Closed)

Step2/Timing &: 오른발을 왼발 뒤로 교차 (T), Sway(L), Position(Closed)

Step3/Timing 2: 왼발을 옆으로 약간 뒤로 (T), Position(Closed)

Step4/Timing 3: 오른발을 옆으로 약간 뒤로 (TH), Position(PP)

Turn

Step1/Timing 1: 오른쪽으로 회전 시작

Step2/Timing &: 1-2 사이에서 1/4 회전, Alignment(Facing DC)

Step3/Timing 2: 2-3 사이에서 1/8 회전, Alignment(Facing DC)

Step4/Timing 3: 3-4 사이에서 3/8 회전, Alignment(Backing DW)

Reverse corte

남성

발 위치

Step1/Timing 1: 오른발 뒤로 이동 (TH), Position(Closed)

Step2/Timing 2: 왼발에 체중 이동 없이 오른발 옆에 가까이 모으고(HT (RF), Sway(R), Position(Closed)

Step3/Timing 3: Hold 유지 (TH (RF), Sway(R), Position(Closed)

Turn

Step1/Timing 1: 왼쪽으로 회전 시작, Alignment(Backing LOD)

Step2/Timing 2: 1-2 사이에서 3/8 회전, Alignment(Backing DC against LOD)

Step3/Timing 3: Alignment(Backing DC against LOD)

여성

발 위치

Step1/Timing 1: 왼발 후진 (HT), Position(Closed)

Step2/Timing 2: 오른발 옆으로 (T), Sway(L), Position(Closed)

Step3/Timing 3: 왼발 오른발 옆에 모으고 (TH), Sway(L), Position(Closed)

Turn

Step1/Timing 1: 왼쪽으로 회전 시작, Alignment(Facing LOD)

Step2/Timing 2: 1-2 사이에서 1/4 회전, Alignment(Facing Centre)

Step3/Timing 3: 2-3 사이에서 1/8 회전, Alignment(Facing DC against LOD)

Cross hesitation

남성

발 위치

Step1/Timing 1: 오른발을 앞으로, CBMP에서 가로질러 (HT), Position(PP)

Step2/Timing 2: 왼발을 오른발에 가까이 모으고 (T(RF)), Sway(R), Position(Closed)

Step3/Timing 3: 현 위치에서 정지하기 (TH(RF)), Sway(R), Position(Closed)

Turn

Step1/Timing 1: 오른발을 왼쪽으로 1/8 회전, Alignment(Pointing LOD)

Step2/Timing 2: 회전 완료, Alignment(Facing LOD)

Step3/Timing 3: Alignment(Backing against LOD)

여성

발 위치

Step1/Timing 1: 왼발을 앞으로, CBMP에서 가로질러 (HT), Position(PP)

Step2/Timing 2: 오른발을 옆으로 이동 (T), Sway(L), Position(PP)

Step3/Timing 3: 왼발을 오른발에 가까이 모으고 (TH), Sway(L), Position(Closed)

Turn

Step1/Timing 1: 왼쪽으로 회전 시작, Alignment(Facing DC)

Step2/Timing 2: 1-2 사이에서 1/4 회전, Alignment(Backing DW)

Step3/Timing 3: 2-3 사이에서 1/8 회전, Alignment(Facing against LOD)

Closed wing

남성

발 위치

Step1/Timing 1: 오른발 전진(CBMP) (HT), Position(OP)

Step2/Timing 2: 왼발을 오른발 쪽으로 끌어당기고 (Flat), Sway(R), Position(Closed)

Step3/Timing 3: 왼발에 체중 없이 오른발에 가까이 (Flat), Sway(R), Position(OP on L)

Turn

Step1/Timing 1: Alignment(Facing LOD)

Step2/Timing 2: 상체를 왼쪽으로 돌리고, Alignment(Facing LOD)

Step3/Timing 3: 계속 상체를 왼쪽으로, Alignment(Facing LOD)

여성

발 위치

Step1/Timing 1: 왼발 후진(CBMP) (HT), Position(OP)

Step2/Timing 2: 오른발을 옆으로 약간 후진 (T), Sway(L), Position(Closed)

Step3/Timing 3: 왼발 전진(CBMP) (TH), Sway(L), Position(OP on L)

Turn

Step1/Timing 1: Alignment(Backing LOD)

Step2/Timing 2: Alignment(Backing LOD)

Step3/Timing 3: 상체을를 왼쪽으로 돌리고, Alignment(Facing against LOD)

Hover corte

남성

발 위치

Step1/Timing 1: 오른발 후진 (TH), Position(Closed)

Step2/Timing 2: 왼발을 옆으로 약간 앞으로 (T), Sway(R), Position(Closed)

Step3/Timing 3: 체중을 왼발에서 오른발로 (TH), Position(Closed)

Turn

Step1/Timing 1: 왼쪽으로 상체를 회전, Alignment(Backing LOD)

Step2/Timing 2: 1-2 사이에서 3/8 회전, Alignment(Backing DC against LOD)

Step3/Timing 3: Alignment(Backing DC against LOD)

여성

발 위치

Step1/Timing 1: 왼발 전진 (HT), Position(Closed)

Step2/Timing 2: 오른발 옆으로, 왼발을 오른발 쪽으로 brush (T), Sway(L), Position(Closed)

Step3/Timing 3: 왼발을 대각선으로 앞으로 (TH), Position(Closed)

Turn

Step1/Timing 1: 상체를 왼쪽으로 돌리고, Alignment(Facing LOD)

Step2/Timing 2: 1-2 사이에서 1/4 회전, Alignment(Facing Centre)

Step3/Timing 3: 2-3 사이에서 1/8 회전, Alignment(Facing DC against LOD)

Closed telemark

남성

발 위치

Step1/Timing 1: 왼발을 앞으로 전진 (TH), Position(Closed)

Step2/Timing 2: 오른발을 옆으로 이동 (T), Sway(L), Position(Closed)

Step3/Timing 3: 왼발을 옆으로 이동하면서 약간 앞으로 전진 (TH), Position(Closed)

Turn

Step1/Timing 1: 왼쪽으로 회전 시작, Alignment(Facing DC)

Step2/Timing 2: 1-2 사이에서 3/8 회전, Alignment(Backing LOD)

Step3/Timing 3: 2-3 사이에서 3/8 회전, Alignment(Pointing DW)

여성

발 위치

Step1/Timing 1: 오른발을 뒤로 후진 (TH), Position(Closed)

Step2/Timing 2: 왼발을 오른발에 가까이 모으며 힐 턴 (HT), Sway(R), Position(Closed)

Step3/Timing 3: 오른발을 옆으로 이동하면서 약간 뒤로 조금 물러나기 (TH), Position(Closed)

Turn

Step1/Timing 1: 왼쪽으로 회전 시작, Alignment(Backing DC)

Step2/Timing 2: 1-2 사에서 3/8 회전, Alignment(Facing LOD)

Step3/Timing 3: 2-3 사이에서 3/8 회전, Alignment(Backing DW)

Outside spin

남성

발 위치

Step1/Timing 1: LF(왼발)를 뒤로(CBMP), 발끝을 안으로 돌리며 (THT), Position(OP)

Step2/Timing 2: RF(오른발)를 앞으로 전진(CBMP) (HT), Position(OP)

Step3/Timing 3: LF(왼발)을 측면으로 이동, LF(왼발)을 뒤로 피봇하며 마무리 (TH), Position(Closed)

Turn

Step1/Timing 1: 1에서 우측으로 3/8 회전(피봇), Alignment(Backing LOD to facing DW against LOD)

Step2/Timing 2: 상체를 우측으로 돌리고, Alignment(Facing DW against LOD)

Step3/Timing 3: 2-3 사이에서 3/8 회전, 3에서 3/8 회전 (피봇), Alignment(Backing Wall to facing DW)

여성

발 위치

Step1/Timing 1: 오른발 전진(CBMP) (HT), Position(OP)

Step2/Timing 2: 왼발 오른발에 가까이 모으고 (T), Position(OP)

Step3/Timing 3: 오른발 전진, CBMP에서 마무리하면서 피봇 (TH), Position(Closed)

Turn

Step1/Timing 1: 오른쪽으로 회전 시작, Alignment(Facing against LOD)

Step2/Timing 2: 1-2 사이에서 5/8 회전, Alignment(Facing DW)

Step3/Timing 3: 2-3 사이에서 1/4 회전, 3에서 1/4 회전 (피봇), Alignment(Facing DW against LOD to backing DW)

Turning lock

남성

발 위치

Step1/Timing 1: RF(오른발)를 뒤로 후진하면서 몸을 오른쪽으로 향하고 (T), Sway(L), Position(Closed)

Step2/Timing &: LF(왼발)를 RF(오른발) 앞으로 교차 (T), Sway(L), Position(Closed)

Step3/Timing 2: RF(오른발)를 약간 오른쪽으로 뒤로 후진 (T), Position(Closed)

Step4/Timing 3: LF(왼발)를 측면으로 이동시키면서 조금 앞으로 전진 (TH), Position(Closed)

Turn

Step1/Timing 1: Alignment(Backing DC)

Step2/Timing &: Alignment(Backing DC)

Step3/Timing 2: 왼쪽으로 회전 시작, Alignment(Backing DC)

Step4/Timing 3: 2-3 사이에서 1/4 회전 Alignment(Pointing DW)

여성

발 위치

Step1/Timing 1: 왼발을 앞으로 이동하면서 몸은 왼쪽으로 향하고 (T), Sway(R), Position(Closed)

Step2/Timing &: 오른발이 왼발 뒤로 교차 (T), Sway (R), Position(Closed)

Step3/Timing 2: 왼발을 약간 왼쪽 앞으로 (T), Position(Closed)

Step4/Timing 3: 오른발을 측면으로 이동하면서 약간 뒤로 (TH), Position(Closed)

Turn

Step1/Timing 1

Step2/Timing &: Alignment(Facing DC)

Step3/Timing 2: 왼쪽으로 회전 시작, Alignment(Facing DC)

Step4/Timing 3: 2-3 사이에서 1/4 회전 Alignment(Bac king DW)

트롯 탱고

Lleft foot walk

남성

발 위치

Step1/Timing 1.2: 왼발 전진(CBMP) (HF), Rhythm(S), Position(Closed)

Turn

Step1/Timing 1.2: 1/8 회전, Alignment(Facing LOD)

여성

발 위치

Step1/Timing 1.2: 오른발 후진(CBMP) (BF), Rhythm(S), Position(Closed)

Turn

Step1/Timing 1.2: 1/8 회전, Alignment(Backing DW)

Right foot walk

남성

발 위치

Step1/Timing 1.2: 오른발 전진하면서 오른쪽 옆으로 (HF), Rhythm(S), Position(Closed)

Turn

Step1/Timing1.2: Alignment(Facing LOD)

여성

발 위치

Step1/Timing 1.2: 왼발 후진하면서 왼쪽 옆으로 (BH), Rhythm(S), Position(Closed)

Turn

Step1/Timing 1.2: Alignment(Backing DW)

Progressive side step

남성

발 위치

Step1/Timing 1: CBMP에서 왼발 앞으로 전진 (HF), Rhythm(Q), Position(Closed)

Step2/Timing 2: 오른발을 측면으로 조금 뒤로 (i/e of WF), Rhythm(Q), Position(Closed)

Step3/Timing 3.4: CBMP에서 왼발 앞으로 전진 (HF), Rhythm(S), Position(Closed)

Turn

Step1/Timing 1: 1-3 사이에서 좌측으로 1/8 회전,
Alignment(Facing between DW and LOD)

Step2/Timing 2: Alignment(Facing between DW and LOD)

Step3/Timing 3.4: Alignment(Facing LOD)

여성

발 위치

Step1/Timing 1: CBMP에서 오른발 후진 (BF), Rhythm(Q), Position(Closed)

Step2/Timing 2: 왼발을 측면으로 약간 뒤로 전진 (i/e of BH), Rhythm(Q), Position(Closed)

Step3/Timing 3.4: CBMP에서 오른발 후진 (BF), Rhythm(S), Position(Closed)

Turn

Step1/Timing 1: 1-3 사이에서 좌측으로 1/8 회전,
Alignment(Backing between DW and LOD)

Step2/Timing 2: Alignment(Backing between DW and LOD)

Step3/Timing 3.4: Alignment(Facing LOD)

Point to promenade position

남성

발 위치

Step1/Timing 1.2: 상체 오른쪽으로 회전 (WF (RF), i/e of B (LF)), Rhythm(S),
Position(PP)

Turn

Step1/Timing 1.2: 체중을 싣지 않고 왼발을 측면, Alignment(Facing DW)

여성

발 위치

Step1/Timing 1.2: 체중을 싣지 않고 오른발을 측면
(WF (LF), i/e of B (RF)), Rhythm(S), Position(PP)

Turn

Step1/Timing 1.2: 오른쪽으로 1/4 회전, Alignment(Facing DC)

Progressive link

남성

발 위치

Step1/Timing 1: 왼발 전진(CBMP) (HF), Rhythm(Q), Position(Closed)
Step2/Timing 2: 오른발을 측면으로 약간 뒤로,
(i/e of WF (RF), i/e of B (LF)), Rhythm(Q), Position(PP)

Turn

Step1/Timing 1: Alignment(Facing DW)
Step2/Timing 2: 상체를 오른쪽으로 돌리고, Alignment(Facing DW)

여성

발 위치

Step1/Timing 1: 오른발 후진(CBMP) (HF), Rhythm(Q), Position(Closed)
Step2/Timing 2: 왼발을 측면으로 약간 뒤로,
(i/e of BH (LF), i/e of B (RF)), Rhythm(Q), Position(PP)

Turn

Step1/Timing 1: Alignment(Backing DW)
Step2/Timing 2: 1-2 사이에서 오른쪽으로 1/4 회전, Alignment(Facing DC)

Four step

남성

발 위치

Step1/Timing 1: 왼발 전진(CBMP) (HF), Rhythm(Q), Position(Closed)

Step2/Timing 2: 오른발 옆으로 이동하면서 약간 뒤로 (BH), Rhythm(Q), Position(Closed)

Step3/Timing 3: 왼발 후진(CBMP) (BH), Rhythm(Q), Position(OP)

Step4/Timing 4: 오른발을 왼발 뒤쪽으로 약간 모으기 (BH), Rhythm(Q), Position(PP)

Turn

Step1/Timing 1: 왼쪽으로 회전 시작, Alignment(Facing DW)

Step2/Timing 2: 1-2 사이에 왼쪽으로 1/4 회전, Alignment(Backing DW against LOD)

Step3/Timing 3: Alignment(Backing DW against LOD)

Step4/Timing 4: 상체를 오른쪽으로 돌리고, Alignment(Facing DW of new LOD)

여성

발 위치

Step1/Timing 1: 오른발 후진(CBMP) (BH), Rhythm(Q), Position(Closed)

Step2/Timing 2: 왼발 옆으로 이동하면서 약간 앞으로 (WF), Rhythm(Q), Position(Closed)

Step3/Timing 3: 오른발 전진(CBMP) (HB), Rhythm(Q), Position(OP)

Step4/Timing 4: 왼발을 오른발 뒤쪽으로 모으고 (BH), Rhythm(Q), Position(PP)

Turn

Step1/Timing 1: 왼쪽으로 회전 시작, Alignment(Backing DW)

Step2/Timing 2: 1-2 사이에 1/4 회전, Alignment(Facing DW against LOD)

Step3/Timing 3: Alignment(Facing DW against LOD)

Step4/Timing 4: 1-2 사이에 오른쪽으로 1/4 회전, Alignment(Facing DC of new LOD)

Closed promenade

남성

발 위치

Step1/Timing 1.2: 왼발을 옆으로 (HF), Rhythm(S), Position(PP)

Step2/Timing 3: 오른발을 앞으로, across in CBMP (HF), Rhythm(Q), Position(PP)

Step3/Timing 4: 왼발을 옆으로 이동하면서 약간 앞으로 (i/e of WF), Rhythm(Q), Position(Closed)

Step4/Timing 5.6: 오른발을 왼발 옆으로 모으고, 약간 뒤로 (WF), Rhythm(S), Position(Closed)

Turn

Step1/Timing 1.2: Alignment(Facing DW)

Step2/Timing 3: Alignment(Facing DW)

Step3/Timing 4: Alignment(Facing DW)

Step4/Timing 5.6: 상체를 왼쪽으로 돌리고, Alignment(Facing DW)

여성

발 위치

Step1/Timing 1.2: 오른발을 옆으로 (HF), Rhythm(S), Position(PP)

Step2/Timing 3: 왼발을 앞으로, across in CBMP (HF), Rhythm(Q), Position(PP)

Step3/Timing 4: 오른발을 옆으로 움직이면서 약간 후진 (i/e of BF), Rhythm(Q), Position(Closed)

Step4/Timing 5.6: 왼발을 오른발에 모으고, 약간 앞으로 (WF), Rhythm(S), Position(Closed)

Turn

Step1/Timing 1.2: Alignment(Facing DC)

Step2/Timing 3: Alignment(Facing DC)

Step3/Timing 4:" 2-3 사이에 왼쪽으로 1/4 회전, Alignment(Backing DW)

Step4/Timing 5.6: 상체 회전 완료, Alignment(Backing DW)

Rock turn

남성

발 위치

Step1/Timing 1.2: 오른발 전진 (HF), Rhythm(S), Position(Closed)

Step2/Timing 3: 왼발을 옆으로 이동하면서 약간 뒤로 (i/e of BH), Rhythm(Q), Position(Closed)

Step3/Timing 4: 체중을 오른발로 옮기면서, R side leading (WF), Rhythm(Q), Position(Closed)

Step4/Timing 5.6: 왼발 후진, 어깨를 강하게 오른쪽으로 돌리면서 (i/e of BH), Rhythm(S), Position(Closed)

Step5/Timing 7: 오른발 후진 (BH), Rhythm(Q), Position(Closed)

Step6/Timing 8: 왼발 옆으로 이동하면서 약간 앞으로 (i/e of WF), Rhythm(Q), Position(Closed)

Step7/Timing 1.2: 오른발을 왼발에 모으고, 약간 뒤로 (WF), Rhythm(S), Position(Closed)

Turn

Step1/Timing 1.2: 오른쪽 회전 시작, Alignment(Facing DW)

Step2/Timing 3: 1-2 사이에서 1/8 회전, Alignment(Backing Centre)

Step3/Timing 4: 2-3 사이에서 1.8 회전, Alignment(Facing DW against LOD)

Step4/Timing 5.6: Alignment(Backing DC)

Step5/Timing 7: 왼쪽으로 회전 시작, Alignment(Backing DC)

Step6/Timing 8: 5-6 사이에서 1/4 회전, Alignment(Pointing DW)

Step7/Timing 1.2: 상체 회전 완료, Alignment(Facing DW)

여성

발 위치

Step1/Timing 1.2: 왼발 후진 (BF), Rhythm(S), Position(Closed)

Step2/Timing 3: 오른발 전진하면서 약간 옆으로 (HF), Rhythm(Q), Position(Closed)

Step3/Timing 4: 왼발 후진하면서 약간 왼쪽, L side leading (i/e of BH), Rhythm(Q), Position(Closed)

Step4/Timing 5.6: 오른발 전진, R side leading (HF), Rhythm(S), Position(Closed)

Step5/Timing 7: 왼발 전진 (HF), Rhythm(Q), Position(Closed)

Step6/Timing 8: 오른발 옆으로 약간 후진 (i/e of BH), Rhythm(Q), Position(Closed)

Step7/Timing 1.2: 왼발 오른발에 모으면서 약간 앞으로 (WF), Rhythm(S), Position(Closed)

Turn

Step1/Timing 1.2: 오른쪽으로 회전 시작, Alignment(Backing DW)

Step2/Timing 3: 1-2 사이에서 1/8 회전, Alignment(Facing Centre)

Step3/Timing 4: 2-3 사이에서 1/8 회전, Alignment(Backing DW against LOD)

Step4/Timing 5.6: Alignment(Facing DC)

Step5/Timing 7: 왼쪽으로 회전 시작, Alignment(Facing DC)

Step6/Timing 8: 5-6 사이에서 1/4 회전, Alignment(Backing DW)

Step7/Timing 1.2: 상체 회전 완료, Alignment(Backing DW)

Side leading(사이드 리딩)

"사이드 리딩(Side Leading)"은 댄스 할 때 사용되는 용어로, 특히 옆으로 움직일 때 발과 어깨의 움직임을 설명하는 개념입니다. 댄서가 어떤 방향(좌·우, 앞·뒤)으로 이동할 때, 발과 어깨가 함께 움직여서 자연스럽게 전체 몸이 같은 방향으로 이동하는 것을 의미합니다. shoulder leading(숄더 리딩)이라고도 함.

Open reverse turn

남성

발 위치

Step1/Timing 1: 왼발 전진(CBMP) (HF), Rhythm(Q), Position(Closed)

Step2/Timing 2: 오른발 옆으로 (BH), Rhythm(Q), Position(Closed)

Step3/Timing 3.4: 왼발 후진(CBMP) (BH), Rhythm(S), Position(OP)

Step4/Timing 5: 오른발 후진 (BH), Rhythm(Q), Position(Closed)

Step5/Timing 6: 왼발 옆으로, 약간 전진 (i/e of WF), Rhythm(Q), Position(Closed)

Step6/Timing 7.8: 오른발 왼발 옆에 모으고, 약간 뒤로 (WF), Rhythm(S), Position(Closed)

Turn

Step1/Timing 1: 왼쪽으로 회전 시작, Alignment(Facing DC)

Step2/Timing 2: 1-2 사이에 1/4 회전, Alignment(Backing DW)

Step3/Timing 3.4: 2-3 사이에서 1/8 회전, Alignment(Backing LOD)

Step4/Timing 5: 상체 회전 완료, Alignment(Backing LOD)

Step5/Timing 6: 4-5 사이에서 3/8 회전, Alignment(Pointing DW)

Step6/Timing 7.8: 상체 회전 완료, Alignment(Facing DW)

여성

발 위치

Step1/Timing 1: 오른발 후진(CBMP) (BF), Rhythm(Q), Position(Closed)

Step2/Timing 2: 왼발 옆으로, 약간 전진 (WF), Rhythm(Q), Position(Closed)

Step3/Timing 3.4: 오른발 전진(CBMP) (HF), Rhythm(S), Position(OP)

Step4/Timing 5: 왼발 전진 (HF), Rhythm(Q), Position(Closed)

Step5/Timing 6: 오른발 옆으로, 약간 후진 (i/e of BH), Rhythm(Q), Position(Closed)

Step6/Timing 7.8: 왼발 오른발 옆에 모으고, 약간 앞으로 (WF), Rhythm(S), Position(Closed)

Turn

Step1/Timing 1: 왼쪽으로 회전 시작, Alignment(Backing DC)

Step2/Timing 2: 1-2 사이에서 3/8 회전, Alignment(Pointing LOD)

Step3/Timing 3.4: Alignment(Facing LOD)

Step4/Timing 5: 상체 회전 완료, Alignment(Facing DC)

Step5/Timing 6: 4-5 사이에서 3/8 회전, Alignment(Backing DW)

Step6/Timing 7.8: 상체 회전 완료, Alignment(Backing DW)

Fallaway promenade

남성

발 위치

Step1/Timing 1.2: 왼발 옆으로 (HF), Rhythm(S), Position(PP)

Step2/Timing 3: 오른발 전진, across in CBMP (HF), Rhythm(Q), Position(PP)

Step3/Timing 4: 왼발 옆으로 (BH), Rhythm(Q), Position(PP)

Step4/Timing 5.6: 오른발 후진, R side leading (i/e of BH), Rhythm(S), Position(FP)

Step5/Timing 7: 왼발 후진(CBMP) (BH), Rhythm(Q), Position(FP)

Step6/Timing 8: 오른발 왼발에 가까이, 약간 뒤로 (BH), Rhythm(Q), Position(PP)

Turn

Step1/Timing 1.2: Alignment(Facing DW)

Step2/Timing 3: Alignment(Facing DW)

Step3/Timing 4: 2-3 사이에서 오른쪽으로 3/8 회전, Alignment(Backing LOD)

Step4/Timing 5.6: Alignment(Backing LOD)

Step5/Timing 7: 4-5 사이에서 왼쪽으로 1/4 회전, Alignment(Pointing Wall)

Step6/Timing 8: 회전 완료, Alignment(Facing Wall)

여성

발 위치

Step1/Timing 1.2: 오른발 옆으로 (HF), Rhythm(S), Position(PP)

Step2/Timing 3: 왼발 전진, across, CBMP (HF), Rhythm(Q), Position(PP)

Step3/Timing 4: 오른발 전진(CBMP) (HF), Rhythm(Q), Position(PP)

Step4/Timing 5.6: 왼발 후진, L side leading (i/e of BH), Rhythm(S), Position(FP)

Step5/Timing 7: 오른발 후진(CBMP) (BH), Rhythm(Q), Position(FP)

Step6/Timing 8: 왼발 오른발에 가까이, 약간 뒤로 (WF), Rhythm(Q), Position(PP)

Turn

Step1/Timing 1.2: Alignment(Facing DC)

Step2/Timing 3: Alignment(Facing DC)

Step3/Timing 4: 2-3 사이에서 오른쪽으로 3/8 회전, Alignment(Facing Wall)

Step4/Timing 5.6: Alignment(Backing Centre)

Step5/Timing 7: Alignment(Backing Centre)

Step6/Timing 8: 5-6 사이에서 왼쪽으로 1/4 회전, Alignment(Facing LOD)

Natural promenade turn

남성

발 위치

Step1/Timing 1.2: 왼발 옆으로 (HF), Rhythm(S), Position(PP)

Step2/Timing 3: 오른발 전진, across in CBMP (HF), Rhythm(Q), Position(PP)

Step3/Timing 4: 왼발 옆으로 이동하면서 약간 뒤로 (BHB), Rhythm(Q), Position(Closed)

Step4/Timing 5.6: 오른발 전진하면서 왼발 옆으로 (HF (RF), i/e of B (LF)), Rhythm(S), Position(PP)

Turn

Step1/Timing 1.2: Alignment(Facing DW)

Step2/Timing 3: 오른쪽으로 회전 시작, Alignment(Facing DW)

Step3/Timing 4: 2-3 사이에 오른쪽으로 3/8 회전, Alignment(Backing LOD)

Step4/Timing 5.6: 3-4 사이에 오른쪽으로 3/8 회전, Alignment(Facing DC)

여성

발 위치

Step1/Timing 1.2: 오른발 옆으로 (HF), Rhythm(S), Position(PP)

Step2/Timing 3: 왼발 전진, across in CBMP (HF), Rhythm(Q), Position(PP)

Step3/Timing 4: 왼발 전진 (HB), Rhythm(Q), Position(Closed)

Step4/Timing 5.6: 왼발 옆으로 이동하면서 약간 뒤로, 오른발 옆으로 (HB (LF), i/e of B (RF)), Rhythm(S), Position(PP)

Turn

Step1/Timing 1.2: Alignment(Facing DC)

Step2/Timing 3: Alignment(Facing DC)

Step3/Timing 4: ,2-3 사이에 오른쪽으로 1/8 회전 Alignment(Facing LOD)

Step4/Timing 5.6: 3-4 사이에 오른쪽으로 3/8 회전하고, 4에서 1/4 회전, Alignment(Backing DC to facing DC against LOD)

Four step change

남성

발 위치

Step1/Timing 1: 왼발 전진(CBMP) (HF), Rhythm(Q), Position(Closed)

Step2/Timing 2: 오른발 옆으로 이동하면서 약간 뒤로 (BH), Rhythm(Q), Position(Closed)

Step3/Timing &: 왼발이 오른발에 가까이, 약간 앞에 (WF), Rhythm(&), Position(Closed)

Step4/Timing 3.4: 오른발 후진 (BH), Rhythm(S), Position(Closed)

Turn

Step1/Timing 1: 왼쪽으로 회전 시작, Alignment(Facing DW)

Step2/Timing 2: 1-2 사이에서 1/4 회전, Alignment(Backing DW against LOD)

Step3/Timing &: Alignment(Backing DW against LOD)

Step4/Timing 3.4: Alignment(Backing DW against LOD)

여성

발 위치

Step1/Timing 1: 오른발 후진(CBMP) (BH), Rhythm(Q), Position(Closed)

Step2/Timing 2: 왼발 옆으로 이동하면서 약간 앞으로 (WF), Rhythm(Q), Position(Closed)

Step3/Timing &: 오른발 왼발에 가까이, 조금 뒤에 (WF), Rhythm(&), Position(Closed)

Step4/Timing 3.4: 왼발 전진 (BH), Rhythm(S), Position(Closed)

Turn

Step1/Timing 1: 왼쪽으로 회전 시작, Alignment(Backing DW)

Step2/Timing 2: 1-2 사이에서 1/4 회전, Alignment(Facing DW against LOD)

Step3/Timing &: Alignment(Facing DW against LOD)

Step4/Timing 3.4: Alignment(Facing DW against LOD)

Chase

남성

발 위치

Step1/Timing 1.2: 왼발 옆으로 (HF), Rhythm(S), Position(PP)

Step2/Timing 3: 오른발 전진, across in CBMP (HF), Rhythm(Q), Position(PP)

Step3/Timing 4: 왼발 옆으로 이동하면서 약간 앞으로 (i/e of BH), Rhythm(Q), Position(Closed)

Step4/Timing 5: 오른발 전진(CBMP) (BH), Rhythm(Q), Position(OP)

Step5/Timing 6: 왼발 후진(CBMP) (BH), Rhythm(Q), Position(OP)

Step6/Timing 7.8: 오른발 옆으로 이동하면서 약간 앞으로, 왼발을 옆으로 놓고 무릎을 안쪽으로 (BH (RF), i/e of B (LF)), Rhythm(S), Position(PP)

Turn

Step1/Timing 1.2: Alignment(Facing DW)

Step2/Timing 3: Alignment(Facing DW)

Step3/Timing 4: 2-3 사이에서 오른쪽으로 1/8 회전, Alignment(Wall)

Step4/Timing 5: 3-4 사이에서 오른쪽으로 1/8 회전, Alignment(DW against LOD)

Step5/Timing 6: 4-5 사이에서 오른쪽으로 1/8 회전, Alignment(Backing LOD)

Step6/Timing 7.8: 5-6 사이에서 오른쪽으로 3/8 회전, Alignment(Facing DC)

여성

발 위치

Step1/Timing 1.2: 오른발 옆으로 (HF), Rhythm(S), Position(PP)

Step2/Timing 3: 왼발 전진, across in CBMP (HF), Rhythm(Q), Position(PP)

Step3/Timing 4: 오른발 옆으로 이동하면서 약간 뒤로 (i/e of BH), Rhythm(Q), Position(Closed)

Step4/Timing 5: 왼발 후진(CBMP) (BH), Rhythm(Q), Position(OP)

Step5/Timing 6: 오른발 전진(CBMP) (HF), Rhythm(Q), Position(OP)

Step6/Timing 7.8: 왼발 옆으로 이동하면서 약간 뒤로, 오른발을 옆으로 놓고 무릎을 안쪽으로 (BH (LF), i/e of B (RF)), Rhythm(S), Position(PP)

Turn

Step1/Timing 1.2: Alignment(Facing DC)

Step2/Timing 3: Alignment(Facing DC)

Step3/Timing 4: 2-3 사이에서 왼쪽으로 1/8 회전, Alignment(Backing Wall)

Step4/Timing 5: 3-4 사이에서 오른쪽으로 1/8 회전, Alignment(Backing DW against LOD)

Step5/Timing 6: 4-5 사이에서 오른쪽으로 1/8 회전, Alignment(Facing LOD)

Step6/Timing 7.8: 5-6 사이에서 오른쪽으로 3/8 회전, 1/4 추가 회전, Alignment(Backing DC to facing DC against LOD)

Basic reverse turn

남성

발 위치

Step1/Timing 1: 왼발 전진(CBMP) (HF), Rhythm(Q), Position(Closed)

Step2/Timing 2: 오른발을 옆으로, 약간 뒤로 (BH), Rhythm(Q), Position(Closed)

Step3/Timing 3.4: 왼발이 오른발 앞으로 교차 (WF), Rhythm(S), Position(Closed)

Step4/Timing 5: 오른발을 뒤로 (BH), Rhythm(Q), Position(Closed)

Step5/Timing 6: 왼발을 옆으로 약간 앞으로 (i/e of WF), Rhythm(Q), Position(Closed)

Step6/Timing 7.8: 오른발을 왼발에 가까이 끌어당겨 약간 뒤로 (WF), Rhythm(S), Position(Closed)

Turn

Step1/Timing 1: 왼쪽으로 회전 준비, Alignment(Facing DC)

Step2/Timing 2: 1-2 사이에서 왼쪽으로 1/4 회전, Alignment(Backing DW)

Step3/Timing 3.4: 2-3 사이에서 1/8 회전, Alignment(Backing LOD)

Step4/Timing 5: 회전 완료, Alignment(Backing LOD)

Step5/Timing 6: 4-5 사이에서 3/8 회전, Alignment(Pointing DW)

Step6/Timing 7.8: 회전 완료, Alignment(Facing DW)

여성

발 위치

Step1/Timing 1: 오른발 후진(CBMP) (BH), Rhythm(Q), Position(Closed)

Step2/Timing 2: 왼발 옆으로 이동하면서 약간 앞으로 (WF), Rhythm(Q), Position(Closed)

Step3/Timing 3.4: 오른발을 왼발에 가까이 끌어당겨 약간 뒤로 (WF), Rhythm(S), Position(Closed)

Step4/Timing 5: 왼발 전진 (HF), Rhythm(Q), Position(Closed)

Step5/Timing 6: 오른발 옆으로 이동하면서 약간 뒤로 (i/e of BH), Rhythm(Q), Position(Closed)

Step6/Timing 7.8: 왼발을 오른발에 가까이 끌어당겨 약간 앞으로 (WF), Rhythm(S), Position(Closed)

Turn

Step1/Timing 1: 왼쪽으로 회전 시작, Alignment(Backing DC)

Step2/Timing 2: 1-2 사이에서 3/8 회전, Alignment(Pointing LOD)

Step3/Timing 3.4: 회전 완료, Alignment(Facing LOD)

Step4/Timing 5: Alignment(Facing DC)

Step5/Timing 6: 4-5 사이에서 3/8 회전, Alignment(Backing DW)

Step6/Timing 7.8: 회전 완료, Alignment(Backing DW)

Five step

남성

발 위치

Step1/Timing 1: 왼발 전진(CBMP) (HF), Rhythm(Q), Position(Closed)

Step2/Timing 2: 오른발 옆으로 이동하면서 약간 뒤로 (BH), Rhythm(Q), Position(Closed)

Step3/Timing 3: 왼발 후진(CBMP) (BH), Rhythm(Q), Position(OP)
Step4/Timing 4: 오른발을 뒤로 이동하면서 오른쪽으로 약간 이동 (BH), Rhythm(Q), Position(Closed)
Step5/Timing 5.6: 체중 없이 왼발을 옆으로(PP) (i/e of B), Rhythm(S), Position(PP)

Turn

Step1/Timing 1: 왼쪽으로 회전 시작, Alignment(Facing DW)
Step2/Timing 2: 1-2 사이에서 1/4 회전, Alignment(Backing DW against LOD)
Step3/Timing 3: Alignment(Backing DW against LOD)
Step4/Timing 4: Alignment(Backing DW against LOD)
Step5/Timing 5.6: 몸을 오른쪽으로 회전, Alignment(Facing DW of new LOD)

여성

발 위치

Step1/Timing 1: 오른발 후진(CBMP) (BH), Rhythm(Q), Position(Closed)
Step2/Timing 2: 왼발 옆으로 이동하면서 약간 앞으로 (WF), Rhythm(Q), Position(Closed)
Step3/Timing 3: 오른발 전진(CBMP) (HB), Rhythm(Q), Position(OP)
Step4/Timing 4: 왼발을 앞으로 이동하면서 왼쪽으로 약간 이동 (BH), Rhythm(Q), Position(Closed)
Step5/Timing 5.6: 체중 없이 오른발을 옆으로 (i/e of B), Rhythm(S), Position(PP)

Turn

Step1/Timing 1: 왼쪽으로 회전 시작, Alignment(Backing DW)
Step2/Timing 2: 1-2 사이에서 1/4 회전, Alignment(Facing DW against LOD)
Step3/Timing 3: Alignment(Facing DW against LOD)
Step4/Timing 4: Alignment(Facing DW against LOD)
Step5/Timing 5.6: 1-2 사이에서 오른쪽으로 1/4 회전, Alignment(Facing DC of new LOD)

Back open promenade

남성

발 위치

Step1/Timing 1.2: (HF), Rhythm(S), Position(PP)

Step2/Timing 3: (HF), Rhythm(Q), Position(PP)

Step3/Timing 4: (BH), Rhythm(Q), Position(Closed)

Step4/Timing 5.6: (BH), Rhythm(S), Position(Closed)

Turn

Step1/Timing 1.2: Alignment(Facing DW)

Step2/Timing 3: Alignment(Facing DW)

Step3/Timing 4: 2-3 사이에 오른쪽으로 1/4 회전, Alignment(Backing DC)

Step4/Timing 5.6: 상체를 왼쪽으로 돌리고, Alignment(Backing DC)

여성

발 위치

Step1/Timing 1.2: 오른발 옆으로 (HF), Rhythm(S), Position(PP)

Step2/Timing 3: 왼발 전진, across in CBMP (HF), Rhythm(Q), Position(PP)

Step3/Timing 4: 오른발 옆으로 이동하면서 약간 앞으로 (BH), Rhythm(Q), Position(Closed)

Step4/Timing 5.6: 왼발 전진 (WF), Rhythm(S), Position(Closed)

Turn

Step1/Timing 1.2: Alignment(Facing DC)

Step2/Timing 3: Alignment(Facing DC)

Step3/Timing 4: Alignment(Backing DW)

Step4/Timing 5.6: 상체를 왼쪽으로 돌리고, Alignment(Backing DW)

Natural twist turn

남성

발 위치

Step1/Timing 1.2: 왼발 옆으로 (S), Rhythm(HF), Position(PP)

Step2/Timing 3: 오른발 전진, across in CBMP (Q), Rhythm(HF), Position(PP)

Step3/Timing 4: 왼발 옆으로 (Q), Rhythm(BH), Position(Closed)

Step4/Timing 5.6: 오른발 왼발 뒤로 교차, 체중 양발에 (S), Rhythm(B), Position(Closed)

Step5/Timing 7: 양발에 체중을 실은 채로 오른쪽으로 회전, (Q), Rhythm(B (RF), H (LF)), Position(OP)

Step6/Timing 8: 회전 마무리 후 오른발에 체중 이동 (Q), Rhythm(Flat (RF), i/e of B (LF)), Position(PP)

Turn

Step1/Timing 1.2: Alignment(Facing DW)

Step2/Timing 3: 오른쪽으로 회전 시작, Alignment(Facing DW)

Step3/Timing 4: 오른쪽으로 1/4 회전, Alignment(Backing DC)

Step4/Timing 5.6: 오른쪽으로 1/8 회전, Alignment(Backing LOD)

Step5/Timing 7

Step6/Timing 8: 5-6 사이에서 5/8 회전, Alignment(Facing DW)

여성

발 위치

Step1/Timing 1.2: 오른발 옆으로 (S), Rhythm(HF), Position(PP)

Step2/Timing 3: 왼발 앞으로 교차, across in CBMP (Q), Rhythm(HF), Position(PP)

Step3/Timing 4: 오른발 전진 (Q), Rhythm(HF), Position(Closed)

Step4/Timing 5.6: 왼발 전진 (S), Rhythm(HF), Position(Closed)

Step5/Timing 7: 오른발 전진, CBMP (Q), Rhythm(HB), Position(OP)

Step6/Timing 8: 회전 마무리 후 왼발에 체중 이동 (Q), Rhythm(BH (LF), i/e of B (RF)), Position(PP)

Turn

Step1/Timing 1.2: Alignment(Facing DC)

Step2/Timing 3: 오른쪽으로 1/8 회전, Alignment(Pointing LOD)

Step3/Timing 4: 상체 회전 완료, Alignment(Facing LOD)

Step4/Timing 5.6: 3-4 사이에 오른쪽으로 1/8 회전, Alignment(Facing DW)

Step5/Timing 7: 4-5 사이에 오른쪽으로 1/8, Alignment(Facing Wall)

Step6/Timing 8: 5-6 사이에 오른쪽으로 3/8 회전하고, 6에서 추가로 1/4 회전, Alignment(Facing DC against LOD to Facing DC)

Brush tap

남성

발 위치

Step1/Timing 1: 왼발 전진(CBMP) (HF), Rhythm(Q), Position(Closed)

Step2/Timing 2: 오른발 옆으로 (BH), Rhythm(Q), Position(Closed)

Step3/Timing &: 체중을 싣지 않고 LF를 RF에 가까이 모으고 (발을 조금 들어 올리고), Rhythm(&), Position(Closed)

Step4/Timing 3.4: 체중을 싣지 않고 왼발을 옆으로, 무릎이 안쪽으로 향하도록 (i/e of B), Rhythm(S), Position(Closed)

Turn

Step1/Timing 1: 1 이전에 왼쪽으로 1/8 회전, Alignment(Facing LOD)

Step2/Timing 2: Alignment(Facing LOD)

Step3/Timing &: Alignment(Facing LOD)

Step4/Timing 3.4: Alignment(Facing LOD)

여성

발 위치

Step1/Timing 1: 오른발 후진(CBMP) (BH), Rhythm(Q), Position(Closed)

Step2/Timing 2: 왼발 옆으로 (WF), Rhythm(Q), Position(Closed)

Step3/Timing &: 체중을 싣지 않고 RF를 LF에 가까이 (발을 조금 들어 올리고), Rhythm(&), Position(Closed)

Step4/Timing 3.4: 체중을 싣지 않고 오른발을 옆으로 놓고, 무릎이 안쪽으로 (i/e of B), Rhythm(S), Position(Closed)

Turn

Step1/Timing 1: 1 이전에 왼쪽으로 1/8 회전, Alignment(Backing LOD)

Step2/Timing 2: Alignment(Backing LOD)

Step3/Timing &: Alignment(Backing LOD)

Step4/Timing 3.4: Alignment(Backing LOD)

Overturned five step

남성

발 위치

Step1/Timing 1: 왼발 전진(CBMP) (HF), Rhythm(Q), Position(Closed)

Step2/Timing 2: 오른발 옆으로 이동하면서 약간 뒤로 (BH), Rhythm(Q), Position(Closed)

Step3/Timing 3: 왼발 후진(CBMP) (BH), Rhythm(Q), Position(OP)

Step4/Timing 4: 오른발 후진하면서 오른쪽으로 약간 이동 (BH), Rhythm(Q), Position(Closed)

Step5/Timing 5.6: 체중 없이 왼발을 옆으로(PP) (i/e of B), Rhythm(S), Position(PP)

Turn

Step1/Timing 1: 왼쪽으로 회전 시작, Alignment(Facing DC)

Step2/Timing 2: 1-2 사이에서 3/8 회전, Alignment(Backing LOD)

Step3/Timing 3: 2-3 사이에서 1/8 회전, Alignment(Backing DC)

Step4/Timing 4: Alignment(Backing DC)

Step5/Timing 5.6: 3-4 사이에서 1/4 회전, Alignment(Facing DW)

여성

발 위치

Step1/Timing 1: 오른발 후진(CBMP) (BH), Rhythm(Q), Position(Closed)

Step2/Timing 2: 왼발 옆으로 이동하면서 약간 앞으로 (WF), Rhythm(Q), Position(Closed)

Step3/Timing 3: 오른발 전진(CBMP) (HB), Rhythm(Q), Position(OP)

Step4/Timing 4: 왼발을 앞으로 움직이면서 왼쪽으로 약간 이동 (BH), Rhythm(Q), Position(Closed)

Step5/Timing 5.6: 체중 없이 오른발을 옆으로(PP) (i/e of B), Rhythm(S), Position(PP)

Turn

Step1/Timing 1: 왼쪽으로 회전 시작, Alignment(Backing DC)

Step2/Timing 2: 1-2 사이에서 3/8 회전, Alignment(Facing LOD)

Step3/Timing 3: 2-3 사이에서 1/8 회전, Alignment(Facing DC)

Step4/Timing 4: Alignment(Facing DC)

Step5/Timing 5.6: 몸을 왼쪽으로, Alignment(Facing DC)

Open promenade

남성

발 위치

Step1/Timing 1.2: 왼발 옆으로 (HF), Rhythm(S), Position(PP)

Step2/Timing 3: 오른발 전진, across in CBMP (HF), Rhythm(Q), Position(PP)

Step3/Timing 4: 왼발을 옆으로 이동하면서 약간 앞으로 (i/e of WF), Rhythm(Q), Position(Closed)

Step4/Timing 5.6: 오른발 전진, CBMP (WF), Rhythm(S), Position(OP)

Turn

Step1/Timing 1.2: Alignment(Facing DW)

Step2/Timing 3: Alignment(Facing DW)

Step3/Timing 4: Alignment(Facing DW)

Step4/Timing 5.6: Alignment(Facing DW)

여성

발 위치

Step1/Timing 1.2: 오른발 옆으로 (HF), Rhythm(S), Position(PP)

Step2/Timing 3: 왼발 전진, across in CBMP (HF), Rhythm(Q), Position(PP)

Step3/Timing 4: 오른발을 옆으로 이동하면서 약간 앞으로 (i/e of WF), Rhythm(Q), Position(Closed)

Step4/Timing 5.6: 오른발 후진, CBMP (WF), Rhythm(S), Position(OP)

Turn

Step1/Timing 1.2: Alignment(Facing DC)

Step2/Timing 3: Alignment(Facing DC)

Step3/Timing 4: 2-3 사이에 왼쪽으로 1/4 회전, Alignment(Backing DW)

Step4/Timing 5.6: Alignment(Backing DW)

Left foot rock

남성

발 위치

Step1/Timing 1: 왼발 후진, L side leading (i/e of BH), Rhythm(Q), Position(Closed)

Step2/Timing 2: 체중을 오른발로 이동 (HF), Rhythm(Q), Position(Closed)

Step3/Timing 3.4: 왼발 후진, L side leading (i/e of BH), Rhythm(S), Position(Closed)

Turn

Step1/Timing 1: Alignment(Backing DC)

Step2/Timing 2: Alignment(Facing DW against LOD)

Step3/Timing 3.4: Alignment(Backing DC)

여성

발 위치

Step1/Timing 1: 오른발 전진, R side leading (BH), Rhythm(Q), Position(Closed)

Step2/Timing 2: 체중을 왼발로 이동, L side leading (i/e of BH), Rhythm(Q), Position(Closed)

Step3/Timing 3.4: 오른발 전진, R side leading (HF), Rhythm(S), Position(Closed)

Turn

Step1/Timing 1: Alignment(Facing DC)

Step2/Timing 2: Alignment(Backing DW against LOD)

Step3/Timing 3.4: Alignment(Facing DC)

Right foot rock

남성

발 위치

Step1/Timing 1: 오른발 후진 (CBMP) (Q), Rhythm(BH), Position(Closed)

Step2/Timing 2: 체중을 왼발로 이동 (CBMP) (Q), Rhythm(HF), Position(Closed)

Step3/Timing 3.4: 오른발 후진 (CBMP) (S), Rhythm(BH), Position(Closed)

Turn

Step1/Timing 1: Alignment(Backing DC)
Step2/Timing 2: Alignment(Facing DW against LOD)
Step3/Timing 3.4: Alignment(Backing DC)

여성

발 위치

Step1/Timing 1: 왼발 전진(CBMP) (Q), Rhythm(HF), Position(Closed)
Step2/Timing 2: 체중을 오른발로 이동(CBMP) (Q), Rhythm(BH), Position(Closed)
Step3/Timing 3.4: 왼발 전진(CBMP) (S), Rhythm(HF), Position(Closed)

Turn

Step1/Timing 1: Alignment(Facing DC)
Step2/Timing 2: Alignment(Backing DW against LOD)
Step3/Timing 3.4: Alignment(Facing DC)

Contra check

남성

발 위치

Step1/Timing 1.2: 왼발을 앞으로 내딛으면서 센터 바로 앞으로 나아가며 무릎을 구부립니다. (CBMP) (HF), Rhythm(S), Position(Closed)
Step2/Timing 3: 체중을 오른발로 이동. (BH), Rhythm(Q), Position(Closed)
Step3/Timing 4: 왼발을 옆으로 놓지만 체중을 이동하지 않고, 무릎을 안쪽으로 향하게 합니다. (i/e of B), Rhythm(Q), Position(PP)

Turn

Step1/Timing 1.2: 상체를 왼쪽으로 돌리고, Alignment(Facing DW)
Step2/Timing 3: 약간 오른쪽으로 상체를 돌리고, Alignment(Backing DC against LOD)
Step3/Timing 4: 상체를 오른쪽으로 돌리고, Alignment(Facing DW)

여성

발 위치

Step1/Timing 1.2: (B), Rhythm(S), Position(Closed)

Step2/Timing 3: (Flat), Rhythm(Q), Position(Closed)

Step3/Timing 4: (i/e of B), Rhythm(Q), Position(PP)

Turn

Step1/Timing 1.2: 상체를 왼쪽으로 돌리고, Alignment(Backing DW)

Step2/Timing 3: 오른쪽으로 상체를 돌리고, Alignment(Facing DC against LOD)

Step3/Timing 4: 오른쪽으로 1/4 회전, Alignment(Facing DC)

Fallaway four step

남성

발 위치

Step1/Timing 1: 왼발 전진(CBMP) (HF), Rhythm(Q), Position(Closed)

Step2/Timing 2: 오른발 옆으로 이동하면서 약간 뒤로 (BH), Rhythm(Q), Position(FP)

Step3/Timing 3: 왼발 후진(CBMP) (BH), Rhythm(Q), Position(FP)

Step4/Timing 4: RF를 약간 뒤에 LF에 가까이 모으고 (BH), Rhythm(Q), Position(PP)

Turn

Step1/Timing 1: 왼쪽으로 회전 시작, Alignment(Facing DW)

Step2/Timing 2: 1-2 사이에서 1/4 회전, Alignment(Backing DW against LOD)

Step3/Timing 3: Alignment(Backing DW against LOD)

Step4/Timing 4: Alignment(Facing DW of new LOD)

여성

발 위치

Step1/Timing 1: 오른발 후진(CBMP) (BH), Rhythm(Q), Position(Closed)

Step2/Timing 2: 왼발 옆으로 이동하면서 약간 뒤로 (BH), Rhythm(Q), Position(FP)

Step3/Timing 3: 오른발 후진(CBMP) (HB), Rhythm(Q), Position(FP)

Step4/Timing 4: 왼발을 약간 뒤에 오른발에 가까이 (BH), Rhythm(Q), Position(PP)

Turn

Step1/Timing 1: Alignment(Backing DW)
Step2/Timing 2: 몸을 왼쪽으로 돌리고, Alignment(Facing DW against LOD)
Step3/Timing 3: Alignment(Facing DW against LOD)
Step4/Timing 4: Alignment(Facing DC of new LOD)

Promenade link

남성

발 위치

Step1/Timing 1.2: 왼발 옆으로 (S), Rhythm(HF), Position(PP)
Step2/Timing 3: 오른발 전진, across in CBMP (Q), Rhythm(HF), Position(PP)
Step3/Timing 4: 왼발 체중 없이 옆으로, 무릎 안쪽으로 (Q), Rhythm(i/e of B), Position(Closed)

Turn

Step1/Timing 1.2: Alignment(Facing DW)
Step2/Timing 3: Alignment(Facing DW)
Step3/Timing 4: Alignment(Facing DW)

여성

발 위치

Step1/Timing 1.2: 오른발 옆으로 (S), Rhythm(HF), Position(PP)
Step2/Timing 3: 왼발 전진, across in CBMP (Q), Rhythm(HB), Position(PP)
Step3/Timing 4: 오른발 체중 없이 옆으로, 무릎 안쪽으로 (Q), Rhythm(i/e of B), Position(Closed)

Turn

Step1/Timing 1.2: Alignment(Facing DC)
Step2/Timing 3: Alignment(Facing DC)
Step3/Timing 4: 왼쪽으로 1/4 회전, Alignment(Backing DW)

Back corte

남성

발 위치

Step1/Timing 1.2: 왼발 옆으로, 어깨를 오른쪽으로 돌리고 (i/e of BH), Rhythm(S), Position(Closed)

Step2/Timing 3: 오른발 후진(CBMP) (BH), Rhythm(Q), Position(Closed)

Step3/Timing 4: 왼발 옆으로, 약간 앞으로 (i/e of WF), Rhythm(Q), Position(Closed)

Step4/Timing 5.6: 오른발 왼발 옆에 모으고, 약간 뒤로 (WF), Rhythm(S), Position(Closed)

Turn

Step1/Timing 1.2: 오른쪽으로 1/8 회전, Alignment(Facing Wall)

Step2/Timing 3: 1-2 사이에서 오른쪽으로 1/8 회전, Alignment(Backing DC)

Step3/Timing 4: 5-6 사이에서 1/4 회전, Alignment(Pointing DW)

Step4/Timing 5.6: 상체 회전 완료, Alignment(Facing DW)

여성

발 위치

Step1/Timing 1.2: 오른발 옆으로, 어깨를 오른쪽으로 돌리고 (i/e of BH), Rhythm(S), Position(Closed)

Step2/Timing 3: 왼발 전진(CBMP) (HF), Rhythm(Q), Position(Closed)

Step3/Timing 4: 오른발 옆으로, 약간 뒤로 (i/e of BH), Rhythm(Q), Position(Closed)

Step4/Timing 5.6: 왼발 오른발 옆에 모으고, 약간 앞으로 (WF), Rhythm(S), Position(Closed)

Turn

Step1/Timing 1.2: 1/8 오른쪽으로 이동, Alignment(Facing DC)

Step2/Timing 3: 1/8 오른쪽으로 이동 (1과 2 사이), Alignment(Facing DC)

Step3/Timing 4: 5-6 사이에서 1/4 회전, Alignment(Backing DW)

Step4/Timing 5.6: 상체 회전 완료, Alignment(Backing DW)

Ooversway

남성

발 위치

Step1/Timing 1: 왼발 전진(CBMP) (HF), Rhythm(Q), Position(Closed)

Step2/Timing 2: 오른발 옆으로 (BH), Rhythm(Q), Position(Closed)

Step3/Timing 3.4: 왼발을 뒤로 빼서 옆으로 마무리 (i/e of BH), Rhythm(S), Position(Closed)

Step4/Timing 1.2: 왼쪽 무릎을 굽히고 몸을 오른쪽으로 기울이고 (WF (LF), i/e of B (RF)), Rhythm(S), Position(Closed)

Turn

Step1/Timing 1: 왼쪽으로 회전 시작, Alignment(Facing DC)

Step2/Timing 2: 1-2 사이에서 1/4 회전, Alignment(Backing DW)

Step3/Timing 3.4: 2-3 사이에서 1/8 회전한 다음, 3에서 추가로 1/4 회전, Alignment(Backing LOD to facing Wall)

Step4/Timing 1.2: Alignment(Facing Wall)

스텝 4에서 머리를 여성을 바라보고 두 비트 동안 유지.

스텝 3에서 몸을 왼쪽으로 기울이고 몸을 고정한 채로 유지

여성

발 위치

Step1/Timing 1: 오른발 후진(CBMP) (BH), Rhythm(Q), Position(Closed)

Step2/Timing 2: 왼쪽 발뒤꿈치를 오른쪽 발뒤꿈치에 가깝게 (WF), Rhythm(Q), Position(Closed)

Step3/Timing 3.4: 오른발을 앞으로 내밀어 마무리하면서 옆으로 이동 (BH), Rhythm(S), Position(Closed)

Step4/Timing 1.2: 오른쪽 무릎을 굽히고 몸을 왼쪽으로 기울이고 (WF (RF), i/e f B (LF)), Rhythm(S), Position(Closed)

Turn

Step1/Timing 1: 왼쪽으로 회전 시작, Alignment(Backing DW)

Step2/Timing 2: 1-2 사이에서 왼쪽으로 3/8 회전, Alignment(Pointing LOD)

Step3/Timing 3.4: 3에서 왼쪽으로 1/4 회전, Alignment(Facing LOD to backing Wall)

Step4/Timing 1.2: Alignment(Backing Wall)

2-3 스텝 사이에서 머리를 오른쪽으로 돌리고, 4 스텝에서 다시 왼쪽으로 돌리고

스텝 4에서 추가로 두 비트 동안 유지,

스텝 3에서 몸을 오른쪽으로 기울이고 몸을 고정시킨 채로 유지

Progressive side step reverse turn

남성

발 위치

Step1/Timing 1: 왼발 전진 (CBMP) (HF), Rhythm(Q), Position(Closed)

Step2/Timing 2: 오른발 옆으로 이동하면서 약간 뒤로 (i/e of WF), Rhythm(Q), Position(Closed)

Step3/Timing 3.4: 왼발 전진 (CBMP) (HF), Rhythm(S), Position(Closed)

Step4/Timing 5.6: 오른발 전진, R side leading (HF), Rhythm(S), Position(Closed)

Step5/Timing 7: 체중 왼발로 이동, L side leading (i/e of BH), Rhythm(Q), Position(Closed)

Step6/Timing 8: 체중 오른발로 이동, R side leading (WF), Rhythm(Q), Position(Closed)

Step7/Timing 1.2: 왼발 후진, L side leading (i/e of BH), Rhythm(S), Position(Closed)

Step8/Timing 3.4: 오른발 후진, 발끝을 안으로 돌리고 (BH), Rhythm(S), Position(Closed)

Step9/Timing 5: 왼발 전진, (CBMP) (HF), Rhythm(Q), Position(Closed)

Step10/Timing 6: 오른발 옆으로 이동하면서 약간 뒤로 (i/e of WF), Rhythm(Q), Position(Closed)

Step11/Timing 7.8: 왼발 전진, (CBMP) (HF), Rhythm(S), Position(Closed)

Turn

Step1/Timing 1: 왼쪽으로 회전 시작, Alignment(Facing DC)

Step2/Timing 2: 1-2 사이에 1/4 회전, Alignment(Facing DC against LOD)

Step3/Timing 3.4: 2-3 사이에 1/8 회전, Alignment(Facing against LOD)

Step4/Timing 5.6: 상체를 왼쪽으로 돌리고, Alignment(Facing against LOD)

Step5/Timing 7: Alignment(Backing LOD)

Step6/Timing 8: Alignment(Facing against LOD)

Step7/Timing 1.2: 1/8 왼쪽으로, Alignment(Backing DC)

Step8/Timing 3.4: 7-8 사이에 1/8 회전, Alignment(Backing Centre)

Step9/Timing 5: 9-11 사이에서 서서히 1/8 왼쪽으로, Alignment(Facing Wall)

Step10/Timing 6: Alignment(Facing between Wall and DW)

Step11/Timing 7.8: Alignment(Facing DW)

여성

발 위치

Step1/Timing 1: 오른발 후진 (CBMP) (BH), Rhythm(Q), Position(Closed)

Step2/Timing 2: 왼발 옆으로 이동하면서 약간 앞으로 (i/e of foot to BH), Rhythm(Q), Position(Closed)

Step3/Timing 3.4: 오른발 후진 (CBMP) (BH), Rhythm(S), Position(Closed)

Step4/Timing 5.6: 왼발 후진, L side leading (i/e of BH), Rhythm(S), Position(Closed)

Step5/Timing 7: 오른발로 체중 이동, R side leading (WF), Rhythm(Q), Position(Closed)

Step6/Timing 8: 왼발로 체중 이동, L side leading (i/e of BH), Rhythm(Q), Position(Closed)

Step7/Timing 1.2: 오른발 전진, R side leading (HF), Rhythm(S), Position(Closed)

Step8/Timing 3.4: 왼발 전진 (CBMP) (HF), Rhythm(S), Position(Closed)

Step9/Timing 5: 오른발 후진 (CBMP) (BH), Rhythm(Q), Position(Closed)

Step10/Timing 6: 왼발 옆으로 이동하면서 약간 앞으로 (i/e of foot to BH), Rhythm(Q), Position(Closed)

Step11/Timing 7.8: 오른발 후진 (CBMP) (BH), Rhythm(S), Position(Closed)

Turn

Step1/Timing 1: 왼쪽으로 회전 시작, Alignment(Backing DC)

Step2/Timing 2: 1-2 사이에 1/4 회전, Alignment(Backing DC against LOD)

Step3/Timing 3.4: 2-3 사이에 1/8 회전, Alignment(Backing against LOD)

Step4/Timing 5.6: 왼쪽으로 상체를 돌리고, Alignment(Backing against LOD)

Step5/Timing 7: Alignment(Facing LOD)

Step6/Timing 8: Alignment(Backing against LOD)

Step7/Timing 1.2: Alignment(Facing LOD)

Step8/Timing 3.4: 7-8 사이에 1/4 회전, Alignment(Facing Centre)

Step9/Timing 5: 9-11 사이에 왼쪽으로 1/8 서서히 회전, Alignment(Backing Wall)

Step10/Timing 6: Alignment(Backing between Wall and DW)

Step11/Timing 7.8: Alignment(Backing DW)

Big Top

남성

1/8 도 왼쪽으로 회전한 후, 오른쪽 발을 앞으로 움직입니다(Q).
여성을 이끌어 전진하면서, 오른쪽 다리를 중심으로 몸의 무게를 유지하며(Q),
몸을 약간 왼쪽으로 돌립니다. 그리고 오른쪽 다리를 축으로 하여 왼쪽으로 3/8 회전하고, 왼쪽 다리를 뒤로(&)
물러나면서 계속해서 왼쪽으로 회전합니다. 그리고 나서 오른쪽 다리를 뒤로(Q) 물러나면 됩니다.

여성

왼쪽 다리를 앞으로 내딛으며(Q), 동시에 오른쪽 다리도 따라와 앞으로 나아갑니다. 앞 발가락을 바닥에 놓고 머리는 계속해서 오른쪽을 향하게 유지(Q)합니다.
무게를 오른쪽 다리 앞 발가락에 옮기며, 몸은 왼쪽으로 3/4 회전합니다. 왼쪽 다리를 가볍게 오른쪽 다리에 손가락으로 살짝 닿게 하지만, 무게는 옮기지 않은 채로(&) 계속해서 왼쪽으로 회전합니다. 그 후에는 왼쪽 다리를 다시 앞으로 움직입니다(Q).

Throwaway Oversway

남성

여성을 앞으로 이끌면서, 왼쪽으로 3/8 회전하고 머리를 왼쪽으로 회전하며, 왼쪽 다리를 옆으로 향한 채로 옆으로 걷는 자세로. 왼쪽 무릎을 구부리고, 오른쪽 다리를 부드럽게 펼쳐서 오른쪽 발의 엄지발가락을 가볍게 바닥에 닿게 하면서, 몸을 약간 왼쪽으로 기울입니다(S). 몸을 왼쪽으로 돌려 오른쪽으로 기울이며 여성을 왼쪽으로 돌리고, 눈은 여성을 쳐다봅니다(S). 몸을 똑바로 세우고 오른쪽으로 회전하면서, 오른쪽 다리를 왼쪽 다리에 가볍게(&) 붙이고, 무게를 오른쪽 다리에 옮기면서, 동시에 왼쪽 다리를 옆으로 향하게 하지만, 무게는 옮기지 않고 몸을 옆으로 향하게 합니다(S).

여성

오른쪽 발을 앞으로 천천히 전진시키고, 몸을 왼쪽으로 1/8 돌리며 머리를 오른쪽으로 가볍게 휘두르면서, 몸을 조금 오른쪽으로 기울입니다. 이때 왼쪽 발은 그 자리에서 천천히 펴서 무게를 올리지 않고, 발의 앞부분을 가볍게 바닥에 닿게 합니다(S). 그리고 오른쪽 발로 지지하면서 몸을 왼쪽으로 돌립니다. 왼쪽 다리는 뒤로 느긋하게 펴서 무게를 올리지 않고, 발의 엄지를 바닥에 가볍게 닿게 하면서 머리를 빠르게 왼쪽으로 돌리고, 상반신을 빠르게 오른쪽으로 뒤로 펴면서(S),

오른쪽으로 돌아가면서, 왼쪽 다리를 오른쪽으로 모아서(&), 머리를 오른쪽으로 돌리고 동시에 오른쪽으로 발을 옆으로 뻗어 무게를 올리지 않으면서, 측면의 자세를 취합니다(S).

블루스 루틴

초급

1번 기본 베이직(전·후진 스텝)

2번 포워드 4 스텝

3번 전진 2 스텝

4번 첵

5번 체크 턴

6번~7번 레프트 샤세 & 라이트 샤세

8번 오픈 9번 프롬나드 샤세 10번 아웃 투웍

11번 내츄럴 위브

12번 솔로 턴(어깨)

13번 리버스턴 인사이드 턴

14번 지그재그 워킹

15번 리버스 턴&체크턴(90°)

16번 180° 체크턴

17번 내츄럴 프롬나드 턴

18번 투웍, 턴

19번 목감기

20번 비하인드 백 여성 솔로 턴

21번 터널 & 남·여 턴

22번 더블 오픈(프롬나드 샤세)

23번 로터이 아웃 사이드 턴(여성)

24번 사이드 샤세 라운드

25번 헤드 플릭

26번 워킹 당겨 오픈

27번 사이드 스텝 오픈

28번 백 지그재그

29번 백 스텝 프롬나드 스텝

30번 홀드, 전진 스텝

31번 등 뒤로 8박 허리 걸이 턴

32번 사이드 지그재그&백 스텝
33번 포장&아웃사이드 턴
34번 아웃사이드 턴
35번 로터리 지그재그 스위블
36번 리버스턴(마무리 턴) 갈까 말까
37번 워킹 오픈
38번 프롬나드 쓰리 스텝
39번 역 오픈(프롬나드 샤세)
40번 180도 체크 턴, 트위스트(스위블)
41번 180도 체크 턴, 트위스트(스위블), 턴
42번 프롬나드 쓰리 스텝, 트위스트(스위블)
43번 투웨, 사이드 스텝
44번 리듬 타기
45번 리듬 전·후진 스텝
46번 후진 사이드 스텝(남-왼쪽)
47번 후진 사이드 스텝(L/R)
48번 크로스 스위블(백 지그재그) 역 오픈
49번 지그재그, 프롬나드 포지션
50번 지그재그 아웃사이드 턴
51번 바운스 사이드 지그재그
52번 지그재그 리버스 턴
53번 반 스핀(네츄럴 턴)
54번 트윙클
55번 지그재그 인사이드턴
56번 백스텝 내츄럴 턴
57번 전진 지그재그
58번 후진 스텝(6스텝)
59번 프롬나드 첵 락
60번 사이드 스텝 지그재그
61번 백 스텝 스위블 역회전
62번 전진 커트
63번 아웃사이드 턴, 인사이드 턴
64번 오픈 프롬나드 샤세 잔발

65번 스탑 콘트라 체크

66번 아웃사이드 턴 응용

67번 리버스 스위블, 트위스트

68번 제자리 리듬 타기

69번 백 링크

70번 프로그레시브 링크

71번 백 스텝, 런닝 브레이크

72번 런닝, 훅 던지기

73번 팽이 연속

74번 오픈 전진 트위스트(스위블)

75번 백 스텝 90° 연속

76번 어깨걸이

77번 전진 트위스트(스위블)

78번 어깨 커트

79번 백 스텝 후 아웃사이드 턴

80번 터널

81번 리버스턴 커트 턴

82번 후진 커트 1

83번 후진 커트, 갈까 말까, 전진 투웍

84번 후진 커트 2

85번 후진 커트 3

86번 오픈 프롬나드 샤세 다이아몬드 스텝

87번 런닝, 훅 던지기(손 머리 위)

88번 후진 커트

89번 전 후진 8박

90번 브레이크

91번 쿼터 턴

중급

1번 사이드 지그재그(열고 닫고)

2번 사이드 지그재그(열고 닫고, 로터리(내츄럴 턴)

3번 사이드 지그재그(열고 닫고, 스위블 마무리 턴)

4번 아우사이드턴, 포장, 터널

5번 레프트 언더암턴, 헤머락, 어깨 컷
6번 아웃사이드 스핀
7번 남성 포장, 여성 인사이드 턴
8번 프롬나드 샤세, 백워드, 터널
9번 홀딩, 회전 커트
10번 오픈 프로미네이드 아웃사이드 스위블
11번 백 스텝 자리바꿈 연속
12번 아웃사이드 2턴,터널,어깨터치 턴
13번 남성 포장, 여성 인사이드 턴
14번 폴어웨이 지그재그
15번 프롬나드 샤세, 백 워드, 터널
16번 여자 후진 돌기(쉐도우 턴)
17번 홀딩, 회전 커트
18번 오픈 프로미네이드 아웃사이드 스위블
19번 투웍 여성 포장 후 인사이드 턴
20번 아웃사이드 2턴, 터널, 어깨 터치 턴
21번 (아웃사이드턴) 언더암턴 회전 6박
22번 팔짱 끼기
23번 외곽 돌기
24번 오픈 프롬나드 샤세, 백 스텝, 비하인드 백
25번 루프, 헤머락, 여성 턴
26번 다이아몬드 스텝(제자리)
27번 다이아몬드 스텝(90°)
28번 다이아몬드 스텝(180°)
29번 백스텝 스위블 역회전 후 허리 걸이
30번 연속 리버스 첵
31번 남성 허리 터치 후 여성 솔로 턴
32번 허리 걸이
33번 다이아몬드 링크
34번 투웍 여성 포장 후 인사이드 턴
35번 리버스턴, 락턴
36번 다이아몬드 업프로치 홀드
37번 (아웃사이드 턴) 언더암턴 회전 6박

상급

1번 지그재그, 클로즈드 포지션

2번 백 스텝 인사이드 턴, 허리 걸이

3번 내츄럴스핀, 아웃사이드 턴

4번 내츄럴턴, 여성 툭 던지기

5번 쉐도우 턴, 인사이드 턴(여성)

6번 터널 후 남성 뒤 목걸이, 쉐도우 턴

7번 백 스텝 남성 허리 걸이 후 남·여 회전

8번 왼, 오 커트

9번 빽 스위블, 스위블

10번 백스텝 커트, 지그재그 홀딩

11번 백스텝 커트, 쉐도우 턴

12번 전진 샤세, 후진 샤세, 터널 후 남성 뒤 목걸이

13번 포장, 남성 허리 걸이

14번 백 스텝, 포장

15번 사이드 샤세 턴

16번 남성 허리 걸이 쉐도우 턴, 여성 솔로 턴

17번 락턴

18번 지그재그 홀딩

19번 지그재그, 리버스턴 프롬나드 포지션 오픈

20번 백 스텝 남성 후진 연속 턴

21번 지그재그 연속 스위블 마무리

22번 남성 전진 솔로 턴, 여성 아웃사이드 턴

23번 지그재그 링크, 오픈

24번 회전 6박 커트

25번 백 스텝, 포장, 쉐도우 턴

26번 전진 샤세, 후진 샤세 남성 포장

27번 남성 전진 연속 전진 턴

28번 네추럴턴(안스핀)

29번 네츄럴 피봇

30번 트윙클 1번

31번 트윙클, 클로우드 포지션으로 마무리

32번 오픈, 크로즈드 샤세

33번 다이아몬드 런닝 스텝 연속, 홀드

34번 백 스텝 남녀 손들고 그림자 턴

35번 백 스텝, 다이아몬드 스텝

36번 지그재그 피벗 턴

37번 일자 다이아몬드(샤세 후)

38번 연속 커트, 다이아몬드

고급

1번 오버 스웨이 역 지그재그 크로스첵 원투 마무리

2번 지그재그 프롬나드 피벗

3번 백 스텝 쉐도우 턴

4번 스위블, 제자리 트위스트

5번 후진 샷세

6번 지그재그 아웃사이드 스위블 헤드플릭

7번 하나 스위블

8번 연속 리버스턴

9번 크로스 스위블

10번 샤세, 피벗 턴

11번 스위블 오픈 프롬나드 샤세

12번 어프로치 크로스첵 홀드

13번 지그재그 턴, 프롬나드 포지션으로 마무리

14번 터널, 스위블

15번 지그재그 연속 스위블 오픈

16번 내츄럴턴 마무리

17번 커플 스위블

18번 연속 리버스턴

19번 백 스텝, 다이아몬드 스텝

20번 트윙클 지그재그

21번 텔레스핀

22번 바운스 론데

23번 찰스턴 크로스 첵 내츄럴스핀 턴, 리버스턴 마무리

24번 트윙클 지그재그

25번 다이아몬드 스텝 여성 솔로 심플 스핀

26번 백 스텝 커트, 헤드플릭

27번 안스핀 ,비엔나 스핀

28번 백 스텝, 쉐도우 턴

29번 프론나드 샤세 응용

30번 홀딩(왼.오 체인지)

31번 백 스텝 여성 솔로 턴

32번 드레그

33번 포장 후 백턴

34번 폴어웨이 런닝 리버스턴

35번 리버스턴 블루스 딥

36번 백 스텝 커트, 쉐도우 턴(연속)

37번 백 스텝 리버스턴 스위블 응용

38번 스위블(정면)

39번 지그재그 스위블 응용

40번 안스핀(네추럴턴) 응용

41번 리버스턴, 스위블 연속 응용

42번 리버스턴 스웨이 응용

43번 스위블, 딥

44번 다이아몬드 심플 턴

45번 스위블, 딥

46번 전진 스위블 브레이크

47번 사이드 스위블 브레이크

48번 스핀 엔 텔레스핀

49번 U턴

50번 백 스텝, 스탠딩 스핀

51번 백스텝, 스탠딩 스핀(왼.오)

52번 내츄럴턴(안스핀), 헤드플릭

53번 다이아먼드 스텝 응용

54번 포장, 피앙새(멈춤)

55번 스위블턴 SS

56번 리버스턴(비엔나)

최고급

1번 런닝 연속

2번 런닝, 심플 홀딩 턴 1

3번 런닝, 심플 홀딩 턴 2

4번 크로스 스핀

5번 론데 스핀

6번 백 스텝 리버스턴 런닝 스텝

7번 론데, 런닝

8번 론데 크로스,쉐도우 턴 브레이크

9번 여 지그재그, 남 연속 런닝 딥

10번 백 스텝 런닝 커트, 내츄럴 턴

11번 론데 크로스, 브레이크

12번 크로스 론데

13번 런닝(세임풋 런지) 턴

14번 런닝(세임풋 런지) 론데 브레이크

15번 런닝(세임풋 런지) 론데 브레이크, 여 지그재그

16번 지그재그 런닝(세임풋 런지), 내츄럴 턴 연속

17번 지그재그 런닝(세임풋 런지)

18번 지그재그 론데 스핀 연속

19번 론데 크로스

20번 론데 크로스 브레이크

21번 스탠딩 스핀 포지션에서 크로스 리버스턴

22번 스탠딩 스핀, 론데 스핀 크로스 리버스턴

23번 러닝네츄럴턴

24번 아웃사이드 론데

25번 샤링스위블 리버스턴

26번 런닝, 론데 응용

27번 런닝,홀드

28번 프롬나드 샤세, 피벗 턴

29번 커트 샤링

30번 런닝 멋내기 스텝

31번 크로스 첵 스위블

32번 더블 커트, 크로스 첵 스위블

33번 론데 크로스,쉐도우 턴
34번 백 스위블
35번 론데 크로스첵
36번 론데 360° 턴
37번 세임풋 런지

마스터

1번 라이트 런지
2번 세임 풋 런지
3번 지그재그 쎄임풋 런지
4번 테레스핀 오버스웨이
5번 콘트라체크
6번 오버스웨이 론데
7번 세임 풋 런지, 오버스웨이
8번 세임 풋 런지, 드로우어웨이 오버스웨이
9번 백스텝, 런닌, 리버스턴, 드로우어웨이 오버스웨이
10번 리버스턴(마무리턴) 응용(딥)
11번 지그재그 론데
12번 지그재그 오버스웨이
13번 지그재그 드로우어웨이 오버스웨이
14번 지그재그 스탠딩 스핀 포지션
15번 지그재그 콘트라체크
16번 블룻 오버스웨이 론데
17번 위스크&스탠딩스핀
18번 프롬나드 샤세 오버스웨이
19번 트윙클 3, 런지, 콘트라 체크

바레이션

1번 터널 2회 제자리 사이드에서 당겨 손 놓기
2번 후진 10박 포장
3번 그림자 턴
4번 왼·왼 여성 역회전 터널

5번 제자리 손잡은 상태에서 앞 돌리기

6번 제자리 손목 밀기

7번 왼손 커트 응용(사이드)

8번 남성 허리 걸이 후 여성 커트

9번 여성 백 역회전

10번 여성 역회전 연속 2번

11번 여성 등 뒤 어깨걸이 백턴

12번 홀딩 응용

13번 팔꿈치 터치

14번 헬리콥터 남성 허리 걸이 남·여 같이 턴 꼬리 자르기

15번 사이드 남·여 동시 회전

16번 전진 외곽돌기

17번 정면에서 포장 후 사이드에서 풀기

18번 헬리콥터 사이드에서 여성 당겨 회전

19번 남성 허리 걸이 후 여성 턴

20번 제자리 사이드에서 여성 당겨 놓고 커트

21번 여성 등 뒤로 8박 손 놓고, 어깨 터치 백턴

22번 크게 돌리기

23번 팔꿈치 걸이 응용

24번 헬리콥터 팔짱 끼고 여성과 같이 회전

25번 핸드 크로스에서 오. 오 목감기

26번 여성 허리 걸이 전진 연속 턴

27번 사이드 팔짱 끼고 남·여 같이 돌기

28번 톱니바퀴

29번 터널. 4박. 헬리콥터

30번 여성 당겨 회전 후 여성 따라가면서 다시 회전

31번 여성 역회전 후 커트

32번 제자리 헤드락 후 터널(아치)

33번 외곽 돌기. 터널. 커트

34번 원 그리며 회전 컷 연속 응용

35번 등 뒤로 겨드랑이 걸기 540° 여성 턴

36번 후진 12박 목걸이 왼.오

37번 목감아 풀기(역으로 한 바퀴 반 턴)

38번 여성 역회전 후 보내기
39번 여성 돌면서 남성 배 터치
40번 제자리 회전·터널
41번 양손 포장 후 남·여 동시 회전, 커트 연속
42번 남성 등 뒤로 손들어 여성 회전
43번 사이드 터널 만들고 여성 허리 걸이
44번 여성 등 뒤 후진 2박 손들어 여성 턴
45번 쳐킹
46번 사이드 이동 4박 6박 턴 마무리
47번 헤드락 남·여 동시 회전. 헤드락 커트
48번 등 뒤로 8박 후 여성 겨드랑이 턴
49번 양손 잡고 여성 턴 후 여성 등 뒤
50번 등 뒤로 여성 어깨 커트 2회 손 커트
51번 그림자 턴
52번 여성 크게 돌리고 목 뒤로 손 체인지
53번 사이드에서 목걸이 여성 허리 걸이 손 놓으면서 턴
54번 당겨 놓으면서 여성 턴, 사이드 컷
55번 양손 쓰기 응용 1
56번 남녀 우회전 후 연속 커트
57번 그림자 포지션에서 남·여 동시 회전
58번 후진 6박 역회전 팽이
59번 역회전 목걸이 후 남·여 같이 회전
60번 양손 쓰기 2
61번 양손 쓰기 응용 3
62번 뉴욕 후 남성 목걸이
63번 남성 허리 걸이 손 놓고 외곽 돌기
64번 남성 겨드랑이 걸이. 남·여 동시 회전 후 외곽 돌기
65번 남성 허리 걸이 턴. 풀기
66번 스윗하트 그림자 회전
67번 4박 u턴
68번 여성 정면·뒷면 커트
69번 사이드 여성 역회전 어깨걸이
70번 사이드 목감기 상태에서 남·여 동시 회전

71번 여성 180° 턴 후 남성 심플 턴
72번 터널(아치) 커트 연속 2회. 손 놓고 남·여 동시 턴
73번 여성 허리 걸이 상태에서 남·여 동시 회전 후 여성 턴
74번 외곽 돌기 여성 4박 턴, 6박 턴
75번 왼손 겹 돌기 1
76번 왼손 겹 돌기 2
77번 왼손 겹 돌기 3
78번 양손 쓰기 4
79번 상급 터널 후 팔꿈치 걸이
80번 오프닝 아웃
81번 후진 6박 제자리 트위스트 백 턴
82번 왼·왼 어깨걸이 후 브레이크
83번 양손 쓰기 5
84번 톱니바퀴 응용
85번 목 겹 돌기(외곽 돌기)
86번 여성 배 감아 풀기 연속 커트
87번 터널 후 여성 중심으로 손 놓고 빙빙 돌기
88번 터널, 풍차
89번 양손 굴 통과 후 여성 따라가기
90번 기본 옆 커트 2회
91번 후진 10박 왼.오 목걸이. 역 풀기
92번 하트
93번 후진 6박 포장. 풀기 헤드락 컷
94번 후진 어깨걸이 10박
95번 후진 겨드랑이 턴 10박
96번 여성 허리 걸이 후 턴
97번 제자리 어깨걸이 커트
98번 외곽 돌기. 여성 역회전 커트
99번 여성 회전 후 목걸이
100번 제자리 돌리고 여성 등 뒤로 후진 턴
101번 그림자 회전하면서 기찻길 건네기
102번 후진 6박 오. 왼 목걸이 역회전
103번 전진 외곽 돌기

104번 남성 허리 걸이 전진 여성 커트

105번 등 뒤 백 턴 목걸이 후 풀기

106번 연속 터널, 팔 걸어 돌리기

107번 양손 어깨걸이 손 체인지

108번 스윗하트 커트

109번 왼손 외곽 돌기(겹 돌기) 후 여성 사이트 커트

110번 양손(목·허리 연속 동작)

111번 여성 배 감기 응용

112번 후진 12박 오. 오 손들고

113번 등 뒤로 이동하면서 여성 오른손 어깨걸이 후 턴

114번 등 뒤로 기본 8박 여성 사이드에서 여성 턴

115번 터널 후 기본 커트

116번 왼.오 후진 10박

117번 헬리콥터. 뉴욕스프링

118번 남성 허리, 여성 목걸이

119번 풍차 돌리기. 어깨동무 남·여 같이 턴

120번 한 손 연속 커트

121번 뉴욕 2회 후 커트

122번 남성 허리 걸이, 남·여 같이 회전

123번 아치(터널) 커트

124번 양손 쓰기 응용 6

125번 사이드에서 목감아 풀기

126번 사이드에서 여성 역회전 후 정회전

127번 양손 쓰기 응용 7

128번 남성 사이드 후진하면서 목감고 풀기

129번 후진 어깨걸이 14박

130번 헬리콥터 남·여 동시 회전

131번 전 후진 8박 포장 응용

132번 남성 목 뒤 걸 이후 여성과 동시 돌기

133번 팔짱 끼기, 여성 남성 배 타고 턴

134번 후진 6박. 허리 동무 동시 회전

135번 제자리 남성 턴 후 외곽 돌기(겹 돌기)

136번 팽이(배. 목) 응용

137번 후진 6박 어깨걸이 스윗하트 6박

138번 외곽 돌기 솔로 턴

139번 남성 허리 걸이, 어깨 밀기 원 그리면 회전 컷 연속

140번 헬리콥터 목감기. 손들어 4박 커트 후 여성 턴

141번 등 뒤로 8박 후 외곽 돌시(겹 돌기)

142번 터널 후 어깨 턴

143번 남성 심플 턴. 리프낫 남·여 같이 회전

144번 여성 허리 걸이 컷 연속

145번 등 뒤 팔짱 끼기